10/18

12, AVENUE D'ITALIE. PARIS XIIIᵉ

ANNE PERRY

UNE MER SANS SOLEIL

Traduit de l'anglais
par Florence Bertrand

INÉDIT

10
18

Grands détectives

créé par Jean-Claude Zylberstein

Titre original :
A Sunless Sea

© Anne Perry, 2010.
© Éditions 10/18, Département d'Univers Poche, 2012,
pour la traduction française.
ISBN : 978-2-264-05401-2

Pour Frances et Henry

1

Le soleil se levait lentement, baignant la Tamise de reflets rougeoyants. Les gouttes qui tombaient des rames de Monk brillèrent un instant avec l'éclat du vin, ou du sang. Assis devant lui, Orme courbait le dos, pesait de tout son poids contre le courant. Ils ramaient parfaitement en rythme, désormais habitués l'un à l'autre. On était au début de décembre 1868, et près de deux ans s'étaient écoulés depuis que Monk avait pris la direction de la brigade fluviale au commissariat de Wapping.

C'était une petite victoire pour lui. Contrairement à Orme, qui avait passé là toute sa vie d'adulte, il avait d'abord exercé dans la police métropolitaine, puis en tant que détective privé. Il lui avait fallu s'adapter.

La satisfaction paisible qu'il éprouvait fut soudain brisée par un hurlement, perçant malgré le grincement des rames dans les tolets et le bruit des vagues provoquées par un chapelet de péniches. D'un même mouvement, Monk et Orme se tournèrent vers la rive nord et la jetée de Limehouse, distante de vingt mètres à peine.

Le cri se répéta, strident, horrifié, et une silhouette noire apparut brusquement, se détachant sur les contours indistincts des hangars et des entrepôts qui bordaient les quais. Enveloppée d'un long manteau, elle chancelait et gesticulait, sans que l'on pût savoir s'il s'agissait d'un homme ou d'une femme.

Orme lança à Monk un regard par-dessus son épaule, planta sa rame dans l'eau et fit pivoter la barque en direction du rivage.

La silhouette s'agita de plus belle à leur approche. Comme les nuages bas se séparaient, laissant place à une vive clarté, ils distinguèrent une femme vêtue de longues jupes. Debout sur la jetée, elle continuait à leur faire de grands signes, criant des paroles que la terreur rendait confuses, inintelligibles.

L'embarcation heurta les marches. Orme se chargea de l'amarrer pendant que Monk débarquait et se ruait dans l'escalier. Une fois en haut, il jeta autour de lui un coup d'œil perplexe. La femme s'était mise à sangloter et se couvrait le visage de ses mains, pourtant il ne voyait rien ni personne qui pût causer une peur aussi hystérique. À l'exception d'Orme, qui montait à son tour, les lieux étaient déserts.

Monk la prit doucement par le bras.

— Qu'y a-t-il ? demanda-t-il d'une voix ferme. Qu'est-ce qui ne va pas ?

Elle se dégagea et se tourna, montrant frénétiquement du doigt un tas d'ordures que Monk n'avait pas remarqué dans la semi-pénombre.

Il s'avança et sentit un nœud se former dans son estomac. Ce qu'il avait pris pour une toile déchirée était en réalité la jupe détrempée d'une femme si affreusement mutilée qu'il lui fallut un instant pour reconnaître un être humain. Inutile de se demander si elle était morte. Son corps disloqué gisait à moitié sur le dos, son visage grisâtre et ses yeux sans vie tournés vers le ciel. Elle avait les cheveux poisseux, les vêtements ensanglantés, mais ce ne fut pas cela qui fit monter la bile dans la gorge de Monk et lui coupa le souffle. Elle avait été éventrée, et ses entrailles arrachées ressemblaient à de pâles serpents dépecés en travers de son bas-ventre.

Il entendit les pas d'Orme derrière lui.

— Seigneur !

Ce n'était pas un blasphème, plutôt un appel à l'aide, la prière d'un homme qui se refusait à croire que cette scène pût être réelle.

Monk déglutit avec difficulté et prit un instant appui sur l'épaule d'Orme. Puis, titubant légèrement sur les planches irrégulières de la jetée, il retourna à la femme qui, toujours debout, tremblait de tous ses membres et la prit par les épaules.

— Savez-vous qui elle est ?

Elle secoua la tête et tenta de le repousser, mais ses forces l'avaient abandonnée.

— Non ! Que le bon Dieu me vienne en aide, je la connais pas. Je suis venue chercher mon homme. Ce vaurien a passé toute la nuit dehors ! Et je suis tombée sur elle.

Elle fit le signe de croix, comme pour refouler l'horreur.

— J'avais une peur bleue que ce soit lui, et puis je l'ai vue, la pauvre.

— C'est à ce moment-là que vous avez crié ?

— Ben oui. Z'êtes de la fluviale, hein ?

— Oui. Comment vous appelez-vous ?

Elle n'hésita qu'une seconde. Avec ce cadavre étendu sur le ponton, presque assez proche pour qu'on puisse le toucher, la présence de la police n'était peut-être pas une si mauvaise chose.

— Ruby Jones.

— Où habitez-vous, Mrs. Jones ? Et dites-moi la vérité, s'il vous plaît ? Vous ne voudriez pas qu'on soit obligé de vous chercher et que votre nom circule tout le long du fleuve.

Elle planta son regard dans le sien et en conclut qu'il ne plaisantait pas.

— Northey Street, derrière l'asile de pauvres.

— Regardez-la encore une fois, s'il vous plaît, ajouta-t-il, radouci. Concentrez-vous sur son visage. Il n'est pas trop abîmé. Essayez de vous rappeler si vous l'avez déjà vue.

— Je vous dis que je la connais pas ! Je vais pas regarder ça une fois de plus. Je la reverrai jusqu'à la fin de mes jours !

Il ne discuta pas.

— Venez-vous d'arriver ou êtes-vous là depuis un moment, en train d'appeler votre mari, peut-être ?

— Je le cherchais quand je l'ai vue. Vous vous imaginez que je serais restée longtemps à côté de ce truc-là ?

— Non. Allez-vous pouvoir rentrer seule chez vous, Mrs. Jones ?

— Oui, répondit-elle en se dégageant avec brusquerie. Oui.

Elle prit une profonde inspiration, puis osa un coup d'œil en direction du corps, la pitié remplaçant momentanément l'horreur sur ses traits.

— Pauvre femme, lâcha-t-elle dans un souffle.

Il la laissa partir et se tourna vers Orme. Tous deux se penchèrent ensemble sur le cadavre. Monk effleura avec précaution le visage de la victime. La chair était froide. Il toucha son épaule, guettant le moindre soupçon de chaleur. En vain. Elle était sans doute morte depuis la veille au soir.

Ils l'allongèrent sur le dos, exposant son ventre ouvert et les entrailles qui en dégorgeaient, luisantes et ensanglantées.

Pourtant habitué à voir des cadavres, Orme émit un soupir horrifié et vacilla un instant. Il savait quels dégâts peuvent être causés par le temps et les charognards, mais cette barbarie-là avait été infligée par l'homme, et il ne pouvait dissimuler combien il était secoué. Il toussa et s'étrangla. Instinctivement, bien que son geste ne servît à rien, il se baissa et rabattit les vêtements de la morte sur elle.

— Nous ferions mieux d'avertir le médecin légiste et le commissariat du quartier, dit-il d'une voix rauque.

Monk acquiesça, ravalant sa salive. Un moment, il s'était senti paralysé par l'horreur et la compassion. Le fleuve qu'il connaissait si bien lui paraissait soudain froid et étranger. Les silhouettes familières des quais et des jetées en bois qui s'avançaient dans l'eau semblaient se refermer sur eux, menaçantes, déformées par la lumière crue de l'aube.

Orme le regarda d'un air sombre.

— Nous l'avons trouvée sur la jetée, ce qui signifie que c'est à nous d'enquêter, monsieur, reprit-il, morose. Cependant la police métropolitaine saura peut-être qui est cette malheureuse. Il pourrait s'agir d'un crime passionnel. À moins que nous n'ayons un dément sur les bras.

— Parce que vous pensez qu'un homme sain d'esprit aurait pu faire une chose pareille à sa femme ? se récria Monk, incrédule.

Orme secoua la tête.

— Qui sait ? Il me semble parfois que la haine est pire que la folie.

Il eut un geste de la main.

— Le commissariat est par là. Si vous voulez, je vais rester ici avec elle pendant que vous allez chercher quelqu'un, monsieur.

Sa suggestion était sensée, Monk étant de loin son supérieur hiérarchique. Néanmoins, ce dernier lui fut reconnaissant et n'en fit pas mystère. Il n'avait nulle envie de s'attarder sur la jetée, par ce vent glacial, à veiller cet affreux cadavre.

— Je vous remercie. Je ferai au plus vite.

Il se détourna, se dirigeant d'un pas rapide vers la rive et la rue au-delà. Les couleurs de l'aube s'étaient dissipées, laissant un ciel pâle où se découpaient les ombres des hangars et des entrepôts. Il croisa des débardeurs qui partaient au travail. Un allumeur de réverbères, lui-même à peine plus qu'une ombre grise, tendit sa perche et éteignit la dernière lampe de la rue.

Une heure plus tard, Monk et Orme se trouvaient au commissariat, grelottant encore. Leurs pantalons trempés leur collaient aux jambes, et ils se sentaient glacés de l'intérieur, au point que même un thé brûlant accompagné de whisky ne put les réchauffer. Overstone, le médecin légiste de la police, entra et referma la porte derrière lui. Il avait une soixantaine d'années et ses cheveux châtains grisonnants commençaient à se clairsemer, mais son visage était plein de vivacité. Son regard alla du sergent à Orme, puis à Monk. Il secoua la tête.

— C'est épouvantable, murmura-t-il. Pour résumer, les mutilations ont presque certainement été infligées après la mort. Il est difficile d'être catégorique car, si elle n'était pas déjà morte, cela l'aurait tuée. Cependant, il y a eu d'importantes pertes de sang. L'entaille s'étend pratiquement du nombril à l'entrecuisse.

Monk considéra son expression tendue, ses yeux pleins de pitié.

— Si elle était morte quand cela s'est produit, quelle est la cause du décès ?

— Un coup porté à l'arrière de la tête. Un seul. Assez violent pour lui fracasser le crâne. Je dirais qu'on a utilisé un tuyau en plomb ou un objet du même genre.

Overstone était debout à côté d'un bureau sur lequel s'entassaient des piles de dossiers. Des étagères bien ordonnées, contrairement à celles de Monk, occupaient les murs de la pièce.

— Pouvez-vous nous dire quoi que ce soit d'utile ? insista Monk sans grand espoir.

Overstone fit la moue.

— Ç'a été plutôt brutal. L'agresseur a dû prendre de l'élan. Difficile de savoir s'il mesurait un mètre cinquante ou un mètre quatre-vingts.

— A-t-il frappé de la main gauche ou de la droite ?

— Des deux, à mon avis, ce qui ne vous aide pas beaucoup, s'excusa-t-il.

— Et pour ce qui est des… mutilations ?

— On s'est servi d'une lame assez longue, entre dix et treize centimètres. Les coupures sont profondes, plutôt nettes. Un couteau de boucher, de marin – ou de fabricant de voiles, par exemple. Bon sang, mon ami, la moitié des bateliers, vendeurs d'articles de marine et constructeurs de bateaux de la Tamise possèdent des outils qui auraient pu éventrer cette pauvre femme. Même un rasoir ! Il pourrait s'agir d'un coiffeur, pour ce que j'en sais. De n'importe quel homme qui se rase.

Il semblait irrité, comme si son incapacité à donner une réponse précise éveillait en lui un vif sentiment de culpabilité.

— Ou d'une ménagère, commenta le sergent.

Monk lui lança un regard rapide. L'homme baissa les yeux.

— Excusez-moi, monsieur.

— Non. Vous avez raison. Le coupable pourrait être n'importe qui.

Monk se tourna de nouveau vers Overstone.

— Que pouvez-vous me dire concernant la victime ?

Le médecin haussa les épaules, l'air impuissant.

— Elle devait avoir entre quarante et cinquante ans. Pour autant que je puisse en juger après un examen rapide, elle était en bonne santé. Environ un mètre soixante. Cheveux châtains, grisonnant aux tempes. Les yeux bleus, visage agréable sans être remarquable. Des dents saines, ce qui est rare, je suppose. Très blanches. Léger chevauchement à l'avant. J'imagine que c'était joli quand elle souriait.

Il baissa les yeux sur le plancher usé.

— Il y a des jours où je hais ce fichu métier !

Presque aussitôt, il releva la tête. Le moment de faiblesse était passé.

— Peut-être en saurai-je davantage demain. Ce que je peux vous dire dès aujourd'hui, c'est que des mutilations pareilles vont susciter beaucoup d'émotion. Dès que la rumeur va se répandre, cela va éveiller la peur, la colère, voire la panique. Je ne vous envie pas.

Monk s'adressa au sergent.

— Tâchez d'être aussi discret que possible, ordonna-t-il. Ne donnez pas de détails. De toute manière, la famille n'a pas besoin de savoir tout cela. À supposer qu'elle en ait une. J'imagine qu'on n'a pas signalé de disparition ?

— Non, monsieur, répondit le sergent d'un ton morose, sans conviction. Nous ferons notre possible.

Monk et Orme quittèrent les quais de Limehouse et parcoururent Narrow Street sur toute sa longueur, du nord au sud, abordant les passants et les clients des échoppes désormais ouvertes pour leur demander s'ils avaient vu quiconque aller vers la jetée la veille au soir, s'ils connaissaient des gens qui passaient par là pour rentrer chez eux, ou des prostituées susceptibles de travailler dans le quartier.

La description de la victime était trop vague pour qu'ils tentent de l'identifier : taille moyenne, cheveux châtains, yeux bleus. Et il était encore trop tôt pour qu'on s'inquiète de la disparition de quelqu'un.

On leur parla de plusieurs prostituées et même d'une ou deux personnes qui aimaient se promener dans Narrow Street, laquelle offrait ici et là une belle vue sur la Tamise. Au total, ils notèrent une douzaine de noms.

Tournant le dos au fleuve, ils remontèrent les ruelles jusqu'à Northey Street, Orme d'un côté et Monk de l'autre, posant les mêmes questions. Le vent s'était calmé et il ne pleuvait pas, mais il faisait froid. Le soleil bas de l'hiver n'apportait aucune chaleur.

Comme Monk traversait Ropemakers' Fields, une petite femme vêtue de gris sortit d'une maison, un ballot de linge en équilibre sur la hanche. Monk s'arrêta devant elle.

— Excusez-moi, vous habitez ici ? s'enquit-il.

Elle le détailla de la tête aux pieds, l'air méfiant. Il portait ses vêtements habituels, sombres et simples, semblables à ceux d'un batelier sauf qu'ils étaient nettement mieux coupés, confectionnés par un tailleur et non un marchand d'articles de marine. Il s'exprimait clairement, d'une voix aimable, avec assurance.

— Ben oui… répondit-elle, prudente. Et vous êtes qui pour poser des questions ?

— Commissaire Monk, de la police fluviale. Je suis à la recherche de quiconque aurait entendu une bagarre hier soir, peut-être les cris d'une femme ou d'un homme qui s'en prenait à elle.

Elle roula les yeux d'un air las.

— S'il se passe une nuit sans que j'entende des gens se bagarrer, je vous ferai signe, soupira-t-elle. En fait, j'irai avertir les journaux. Maintenant, si ça vous gêne pas, j'ai du travail.

Elle écarta les cheveux qui lui tombaient sur les yeux et, avec un geste irrité, fit mine de s'éloigner.

Il s'avança d'un pas et lui barra le chemin.

— Ce n'était pas une altercation ordinaire. Une femme a été tuée sur la jetée de Limehouse. Sans doute une heure ou deux après la tombée de la nuit.

Elle parut brusquement effrayée, la bouche pincée par l'anxiété.

— Quel genre de femme ?

— Elle était âgée d'une quarantaine d'années.

Le visage de son interlocutrice se détendit. Monk devina qu'elle avait des filles qui passaient par là, qui peut-être même s'attardaient dans les rues à bavarder ou à se laisser conter fleurette par les garçons.

— Un peu plus grande que vous, ajouta-t-il, s'efforçant de décrire la morte de son mieux. Des cheveux châtains qui commençaient à grisonner. Assez jolie, d'une façon discrète. Sans doute un sourire agréable.

— Ça me dit rien, répondit la femme. Je crois pas l'avoir déjà vue. Vous êtes bien sûr qu'elle avait la quarantaine, hein ?

— Oui. Elle portait des vêtements ordinaires, pas ceux d'une femme qui cherchait des clients, reprit-il. Elle n'était pas fardée.

Il se sentait cruel de parler d'elle ainsi. Il l'avait dépouillée de personnalité, d'humour ou de rêves, de goûts et de préférences ; sans doute parce qu'il aurait aussi voulu lui épargner la terreur, et la douleur soudaine, aveuglante. Il espérait avec ferveur qu'elle n'avait pas eu conscience de ce qui lui était arrivé par la suite. Et même qu'elle n'avait pas vu la lame.

— Dans ce cas, c'est son mari qui l'a tuée, répliqua la femme avec une expression de chagrin mêlé de lassitude. Mais j'ignore qui elle est. Ça pourrait être n'importe qui.

Elle repoussa une fois de plus quelques mèches rebelles et remonta le sac plein de linge sur sa hanche.

Monk la remercia et poursuivit son chemin. Il interrogea d'autres hommes et femmes, leur posant les mêmes questions et obtenant plus ou moins les mêmes réponses. Aucun ne reconnut la victime à la description qu'il en faisait. Aucun ne s'était trouvé à proximité de la jetée de Limehouse après la tombée de la nuit qui, à cette époque de l'année, se produisait vers cinq heures de l'après-midi. Nul n'avait entendu de cris ou de bruits suggérant une lutte. La soirée avait été maussade et humide, peu propice au travail. Tous avaient été pressés de rentrer chez eux et de dîner au chaud, voire de déguster une ou deux pintes de bière.

Monk retrouva Orme à midi. Ils burent un thé et mangèrent un sandwich au jambon au coin de la rue, abrités sous un porche, leurs cols remontés.

— Personne n'a rien vu ni rien entendu, grommela Orme. Je ne peux pas dire que je sois surpris. Le bruit court déjà que le crime était affreux. Tout le monde est subitement devenu sourd et muet.

— Ce n'est guère étonnant, commenta Monk, buvant son thé à petites gorgées.

Le breuvage, brûlant et un peu trop fort, ne ressemblait pas au thé léger et parfumé qu'il appréciait à la maison, mais il y était habitué. Celui-ci avait sans doute été préparé des heures plus tôt, et rallongé à l'eau bouillante au fil de la journée.

— Ruby Jones a probablement tout raconté à ses amies, qui en ont parlé aux leurs. Tout Limehouse sera au courant d'ici à cet après-midi.

— Les gens devraient avoir assez peur pour vouloir attraper ce boucher, siffla Orme entre ses dents. Nous avons affaire à un fou, monsieur. Aucun individu sain d'esprit n'a pu lui faire ça.

— Ils ferment les yeux et feignent de croire que tout ça s'est déroulé très loin d'ici. Je les comprends, au fond. À leur place, je ferais la même chose. C'est ainsi qu'arrivent la moitié des crimes. Nous ne voulons rien savoir de peur d'y être mêlés. Si la victime a fait une erreur ou une sottise qui lui a valu ces ennuis, nous croyons être à l'abri en gardant nos distances.

— Croyez-vous que cela va recommencer, monsieur ? demanda Orme tout doucement.

Il était adossé à un réverbère, le regard perdu au loin. Monk se demanda ce qu'il voyait. Après les épreuves amères et terribles qu'ils avaient traversées, il avait parfois l'impression de connaître Orme intimement, de partager avec lui certaines choses qui ne pourraient jamais être formulées. Cependant, il y avait surtout des jours comme celui-là, où ils travaillaient ensemble dans un respect mutuel, voisin de l'amitié, mais sans que la différence entre eux fût jamais oubliée, tout au moins pas par Orme.

— Ça ne s'est pas passé très loin d'ici, reprit ce dernier après un silence. Au contraire. Sauf si elle est venue en bateau. Quoi qu'il en soit, elle a été tuée sur la jetée.

Sa bouche était pincée, son visage buriné tout pâle.

— À moins qu'on ne l'ait amenée ici pour l'éventrer ? suggéra-t-il d'une voix éraillée.

— Elle n'aurait pas saigné autant si elle était morte depuis un certain temps. D'après Overstone, le sang et les hématomes indiquent qu'elle venait de mourir.

Orme laissa échapper un juron, puis s'excusa.

Monk lui signifia d'un geste qu'il n'avait pas à le faire.

Ils demeurèrent silencieux un long moment, debout dans la rue. Des gens venaient acheter du thé, leurs pas résonnaient sur les pavés mouillés. Quelque part, un chien aboyait.

— Pensez-vous qu'on a pu l'éventrer comme ça dans le noir ? demanda enfin Orme. Sans rien y voir ?

Monk le regarda.

— Il n'y avait pas de réverbères là où nous l'avons trouvée. Soit le coupable a agi en pleine nuit, soit il faisait encore un peu jour. Ç'aurait été risqué, en pleine vue sur la jetée. Que faisait-elle là, d'ailleurs ? Ce n'est pas le genre d'endroit où une prostituée emmènerait un client. Les fanaux des péniches risqueraient de les éclairer.

— Pourquoi là, en effet ? insista Orme.

Il se tassa un peu sur lui-même, comme si sa veste ne parvenait pas à lui tenir chaud.

— Peut-être ont-ils été vus, reprit Monk, réfléchissant tout haut. Le spectacle d'un homme luttant avec une femme pourrait faire penser à une étreinte. Les bateliers se seraient amusés de voir qu'il avait l'audace de le faire en plein air. Ils auraient pensé qu'il prenait son plaisir, et non qu'il la tuait.

— Il ne servirait à rien de chercher des témoins, observa Orme d'un ton sombre. Ils pourraient être n'importe où à présent, à Henley comme à Gravesend.

— Ça ne nous apporterait pas grand-chose, de toute manière. Nous ne saurions jamais s'il s'agissait d'eux ou d'un autre couple.

Cette pensée l'attristait. Comment une femme avait-elle pu être assassinée, vidée de ses entrailles comme un vulgaire poisson à deux pas du fleuve le plus fréquenté au monde, sans que personne remarque ou comprenne ce qui arrivait ?

Il se redressa et se força à avaler le reste de son sandwich. Il était bon, mais sa bouche était si sèche que le pain avait un goût de sciure.

— Nous ferions mieux d'essayer de l'identifier, même si ça ne nous aide guère. Sans doute était-elle au mauvais endroit au mauvais moment, voilà tout.

— Il doit bien y avoir des gens à prévenir. Des amis, ou même un mari.

Monk ne dit rien. Il le savait. C'était la partie qu'il redoutait le plus au début d'une enquête sur un meurtre : apprendre la nouvelle aux proches de la victime. À la fin, le pire était de trouver le coupable et de faire souffrir ceux qui l'aimaient.

Ils remontèrent ensemble Narrow Street jusqu'à l'intersection avec Ropemakers' Fields et suivirent celle-ci lentement. Côté nord, des ruelles en partaient à intervalles réguliers. Certaines menaient à Triangle Place, et de là à l'asile des pauvres.

Ils s'y renseignèrent, fournirent une description aussi complète que possible de la morte, mais personne ne manquait à l'appel. De toute façon, la victime ne semblait pas avoir été habituée aux travaux physiques : elle n'avait pas les mains rouges des femmes qui récuraient les planchers ou lavaient du linge à longueur de journée, ni le bout des doigts durcis par les piqûres constantes de l'aiguille, comme ceux des tapissières.

S'agissait-il d'une prostituée vieillissante, prête à tout pour quelques shillings, et même à se laisser entraîner sur une jetée à la tombée de la nuit ? Avec l'argent, au moins pouvait-elle manger ou s'acheter quelques boulets de charbon pour avoir chaud.

Malgré lui, il imaginait la scène : la proposition, l'étreinte brutale qui avait pu passer pour un désir maladroit, un homme furieux contre le besoin qui, en lui, exigeait d'être assouvi, et contre celle qui avait le pouvoir de le satisfaire en échange d'argent. La violence du coup, la douleur, et le noir absolu.

Ils reprirent Narrow Street, puis Ropemakers' Fields, sillonnèrent toutes les ruelles d'un bout à l'autre, mais personne n'avait remarqué de couple se dirigeant vers la jetée au crépuscule. Si quelqu'un en avait bel et bien vu un, il préférait ne pas s'en souvenir. En dépit de toutes leurs questions, ils n'apprirent rien d'intéressant.

Pourtant, ils devaient découvrir qui elle était… qui elle avait été.

— Nous allons obtenir un portrait d'elle, décida Monk alors qu'ils retournaient au commissariat du quartier dans la lumière déclinante de la fin d'après-midi. Il y a là un agent qui dessine bien. Nous lui demanderons d'en faire deux au moins. Et nous recommencerons à chercher demain matin.

Cette nuit-là, Monk fut assez épuisé pour bien dormir. Il n'avait pas soufflé mot à Hester de la femme sur la jetée afin de ne pas briser la paix de leur brève soirée. Si elle avait deviné qu'il était préoccupé, elle était trop avisée ou trop gentille pour le lui avoir dit.

Le lendemain matin, il se réveilla de bonne heure et sortit avant le petit déjeuner afin d'acheter au moins deux quotidiens au kiosque situé au carrefour de Paradise Street et de Church Street. Quand il eut accompli les cent mètres environ qui le ramenaient chez lui, il savait que ses pires prévisions étaient réalisées. « Une femme brutalement assassinée sur la jetée de Limehouse », disait l'un. « Femme éviscérée, abandonnée à la mort comme une bête », annonçait le second.

Il les avait pliés, dissimulant les gros titres sous son bras avant d'atteindre sa porte. Une odeur de bacon et de pain grillé l'accueillit, accompagnée du sifflement de la bouilloire sur le fourneau.

Une grande pique à la main, Hester mettait des tartines sur la grille afin qu'elles restent croustillantes. Elle referma la porte du four et lui sourit. Elle portait du bleu marine, sa couleur favorite. Un moment, en la regardant, il oublia presque la violence et le chagrin, le froid, le va-et-vient constant de l'eau et l'odeur de la mort.

Peut-être aurait-il dû tout lui raconter la veille, mais il était las et transi, et il éprouvait le besoin douloureux de ne plus penser à ces horreurs. Il avait envie d'être au sec et au chaud, de s'étendre près d'elle et de l'entendre parler d'autre chose – de n'importe quoi pourvu que cela soit banal, lié aux petits détails réconfortants de la vie.

À présent, elle le dévisageait, devinant que quelque chose n'allait pas. Elle le connaissait trop bien pour qu'il puisse le cacher – et d'ailleurs, il n'avait jamais pu. Elle était infirmière dans l'armée durant la guerre de Crimée, une douzaine d'années plus tôt, avant leur rencontre. Il y avait peu d'atrocités et de chagrins qu'elle n'eût approchés au moins aussi près que lui.

— Qu'y a-t-il ? demanda-t-elle à mi-voix, espérant peut-être qu'il pourrait le lui confier avant que

Scuff descende, affamé et impatient d'entamer une journée toute neuve.

Environ un an plus tôt, ils s'étaient mutuellement adoptés tous les trois. Jusqu'alors, Scuff menait, à onze ans, une existence précaire sur les bords de la Tamise, faite d'expédients. Non qu'il fût orphelin, mais son nouveau beau-père ne voulait pas de lui. Il s'était attaché à Monk, jugeant que ce dernier manquait d'expérience pour effectuer son travail sur les quais et qu'il avait besoin de quelqu'un pour veiller sur lui. Il avait été plus réticent à se rapprocher d'Hester, et l'un et l'autre avaient avancé à petits pas prudents, de crainte d'être rejetés. Au fil du temps, les hésitations du début avaient cédé la place à une affection franche et partagée.

— Qu'y a-t-il ? répéta Hester d'un ton pressant.

— Une femme a été retrouvée morte sur la jetée de Limehouse hier matin, répondit-il, mettant les quotidiens pliés sur sa chaise avant de s'asseoir dessus. Elle était affreusement mutilée. J'avais espéré pouvoir garder l'affaire sous le boisseau, mais ce n'est pas le cas. Les journaux s'en délectent.

Le visage d'Hester se crispa presque imperceptiblement.

— Qui est-ce ? Le sais-tu ?

— Pas encore. À première vue, elle semblait plutôt normale, pauvre mais respectable. Âgée d'une quarantaine d'années.

La vision de la victime s'imposa à son esprit. Il se sentit brusquement las et glacé de nouveau, entouré de ténèbres, loin de la cuisine chaude et lumineuse, aux odeurs réconfortantes.

— D'après le médecin, les mutilations ont eu lieu après la mort, reprit-il. Les journaux ne le précisent pas.

Hester le dévisagea avec attention pendant un instant, sur le point de l'interroger davantage. Puis elle se ravisa et lui servit son petit déjeuner : une assiette garnie d'œufs au bacon et de toasts, qu'elle souleva à l'aide d'un torchon et déposa devant lui. Le beurre et la marmelade d'orange étaient déjà sur la table. Elle prépara le thé et l'apporta, la vapeur s'échappant doucement du bec de la théière.

Scuff apparut sur le seuil, ses chaussures à la main. Il les laissa dans le vestibule avant d'entrer, regardant d'abord Monk puis Hester. Il était encore petit et maigrelet pour son âge, les épaules étroites. En revanche, ses cheveux étaient désormais épais et soyeux et son teint clair respirait la santé.

— As-tu faim ? demanda Hester, comme si la question se posait.

Il sourit et s'assit à la place qu'il considérait désormais comme la sienne.

— Oui.

Elle lui rendit son sourire et lui servit la même chose qu'à Monk. Il mangerait tout, puis regarderait autour de lui dans l'espoir d'obtenir une part supplémentaire. C'était un rituel rassurant, qui se répétait chaque matin.

Il fronça les sourcils.

— Qu'est-ce qu'il y a ? demanda-t-il à Monk. Je peux faire quelque chose ?

— Pas encore, merci.

Monk leva les yeux et soutint son regard, voulant faire comprendre à Scuff qu'il prenait sa question au sérieux. Il lui résuma la nouvelle en deux mots.

— Sale affaire, mais ce n'est pas la mienne, conclut-il. Tout au moins pas encore.

Puisque le fait divers figurait dans les journaux, Scuff l'aurait forcément appris tôt ou tard. Depuis qu'il vivait chez eux à Paradise Place, il avait fait d'énormes progrès en lecture. S'il avait toujours des difficultés avec les mots un peu longs ou compliqués, la langue simple d'un quotidien était largement à sa portée.

Scuff remercia Hester, mais son attention demeura rivée à Monk.

— Pourquoi pas ? Tu es le chef de la fluviale, non ? Qui s'en occupe, alors ?

— Tout dépend, expliqua Monk. Nous avons trouvé son corps sur la jetée, mais il est possible qu'elle ait vécu dans un quartier éloigné du fleuve, auquel cas l'enquête incomberait à la police de Limehouse.

Tout en parlant, il avait pris sa décision. Ces derniers temps, de nombreux articles avaient fait état d'une recrudescence de la prostitution et de la violence aux abords de la Tamise. Il y avait eu plusieurs rixes, dont l'une avait dégénéré en bataille rangée dans la rue, se soldant par deux morts et une demi-douzaine de blessés.

Les journaux accusaient la police d'incompétence et lui reprochaient d'avoir été débordée par la situation. Certains étaient même allés jusqu'à suggérer que les policiers avaient délibérément laissé faire, n'intervenant qu'après coup, pour se débarrasser de quelques fauteurs de troubles dont ils ne pouvaient venir à bout dans le cadre légal.

Seule une résolution rapide de ce dernier crime pourrait couper court aux commentaires malveillants.

— Non, ça n'a rien à voir avec eux, protesta Scuff. Ils ont besoin de toi pour les aider. Si elle a été tuée au bord de l'eau, il faut que tu t'en occupes.

Monk sourit malgré lui.

— Je me proposerai. Je n'y tiens pas vraiment.

Scuff fronça les sourcils, perplexe.

— Pourquoi ? Ça t'est égal de savoir qui l'a tuée ?

— Non, bien sûr que non, se hâta de rectifier Monk. C'est seulement que nous ne savons pas encore qui elle était, ni où elle vivait. Si c'est ailleurs que près du fleuve, la police métropolitaine sera mieux informée que nous.

— Elle n'est pas meilleure que toi, déclara Scuff d'un ton convaincu.

Il observait Monk avec attention, s'efforçant de lire en lui afin de trouver un moyen de l'aider.

— C'était idiot de faire ça, reprit-il. Si on ne veut pas que quelque chose soit trouvé, on le cache. On ne le laisse pas en plein air pour que n'importe quel batelier le voie.

Monk garda le silence, ne tenant guère à lui expliquer ce qu'était la folie homicide ou le genre de fureur qui pouvait pousser un homme à éventrer une femme, même après sa mort.

Scuff leva les yeux au ciel, puis se désintéressa de la question pour déguster son petit déjeuner, avec un plaisir visible. L'idée qu'une assiette d'œufs au bacon pût être destinée à lui seul ne cessait de l'émerveiller.

— Ne peux-tu confier cette enquête à Orme ou à un autre de tes hommes ? demanda Hester lorsque l'enfant eut terminé et quitté la cuisine.

— Non, répondit Monk en lui adressant un bref sourire. Et il va y avoir du grabuge. Les journaux exigent déjà qu'on pose des questions au Parlement concernant les affaires de mœurs dans les quartiers portuaires : Limehouse, Shadwell, Bermondsey, Deptford – à vrai dire, sur les deux rives jusqu'à Greenwich.

Il hésita un instant.

28

— Peut-être pourrons-nous élucider l'affaire assez vite.

Elle lui sourit sans répondre. Il y avait entre eux un monde de choses qui n'avaient pas besoin d'être dites.

Monk descendit sur les bords de la Tamise afin d'emprunter un bac qui l'emmènerait au commissariat de Wapping. La matinée était grise, l'eau houleuse sous le vent âpre. Il remonta le col de son manteau alors qu'ils s'éloignaient des quais et de l'abri relatif qu'offraient les bâtiments.

Ils se faufilèrent entre de longs chapelets de péniches lourdement chargées de marchandises. Des navires amarrés attendaient d'être vidés. Les lieux étaient animés, et déjà des débardeurs s'affairaient, poussant, soulevant, guidant grues et poulies, attentifs au vent et à la marée. On entendait les cris des mouettes et les appels des hommes sur la rive, par-dessus le clapotis du courant contre les flancs du bac et le grincement des rames dans les tolets.

Une fois de l'autre côté, Monk régla le batelier et le remercia. Il le connaissait de nom, comme la plupart des passeurs qu'il voyait chaque jour. Il gravit les marches raides qui menaient au quai et traversa l'espace désert et venteux qui le séparait du commissariat.

À l'intérieur, il faisait chaud et le thé infusait. Il en but une tasse pendant qu'il s'informait des événements de la nuit écoulée et donnait les instructions nécessaires. Cela fait, il prit un fiacre pour se rendre au commissariat de Limehouse, où il examina les portraits exécutés par le jeune agent. Ils étaient ressemblants. Le policier avait du talent. Il avait saisi les traits de la victime et, en dessinant des lèvres légèrement entrouvertes, des dents qui se chevau-chaient un peu, lui avait rendu vie.

Il vit Monk observer son travail et se méprit lorsqu'une expression soudaine de douleur apparut sur son visage.

— Ils ne sont pas bons ? demanda-t-il avec inquiétude.

— Au contraire, répondit Monk, sincère. C'est comme si elle était encore vivante. Et cela rend sa mort d'autant plus réelle.

Il leva les yeux et constata qu'une légère rougeur était montée aux joues de l'agent.

— C'est très bien. Je vous remercie.

— De rien, monsieur.

Orme arriva quelques instants plus tard. Monk lui donna un des deux dessins et ils se mirent d'accord sur la destination de chacun. Orme partirait vers le nord, Monk vers le sud, en direction de l'île aux Chiens.

Le vent s'engouffrait dans les rues étroites, appor-tant l'odeur du fleuve et des relents de détritus, de pavés mouillés et d'égouts qui débordaient. Monk interrogea tous ceux qu'il croisait. Ils avaient de toute évidence appris la nouvelle. Nombre d'entre eux feignaient d'être trop occupés pour lui répondre, si bien qu'il devait insister. Ils se mettaient alors en colère, prêts à tout pour empêcher l'horreur et la peur d'affecter leur vie.

Il se trouvait encore à proximité des quais lorsqu'il entra dans un petit bureau de tabac qui fai-sait aussi office d'épicerie et vendait le journal local.

— Je ne suis au courant de rien, déclara le com-merçant avec véhémence dès que Monk eut décliné son identité.

Il refusa de regarder le portrait, l'écartant d'un geste de la main.

— Vous n'allez pas voir le cadavre ! le réprimanda Monk, irrité. C'est un portrait d'elle avant. Il pourrait s'agir d'une femme mariée qui vivait par ici.

— Faites voir.

L'homme tendit la main vers le dessin et, cette fois, l'étudia avec attention avant de le lui rendre.

— C'est vrai, admit-il. Mais je ne la connais pas. Désolé. Mariée ou pas, elle ne travaillait pas dans le quartier.

Monk le remercia et s'en alla.

Durant le reste de la matinée, il chemina à travers les ruelles animées, à deux pas du fleuve, de ses spectacles et de ses bruits. Il parla à plusieurs prostituées qui, toutes, nièrent connaître la femme dont il leur présentait le portrait. Le contraire l'eût étonné. Elles voulaient éviter tout contact avec la police, pour quelque raison que ce fût, pourtant il avait espéré entrevoir chez l'une de ces femmes une lueur indiquant qu'on lui mentait. Il ne vit que de la crainte et du ressentiment.

Il était enclin à croire que la morte n'exerçait pas leur profession ; elle était trop différente d'elles. Âgée de quinze ans de plus, au bas mot, elle avait un visage empreint de douceur, vieilli par la maladie plus que marqué par la boisson ou la vie dans la rue. Il jugeait plus probable qu'elle eût été une femme mariée, maltraitée par son conjoint.

Il avait demandé à Overstone si elle avait eu des enfants, mais ses blessures étaient telles qu'il était impossible de le dire.

Ce fut Orme qui tomba par hasard sur la solution de l'énigme de son identité. Dans un petit magasin de l'autre côté du Britannia Bridge, le commerçant avait regardé fixement le portrait et cillé, avant de lever vers lui des yeux perplexes et attristés.

— D'après lui, elle ressemble à une certaine Zenia Gadney, de Copenhagen Place, lui apprit Orme lorsqu'ils se retrouvèrent à une heure de l'après-midi pour partager un déjeuner rapide dans une taverne.

— En est-il certain ?

Ils devaient découvrir son identité, mais apprendre son nom et son adresse lui donnait soudain une brutale réalité.

Orme soutint son regard.

— Il en avait l'air, répondit-il à regret, partageant ses craintes. Le dessin est bon.

Une heure plus tard, Monk et lui frappaient aux portes de Copenhagen Place, une rue située à environ quatre cents mètres du fleuve.

Une femme au visage las, deux enfants cramponnés à ses jupes, étudia l'image que Monk tenait à la main. Elle repoussa les mèches de cheveux qui tombaient dans ses yeux.

— Oui. C'est Mrs. Gadney qui habite en face. Mais vous n'avez aucune raison de la rechercher, pauvre femme. Elle ne fait de mal à personne. Peut-être qu'elle oblige un monsieur de temps en temps, et peut-être que non. Même si c'est le cas, ça gêne qui, hein ? Vous auriez pas mieux à faire, dites ? Pourquoi est-ce que vous n'attrapez pas le monstre qui a découpé la pauvre créature qu'on a retrouvée sur la jetée, hein ?

Elle toisa Monk. Ses traits pâles et tirés affichaient son mépris.

— Vous êtes sûre que c'est Mrs. Gadney ? insista Monk à mi-voix.

Elle le regarda de nouveau, vit quelque chose dans ses yeux et porta la main à sa bouche.

— Mon Dieu ! lâcha-t-elle dans un souffle.

Instinctivement, elle agrippa le bras du plus jeune de ses enfants.

— Ce… ce n'est pas elle, dites ?

— Je crois que si. Je suis désolé.

La femme souleva le garçon dans ses bras et le serra contre elle. Il avait peut-être deux ans. Il dut sentir son effroi et se mit à pleurer.

— À quel numéro vivait-elle ? reprit Monk.

— Au 14, répondit la femme, désignant de la tête une maison légèrement à gauche de la sienne, du côté opposé.

— A-t-elle de la famille ?

— Je ne lui en ai jamais vu. Elle ne causait guère. Ne dérangeait personne.

— Qui pourrait en savoir plus long à son sujet ?

— Je ne sais pas. Peut-être Mrs. Higgins au numéro 20. Je les ai vues ensemble une fois ou deux.

— Savez-vous si elle travaillait quelque part ?

— Ça ne me regarde pas. Je ne peux rien vous dire d'autre.

Resserrant son étreinte autour de l'enfant, elle fit mine de refermer la porte.

— Merci.

Monk recula. Orme et lui se détournèrent. Ils n'avaient pas d'autres questions à lui poser.

2

— Sir Oliver ? demanda le juge.

Oliver Rathbone se leva et s'avança au centre du tribunal, qui ressemblait presque à une arène. Derrière lui, la salle en demi-cercle, à gauche les jurés répartis sur deux rangs de sièges surélevés, et, face à lui, le magistrat, assis dans l'imposant fauteuil sculpté pareil à un trône. La tribune des témoins, une petite tour à laquelle on accédait par des marches, était presque au-dessus de lui.

Un des avocats les plus brillants du pays, il s'était tenu maintes fois au cours de sa vie d'adulte en ce même endroit, lors de grands procès. D'ordinaire, il se passionnait pour ses affaires, qu'il fût avocat de la défense ou de la partie civile. Souvent, il y allait de la vie d'un homme. Ce jour-là, il agissait pour le compte de la défense, mais il n'était pas encore certain de l'innocence du prévenu, ce qui éveillait en lui une désagréable sensation de vide. Il était incapable de s'enflammer, de manifester son amour farouche de la justice. Il serait compétent, sans plus, ce qui était loin de satisfaire sa nature.

Mais rien n'allait depuis quelque temps. Tout ce qui comptait à ses yeux semblait lui avoir échappé depuis l'affaire Ballinger, et les douloureuses décisions qui avaient mené à la rupture définitive entre sa femme, Margaret, et lui[1].

Il se concentra sur le témoin, s'obligeant à se remémorer les détails de sa déposition et à attaquer un par un ses points faibles, de manière à le pousser à se contredire. Il y parvint, persuadant du même coup les jurés que cet homme était retors et indigne de confiance.

L'audience fut suspendue jusqu'au lendemain. Rathbone rentra chez lui en fiacre et arriva relativement tôt. C'était une de ces soirées calmes et paisibles du début d'hiver, avant que la bise se mette à souffler. Il n'y avait pas encore de gelées matinales. Il descendit et régla le cocher. L'air était clément. Les chrysanthèmes du voisin, courbés sous le poids de leurs dernières fleurs, sentaient bon la terre.

Un an plus tôt, il se serait réjoui d'être de retour d'aussi bonne heure, libre de son temps. C'était avant l'épouvantable scandale des enfants victimes d'abus sexuels sur la Tamise, et les meurtres qui s'étaient ensuivis.

Margaret et lui avaient été heureux – de plus en plus heureux à mesure que passait le temps. Une tendresse était née entre eux, une complicité qui satisfaisait en lui des désirs dont il n'avait jamais eu conscience auparavant.

Maintenant, dès qu'il franchissait le seuil de sa demeure et qu'il retirait son chapeau et son manteau, il sentait le lourd silence des lieux.

— Bonsoir, Sir Oliver, dit le majordome, avec sa politesse coutumière.

---

1. Voir *La fin justifie les moyens*, 10/18, n° 4446. (Toutes les notes sont de la traductrice.)

— Bonsoir, Ardmore, répondit Rathbone machinalement.

Le majordome, la cuisinière et la gouvernante seraient les seules personnes dont il entendrait la voix avant de repartir au tribunal le lendemain matin. L'absence de bruit deviendrait étouffante, oppressante, presque comme une présence dans la maison.

C'était absurde. Voilà qu'il s'apitoyait sur son sort. Jamais la solitude ne lui avait pesé quand il était célibataire, et il l'avait été longtemps ! De fait, il avait trouvé le silence plutôt plaisant après le brouhaha constant de son cabinet ou de la salle d'audience. Un dîner de temps à autre avec des amis, surtout Monk et Hester, lui suffisait – plus, bien entendu, les visites qu'il rendait à son père à Primrose Hill. Cependant, en ce moment précis, Henry Rathbone se trouvait en Europe – en Allemagne, pour être exact – et il y resterait jusque bien après le Nouvel An.

Il aurait aimé aller le voir ce soir-là. Son père demeurait son meilleur ami. Cependant, on n'allait pas rendre visite à ses amis pour se délivrer du vide qu'on éprouvait. Il n'avait pas de question stimulante à lui soumettre, même pas de difficulté particulière hormis un besoin de réconfort et le sentiment d'avoir échoué. Et pourtant, il ne voyait pas comment il aurait pu agir différemment et conserver son honneur.

Il prit place dans la magnifique salle à manger que Margaret avait décorée. Tout en dînant, il retraça le cours des événements dans son esprit.

S'il s'était battu davantage pour prouver l'innocence de Ballinger, même s'il avait pu songer à quelque subterfuge, honnête ou non, sûrement le verdict final n'en aurait pas été altéré ?

Pourtant, Margaret n'avait pas vu les choses sous cet angle. Elle était convaincue que Rathbone avait fait passer son ambition avant sa loyauté envers sa famille. Ballinger était son père, et malgré les preuves, elle se refusait à croire à sa culpabilité. Était-il préférable ou pire qu'il ait été assassiné en prison avant d'avoir pu être pendu ?

Elle avait blâmé Rathbone pour cela aussi, persuadée qu'il aurait dû trouver le moyen de faire appel et que Ballinger se serait sorti d'affaire.

Tel n'était pas le cas. Il n'y avait aucun motif d'appel et Rathbone, au moins, savait Ballinger coupable. À la fin, lors d'un tête-à-tête, ce dernier l'avait admis. Rathbone se souvenait de son expression arrogante lorsqu'il lui avait relaté toute l'histoire. À ses yeux, il n'avait rien à se reprocher.

Rathbone mangea distraitement, sans plaisir, picorant du bout de sa fourchette le rôti de bœuf et les légumes sur son assiette en porcelaine. C'était une insulte envers Mrs. Wilton, mais elle n'en saurait rien. Il la remercierait exactement comme s'il avait apprécié son repas. Ses domestiques étaient aux petits soins pour lui. C'était touchant et un peu gênant. Ils lisaient en lui plus clairement qu'il ne l'aurait souhaité. Quelqu'un a dit un jour qu'aucun homme n'est un héros aux yeux de son valet. Cette remarque perspicace semblait s'appliquer aussi aux majordomes et aux gouvernantes. Peut-être même pouvait-elle être étendue aux femmes de chambre et aux valets de pied.

Margaret partie, il disposait d'un personnel trop nombreux, mais ne pouvait pour autant se résoudre à congédier quiconque – pas pour le moment, de toute manière. Par égard pour ses serviteurs ? Ou parce qu'il se refusait à accepter l'idée d'une séparation définitive ?

Il songea de nouveau à Ballinger et au dernier entretien qu'ils avaient eu. Le comportement de son beau-père avait-il été justifié, ne fût-ce qu'en partie, au tout début ? À l'évidence, il en était convaincu. La déchéance était venue après.

À moins que le premier pas n'ait été une erreur, le reste en découlant inévitablement ?

Il termina son dessert : une tarte à la crème anglaise au goût délicat, à la pâte sucrée et croquante. Mrs. Wilton faisait beaucoup d'efforts. Il faudrait qu'il se souvienne de la complimenter.

Il posa sa serviette et se leva. Sans que ce fût vraiment conscient de sa part, il résolut d'aller voir Margaret une dernière fois. Peut-être était-ce ce sentiment d'inachevé qui creusait pareil vide en lui, et l'empêchait de commencer à guérir, quoi que ce terme signifiât. Il n'avait pas encore tout tenté pour sauver leur mariage.

Elle se trompait. Il n'avait pas fait passer son ambition avant sa famille. L'ambition n'avait pas fait partie de ses préoccupations. Il n'avait pas hésité un seul instant à défendre Ballinger. En outre, il avait sincèrement cru qu'il pourrait gagner ce procès, et même qu'il devrait le faire. L'accusation de Margaret était injuste. Il en était encore blessé. Avec du recul, peut-être le comprendrait-elle.

Il annonça à Ardmore qu'il serait absent une heure ou deux. Il prit son manteau et son chapeau, sortit dans la rue éclairée par les réverbères et se mit à la recherche d'un fiacre.

Depuis la mort de son mari, Mrs. Ballinger vivait dans une maison modeste, la cinquième d'une rangée ordinaire de logements mitoyens, bien loin de la fortune et du luxe que la famille avait connus autrefois, et dans lesquels Margaret avait grandi.

Debout sur le trottoir, Rathbone sentit un mélange de compassion et de gêne l'envahir en songeant à la superbe demeure où Margaret et lui s'étaient installés après leur mariage. Elle avait opté pour des tissus à la fois délicats et magnifiques, des couleurs plus audacieuses que celles qu'il aurait choisies, mais qui avaient fini par le séduire. Ses goûts conservateurs d'avant lui avaient soudain paru fades. C'était elle qui avait décidé où disposer les tableaux, les vases, les plus beaux bibelots. Certains étaient des cadeaux de mariage.

Elle avait aimé être Lady Rathbone. Il avait appris, avec tristesse et une pointe d'amusement mêlée d'amertume, qu'elle avait cessé d'employer son titre, même si elle pouvait difficilement se faire appeler Mrs. Rathbone. Cette personne-là n'existait pas. Ni l'un ni l'autre n'avaient évoqué la possibilité d'un divorce, et pourtant la question semblait suspendue entre eux, dans l'attente d'une inévitable décision. Quand cela se produirait-il ?

Peut-être avait-il eu tort de venir. Elle risquait d'en parler, et il ne s'y sentait pas prêt. Il ne savait que dire. Ni elle ni lui n'avaient péché au sens généralement admis en matière de mariage. Parfois, dans des cas similaires, l'une ou l'autre partie s'inventait une liaison et en faisait l'aveu. Margaret ne s'y résoudrait jamais et lui non plus, il le comprit alors qu'il attendait. À cet égard, ils n'avaient rien à se reprocher. Il y avait entre eux une incompatibilité sur le plan moral, ce qui était peut-être pire. Il ne s'agissait pas de pardonner. Le conflit n'émanait pas de leurs actes, mais de leur nature.

Une bonne ouvrit la porte. Le désarroi se lut sur ses traits lorsqu'elle le reconnut.

— Bonsoir, dit-il, incapable de se souvenir de son nom, à supposer qu'il l'eût jamais su. Mrs. Ballinger est-elle là ?

— Si vous voulez me suivre, Sir Oliver, je vais lui demander si elle peut vous recevoir.

Elle s'effaça pour le faire entrer dans le vestibule étroit, si différent de l'ancien, splendide et spacieux. Celui-ci était sombre, pauvre en dépit du décor chaleureux et de l'odeur de la cire.

Il n'y avait nul autre endroit où patienter. La maison ne possédait ni petit salon ni bureau, rien qu'un salon, une salle à manger et sans doute une cuisine et un office. Le personnel se résumait à une cuisinière qui était aussi gouvernante, une bonne et un homme à tout faire, auxquels s'ajoutait peut-être une femme de chambre que Margaret et sa mère se partageaient. Rathbone se demanda quelle proportion de ces frais était couverte par la généreuse pension qu'il lui versait. Où qu'elle choisît de vivre, elle demeurait son épouse.

La bonne réapparut, prenant soin d'afficher une expression impassible.

— Mrs. Ballinger va vous recevoir, Sir Oliver.

Elle le conduisit non pas dans le salon, mais dans une petite pièce inattendue, voisine de la porte tapissée de feutre vert qui menait à la cuisine.

Mrs. Ballinger l'attendait debout, vêtue de noir. Rathbone avait peine à croire que seules quelques semaines s'étaient écoulées depuis la mort de Ballinger. Il éprouva une bouffée de pitié en la regardant. Sa frêle silhouette reflétait le bouleversement intervenu dans sa vie. Ses cheveux avaient perdu de leur éclat et de leur vigueur ; ses épaules étaient voûtées, si bien que les plis de sa robe – pourtant d'excellente qualité, vestige d'une époque meilleure – tombaient gauchement. Elle semblait flotter autour de son corps. Son visage était pâle et pourtant une lueur d'espoir vacillait dans ses yeux.

Rathbone se surprit à chercher ses mots. Il savait qu'elle désirait une réconciliation entre Margaret et lui, espérait que leur bonheur pourrait être reconstruit, contrairement au sien. La colère et le chagrin de Margaret devaient peser plus lourdement sur elle que tout autre. Rathbone en eut la brusque certitude en l'observant. Il n'avait jamais ressenti de réelle affection pour cette femme qu'il jugeait trop préoccupée d'elle-même, dépourvue d'imagination, superficielle à bien des égards. À présent, il était submergé par la compassion, tout en sachant qu'il ne pouvait rien faire pour l'aider hormis peut-être garder son sang-froid, et consentir à plus d'efforts pour parvenir à un arrangement avec Margaret.

Celle-ci avait-elle jamais songé au fardeau que son attitude imposait à sa mère ? Était-elle trop absorbée par sa propre douleur pour considérer celle d'autrui ? Il se rendit compte avec une lucidité douloureuse que la colère qu'il voulait maîtriser par égard pour Mrs. Ballinger l'avait envahi de nouveau, et qu'elle était brûlante.

Ils se faisaient face en silence. C'était à lui de parler, d'expliquer la raison de cette visite aussi tardive qu'inopinée. Sans en avoir l'intention, il parla avec une douceur qui lui était inhabituelle.

— Je voulais prendre de vos nouvelles, commença-t-il avec émotion. Peut-être puis-je faire quelque chose pour vous à quoi je n'ai pas encore pensé ? Si vous me le permettez…

Elle demeura silencieuse quelques instants, jaugeant l'intention derrière ses paroles.

— Pour Margaret ? Vous devez toujours haïr Mr. Ballinger et me haïr à cause de lui. Je n'avais pas la moindre idée…

On aurait dit qu'elle cherchait à se justifier, et elle s'interrompit dès qu'elle en prit conscience.

— Jamais je n'ai pensé que vous puissiez être au courant, se hâta-t-il de répondre avec sincérité. N'importe qui aurait été terrassé en apprenant une chose pareille. Et vous n'aviez d'autre choix que la loyauté. Quand vous avez découvert la vérité, il était trop tard pour sauver qui que ce fût.

Elle parut un instant perplexe, comme si elle se demandait s'il aurait dit la même chose à Margaret.

— Vous étiez sa femme, ajouta-t-il, pour se défendre autant que pour s'expliquer.

— Êtes-vous venu voir Margaret ? insista-t-elle, se cramponnant à son espoir.

— Si je puis ?

Sa question était de pure forme. Mrs. Ballinger ne s'était jamais opposée à ses visites ; c'était Margaret qui refusait de lui parler.

Elle hésita. Elle se demandait non pas si elle devait transmettre sa requête, mais comment le faire avec succès, devina-t-il.

— Je vais lui poser la question, répondit-elle enfin. Attendez ici, je vous prie. Je…

Elle déglutit avec difficulté.

— Je préférerais ne pas causer de scène qui soit gênante pour nous tous.

— Naturellement.

Près d'un quart d'heure s'écoula avant son retour, signe du mal qu'elle avait eu à persuader Margaret. Rathbone la remercia et la suivit dans le vestibule, conscient d'être de plus en plus irrité contre sa femme, à cause de son comportement, non envers lui, mais envers sa mère. Il n'osait même pas imaginer le choc que lui avaient causé l'annonce du verdict, puis l'assassinat qui avait anéanti tout espoir d'un sursis. Non qu'il y en eût eu un. Ballinger serait mort la corde au cou. L'univers de Mrs. Ballinger s'était écroulé dans des circonstances affreuses. Elle n'avait plus que ses enfants sur qui s'appuyer. L'échec du mariage de Margaret et son refus d'accepter la culpabilité de son père devaient maintenir la blessure ouverte.

Margaret était debout dans le salon encombré, sobrement vêtue. Elle aussi portait du noir, mais sa robe était agrémentée de bijoux en jais et d'une broche incrustée de perles de culture, minuscule éclat blanc contre le tissu sombre. Comme toujours, sa posture était gracieuse, son port de tête altier, cependant elle était plus mince que lors de sa dernière visite et très pâle, presque livide.

Elle ne parla pas la première.

Il eût été absurdement formel de lui demander de ses nouvelles et de prendre ainsi le risque d'introduire une distance difficile à surmonter par la suite. Elle avait toujours joui d'une excellente santé, et la question n'était pas là. La détresse qu'elle éprouvait n'était pas de celles que la médecine pouvait soigner.

Il était mal à l'aise, dans son complet à la coupe impeccable, conscient d'avoir l'air déplacé dans cette pièce aux murs tristes, envahis par des photographies de famille.

Que pouvait-il dire ? Pourquoi était-il venu ?

— Je voulais te parler…, commença-t-il. Voir si nous pourrions essayer de nous comprendre un peu mieux, peut-être avancer vers une sorte de réconciliation…

Il se tut. Le visage de Margaret était impassible, et il se sentait à la fois stupide et vulnérable.

Elle arqua ses sourcils blonds.

— Me dis-tu cela parce que tu t'y sens obligé, Oliver ? murmura-t-elle d'une voix neutre. Prépares-tu le terrain de façon à pouvoir m'écarter la conscience tranquille ? Après tout, il faut que tu puisses dire à tes confrères que tu as essayé. Cela donnerait une mauvaise image de toi si tu ne le faisais pas. Tous comprendront qu'un avocat aussi éminent que toi ne désire pas être marié à la fille d'un criminel, mais il ne faudrait pas le dire trop clairement. Ils seraient choqués.

— Est-ce ainsi que tu te considères : comme la fille d'un criminel ? demanda-t-il, d'une voix plus tendue qu'il ne le désirait.

— Nous parlions de toi, riposta-t-elle. C'est toi qui es venu, je ne suis pas allée te chercher.

Cette remarque le blessa, pourtant il aurait été impensable que Margaret vienne à lui. Que ce fût bien ou mal, c'était toujours l'homme qui prenait l'initiative – sauf peut-être avec Hester. Si celle-ci s'était querellée avec quelqu'un qu'elle aimait, à tort ou à raison, elle serait allée le voir. Il le savait d'expérience. Était-il injuste de les comparer ? Hester avait sa part de défauts, mais c'étaient de grands défauts, courageux, jamais de la mesquinerie. C'était lui qui n'avait pas été assez audacieux pour elle. Il ne devait pas se montrer petit à présent.

Il prit une profonde inspiration.

— J'espérais qu'en parlant nous pourrions combler au moins une partie du fossé qui nous sépare, expliqua-t-il, radouci. J'ignore ce que l'avenir nous réserve et je ne cherchais certainement pas à me justifier. Je n'ai nul besoin de m'expliquer...

— Ce qui tombe bien, car tu en serais incapable ! coupa-t-elle. En tout cas, devant moi ou devant ma famille.

Non sans mal, il maîtrisa sa colère.

— Je ne pensais pas à toi en disant cela.

Ils étaient toujours debout tous les deux, comme si le confort physique était exclu. Il songea à lui demander la permission de s'asseoir, ou même à le faire, et décida de s'abstenir. Elle risquait de prendre cela pour de l'arrogance, de croire qu'il voyait là un droit et non un privilège.

— Comment pensais-tu à moi, dans ce cas ?

— Comme à ma femme, et – pendant un temps, tout au moins – comme à mon amie aussi.

Brusquement, les yeux de Margaret s'emplirent de larmes.

Un instant, il crut que l'espoir était permis. Il esquissa un pas vers elle.

— Tu as renoncé à cela, dit-elle précipitamment en redressant la tête pour l'avertir de ne pas aller plus loin.

— J'ai fait ce que je devais faire ! protesta-t-il. Tout ce que la loi m'autorisait à faire pour le défendre. Il était coupable, Margaret !

— Combien de fois faudra-t-il que tu te répètes ces mots, Oliver ? demanda-t-elle avec aigreur. T'es-tu enfin convaincu ?

— Il me l'a avoué, dit-il d'un ton las.

Ils avaient déjà eu cette conversation. Il lui avait relaté l'abominable scène – la lutte désespérée de Ballinger pour survivre et, enfin, son aveu de culpabilité. Il lui avait épargné les détails sordides, cruels, ce qu'elle n'avait pas besoin de savoir, pour lui éviter du chagrin.

— Et cela te suffit ?

Elle lui avait lancé les mots à la figure.

— Et ses raisons, Oliver ? Ne voulais-tu pas les connaître ? Ne peux-tu être honnête pour une fois, et cesser de te dissimuler derrière la loi ? Ou ne connais-tu qu'elle ? Ne comprends-tu qu'elle ? Les livres disent ceci ! Les livres disent cela !

— Ce n'est pas juste, Margaret. Je ne peux pas agir en marge de la loi…

— Tu veux dire que tu ne peux pas voir plus loin que le bout de ton nez, rectifia-t-elle, les yeux pleins de mépris. Tu te mens peut-être à toi-même avant de me mentir à moi, mais tu es capable de penser à la morale quand tu le veux. Tu peux le faire pour Hester. Tu contournes toutes tes précieuses règles quand elle te le demande.

— Est-ce de cela qu'il s'agit ? s'écria-t-il avec douleur. Tu es jalouse d'Hester parce que tu crois que je me serais comporté différemment pour elle ? Ne comprends-tu donc pas qu'elle ne me l'aurait jamais demandé ?

Elle eut un rire dur, amer, qui déchira les derniers vestiges de son émotion.

— Tu es un lâche, Oliver ! Est-ce pour cela que tu es si attaché à elle ? Parce qu'elle mène tes batailles à ta place, sans jamais rien attendre de toi, hormis que tu la suives ? Et Monk ? Te battrais-tu pour lui aussi ?

Il ne sut que répondre. Se pouvait-il qu'il y eût du vrai dans ses paroles ?

— As-tu demandé à mon père pourquoi il avait fait tout ce dont tu l'accusais ? reprit-elle, sentant peut-être son hésitation. Ou ne voulais-tu pas le savoir ? Cela aurait-il bouleversé ta petite notion confortable du bien et du mal où tout est décidé pour toi par des générations passées d'avocats ? Inutile de réfléchir ! Inutile de prendre des décisions difficiles, ou de lutter seul. Inutile surtout d'entreprendre une action dangereuse, de remettre en question ses certitudes douillettes, de risquer quoi que ce soit.

La colère le poussa enfin à parler.

— Je suis prêt à risquer ma propre sécurité, Margaret, mais pas celle d'autrui.

Elle écarquilla les yeux, stupéfaite.

— Cet homme était vil ! déclara-t-elle avec un profond mépris. Pire qu'une vermine. Tu sais ce qu'il a fait.

— Et la fille ? demanda-t-il calmement.

Elle le regarda sans comprendre.

— Quelle fille ?

— Celle qu'il a tuée aussi ?

— La prostituée !

— Oui, la prostituée, répondit-il froidement. C'était une vermine aussi ?

— Elle aurait pu le faire pendre ! s'écria-t-elle.

— Il n'y avait donc pas de mal à la tuer ? C'est ça, ton courage, ton sens moral ? Tu décides qui vit et qui meurt, pas la loi, pas les autres gens ?

— Il avait ses raisons, des choix terribles à faire.

Les larmes coulaient librement sur ses joues à présent.

— C'était mon père ! Je l'aimais.

Elle avait prononcé ces mots comme s'ils expliquaient tout. Il commençait à comprendre que, pour elle au moins, c'était le cas.

— Et par conséquent je devrais lui pardonner, quoi qu'il ait fait ?

— Oui ! Est-ce donc si difficile ?

C'était un défi, lancé dans la fureur et le désespoir.

— Dans ce cas, quel dommage que tu ne m'aies pas aimé, moi ! dit-il si bas que c'était presque un murmure.

Elle le fixa bouche bée, les yeux écarquillés.

— C'est injuste !

— C'est tout à fait juste, rétorqua-t-il. Et puisque je ne peux pas faire passer ta famille avant ce qui est juste, et même possible, peut-être ne t'aimais-je pas non plus. Cela semble être ta conclusion et, selon tes critères, tu as raison. Je suis désolé. Je croyais sincèrement le contraire.

Il demeura immobile un instant, mais elle garda le silence. Il se décida à partir. Il avait la main sur la poignée quand elle parla enfin.

— Oliver…

Il s'arrêta et se tourna vers elle.

— Oui ?

Elle eut un petit geste d'impuissance.

— Je pensais avoir quelque chose à dire, mais non.

C'était un aveu d'échec, une porte qui se refermait.

La douleur le submergea. Un rêve s'envolait qui lui avait un temps semblé bien réel. Il tira silencieusement le battant derrière lui.

La bonne était restée dans le vestibule, comme si elle avait su qu'il ne s'attarderait pas. Elle lui tendit son manteau et son chapeau. Mrs. Ballinger était invisible, et il sembla à Rathbone un peu ridicule d'aller la trouver pour lui annoncer qu'il partait. Cela ne ferait que les embarrasser tous les deux. Il n'y avait rien à dire, et pourtant ils chercheraient des mots artificiels. Mieux valait s'en aller.

Il remercia la bonne et sortit dans le noir. Il faisait froid, mais il ne s'en rendait pas compte. Il marcha d'un pas vif jusqu'à la première intersection, où il héla un fiacre pour rentrer chez lui.

Lorsqu'il entra dans son propre vestibule, spacieux et élégant, Ardmore lui apprit que quelqu'un l'attendait dans le salon.

— Qui est-ce ? demanda-t-il non sans irritation.

Quelle que fût la raison de cette visite, il n'était pas d'humeur à recevoir. Même si un de ses clients avait été arrêté et jeté en prison, il n'y avait rien à faire à cette heure-ci.

— Mr. Brundish, monsieur, répondit le major-dome. Il affirme avoir quelque chose de grande importance à vous remettre, et il ne pourra revenir demain matin en raison d'autres engagements. Je lui ai expliqué que vous étiez sorti et que j'ignorais à quelle heure vous seriez de retour, mais il a insisté.

— Vous avez bien fait, admit Rathbone d'un ton las. Je suppose que je ferais mieux d'aller voir ce que c'est. Le savez-vous ? Une lettre, j'imagine ?

— Non, Sir Oliver. Il s'agit d'une mallette assez grosse. Et très lourde, à en juger par la manière dont il la portait.

— Une mallette ? s'étonna Rathbone.

— Oui, monsieur. Voudriez-vous que j'apporte du whisky, monsieur ? Ou du cognac ? Je lui ai offert l'un et l'autre tout à l'heure, mais il n'a accepté que du café.

— Non, merci. Cela ne ferait que l'inciter à rester.

Il avait conscience de son manque d'hospitalité, mais il avait hâte d'accuser réception du paquet et de voir l'homme s'en aller. D'ailleurs, ce dernier devait être aussi pressé de rentrer chez lui qu'il l'était d'être laissé en paix.

Brundish se leva à son entrée. C'était un homme courtaud, vêtu d'un complet à rayures. Il paraissait fatigué et un peu anxieux.

— Navré de venir aussi tard, s'excusa-t-il avant que Rathbone ait eu le temps d'ouvrir la bouche. Je ne suis pas libre demain, et je devais… m'occuper de ça.

Son regard s'abaissa sur la mallette qu'il avait apportée.

— Vous en occuper ? répéta Rathbone, perplexe. De quoi s'agit-il ?

— De votre héritage, répondit Brundish. Feu Arthur Ballinger me l'avait laissée en fidéicommis à votre intention. Tout au moins avais-je la clé et ses instructions. Je n'ai récupéré ceci qu'aujourd'hui.

Rathbone se figea, assailli par le souvenir du message où Ballinger affirmait, par une ironie aussi amère que la bile, lui avoir légué les photographies des victimes du chantage. Il avait supposé que c'était une plaisanterie de condamné, une menace vide de sens.

Il regarda la petite valise placée sur le magnifique tapis (lui aussi choisi par Margaret) et se demanda si c'était vraiment ce qu'elle contenait : des clichés d'hommes importants, puissants, riches et haut placés, se livrant au vice fatal que Ballinger avait utilisé pour les faire chanter. Au moins avait-il voulu les forcer à faire du bien. Le premier avait été un juge réticent à fermer une usine qui souillait les terrains environnants et provoquait de terribles maladies. Lorsqu'on avait menacé de dénoncer son penchant pour le viol des petits garçons, il avait changé d'avis.

Chacun des membres de ce club répugnant avait dû poser pour une photographie si obscène, si compromettante, que sa publication aurait suffi à le perdre. Après ce rite initiatique, il pouvait s'adonner assez librement à son vice – jusqu'au jour où Ballinger avait besoin de son aide pour se procurer une faveur ou une autre.

C'était seulement au bout de quelques années que le système avait évolué vers des paiements en espèces plutôt qu'en actes. Mû par l'appât du gain, Ballinger avait d'abord acquis la péniche où tout se déroulait, avant d'en venir au meurtre.

Quant à savoir si Ballinger avait aussi éliminé les garçons devenus trop âgés pour satisfaire les goûts de ses clients, ou trop enclins à se rebeller, Rathbone n'en était pas certain. Il préférait le croire innocent de ces crimes supplémentaires.

Margaret, pour sa part, n'avait jamais vu les clichés, et il était prêt à se faire l'impossible jusqu'au bout pour qu'elle ne les voie jamais. De telles images se gravaient au fer rouge dans la mémoire et ne pouvaient jamais être effacées. Rathbone lui-même s'éveillait parfois trempé de sueur en pleine nuit, après avoir rêvé qu'il montait dans ces bateaux, qu'il sentait la peur et la douleur se refermer sur lui telles des eaux immondes.

— Merci, dit-il d'une voix enrouée. Je suppose que vous devez me les remettre ?

— Oui, répondit Brundish, surpris. Je devine à votre remarque que vous ne désirez guère... ces objets, quels qu'ils soient.

Il tira une petite feuille de papier de sa poche intérieure.

— Cependant, je dois vous demander de signer ceci afin de confirmer que vous en avez pris possession.

— Certainement.

Sans ajouter mot, Rathbone se dirigea vers la table d'écriture dans le coin, trempa un porte-plume dans l'encrier et signa. Après avoir légèrement séché l'encre à l'aide d'un buvard, il rendit le document à Brundish.

Ce dernier parti, Rathbone pria Ardmore de lui apporter du cognac, puis lui donna congé pour la soirée et s'assit dans son fauteuil afin de réfléchir.

Devait-il détruire ces photographies sur-le-champ, sans même ouvrir la mallette ? En l'examinant, il constata qu'elle était en métal, et fermée à clé. La clé

avait été attachée à la poignée par un ruban, probablement l'œuvre de Brundish. Il devrait sortir les clichés avant de pouvoir s'en débarrasser. À l'intérieur,
ils étaient invulnérables, sans doute même aux flam-
mes.

Comment faire autrement ? Avec de l'acide ?
Mais pourquoi prendre cette peine ? Le feu qui flam-
bait dans la cheminée offrait une solution idéale. Il
n'avait qu'à y entasser du charbon, attendre qu'il
rougisse, et le tour serait joué. Au matin, il ne resterait rien.

Il prit la clé et l'introduisit dans la serrure. Le
mécanisme tourna sans résister, comme s'il était
bien huilé et qu'il servait souvent.

Contrairement à ce qu'il avait imaginé, la valise
ne contenait pas que du papier, mais aussi des plaques photographiques. Il aurait dû s'y attendre.
C'étaient les originaux à partir desquels Ballinger
avait tiré les clichés utilisés pour faire chanter les
gens. Il avait failli penser « les victimes », mais ces
hommes n'en étaient pas. Les véritables victimes
étaient les enfants, les gamins des rues, orphelins,
enlevés et gardés prisonniers sur les bateaux.

Il examina les photographies une à une. Elles
étaient horribles, fascinantes par leur obscénité. Il
regardait à peine les enfants, cela lui était insupportable, mais il était attiré, malgré lui, par les visages
des adultes. Des hommes dont il connaissait les
traits, des membres du gouvernement, du corps judiciaire, de l'Église, des personnages influents dans
tous les domaines. Qu'ils fussent malades au point
de s'abaisser à de telles vilenies le choquait tant
qu'il en avait l'estomac noué, les mains tremblantes.

S'ils avaient payé des prostituées, s'ils s'étaient
livrés à ces actes avec des hommes adultes ou des
épouses adultères, ç'aurait été une affaire person-

nelle et il aurait pu fermer les yeux. Là, c'était entièrement différent. Il s'agissait du viol et de la torture
d'enfants – un crime bestial pour le plus tolérant des
êtres humains. Dans le monde où ces gens évo-
luaient, où ils étaient respectés et sur lequel ils exer-
çaient leur pouvoir, c'était un péché impardonnable.

Les plaques étaient en cuivre. Elles refuseraient
de brûler. Le feu dans la cheminée, si ardent qu'il
fût, ne suffirait pas.

Fallait-il essayer l'acide ? Des coups de marteau
assez violents pour les réduire en miettes ? Devait-il
même tenter de le faire ? En détruisant des preuves,
il se rendrait complice des crimes commis.

Fallait-il les confier à la police ?

Certains des coupables appartenaient à la police.
D'autres étaient des juges, des avocats. Il mettrait la
moitié de la société sens dessus dessous, voire au
bout du compte la société tout entière.

Peut-être même n'y survivrait-il pas. Des hommes
étaient assassinés pour infiniment moins.

Il était trop fatigué pour faire des choix irrévo-
cables.

Il rabaissa le couvercle et referma la valise à clé.
En attendant, il devait l'entreposer en lieu sûr. Dans
un endroit où personne ne pourrait la trouver, auquel
personne ne songerait.

Où Ballinger l'avait-il gardée ?

Dans une banque, à l'abri d'un coffre-fort, ou
quelque chose du même genre.

Il aviserait le lendemain. Ce soir, il était trop
abattu par le chagrin, par l'énormité de la décision
qui l'attendait.

3

Par une matinée froide et ensoleillée, Monk reprit le chemin de Copenhagen Place, dans l'espoir d'en apprendre plus long sur Zenia Gadney. De son côté, Orme enquêtait sur les bords du fleuve, à la recherche de quiconque l'avait vue là-bas, non seulement le soir de sa mort mais aussi à d'autres occasions. Que faisait-elle sur la jetée froide et venteuse de Limehouse un soir d'hiver ? Travaillait-elle comme prostituée dans cet endroit exposé à la vue des mariniers qui passaient, pour obtenir quelques sous d'un homme qui s'était révélé être un dément ? Monk avait l'estomac noué par un dégoût mêlé de colère en y pensant. Quel désespoir avait donc pu condamner deux êtres à un tel sort ?

Il croisa un groupe d'hommes qui se dirigeaient d'un pas traînant vers les quais. Une charrette de primeurs passa dans l'autre sens, croulant sous des monceaux de carottes, de choux et pommes mûres.

Personne ne répondit au numéro 12, à côté de chez Zenia Gadney. Il tenta sa chance à la maison suivante et fut aussitôt envoyé sur les roses par une femme qui, en tablier sale et mouillé, venait visiblement de frotter ses planchers. Elle était sur le point de s'attaquer à son devant de porte, et lui dit sèchement d'ôter ses grands pieds de là et de la laisser faire son travail. Non, elle n'avait jamais entendu parler de Zenia Gadney et ne désirait pas commencer.

Revenant sur ses pas, il se rabattit sur l'autre maison voisine de celle de Zenia Gadney. Une vieille femme, assise dans un salon regorgeant de bibelots, regardait justement par la fenêtre. Monk se présenta. Elle s'appelait Betsy Scalford. Elle s'ennuyait et ne demandait pas mieux que de bavarder avec un jeune homme qui voulait lui parler et, mieux encore, l'écouter évoquer le passé.

Elle lui offrit du thé qu'il accepta avec reconnaissance, soucieux de mettre la vieille femme à l'aise et d'avoir une excuse pour s'attarder un peu.

— Merci, dit-il sincèrement lorsqu'elle lui servit le breuvage fumant.

— Oh, de rien !

C'était une femme maigre, dont les épaules osseuses la faisaient paraître plus grande qu'elle ne l'était.

— C'est la première fois que je vous vois par ici.

Elle le détailla de la tête aux pieds, examinant son visage, le col immaculé de sa chemise, la coupe de son costume. Il avait toujours dépensé trop d'argent pour ses vêtements. Lorsqu'il avait repris connaissance après son accident, une décennie plus tôt, privé de mémoire, il avait dû tout réapprendre à son propre sujet, non seulement son nom, mais son caractère tel que les autres le voyaient. Il avait été consterné par les notes de son tailleur, preuves manifestes de sa vanité. Pour commencer, la nécessité l'avait contraint à réduire radicalement ses dépenses. À présent qu'il dirigeait la police fluviale à Wapping, il recommençait à se faire plaisir. Il sourit en voyant le regard approbateur que la vieille femme posait sur ses bottes impeccablement cirées.

— C'est la première fois que je viens, expliqua-t-il. Je fais partie de la police fluviale, pas de la métropolitaine.

— La Tamise ne monte pas jusqu'ici, commenta-t-elle d'un air amusé.

— Mais ce qui s'y passe a parfois des répercussions bien au-delà de ses rives. Vous me semblez être une femme observatrice, et j'ai besoin de renseignements.

— Parce que vous croyez que je n'ai rien d'autre à faire que de regarder par la fenêtre ?

Elle s'assit en face de lui.

— Vous avez raison. Ça n'a pas toujours été le cas, hein. Fut un temps, je faisais toutes sortes de choses. Plus maintenant. Posez-moi vos questions, jeune homme. Mais je ferai attention à ce que je vous dis, quand même. Je voudrais pas qu'on me traite de commère.

— Vous connaissez la voisine qui habite au 14, juste à côté ?

— Je sais où est le numéro 14, rétorqua-t-elle d'un ton un peu sec. J'ai encore toute ma tête. C'est Mrs. Gadney. Plutôt une brave femme. Veuve, je crois. Et alors, qu'est-ce que vous lui voulez ?

Monk songea à lui dire la vérité tout de suite et décida que non. Elle risquait d'être trop choquée pour lui apprendre quoi que ce fût.

— Vous la connaissez ? Parlez-moi d'elle.

— Pourquoi est-ce que vous n'allez pas la voir directement ?

Il n'y avait pas de critique dans sa voix, seulement de l'incompréhension et une curiosité croissante.

Il s'était préparé à cette question.

— Nous ne pouvons pas la trouver. Elle semble avoir disparu.

— Disparu ?

Elle haussa ses sourcils blancs.

— Elle n'a pas bougé d'ici depuis qu'elle s'est installée dans cette maison, il y a quinze ans. Où est-ce qu'elle irait ? Elle n'a personne.

Monk sentit s'accroître sa tension.

— De quoi vit-elle, Mrs. Scalford ? Que fait-elle ? Travaille-t-elle dans un magasin ? Dans une usine ?

— Non. Je le sais parce qu'elle est à la maison la plupart du temps. J'ignore ce qu'elle fait, mais elle ne mendie pas et elle ne quémande pas de faveurs.

Elle avait redressé légèrement le menton, comme si elle-même partageait ce genre d'amour-propre.

— Et, que je sache, elle n'a pas de dettes, ajouta-t-elle en hochant la tête.

Monk la dévisagea avec plus d'attention, soutenant sans ciller son regard bleu pâle. Si Zenia Gadney avait été une prostituée, cette vieille femme pouvait-elle ne pas en avoir connaissance ? Il était beaucoup plus probable qu'elle protégerait la réputation de sa voisine, qui lui rappelait peut-être la femme qu'elle avait été trente ans plus tôt.

Comment insister sans pour autant s'attirer son hostilité ?

— C'est très bien, dit-il avec gravité. Vous dites qu'elle n'a pas de famille ?

Il parlait à dessein au présent, comme si elle était toujours en vie.

Mrs. Scalford réfléchit, buvant son thé à petites gorgées.

— Elle avait un homme, finit-elle par admettre. Il venait régulièrement, jusqu'à il y a deux mois. Je ne sais pas si c'était un frère ou peut-être le frère de son mari mort, ou quoi. Peut-être qu'il s'occupait d'elle.

— Mais il a cessé de venir il y a deux mois environ ?

Malgré lui, il se pencha en avant.

— C'est ce que je viens de dire, non ?

— Savez-vous pourquoi ?

— Je vous l'ai dit, jeune homme. Je ne la connais pas assez pour qu'elle me raconte toutes ses affaires. Je lui ai parlé cinq ou six fois, peut-être. Bonjour, bonsoir, ça va, c'est tout. Je la vois passer devant chez moi et je sais comment elle va parce que ça se voit sur le visage des gens.

— Et comment va-t-elle, Mrs. Scalford ?

— La plupart du temps, ni bien ni mal, soupira-t-elle. Comme tout le monde, j'imagine. Certains jours, elle a un joli sourire. Elle devait être belle étant jeune. Elle a l'air un peu usée, maintenant. On en est toutes là, hein.

Machinalement, elle leva la main et lissa ses cheveux blancs.

— Et ces deux derniers mois ?

— Vous voulez dire depuis qu'il ne vient plus ? Triste, qu'elle est. Terriblement triste, la pauvre. Toujours la tête basse, à traîner des pieds comme si elle avait perdu tout son allant.

— Et vous pensez que cet homme aurait pu être un proche ? Un frère, par exemple ?

Elle plissa les yeux et le fixa.

— Pourquoi est-ce que vous voulez savoir tout ça ? Vous cherchez quoi ? Qu'est-ce qu'elle a à voir avec la police fluviale ? Z'avez donc pas de crimes à élucider sur le fleuve ?

— Elle a disparu, Mrs. Scalford, répondit Monk d'un ton sombre. Et nous avons retrouvé le corps d'une femme qui pourrait être le sien.

Elle pâlit et eut un haut-le-corps, osant à peine respirer.

— Je suis désolé, dit-il sincèrement. Nous pouvons nous tromper.

Il tira de sa poche intérieure le dessin de l'agent, le déplia et le lui tendit.

Elle le prit et le tint devant elle, de ses mains noueuses, légèrement tremblantes.

— C'est elle, murmura-t-elle d'une voix éraillée. La pauvre petite ! Qu'est-ce qu'elle a jamais fait pour mériter qu'on la coupe en morceaux ?

Sa voix baissa encore.

— C'est bien d'elle qu'on parle, hein ? Celle qu'on a ouverte et laissée sur la jetée ?

— Oui, j'en ai peur. C'est Zenia Gadney ?

— Oui… c'est elle.

La vieille femme leva les yeux vers lui.

— Vous allez attraper celui qui a fait ça et le pendre, hein ?

C'était une exigence autant qu'une question. Elle tremblait de tous ses membres à présent et la tasse tintait contre la soucoupe. Il les lui prit et les posa sur la table.

— Si vous m'y aidez. Parlez-moi de cet homme qui lui rendait visite. Décrivez-le-moi. Et ne me dites pas que vous ne vous souvenez pas de lui. Je ne vous croirais pas. Je parierais que vous pourriez me décrire, moi, si quelqu'un venait vous interroger à mon sujet.

Elle eut un petit sourire, mi-amusé, mi-amer.

— Évidemment que je pourrais. Il n'y a pas grand monde par ici qui vous ressemble.

L'approbation perçait dans sa voix, laissant transparaître la jeune femme qu'elle avait dû être autrefois.

— Je vous écoute, l'encouragea-t-il.

— Je suppose qu'il vaut mieux que je vous réponde, soupira-t-elle. Je n'en sais rien, au fond, mais il me semble que c'était une de ces filles qui n'ont qu'un client. Soit il s'est lassé d'elle, soit il est mort.

Elle désigna la fenêtre d'un geste.

— Je l'ai vue passer et repasser quelquefois depuis, et je me suis dit, ma pauvre, tu ne vas pas trouver grand monde, avec la mine que tu as. Rien qu'un gars qui n'a pas le choix. Un homme ne choisit une prostituée de son âge que s'il n'a pas les moyens de s'en payer une plus jeune.

Elle secoua la tête lentement. Le chagrin se lisait sur ses traits, et Monk devina qu'elle s'imaginait le destin qui aurait pu être le sien.

— Pouvez-vous me décrire son visiteur ?

Revenant au présent, elle le jaugea d'un air songeur.

— Il était à peu près de votre taille, je crois, mais plus maigre. Plus emprunté, en un sens. Les cheveux gris, le sommet du crâne un peu dégarni. Rasé de près. Bien habillé, à la manière d'un gentleman, mais sans plus. Je suis à peu près sûre qu'il ne dépensait pas autant que vous chez son tailleur.

— Merci, répondit Monk, pince-sans-rire. Autre chose ? Un manteau ? Un parapluie, peut-être ?

— Non. Un manteau en hiver, pas en octobre, la dernière fois qu'il est venu. Jamais de parapluie. Mais je l'ai vu de près une fois. Il avait un visage agréable. Comme qui dirait… gentil. Il avait l'air un peu triste, et il lui souriait.

— Il entrait chez elle ?

— Évidemment. Qu'est-ce que vous croyez ? Qu'ils faisaient leurs affaires dans la rue ?

— Ils auraient pu aller ailleurs.

— Non, il venait chez elle.

— Combien de temps restait-il ?

— Une demi-heure, peut-être davantage.

— Mais vous le voyiez ?

— Bien sûr que oui ! Sinon, comment est-ce que j'aurais pu vous dire tout ça ? Vous avez le cerveau ramolli tout d'un coup ? Trouvez-le ! Elle ne méritait pas d'être découpée comme ça.

Elle avala sa salive avec difficulté, luttant pour maîtriser sa colère et garder la dignité qu'elle avait cultivée avec tant de soin.

— Ce que je veux dire, Mrs. Scalford, c'est que ses visites avaient donc lieu en plein jour.

— J'ai de bons yeux.

Elle réfléchit un instant.

— C'était l'après-midi, d'habitude. Bizarre, quand on y pense. Pourquoi est-ce qu'il ne venait pas quand il faisait nuit ?

— Je l'ignore, répondit Monk. Mais je le découvrirai.

Ne voyant plus grand-chose à apprendre de la vieille femme, il la remercia et continua à remonter la rue. Presque en face du 14 se trouvait une quincaillerie tenue par un certain Mr. Clawson. Monk entra et demanda à ce dernier si Zenia Gadney avait été vue en compagnie d'autres hommes que celui qui lui rendait visite jusqu'à deux mois plus tôt.

— Pas que je sache ! s'indigna le commerçant.

Il s'essuya les mains sur son tablier en reniflant.

— Nous ne sommes peut-être pas riches par ici, mais ça ne nous empêche pas d'être respectables.

Monk renonça à persuader Mr. Clawson qu'il n'avait pas voulu laisser entendre que Zenia Gadney exerçait son métier à domicile. Tout était affaire de fierté, de maintien des apparences, alors que chacun connaissait la vérité sauf peut-être lui.

— Donc, si c'est une femme des rues, elle va chercher des clients ailleurs ? demanda-t-il abruptement.

— Je ne sais pas ce qu'elle fait !

Clawson était en colère à présent.

— Je suppose qu'elle est veuve. Elle a toujours l'air un peu… comment dire… morose. Elle fait de son mieux pour le cacher, la pauvre, mais je crois que la vie est dure pour elle.

— Vient-elle ici parfois, Mr. Clawson ?

Monk parcourut des yeux les rayonnages où s'alignaient articles de couture, ustensiles de cuisine, boîtes de clous, de vis, de punaises, poudres et détergents destinés à tous les usages possibles et imaginables. Il y avait aussi de jolis tiroirs en bois contenant du tabac à priser, et divers remèdes contre la douleur, clous de girofle pour les rages de dents, bonbons à la menthe poivrée pour les indigestions. Certains ne portaient pas d'étiquette, hormis des lettres qui représentaient des mots trop longs à écrire, et abritaient des pilules pour le foie ou les reins, des crèmes contre les démangeaisons, la teigne ou les brûlures. Et, bien sûr, il y avait les habituelles doses d'opium, le médicament qui guérissait tout, depuis les crampes jusqu'à l'insomnie.

Clawson suivit son regard et parut mal à l'aise.

— De temps à autre, admit-il. Pour des maux de tête, des choses comme ça. Elle n'est pas toujours en bonne santé. Comme tout le monde.

— Elle a des problèmes particuliers ?

— Non.

Monk savait que l'homme mentait ; la question était de savoir pourquoi. Il n'y avait pas de mal à vendre des remèdes. La plupart des petits magasins le faisaient.

— Mr. Clawson, il vaudrait mieux que vous me disiez tout ce que vous savez à son sujet, plutôt que je vous tire les vers du nez un par un.

— Vous avez quelque chose à lui reprocher ?

Clawson était un homme de petite taille, et devait lever la tête pour regarder Monk, cillant à travers ses lunettes cerclées de noir. Pourtant, il paraissait furieux, prêt à défendre sa voisine contre les questions indiscrètes d'un étranger.

— Pas du tout, répondit Monk calmement. C'est le contraire. Nous craignons qu'on ne lui ait fait du mal, et nous cherchons à savoir qui cette personne pourrait être.

Les traits de Clawson se crispèrent.

— Fait du mal ? Et comment donc ? Pourquoi est-ce que vous iriez vous renseigner là-dessus ? Vous n'avez donc pas de vrais crimes à résoudre ? C'est juste une pauvre femme qui n'est plus toute jeune et qui se débrouille comme elle peut. Elle n'embête personne. Elle ne traîne pas les rues et elle ne cherche pas les hommes qui se mêlent de leurs affaires. Laissez-la donc tranquille.

— Savez-vous où elle se trouve à présent, Mr. Clawson ? demanda Monk avec gravité.

— Non. Et si je le savais, je ne vous le dirais pas, rétorqua l'homme d'un ton de défi. Elle ne fait de mal à personne.

Monk insista.

— Si je comprends bien, elle avait un ami qui venait la voir régulièrement, jusqu'à il y a environ deux mois. Ensuite, elle a connu des moments difficiles et a dû chercher quelques clients de temps à autre pour subvenir à ses besoins, mais discrètement, c'est ça ?

— Et alors ? Il y a des centaines de femmes dans son cas, qui monnaient leurs faveurs pour joindre les deux bouts. Et un gars bien mis comme vous débarque avec ses bottes cirées, et fourre son nez partout. Je ne sais pas où elle est et c'est tout ce que je vous dirai.

— Avez-vous entendu dire qu'un cadavre avait été trouvé sur la jetée hier matin ?

— Elle n'en saurait rien du tout et moi non plus, riposta Clawson aussitôt.

— Je suppose que non, acquiesça Monk, soudain peiné d'avoir à annoncer la nouvelle à ce petit homme si prompt à voler à la défense d'une femme qu'il connaissait à peine. Mais si Mrs. Gadney n'est pas chez elle et que nous ne la retrouvons pas saine et sauve, nous saurons que ce corps est le sien.

Clawson pâlit et s'agrippa au comptoir pour ne pas chanceler. Il dévisagea Monk, incapable d'articuler un son.

— Je suis désolé, murmura Monk, sincère. Peut-être comprenez-vous mieux à présent que j'aie besoin d'en savoir plus long à son sujet. Je dois découvrir qui lui a fait cela, Mr. Clawson, et, pour être franc, j'y tiens beaucoup.

Clawson ferma les yeux. Les jointures de ses mains étaient toutes blanches.

— C'était une petite femme qui ne faisait pas de bruit. Elle venait ici acheter un peu d'opium pour ses maux de tête et pour tuer le temps, parce qu'elle s'ennuyait, commença-t-il. Quand son… client… a cessé de venir, elle s'est retrouvée toute seule. Si elle sortait pour chercher quelques sous, ou même un peu de chaleur humaine, ça ne mérite pas de se faire découper en morceaux ! Trouvez ce monstre et faites-lui la même chose ! Y a des gens par ici qui ne demanderont pas mieux que de vous aider.

Il rouvrit les yeux et foudroya Monk du regard.

— Je le trouverai, promit Monk sur une impulsion, laissant de côté la deuxième partie de sa requête. À propos, elle n'a pas été mutilée vivante. Elle n'a rien senti.

— Et comment vous le sauriez ?

Clawson voulait une certitude, non un réconfort vide de sens.

— Le médecin l'a affirmé. Ç'a quelque chose à voir avec le sang.

— Tant mieux, dit-il en hochant la tête. Tant mieux.

Après l'avoir quitté, Monk poursuivit son enquête dans la rue et entra dans une ou deux autres échoppes. À la fin de la journée, il était las et affamé, mais n'avait rien appris de plus.

Debout sur la jetée de Limehouse, il repassa l'affaire dans sa tête en attendant le bac. Zenia Gadney était-elle morte à cause de son inexpérience, réduite au désespoir par la disparition subite de son unique soutien ? Ce dernier était-il décédé ou l'avait-il tout bonnement abandonnée ? À moins qu'une crise conjugale ne lui ait interdit de continuer à entretenir une maîtresse ? Cette hypothèse semblait hélas probable.

L'autre possibilité était que la mort de Zenia ait été liée à celle du seul être qui lui était apparemment attaché. Qui était-il ? Personne n'avait fourni de lui une description susceptible de l'identifier parmi les milliers d'hommes d'âge mûr et d'apparence respectable qui vivaient à Londres ou au-delà. S'il la voyait si rarement, c'était peut-être qu'il habitait au loin et venait dans la capitale pour affaires. Peut-être de Manchester, Liverpool ou Birmingham.

— Il faut qu'on mette la main sur cet homme, déclara Orme le lendemain matin alors qu'ils attendaient sur les quais, à Wapping New Stairs.

La marée était haute et venait de tourner, le courant était rapide. Le vent se levait de nouveau, vif et froid comme d'habitude lorsqu'il soufflait de l'est et de la mer.

Monk remonta son col.

— Je ferai tout mon possible, mais il pouvait venir de n'importe où.

— Essayez les fiacres, suggéra Orme. D'après ce que vous dites, il n'était pas du quartier. Il n'a sûrement pas pris l'omnibus. Voulez-vous que je m'en charge ? Je n'ai plus rien à vérifier dans Narrow Street. Soit tout le monde est aveugle, soit elle n'est jamais allée par là.

— Non. Vous aurez plus de succès avec les gens qui habitent entre la jetée de Limehouse et les Kidney Stairs, affirma Monk. On a dû la voir et lui aussi. On aura remarqué quelqu'un qui n'était pas d'ici. Il suffit de leur rafraîchir la mémoire.

— Ils sont terrifiés, répondit Orme, maussade. Les journaux ont fichu une telle frousse aux gens que tout le monde cherche un monstre, une brute qui bave et qui s'acharne comme un animal sur sa proie.

Monk secoua la tête.

— Il ressemble sûrement au commun des mortels. Combien de temps faut-il aux gens pour le comprendre ? La malheureuse pensait sans doute qu'il était parfaitement ordinaire, peut-être juste un peu mal à l'aise.

— Quel métier ! murmura Orme en fixant la rive opposée. Dieu sait combien d'entre elles se font battre ou tuer.

— Elles sont encore plus nombreuses à mourir de maladie, assura Monk, songeant à toutes les femmes qu'Hester avait aidées dans sa clinique de Portpool Lane.

— Je vais me renseigner, promit Orme en boutonnant son manteau.

Il le salua d'un geste bref, se tourna et longea le quai, courbé contre le vent, puis descendit les marches qui menaient au bac.

Il fallut deux jours à Monk pour identifier l'homme qui avait rendu visite à Zenia chaque mois. Il commença par interroger tous les cochers du quartier, lesquels se révélèrent incapables de l'aider, ou réticents à le faire. Ils ne prêtaient guère attention aux visages, et le début d'octobre était déjà loin. Apparemment, celui que Monk recherchait prenait des fiacres au hasard, tantôt dans Commercial Road East, tantôt dans West India Dock Road, voire plus à l'est, dans Burdett Road. L'enquête fut longue et minutieuse, mais il parvint enfin à restreindre le champ de ses recherches à une demi-douzaine d'individus, qu'il élimina un à un.

En fin de compte, il n'eut plus qu'un dénommé Joel Lambourn, domicilié dans Lower Park Street, à Greenwich.

Au lieu de se rendre chez lui, Monk décida d'aller au commissariat du quartier, afin de se munir d'un minimum d'informations au préalable.

Le sergent de garde leva les yeux vers lui à son entrée. Son visage rond n'exprimait qu'une politesse dénuée de chaleur.

— Bonjour, monsieur. Que puis-je pour vous ?

— Bonjour, sergent, répondit Monk avant de se présenter. J'effectue une enquête concernant un incident auquel aurait pu être mêlé un certain Joel Lambourn, qui habite dans votre secteur.

— Je ne suis pas sûr de pouvoir vous renseigner, monsieur, rétorqua l'homme froidement. Je ne suis pas au courant. Désolé d'être un peu formel, mais pourrais-je voir des papiers qui prouvent qui vous êtes ? On ne peut pas parler aux gens sans savoir.

Il ne prenait pas la peine de cacher son hostilité.

Perplexe, Monk sortit sa carte et la lui montra. Pour autant, le sergent ne se départit pas de sa froideur.

— Merci, monsieur. En quoi pensez-vous que nous puissions vous aider ? demanda-t-il, omettant à dessein le grade de Monk.

— Connaissez-vous Mr. Lambourn ?

— Le docteur Lambourn, monsieur, rectifia le sergent sèchement. Oui, je le connaissais un peu, je lui disais bonjour.

— Vous le connaissiez ? répéta Monk, surpris. Vous ne le connaissez plus ?

— Étant donné qu'il est mort, paix à son âme, non, je ne le connais plus, riposta le sergent d'un ton mordant.

— Je suis navré.

Monk était gêné. S'il n'avait pas pu le savoir, peut-être aurait-il dû le deviner.

— Est-ce arrivé il y a environ deux mois ?

Le sergent accusa le coup.

— Vous voulez dire que vous ne le saviez pas ?

À l'évidence, cela lui paraissait incroyable.

— Non. J'enquête sur le meurtre d'une femme dont le corps a été retrouvé sur la jetée de Limehouse il y a quatre jours. Il est probable que le docteur Lambourn la connaissait. J'espérais qu'il pourrait nous en dire plus long sur elle.

Le sergent parut interdit.

— La malheureuse qui a été charcutée par une espèce de boucher ? Je vous demande pardon, monsieur, mais vous faites erreur. Le docteur Lambourn était un gentleman très respectable. Il n'aurait fait de mal à personne. Et il n'aurait pas connu de femme qui faisait ce métier-là.

Monk réprima l'envie de lui expliquer que nombre de gens pouvaient donner en public une impression très différente de ce qu'ils étaient dans l'obscurité et l'intimité d'une ruelle, loin de l'endroit où ils vivaient. Il voyait sur le visage de son interlocuteur que ce dernier n'était pas disposé à entendre une telle suggestion concernant Lambourn.

— Quel genre de médecin était-il ? Je veux dire, quelle clientèle soignait-il ?

— Il ne soignait personne, répliqua le sergent. Il faisait des recherches sur les maladies et les médicaments, des choses comme ça.

— Savez-vous quelles maladies ? insista Monk.

Il ignorait si cela avait la moindre importance, mais jusqu'ici, le docteur Lambourn était la seule personne qui semblait avoir connu Zenia Gadney mieux qu'un simple voisin.

— Non. Il posait beaucoup de questions sur les médicaments, surtout l'opium et le laudanum. Pourquoi ? Quel rapport avec la pauvre femme que vous avez retrouvée à Limehouse ?

— Je ne vois pas vraiment, hormis qu'elle prenait parfois de l'opium pour des maux de tête et autres.

— Comme la moitié de la population en Angleterre, commenta le sergent d'un ton moqueur. Pour les maux de tête, maux d'estomac, insomnies, le bébé qui braille, qui fait ses dents, et les vieux pour les rhumatismes.

— Je suppose, admit Monk. Qu'est-ce que le docteur Lambourn étudiait au juste pour s'intéresser à l'opium et aux médicaments qui en contiennent ? Le savez-vous ?

— Non. Ç'a toujours été un gentleman très discret, qui avait un mot gentil pour tout le monde. Sauf votre respect, Mr. Monk, on a dû mal vous renseigner. Il n'y avait pas plus correct que le docteur Lambourn.

Comprenant qu'il ne servirait à rien d'émettre un doute avant d'avoir obtenu de plus amples informations, Monk remercia le sergent et ressortit. Même si Lambourn avait subvenu aux besoins de Zenia, il ne pouvait être impliqué dans son assassinat puisqu'il était mort lui-même deux mois plus tôt. Cependant, Monk aurait aimé en savoir davantage sur lui, ne fût-ce que pour la lumière que cela jetterait éventuellement sur la vie de Zenia Gadney.

— Monsieur ! lança sèchement le sergent depuis le seuil.

Monk se retourna.

— Oui ?

— N'allez pas déranger Mrs. Lambourn, monsieur. Ç'a été assez dur comme ça pour elle. Laissez-la en paix.

Quelque chose dans l'expression de l'homme troubla Monk, une colère qui semblait injustifiée.

— De quoi est-il mort ?

Le sergent baissa les yeux.

— Il s'est suicidé. Tailladé les poignets. Laissez-la en paix… monsieur.

C'était un avertissement, autant qu'il osait lui en donner un.

4

Monk n'avait d'autre choix que d'aller s'entretenir avec la veuve de Joel Lambourn. Si elle ignorait tout de la relation de son mari avec Zenia Gadney, il lui serait très douloureux de l'apprendre à présent. Si elle était au courant, peut-être était-ce en partie pour cette raison qu'il s'était donné la mort. Monk ne voulait pas faire souffrir davantage la pauvre femme, mais Zenia Gadney méritait que justice soit faite. En outre, et surtout, Monk devait arrêter le boucher qui l'avait tuée et le faire pendre. Les journaux répandaient la panique en publiant des articles à sensation. Certaines rumeurs faisaient état de créatures mi-bêtes, mi-humaines rôdant autour des quais. Monk avait même vu un imbécile irresponsable évoquer un monstre surgi des eaux, tiré par la marée de sa tanière au fond du fleuve.

Une demi-heure plus tard, il arrivait chez les Lambourn dans Lower Park Street, à quelques centaines de mètres de Greenwich Park, avec ses arbres et ses promenades, et bien sûr l'Observatoire royal à partir duquel on calculait l'heure dans le monde entier. C'était un quartier de maisons solides et tranquilles, destinées à des gens qui travaillaient dur et vivaient discrètement.

Bien que déplaisante, cette visite était inévitable, aussi Monk n'hésita pas.

Une bonne vint lui ouvrir, un tablier blanc amidonné avec soin sur sa jupe et son chemisier unis. Elle posa sur lui un regard interrogateur.

— Oui, monsieur ?

Il se présenta et demanda s'il était possible de parler à Mrs. Lambourn. Il s'excusa du dérangement, ajoutant que l'affaire était importante, sans quoi il ne serait pas venu.

On le fit entrer dans un petit salon vert pâle qui donnait sur la rue. Les rideaux à demi tirés laissaient les fauteuils dans l'ombre, mais un pan de soleil se découpait sur les motifs du tapis. Le feu n'était pas allumé, sans doute parce que Mrs. Lambourn ne recevait guère de visiteurs pour l'instant.

Monk remercia la bonne. Lorsqu'elle fut sortie, refermant la porte derrière elle, il regarda autour de lui. Les murs étaient occupés par des bibliothèques pleines de livres. Il s'approcha pour lire les titres. Les ouvrages portaient sur une foule de sujets, liés non seulement à la médecine, mais aussi à l'histoire britannique, chinoise (ce qui l'étonna), et même celle des États-Unis d'Amérique.

Sur le mur opposé, il trouva des traités de philosophie, les œuvres complètes de Shakespeare, *Le Paradis perdu* de Milton et l'*Histoire de la décadence et de la chute de l'Empire romain* de Gibbon, ainsi qu'un certain nombre de romans.

Il était toujours absorbé dans sa contemplation quand Mrs. Lambourn entra. Le bruit léger de la porte qu'elle refermait le fit tressaillir et il se retourna pour lui faire face.

— Je suis désolé, s'excusa-t-il. Vous avez une fascinante collection de livres !

— Ils appartenaient à mon mari, dit-elle à mi-voix, avant de se présenter.

Dans d'autres circonstances, Dinah Lambourn aurait été d'une beauté remarquable. De taille élancée, elle possédait des pommettes hautes et des traits affirmés qui en cet instant paraissaient vulnérables, marqués par la douleur. Elle était vêtue d'une robe noire dont aucun bijou n'atténuait la sévérité. Hormis le bleu sombre de ses yeux, seul l'éclat de ses cheveux châtains apportait une touche de couleur à sa tenue.

Son émotion était si palpable que Monk éprouva un pincement de remords d'être venu lui poser une question aussi épouvantable. Quel genre d'homme Joel Lambourn avait-il donc été pour laisser une femme comme elle afin d'aller retrouver l'insignifiante Zenia Gadney dans le quartier de Limehouse ? Pourquoi, pour l'amour du ciel ? Était-il faible, dominé par Dinah ? Incapable de satisfaire les besoins émotionnels ou physiques de son épouse, s'était-il tourné vers une femme ordinaire, dépourvue d'attraits, qui n'exigeait rien de lui ? Ou qui, peut-être, n'osait pas le critiquer ?

Ou possédait-il une facette plus noire qu'il avait voulu dissimuler à Dinah ?

Elle attendait que Monk expose la raison de sa visite. Comment la lui avouer en lui causant le moins de douleur possible ? Et pourtant, il devait découvrir la vérité.

— Connaissiez-vous une certaine Zenia Gadney, qui vivait à Copenhagen Place, à Limehouse ? demanda-t-il à mi-voix.

Elle cilla, apparemment décontenancée par sa question. Elle demeura immobile quelques instants, comme si elle fouillait dans sa mémoire.

— Non, cela ne me dit rien, répondit-elle enfin. Mais vous avez parlé au passé. Quelque chose lui est-il arrivé ?

— Je le crains. Ceci va vous être pénible, Mrs. Lambourn. Peut-être devriez-vous vous asseoir.

Son ton était celui de la requête plutôt que de la simple suggestion.

Elle s'exécuta lentement, le visage plus pâle encore, les yeux rivés aux siens.

— En quoi cela me concerne-t-il ? demanda-t-elle d'une voix tremblante.

— J'ai le regret de vous dire que quelque chose lui est arrivé, en effet.

— Je suis désolée.

C'était un murmure, et pourtant il contenait une émotion qui allait bien au-delà des bonnes manières.

— Mais vous avez dit que vous ne la connaissiez pas, lui fit-il remarquer, gagné par un frisson.

— Je ne vois pas le rapport, rétorqua-t-elle en redressant légèrement le menton. Je suis tout de même désolée qu'il lui soit arrivé quelque chose. Pourquoi êtes-vous ici ? Limehouse se trouve de l'autre côté du fleuve. Je ne sais rien de cette affaire.

— Je crois que votre mari la connaissait.

Visiblement émue, Dinah Lambourn lutta pour se reprendre.

— Mon mari est mort, Mr. Monk, murmura-t-elle d'une voix rauque. Et je n'ai jamais rencontré Mrs… Gadney.

— Je sais que votre mari est mort, Mrs. Lambourn. J'en suis profondément navré. On m'a dit que c'était un homme remarquable. Cependant, il semble qu'il ait assez bien connu Mrs. Gadney, pendant un certain temps.

Elle dut s'éclaircir la gorge avant de pouvoir parler. Ses mains blanches et minces étaient nouées et crispées sur ses genoux.

— Où voulez-vous en venir, Mr. Monk ?

— Apparemment, votre mari rendait visite à Mrs. Gadney à Limehouse, au moins une fois par mois.

Il l'observa, s'attendant à lire sur son visage le choc, le dégoût, le refus, mais ne reconnut avec certitude que le chagrin. D'autres émotions marquaient ses traits, qu'il était incapable de déchiffrer.

— Quand est-elle morte, et de quoi ? murmura-t-elle.

— Il y a près d'une semaine. Elle a été assassinée.

Elle écarquilla les yeux.

— Assassinée ?

Elle avait eu du mal à articuler le mot et le regardait, horrifiée.

— Oui, confirma-t-il, regrettant de devoir être brutal. J'imagine que vous ne lisez pas les journaux, mais peut-être en avez-vous entendu parler. Les nouvelles vont vite. Une femme a été tuée et son corps mutilé a été trouvé sur la jetée de Limehouse.

— Je l'ignorais.

Elle était devenue si livide qu'il redoutait qu'elle ne perde connaissance, bien qu'elle fût assise.

— Désirez-vous que j'appelle votre bonne, Mrs. Lambourn ? proposa-t-il. Elle pourrait vous apporter un verre d'eau, ou des sels. J'ai peur de vous avoir annoncé de tristes nouvelles. Je suis désolé.

— Cela… cela ira.

Elle s'obligea à se redresser, avec un effort visible.

— Dites-moi ce que vous avez à me dire, je vous en prie, ajouta-t-elle d'une voix incertaine.

— Vous ne la connaissiez pas ?

— Savez-vous qui a commis ce crime ? répondit-elle, éludant la question.

— Non, pas encore.

Ses yeux s'agrandirent légèrement.

— Mais vous pensez que je peux vous aider ?

— C'est possible. Jusqu'ici, le docteur Lambourn semble avoir été son seul ami. Et à en juger par ses dépenses dans les magasins du quartier, elle avait de l'argent après chacune de ses visites. Elle réglait souvent ses notes à ce moment-là.

Il s'en tint au sous-entendu. Nul besoin de se montrer plus clair.

— Je vois.

Elle posa les mains sur ses genoux et les fixa. Ses doigts étaient fins, ses ongles soignés. La pâleur de son teint n'en altérait pas la perfection.

— Parlez-moi du docteur Lambourn.

Il voulait se faire une idée de la femme qu'elle était. Il ne savait pas encore s'il la croyait lorsqu'elle affirmait ne pas avoir connu Zenia Gadney. Était-elle encore terrassée par le chagrin au point de n'éprouver aucune curiosité envers celle à qui son mari avait accordé une partie de sa loyauté, de son attention et, apparemment aussi, de son argent ?

Elle parla à voix basse, comme si elle évoquait des souvenirs destinés à elle-même plutôt qu'à Monk. Il eut soudain la totale conviction qu'elle ne s'attendait pas à être crue, et que cela comptait énormément à ses yeux. Cependant, elle ne leva pas une seule fois les yeux pour tenter de le persuader.

— C'était un homme bon, commença-t-elle, luttant afin de trouver des mots assez forts et assez précis. Jamais il ne s'est fâché contre moi ni contre nos filles, même quand elles étaient toutes petites et qu'elles faisaient du bruit.

Elle eut un sourire fugace, qui s'évanouit tandis qu'elle se faisait violence pour maîtriser ses émotions.

— Il était patient avec les gens qui n'étaient pas très intelligents. Et, comparés à lui, la plupart ne l'étaient pas. En revanche, il ne tolérait pas les menteurs. Il punissait nos deux filles sévèrement si elles lui avaient menti.

Elle secoua légèrement la tête.

— Cela ne s'est produit que deux ou trois fois. Elles l'aimaient énormément.

Dans la rue, un équipage passa, le bruit pénétrant à peine dans la pièce silencieuse.

Monk attendit quelques instants avant de l'encourager à poursuivre.

— Je suis désolée, reprit-elle. Je m'attends toujours à entendre son pas. C'est ridicule, n'est-ce pas ? Je sais qu'il est mort. Chaque parcelle de mon corps le sait. Il occupe toutes mes pensées. Pourtant, quand je m'endors, j'oublie, et le matin, au réveil, l'espace d'une seconde, c'est comme s'il n'était pas parti. Et puis je me souviens.

Monk tenta d'imaginer sa propre maison si Hester n'y revenait jamais. Cette pensée lui fut insupportable, aussi la chassa-t-il aussitôt. Elle l'aurait paralysé. Son travail consistait à découvrir qui avait tué Zenia Gadney. Il ne pouvait rien changer au fait que Joel Lambourn s'était donné la mort et, s'il en découvrait la raison, ce serait peut-être plus douloureux encore. Comment pouvait-on affronter une telle tragédie, trouver assez de raisons de continuer à vivre ? Le quotidien devait sembler absurde, dépourvu de sens, la présence des enfants à la fois un réconfort et une souffrance. L'on se faisait violence pour eux. Mais le soir, lorsqu'on se retrouvait seul dans le lit qu'on avait partagé, et que la maison était silencieuse ? À quoi s'accrochait-on alors pour vivre avec son chagrin ?

— Mrs. Lambourn, continuez, je vous en prie…

Elle soupira.

— Joel était très intelligent ; brillant, à vrai dire. Il effectuait toutes sortes de recherches médicales pour le compte du gouvernement.

— Sur quoi travaillait-il ces derniers temps ?

Monk ne s'intéressait pas vraiment à la réponse, l'important était qu'elle continue à parler.

— Les dangers présentés par l'opium, répondit-elle sans hésiter. Surtout lorsqu'il n'est pas étiqueté correctement. Joel affirmait que c'est le cas la plupart du temps. Il avait rassemblé une quantité énorme de faits et de chiffres concernant les morts. Il passait des heures à les vérifier dans son bureau, à s'assurer que chaque récit était étayé par des preuves.

— Dans quel but ? s'enquit Monk, intéressé malgré lui.

Pour la première fois, elle leva les yeux vers lui.

— Des milliers de gens meurent d'empoisonnement par l'opium, Mr. Monk, et parmi eux beaucoup d'enfants. Savez-vous ce qu'est un *penny twist* ?

— Naturellement. Une petite dose de poudre d'opium qu'on peut acheter à la pharmacie ou à l'épicerie du quartier.

Il revit Mr. Clawson et tous les remèdes en vente dans sa quincaillerie, sa défense farouche de Zenia Gadney.

— Combien d'opium y a-t-il dans une dose ? demanda Dinah Lambourn.

— Je n'en ai aucune idée, avoua-t-il.

— L'homme qui la vend non plus, et pas davantage la femme qui l'achète pour soigner son enfant

ou apaiser son mal de tête, ou ses douleurs d'estomac, ou pour dormir.

Elle eut un geste d'impuissance.

— Moi non plus, d'ailleurs. C'est ce que Joel
était en train de prouver. Il connaissait des cas dans
tout le pays. Beaucoup touchaient des enfants. Ce
n'était qu'une partie de son travail, mais voilà ce
qu'il faisait.

Monk essayait d'imaginer l'homme qui allait voir
Zenia Gadney à Limehouse et qui la payait chaque
mois. Son portrait était encore si incomplet qu'il n'en
avait presque aucun sens. Pourquoi s'était-il suicidé ?
Jusque-là, cela n'avait pas de sens non plus.

— Avait-il réussi sur le plan financier ? demanda-
t-il, redoutant de remuer le couteau dans la plaie.

— Bien entendu, affirma-t-elle, comme si la
question était un peu sotte. Il était brillant, je vous
l'ai dit.

— Le génie scientifique n'est pas toujours
récompensé, lui fit-il remarquer.

Était-il possible qu'elle ignorât tout des finances
de son mari ? Avait-il pu perdre de grosses sommes
au jeu ? À moins qu'on ne l'eût fait chanter à cause
de ses visites à Limehouse et que, refusant de payer
davantage, il n'eût préféré le suicide au déshonneur
et à la ruine de sa famille ? D'autres que lui l'avaient
fait, en apparence tout aussi respectables.

— Regardez autour de vous, Mr. Monk, dit-elle
simplement. Donnons-nous l'impression d'être à
court d'argent ? Je vous assure que je suis parfaitement au courant de ma situation. Le chargé d'affaires
de Joel m'a informée très précisément de la somme
dont nous disposons et m'a conseillée sur la manière
de la faire fructifier tout en conservant le principal,
de façon à éviter des difficultés à l'avenir. Nous
avons largement de quoi subvenir à nos besoins.

Ce serait aisé à vérifier, et il chargerait quelqu'un de s'en occuper.

— Je m'en félicite, répondit-il avec sincérité. Mrs. Gadney n'avait pas cette chance. Elle vivait au jour le jour.

— J'en suis désolée pour elle, mais cela ne me regarde pas. À dire vrai, puisque cette pauvre femme est morte, cela ne regarde plus personne.

Il ne pouvait pas laisser passer cette remarque.

— Êtes-vous sûre que vous n'étiez pas au courant des visites mensuelles que lui faisait votre mari ? répéta-t-il. Cela semble un extraordinaire abus de confiance pour un homme qui détestait le mensonge.

Pâle comme un linge, elle prit une brève inspiration pour répondre, puis se rendit visiblement compte qu'elle ne savait que dire.

Il se pencha vers elle.

— Je crois qu'il est temps de me dire la vérité, Mrs. Lambourn. Je n'aurai de cesse que je ne l'aie découverte. Je vous donne ma parole de ne pas rendre publique la relation de votre mari avec Zenia Gadney si elle n'a aucun rapport avec son meurtre. Mais je le découvrirai. Cela aussi est une promesse. Je répète ma question : étiez-vous au courant de ses visites à Zenia Gadney ?

— Oui, avoua-t-elle dans un souffle.

— Quand l'avez-vous su ?

— Il y a des années. Je ne me souviens pas exactement.

Il hésitait à la croire. Certes, elle ne manifestait ni choc ni surprise, mais quoi d'étonnant ? Même si elle avait appris la vérité deux mois plus tôt, le chagrin causé par la mort de Lambourn aurait pris le pas sur toute autre émotion. Si elle savait depuis des années, comment avait-elle pu s'accommoder de cet état de fait ? Peut-être était-il impossible à un homme de comprendre qu'une femme puisse accepter un tel arrangement. Jamais il ne supporterait qu'Hester le trahisse ainsi. Il ne pouvait pas même y songer.

Dinah le regardait avec le calme apparent de qui a déjà affronté le pire et n'a plus l'énergie suffisante pour une nouvelle épreuve.

— Zenia Gadney était-elle la seule femme à qui votre mari rendait visite et qu'il payait, Mrs. Lambourn ? Ou y en avait-il d'autres ?

Elle se figea comme s'il l'avait giflée.

— Elle était la seule, répondit-elle avec tant de certitude qu'il fut enclin à la croire. J'ignore si elle… voyait d'autres gens. Mais vous avez dit que ce n'était pas le cas.

— Pas pendant que Mr. Lambourn était en vie. Et par la suite, il ne semble pas qu'il y ait eu quelqu'un de régulier.

Elle baissa de nouveau les yeux sur ses mains.

— Pourquoi Mr. Lambourn s'est-il donné la mort ? demanda-t-il, avec l'impression d'être un bourreau.

Dinah demeura immobile si longtemps qu'il s'apprêtait à répéter sa question lorsqu'elle releva enfin la tête.

— Il ne l'a pas fait, Mr. Monk. Il a été assassiné, affirma-t-elle avant de prendre une longue, une profonde inspiration. Je vous ai dit qu'il était en train de rédiger un rapport de grande importance. S'il avait abouti, son projet aurait sauvé des milliers de vies, mais aussi privé certains hommes d'affaires d'une bonne partie de leurs profits. Joel n'était pas de ceux qu'on peut corrompre. Il se refusait à déformer les faits ou à cacher la vérité pour leur plaire. La seule manière de lui imposer silence était de ridiculiser son travail, d'en nier la validité. Après, comme il refusait de se taire, on s'est débrouillé pour donner l'impression qu'il avait compris son erreur et qu'il s'était suicidé sous l'emprise de la honte et du désespoir.

Elle le fixait intensément, les yeux brillants, le visage tendu, vibrant passionnément de la force de ses émotions.

Il ne la croyait pas, et pourtant il était impossible de douter de sa sincérité.

Il s'éclaircit la gorge, s'efforçant de parler d'une voix calme et dépourvue d'incrédulité.

— Qu'est-il arrivé à ce document ?

— Ils l'ont détruit, évidemment. Ils ne pouvaient se permettre de faire autrement.

Monk garda le silence.

— Je savais que vous n'alliez pas me croire, reprit Dinah tout bas. Pourtant, c'est la vérité. Joel ne se serait jamais donné la mort, et certainement pas à cause de cette pauvre Zenia Gadney. Peut-être l'ont-ils tuée aussi.

— Qui, « ils » ?

— Des gens qui ont de gros intérêts dans l'importation et la vente d'opium.

— Pourquoi auraient-ils tué Mrs. Gadney ?

Cela n'avait aucun sens. Ne s'en rendait-elle pas compte, en dépit de son chagrin ?

Son visage paraissait meurtri, désespérément vulnérable.

— Peut-être pour que la disgrâce de Joel soit totale, et que personne ne puisse continuer son travail.

— Avait-elle un rapport avec celui-ci ?

Elle eut un petit geste d'impuissance.

— Je ne vois pas en quoi.

Monk tenta de s'imaginer ce qu'avait ressenti Joel Lambourn, déshonoré auprès de ses pairs, marié à une femme qui avait trop foi en lui pour envisager un échec de sa part. Zenia Gadney était-elle la seule à ne pas exiger de lui la perfection ? Était-ce là ce qui l'attirait chez elle ? Une relation dénuée de critères à remplir, d'attentes à satisfaire ? Être simplement accepté tel qu'il était, avec ses qualités et ses défauts ?

Et si la pression était devenue à ce point intolérable qu'il avait choisi la seule issue envisageable à ses yeux ?

Le meurtre de Zenia Gadney n'avait probablement rien à voir avec Joel Lambourn, ni même avec l'opium. Elle en prenait pour soulager ses douleurs, comme des milliers d'autres. Peut-être Lambourn avait-il tort et l'opium était-il inoffensif, sauf en cas d'absorption massive par accident. L'on pouvait prendre une dose excessive de n'importe quoi, à commencer par l'alcool.

Il n'avait plus qu'à mettre un terme à son enquête. Par acquit de conscience, il demanda à Dinah si son mari avait d'autres parents. Elle lui donna l'adresse de la sœur de Lambourn, Amity Herne.

Il s'excusa encore de l'avoir dérangée et sortit dans le soleil et le vent froid et âpre. La tristesse pesait lourdement sur lui, comme s'il portait en lui la lumière déclinante de l'année.

5

Le lendemain soir, Monk eut la chance de trouver la sœur de Lambourn chez elle, dans le quartier très prisé de Gordon Square. En cours de route, il avait croisé plusieurs équipages imposants, avec valets de pied en livrée et portières ornées d'armoiries, tirés par des chevaux à la robe parfaitement assortie.

La bonne l'introduisit dans un salon opulent avant d'aller demander à Mrs. Herne si elle acceptait de le recevoir.

Monk promena son regard autour de la pièce et fut aussitôt frappé par l'aspect conventionnel du décor. Il n'y avait rien là d'original, rien qui pût plaire ou offenser vraiment. C'était non seulement ennuyeux, mais d'une certaine manière trompeur. Le maître des lieux dissimulait sa personnalité. Le mari d'Amity Herne devait être totalement différent de son frère, même s'ils partageaient une prédilection pour certains auteurs, comme Shakespeare et Gibbon. À première vue, Milton était absent. La disposition des livres, tous de la même taille et exactement à la même hauteur, comme si on ne les avait jamais déplacés, irrita Monk.

Il dut patienter quelques instants, mais ne vit rien qui éveillât son intérêt ou lui donnât la moindre idée des penchants ou des convictions de l'homme qui vivait là.

Presque aussi grande que sa belle-sœur et beaucoup plus mince, Amity Herne était séduisante, un rien nerveuse. Elle avait le teint lisse, d'abondants cheveux blonds coiffés avec soin. Dans sa robe foncée, à la coupe élégante, ses épaules semblaient un tantinet osseuses.

— Que puis-je pour vous, Mr. Monk ? demanda-t-elle sans l'inviter à s'asseoir. Je suis sur le point de me rendre à une exposition de soies chinoises en compagnie de l'épouse du Lord Chancelier. Vous comprendrez que je ne saurais être en retard.

— Bien sûr, acquiesça Monk. J'en viendrai immédiatement au but de ma visite. Pardonnez-moi d'être brutal. J'enquête sur la mort d'une certaine Zenia Gadney.

Amity Herne fronça les sourcils.

— Ce nom ne me dit rien. Je suis navrée qu'elle soit morte, mais je ne peux pas vous aider. Je ne vois pas ce qui a pu vous faire penser le contraire.

— Peut-être que non, admit-il sans répondre à sa question indirecte. Mais votre défunt frère connaissait assez bien Mrs. Gadney…

Il se tut en voyant se crisper le visage de son hôtesse. Si c'était une expression de chagrin, elle ressemblait davantage à de l'irritation.

— Mon frère ne fréquentait pas le même milieu que nous, dit-elle très bas.

À l'évidence, elle jugeait Monk indiscret et – au vu de l'apparent suicide de son frère – peut-être avait-elle raison.

— C'était… à certains points de vue… un original, reprit-elle. Cela s'est accentué à mesure qu'il vieillissait. Je suis vraiment désolée que vous ayez perdu votre temps.

Monk ne bougea pas.

— D'après sa veuve, le docteur Lambourn connaissait bien Mrs. Gadney, et les témoignages que nous avons obtenus dans son quartier le confirment.

— C'est fort possible, admit-elle, sans bouger non plus de l'endroit où elle se tenait, à un mètre ou deux de la porte. Comme j'ai essayé de vous l'expliquer, mon frère était quelque peu excentrique. Quand il avait une idée en tête, rien ne pouvait le faire changer d'avis, certainement pas le bon sens, ni les preuves.

L'amertume perçait dans sa voix. C'était là une facette nouvelle de Joel Lambourn. Monk n'avait aucun plaisir à l'entendre, mais ne pouvait laisser passer cette allusion s'il y avait une possibilité, même infime, qu'elle le mène à l'assassin de Zenia Gadney. Il se força à se remémorer son corps presque plié en deux, rendu plus fluet par la mort. Il revit le visage blanc et cireux, le ventre déchiré, le sang et les viscères pâles que dégorgeait la blessure.

— Mrs. Gadney a été assassinée, murmura-t-il, choisissant à dessein des mots cruels. On lui a ouvert le ventre et arraché les intestins. On s'est débarrassé du corps sur la jetée de Limehouse, comme d'un sac de détritus percé.

Il marqua une brève pause.

— Mr. Lambourn la connaissait suffisamment pour lui rendre visite chaque mois, reprit-il, radouci. Sa veuve affirme qu'elle le savait, et ce depuis des années. C'est là une information que je ne peux me permettre d'ignorer. Jusqu'ici, le docteur Lambourn est la seule personne avec qui la morte semblait avoir une relation digne de ce nom.

Une série d'émotions se succédèrent sur le visage d'Amity, si fugitives que Monk eut tout juste le temps d'identifier la colère. Si la peine, la peur ou la compassion en faisaient partie, elles s'évanouirent trop vite pour qu'il les reconnût. Mais après tout, pourquoi aurait-elle affiché sa vulnérabilité devant lui alors qu'il s'était montré aussi brutal ? Face à une blessure insupportable, la colère était une défense naturelle.

— Vous feriez mieux de vous asseoir, Mr... Mr. Monk, dit-elle d'un ton glacial. Je vais être aussi claire et aussi brève que possible. Il y a évidemment un grand nombre de choses que vous ignorez, et je suppose qu'il vous faut les apprendre, ne serait-ce que par respect pour cette malheureuse. Dieu sait que personne ne devrait mourir ainsi.

Elle s'avança vers un des imposants fauteuils et s'assit avec précaution, en prenant appui sur les accoudoirs.

— Ma belle-sœur, Dinah, est très émotive et totalement idéaliste. Si vous l'avez rencontrée, comme j'ai cru le comprendre, sans doute l'avez-vous constaté par vous-même. Sa vision de Joel n'est pas réaliste, c'est le moins que l'on puisse dire.

Elle secoua la tête.

— Elle lui était entièrement dévouée, ainsi qu'à leurs deux filles, Adah et Marianne. Elle ne peut pas encore affronter la vérité à son sujet et j'imagine qu'elle ne le pourra jamais. Il ne servirait à rien d'essayer de l'y forcer. Nous avons tous besoin de croire en quelque chose. Il serait non seulement cruel, mais tout à fait inutile, de lui dire cela à l'heure qu'il est. Je le sais, car je suis coupable d'avoir essayé.

Monk s'imaginait la scène, Amity et Dinah avec leurs visions diamétralement opposées du même homme, qu'elles avaient toutes deux aimé, de manière différente. Dinah avait-elle tant de foi en lui, non à cause de celui qu'il avait été, mais parce qu'elle avait besoin de le voir ainsi pour satisfaire ses rêves et ses désirs ?

— Joel était un homme charmant, reprit Amity impatiemment en décochant à Monk un regard grave. Il était mon aîné de sept ans et j'ai toujours eu de l'admiration pour lui. Malgré tout, si intelligent qu'il ait été, c'était aussi un homme absorbé par ses idées, un peu…

L'ombre d'un sourire effleura ses lèvres, puis disparut.

— … d'un autre monde, acheva-t-elle enfin. Lorsqu'il s'engageait pour une cause, il rejetait tout ce qui s'y opposait. Peut-être une telle conviction est-elle souhaitable chez un homme de foi. Pas chez un scientifique. Il aurait dû être peintre, ou dramaturge, exercer une profession où il n'est pas nécessaire de se confronter à la réalité.

Monk écoutait sans l'interrompre.

Elle soupira.

— Plus jeune, il était beaucoup plus lucide. C'est seulement au cours des cinq ou six dernières années qu'il s'est égaré.

Monk la dévisagea. Était-elle sage, courageuse, prête à regarder la vérité en face, tandis que Dinah, elle, ne voyait que ce qu'elle voulait voir ? Sa froideur n'était-elle qu'un bouclier, une façon de se protéger ? Elle ne pouvait plus rien pour son frère, et peut-être en avait-il toujours été ainsi.

Amity baissa les yeux.

— Des années durant, il a été excellent dans son travail, reprit-elle. Il était d'une rare intégrité. Dinah vous l'aura déjà dit, à juste titre. Malheureusement, il est devenu obsédé par cette histoire d'opium, a manqué de rigueur lors de ses premières recherches et, à partir de là, les choses ont mal tourné. Il a accumulé les erreurs jusqu'au moment où il n'y a plus eu aucune issue possible.

Son visage était sombre, sa concentration totale. Elle semblait se faire violence pour refouler la tristesse et la douleur, dire ce qui avait besoin d'être dit de manière qu'il comprenne et qu'il s'en aille.

Monk ne la trouvait pas sympathique, et se sentit d'autant plus coupable d'insister.

— Les erreurs ? répéta-t-il.

— Son dernier rapport a été un échec total, et le gouvernement a rejeté ses conclusions, répondit-elle. Les ministres n'avaient pas le choix. Il s'était trompé du tout au tout. Il a très mal pris la chose. Il refusait d'admettre qu'il avait tort, en dépit des preuves amassées contre lui. C'est pour cette raison qu'il s'est donné la mort. Il ne pouvait supporter que ses confrères l'apprennent. Pauvre Joel…

— Et Mrs. Gadney ? demanda Monk plus gentiment.

Amity haussa les épaules.

— Je n'ai aucune certitude réelle, cependant ce n'est pas difficile à comprendre. Dinah est une femme très belle, mais… exigeante.

Elle avait prononcé le mot avec délicatesse, comme pour suggérer un sens plus profond, plus personnel.

— Avec elle, il n'avait pas le droit à l'échec. Peut-être désirait-il une amie, quelqu'un qui se contente de l'écouter, de partager ses centres d'intérêt sans constamment avoir besoin d'attention.

Monk entrevit brièvement l'insupportable solitude, l'épuisement émotionnel de cet homme accusé d'avoir trompé et déçu autrui, étouffant un peu plus à mesure qu'on lui reprochait des défaillances, des erreurs, des mensonges.

Une prostituée ordinaire, au visage agréable, seule comme lui, avait pu être à ses yeux un don du ciel. Tout au moins quelqu'un avec qui rire et pleurer, sans être jugé, quelqu'un qui ne lui demandait rien, hormis un paiement honnête et un peu de gentillesse.

Dinah pourrait-elle jamais comprendre un tel besoin ? Sans doute que non.

Avait-elle eu des attentes de nature physique, que son mari ne pouvait satisfaire car trop fatigué, trop inquiet, ou pour d'autres raisons ? L'amour ne se résume pas à la foi ou à des éloges constants. Parfois, c'est aussi ne pas écraser son conjoint sous le poids de ses espoirs, accepter ses défaites sans cesser de l'aimer.

Il songea à ses propres échecs. Plus d'une fois, il s'était laissé aveugler par son ressentiment envers Runcorn, son ancien supérieur, au détriment de la vérité. Et il y avait eu d'autres fautes. Peut-être la pire avait-elle été l'arrogance qui avait abouti à l'acquittement de Jericho Phillips. Jamais Hester n'y avait fait allusion.

Après son amnésie, quand il avait eu peur de son passé, des fantômes qui revenaient le hanter, Hester ne l'avait pas accusé de lâcheté. Alors qu'il s'était cru coupable du meurtre de Joscelyn Grey, elle avait accepté cette possibilité, mais pas sa capitulation. Elle l'avait encouragé à se battre jusqu'au bout, le dos au mur, sans céder à l'épuisement ni s'avouer vaincu. Peut-être était-ce sa plus grande force. C'était à coup sûr de ce genre d'amour que chacun avait besoin à ses heures les plus sombres.

Était-ce parce qu'il faisait défaut à Joel Lambourn que ce dernier avait renoncé ? Avait-il saisi la seule solution qui s'offrait à lui pour échapper à l'exigence d'être héroïque ?

Sur le chemin du retour, il réfléchit aux paroles d'Amity, si différentes de celles qu'il aurait aimé entendre. Ses révélations inattendues le troublaient. Sa vision de Lambourn était si éloignée de celle de Dinah qu'il avait besoin d'un autre son de cloche pour faire la part des choses.

Dinah vouait à Lambourn l'amour profond d'une épouse, peut-être aveuglée par une passion qui perdurait encore. Terrassée par le chagrin, elle se refusait à croire qu'il ait pu se donner la mort. Cela se comprenait aisément, d'autant plus qu'aucune scène de colère ou de désespoir n'avait semblait-il précédé l'événement ; au contraire, Lambourn avait paru résolu à lutter pour une cause qui lui était de plus en plus chère.

Ou était-ce simplement là ce que Dinah voulait croire – ou même avait besoin de croire – pour garder ses convictions les plus précieuses, voire la force de continuer et d'élever ses filles ? Cela aussi se comprenait.

De l'aveu d'Amity Herne, Lambourn et elle avaient, pour l'essentiel, grandi séparément. Sept ans représentaient un écart considérable entre deux enfants. Il avait été absorbé par ses études d'abord, et par sa carrière ensuite. D'après Amity, ils avaient vécu trop loin l'un de l'autre pour communiquer autrement que par lettres, si bien qu'ils n'avaient même pas noué de liens d'amitié. C'était seulement ces derniers temps qu'elle avait appris à le connaître.

Son jugement émanait-il d'une observation impartiale ? Ou essayait-elle de réfuter tout blâme pour le suicide de son frère en le décrivant comme un homme instable, en qui elle n'aurait jamais pu avoir foi ?

À qui d'autre Monk pouvait-il s'adresser ? Les liens familiaux interdiraient au mari d'Amity, Barclay Herne, de s'exprimer librement, même si son opinion était plus mesurée. Qui avait commandité le rapport de Lambourn ? Ces gens-là auraient une opinion sur ses compétences professionnelles, sinon sur sa vie privée. Monk résolut de leur parler, espérant glaner des informations d'une source différente, et moins personnelle.

Au terme de quelques démarches, Monk apprit que le commanditaire du rapport n'était autre que Sinden Bawtry, secrétaire d'État compétent et influent qui s'élevait rapidement dans la sphère politique. À la tête d'une grande fortune personnelle, il contribuait généreusement à de nombreuses causes, notamment culturelles et artistiques. Sa collection de tableaux et les dons qu'il faisait de temps à autre à divers musées lui valaient l'admiration générale.

Obtenir une demi-heure de son temps ne fut guère facile et l'après-midi touchait à sa fin lorsque Monk fut introduit dans son bureau. Il avait dû déformer légèrement la vérité, laissant entendre que les informations de Bawtry lui fourniraient probablement des indices précieux pour élucider le meurtre de la femme abandonnée sur la jetée de Limehouse. Après s'être tourné les pouces pendant trois quarts d'heure, avec une impatience croissante, il fut accueilli non par un personnage d'âge mûr et austère, mais par un homme dont l'énergie semblait emplir toute la pièce.

— Désolé de vous avoir fait attendre, dit-il à Monk avec chaleur en lui serrant la main. Certaines personnes ne savent pas être concises. Elles s'imaginent que, plus elles emploient de mots, plus on croira leurs affaires importantes.

Il accompagna ses paroles d'un sourire.

— Que puis-je pour vous, Mr. Monk ? Votre message évoquait feu le docteur Joel Lambourn et un lien éventuel avec cet abominable meurtre sur la jetée de Limehouse. J'avoue que j'ai du mal à voir quel rapport pourrait exister entre les deux.

— Il est possible qu'il n'y en ait aucun, admit Monk.

Il avait sur-le-champ résolu de ne pas essayer de tromper cet homme, ne fût-ce que sur un détail. Le visage séduisant de Bawtry et son charme naturel ne masquaient ni sa vive intelligence ni la conscience qu'il avait de son pouvoir.

— Apparemment, le docteur Lambourn connaissait bien la victime, reprit-il. Et les proches de ce dernier semblent avoir de lui des opinions très différentes. J'ai besoin d'un point de vue bien informé mais plus impartial pour parvenir à une conclusion, en particulier sur la qualité de son travail et, partant, sur son état d'esprit éventuel durant la dernière année de sa vie.

Bawtry hocha la tête d'un air compréhensif.

— Il a rédigé un rapport sur l'opium, dit-il. Voilà ce dont je peux vous parler. Je ne connaissais pas Lambourn personnellement, mais peut-être désirez-vous justement un avis objectif. Je crois que c'était un homme exceptionnellement sympathique, et l'affection peut peser sur le jugement, si impartial qu'on désire être.

— Exactement.

Monk se détendit quelque peu.

Bawtry haussa les épaules, comme pour s'excuser.

— Il était brillant, quoiqu'un peu sauvage, continua-t-il. Dévoué à la cause qu'il défendait. Dans ce cas précis, il a laissé la pitié intense qu'il éprouvait pour les victimes de l'ignorance et du désespoir influer sur sa vision d'ensemble.

Il baissa un peu la voix.

— À vrai dire, nous avons réellement besoin d'un plus grand contrôle sur les ingrédients des médicaments accessibles à tous, et surtout de plus d'information sur la quantité d'opium contenue dans ceux qu'on donne aux enfants, ajouta-t-il, l'air préoccupé. C'est une des raisons pour lesquelles nous n'avons pu accepter le rapport de Lambourn. Certains des exemples qu'il avait choisis étaient extrêmes, basés sur des anecdotes plutôt que sur des données scientifiques. Il aurait fait plus de mal que de bien à notre cause, parce qu'il aurait facilement pu être discrédité.

Il soutint calmement le regard de Monk.

— Je suis sûr que vous avez le même problème lorsque vous préparez un dossier en vue d'un procès. Vous devez présenter des pièces à conviction, des témoins crédibles, des preuves assez solides pour résister à un contre-interrogatoire. Tout ce qui peut être détruit par la défense risque de vous perdre aux yeux du jury, n'est-ce pas ? ajouta-t-il en souriant. À nos yeux, Lambourn représentait un risque. J'aurais aimé que les choses se passent autrement. C'était quelqu'un de bien.

Il s'assombrit brusquement.

— J'ai été sidéré d'apprendre qu'il s'était suicidé, mais je ne peux croire que ce soit uniquement dû à ce rapport. Peut-être cela concerne-t-il cette affreuse affaire à Limehouse, à supposer que vous ayez raison. J'espère que non, ce serait par trop sordide. Cependant, je n'en sais rien. Je porte sur lui un jugement professionnel et non personnel.

— Savez-vous ce qu'il est advenu de ce document ? s'enquit Monk. J'aimerais y jeter un coup d'œil.

Bawtry parut surpris.

— Pensez-vous qu'il puisse y avoir un lien avec la mort de cette femme ? Sa relation avec Lambourn n'est sûrement qu'une coïncidence.

— Sans doute, admit Monk, mais ce serait une négligence de ma part de ne pas suivre toutes les pistes éventuelles. Peut-être savait-elle quelque chose. Il a pu lui parler, voire lui confier des informations concernant son travail.

Bawtry fronça les sourcils.

— Comme quoi, au juste ? Voulez-vous dire qu'il aurait pu mentionner le nom d'une personne liée à l'opium, aux médicaments brevetés, ou à des affaires malhonnêtes ?

— C'est une possibilité.

— Je vais me renseigner pour savoir s'il nous reste un exemplaire. Si oui, je veillerai à ce qu'on vous y donne accès.

Monk n'avait pas d'autre question à poser, et avait presque épuisé le temps que Bawtry avait accepté de lui accorder. Il n'était pas sûr d'avoir entendu ce qu'il voulait entendre, mais que dire ? Le portrait qu'on venait de lui faire était circonspect, empreint de compassion et infiniment mesuré.

— Je vous remercie, monsieur, dit-il à voix basse.

Le sourire de Bawtry réapparut.

— J'espère vous avoir été de quelque utilité.

6

Le lendemain matin, Monk se rendit au bureau du coroner qui s'était occupé du suicide de Lambourn. Les résultats de l'autopsie figuraient dans les archives publiques et il n'eut aucun mal à obtenir les documents.

— Une bien triste affaire, commenta l'employé d'un ton solennel.

Malgré sa jeunesse, ce dernier prenait son rôle très au sérieux. Ses cheveux déjà clairsemés étaient coiffés en arrière, son complet noir était impeccable.

— Quand quelqu'un décide de mettre fin à sa vie, cela donne à réfléchir.

Incapable de trouver une réponse appropriée, Monk acquiesça et se pencha sur le rapport. Apparemment, Lambourn s'était tailladé les poignets et vidé de son sang après avoir absorbé une assez forte dose d'opium. Le médecin de la police avait rédigé son témoignage en termes brefs et personne n'avait mis en doute son exactitude ou sa compétence. À vrai dire, il n'y avait guère matière à le faire.

Le coroner avait conclu à un suicide, et ajouté l'habituelle phrase de compassion suggérant que la victime souffrait d'un déséquilibre mental et méritait donc d'être plainte plutôt que blâmée. Une formule pieuse, si courante qu'elle en était presque devenue anodine.

Les condoléances avaient été polies mais formelles. Joel Lambourn était respecté par ses confrères et aucun ne désirait s'interroger tout haut sur les raisons de son geste. On n'avait pas demandé à Dinah Lambourn de s'exprimer. D'après le seul témoignage à caractère personnel, celui de son beau-frère, Barclay Herne, Lambourn, déjà déprimé par les résultats de ses dernières recherches, avait été plus affecté que prévu par la décision du gouvernement de ne pas accepter ses recommandations. Herne avait ajouté qu'il le regrettait profondément.

Le coroner n'avait pas fait d'autres commentaires. Le dossier était clos.

— Merci, dit Monk en rendant le document à l'employé. Il doit y avoir un rapport de police. Où se trouve-t-il ?

L'homme parut perplexe.

— Ce n'était pas vraiment nécessaire, monsieur. Personne n'était responsable. Le malheureux était seul. S'il y avait eu quelqu'un, on l'aurait arrêté. C'est logique.

— Qui a trouvé le corps ?

Monk s'attendait à l'entendre dire que c'était Dinah, et tenta de s'imaginer l'horreur qu'elle avait dû éprouver – son incrédulité instinctive face à la scène.

— Un homme qui promenait son chien. Il n'aurait peut-être pas été vu avant un bon moment si le chien ne l'avait pas senti. Ils sentent ça... la mort, je veux dire.

Il secoua la tête, tremblant légèrement.

— Où était-il donc ? demanda Monk, surpris.

Il avait supposé que Lambourn était mort chez lui, ou à son bureau.

— Dans Greenwich Park. Sur One Tree Hill. Il était dans une sorte de dépression, près du sommet. Assis là-haut, adossé à un tronc.

Une vision tragique s'imposa à Monk, celle d'une solitude absolue, désespérée. Qu'était-il arrivé à cet homme pour qu'il abandonne sa femme et ses filles, se rende seul au parc dans le froid et dans le noir, et se tue de la sorte ? En sachant qu'un être qu'il connaissait, qu'il aimait, serait appelé à identifier sa dépouille, et à annoncer la nouvelle aux siens ? Selon tous les témoignages que Monk avait entendus jusque-là, Lambourn était un homme doux et attentionné. Qu'est-ce qui avait pu le pousser à commettre un acte aussi épouvantablement égoïste ?

— Le rapport du coroner ne mentionne pas son état de santé, observa-t-il. Est-il possible qu'il ait été atteint d'une maladie incurable ?

L'employé eut l'air décontenancé.

— Je n'en sais rien, monsieur. La cause du décès était parfaitement évidente.

— La cause, oui, mais pas la raison, lui fit remarquer Monk.

Le jeune homme arqua les sourcils.

— Cela n'est peut-être pas de notre ressort, monsieur. À l'évidence, il s'était produit quelque chose de si affreux dans la vie de ce pauvre homme qu'il se sentait incapable de continuer. Nous ne pouvons plus rien pour lui, sinon lui accorder un peu de dignité. Peu importe à présent, de toute manière.

Le reproche était implicite.

Monk éprouva une pointe d'irritation.

— Cela importe parce que le docteur Lambourn semble avoir été la seule personne à bien connaître la victime d'un meurtre répugnant à Limehouse, rétorqua-t-il assez abruptement. J'ai besoin de découvrir s'il savait qu'une menace pesait sur elle ou si on le soupçonnait d'être au courant.

Une bouffée de remords l'envahit temporairement lorsque l'inquiétude se lut sur les traits de l'employé. Comprendre la mort de Joel Lambourn l'aiderait-il vraiment à déterminer qui avait assassiné Zenia et pourquoi ? Rien ne le prouvait. Pourtant, certains aspects de cette affaire paraissaient dépourvus de sens, à moins de s'inscrire dans un tout plus vaste. Et jusque-là, il n'avait aucune autre piste, sauf si Orme avait réussi à dénicher un indice ou un témoin quelconque.

L'employé secouait la tête, comme pour écarter cette suggestion.

— Le docteur Lambourn était un scientifique, monsieur, un homme très respectable. Il travaillait pour le compte du gouvernement, essayait de rassembler des informations. Rien de personnel, pas du tout. Il s'agissait de médicaments, pas de gens. Il ne se serait pas le moins du monde intéressé à des meurtres, ou aux gens qui sont mêlés à ce genre de choses. Vous avez dit « répugnant » ? Voilà qui ne ressemble pas au docteur Lambourn, monsieur.

— Depuis combien de temps était-il mort lorsqu'on l'a trouvé ? insista Monk.

L'homme baissa de nouveau les yeux sur le dossier, puis releva la tête.

— Ce n'est pas indiqué, monsieur. Je suppose que cela n'affectait pas le verdict, et qu'on voulait être aussi discret que possible. Les détails sont douloureux pour la famille. Ça n'aide pas.

— Qui était le médecin de la police ?

— Ah… le docteur Wembley, monsieur.

— Où exerce-t-il ?

— Je l'ignore, monsieur. Il vous faudra demander au commissariat.

Il ne cachait pas sa désapprobation. De son point de vue, Monk rouvrait un dossier qui avait été clos, et que la décence aurait exigé de laisser dormir.

Monk nota les détails dont il avait besoin, le remercia et s'en alla.

Au commissariat, on lui donna l'adresse de Wembley, mais il lui fallut une bonne heure pour trouver le cabinet de ce dernier et pouvoir lui parler en tête à tête. Âgé d'une soixantaine d'années, le docteur Wembley était bel homme, doté d'une moustache et d'une abondante chevelure grise.

Monk accepta le siège qu'on lui offrait, s'y cala et croisa les jambes.

— Merci.

— Que puis-je faire pour la police fluviale ? demanda Wembley avec curiosité. N'avez-vous pas vos propres médecins ?

— Il s'agit d'une affaire qui a peut-être un lien avec l'une des nôtres, répondit Monk. J'imagine que vous avez entendu parler de la femme qui a été assassinée et mutilée sur la jetée de Limehouse ?

— Seigneur, oui ! Les journaux ne parlent que de ça. Ils ne sont guère tendres avec vous autres.

La commisération perçait sur son visage et dans sa voix.

— Mais nous n'avons rien eu de semblable par ici.

Monk décida d'être franc. Il avait l'impression que Wembley serait offensé s'il tournait autour du pot.

— Nous n'avons trouvé qu'une seule personne qui la connaissait, un homme qui, malheureusement, est mort aussi, commença-t-il. Apparemment, il subvenait à ses besoins. Il était son seul client, et la voyait régulièrement, une fois par mois.

— C'était donc une prostituée, conclut Wembley. Un seul client ? Voilà qui est rare. Mais s'il est déjà mort, il ne peut pas l'avoir tuée. N'est-il pas raisonnable de penser qu'elle a racolé quelqu'un d'autre et qu'elle a eu le malheur de tomber sur un dément ?

— C'est une possibilité, admit Monk. Mes hommes suivent cette piste, à partir du peu d'informations dont nous disposons. Jusqu'ici, c'est un cas unique. Nous n'avons aucun rapport faisant état d'un individu exceptionnellement violent ou perturbé dans le quartier. Aucune autre femme n'a été agressée récemment. Il n'y a pas eu de crimes suffisamment similaires à celui-ci pour suggérer un même auteur.

Wembley se mordilla la lèvre.

— Il faut bien commencer quelque part, je suppose, mais le crime semble plutôt brutal pour une première agression.

— Précisément. L'autre hypothèse, c'est qu'elle connaissait l'agresseur, et que la haine était personnelle.

— Qui diable pouvait haïr cette femme au point de lui arracher les entrailles ? s'écria Wembley, le visage déformé par la révulsion. Et pourquoi la tuer dans un lieu aussi exposé que la jetée ? Ne courait-il pas le risque d'être vu par un batelier, ou les occupants d'un bac ?

— Certes. Ce qui porte à croire qu'il s'agissait d'un dément, quelqu'un possédé par une rage soudaine, insensée. Sauf qu'il avait un couteau sur lui, ou peut-être un rasoir. D'après le médecin légiste, la lame était assez longue et très bien aiguisée. Si quelqu'un les a vus – et personne ne veut l'admettre jusqu'ici –, on les aura pris pour des connaissances, voire pour une prostituée et son client.

— Ce serait plutôt inhabituel, non ? Pourquoi pas une ruelle ? Il doit y avoir quantité d'endroits plus à l'écart dans ce quartier-là.

— Peut-être se croyait-elle en sécurité avec lui dans un lieu aussi exposé, répondit Monk.

Wembley fit la moue.

— À moins qu'il ne l'ait intimidée. Forcée à l'accompagner. Seigneur, quel gâchis !

— En effet, acquiesça Monk avec un sourire morose. Et les choses se compliquent encore. L'homme qui subvenait à ses besoins était Joel Lambourn, qui apparemment s'est lui-même donné la mort dans Greenwich Park, il y a tout juste deux mois.

Wembley prit une profonde inspiration, puis lâcha un soupir.

— Elle aurait un lien avec lui ? Voilà qui est surprenant. Vous en êtes certain, j'imagine ?

— Oui, il semble n'y avoir aucun doute à ce sujet. Sa veuve et sa sœur, Mrs. Herne, ont déclaré être au courant.

Wembley secoua la tête.

— Je... je suis vraiment stupéfait. C'est le dernier homme que j'aurais cru capable d'une chose pareille.

Il paraissait profondément troublé.

— Mais c'est aussi le dernier homme que j'aurais cru capable de se suicider. Je dois donc admettre que mon jugement n'est guère fiable. Vous dites que Mrs. Lambourn savait ?

— C'est ce qu'elle affirme.

— Et vous la croyez ?

Monk eut un mince sourire.

— J'ai parfois aussi des doutes quant à mon propre jugement. Quelque chose m'échappe parce que cela semble en totale contradiction avec ce qu'on m'a dit de cet homme. Vous le connaissiez personnellement ?

— Oui, mais pas bien.

— Assez cependant pour être surpris qu'il se soit donné la mort ? lui fit remarquer Monk.

Il n'y eut nulle hésitation dans la voix de Wembley.

— Oui.

— Mais vous ne doutez pas qu'il l'ait fait ? persista Monk.

— Si j'en doute ?

D'abord stupéfait, Wembley étrécit les yeux.

— Êtes-vous en train de suggérer qu'il ne s'est pas suicidé ?

— Mrs. Lambourn est persuadée qu'il a été assassiné. Peut-être ne peut-elle accepter le fait qu'il désirait mourir. Je ne me résoudrais sûrement pas à croire que ma femme s'est tuée sans que j'aie même soupçonné qu'elle était désespérée. Et vous ?

— Moi non plus, répondit Wembley aussitôt. Que vous a dit sa sœur ? Est-elle de cet avis aussi ?

— Pas du tout.

Monk se remémorait le visage si différent d'Amity Herne, le ton de sa voix, et plus encore son attitude. Il lui répugnait de répéter ses paroles.

— Elle semble n'avoir aucun mal à croire qu'il s'est tué. D'après elle, il avait échoué dans sa carrière et, dans une certaine mesure, dans sa vie privée aussi. Il ne pouvait jamais se montrer à la hauteur de la vision que sa femme avait de lui et les efforts consentis, les faux-semblants ont fini par avoir raison de lui.

— J'ignore tout de sa vie privée, déclara Wembley avec fougue, comme si lui aussi était offensé par cette suggestion. En revanche, sur le plan professionnel, il était exceptionnel. C'était un des esprits les plus brillants dans son domaine. Très exigeant envers lui-même. Cela dit, il était assez solide pour affronter un échec de temps à autre. Seigneur, mon ami, il n'existe aucun médecin sur terre qui n'y soit confronté chaque semaine.

Il eut un geste de frustration.

— Les gens meurent. On fait de son mieux. Vous pourriez peut-être élucider chaque affaire, je suppose, mais vous ne réussissez pas à empêcher tous les crimes !

C'était une sorte d'accusation. À l'évidence, la critique implicite de Lambourn contenue dans les paroles de Monk l'avait mis en colère.

Paradoxalement, Monk en fut heureux.

— À votre avis, il ne s'est donc pas suicidé parce qu'il pensait avoir échoué sur le plan professionnel ?

Le visage de Wembley était crispé, irrité.

— Non, je ne peux pas croire cela.

— En ce cas, pourquoi se serait-il tué ?

— Je ne sais pas ! riposta-t-il en foudroyant Monk du regard. Je suis obligé de me soumettre aux preuves. On l'a trouvé seul, à l'aube, dans un endroit isolé de Greenwich Park. Il avait pris de l'opium, assez pour somnoler, pour atténuer la douleur physique, et peut-être aussi une peur bien naturelle. Il s'était ouvert les veines et avait perdu tout son sang.

Monk se pencha vers lui.

— Comment savez-vous qu'il a fait cela lui-même ?

Wembley écarquilla les yeux et se pencha en avant à son tour.

— Êtes-vous en train de me dire que quelqu'un d'autre l'a fait et l'a laissé mourir là ? Pourquoi, pour l'amour du ciel ? Pourquoi n'a-t-il pas résisté ? Il n'était ni petit ni faible, et il n'était pas attaché, c'est certain. La dose d'opium présente dans son organisme était considérable, mais elle ne l'a pas rendu insensible immédiatement. Il devait accepter ce qui se passait.

Monk réfléchissait à toute allure.

— Ses poignets étaient tailladés ? Les blessures auraient-elles pu dissimuler des traces de liens ?

Wembley secoua lentement la tête.

— Ils étaient sectionnés à l'intérieur de l'avant-bras, pour atteindre l'artère. S'il avait été ligoté, les marques se seraient trouvées à l'extérieur.

Monk n'était pas encore prêt à renoncer.

— Son corps portait-il des marques quelconques ?

— Aucune n'était visible. Rien sur ses chevilles, en tout cas.

— Et sur son visage ?

— Bien sûr que non ! Je n'aurais pas pu rater ça.

— Comment étaient ses cheveux ?

— Gris, un peu clairsemés sur le haut du crâne. Pourquoi ?

Wembley avait hésité.

— Et sur la nuque ?

— Encore épais. Vous croyez qu'il aurait pu y avoir une contusion cachée par ses cheveux ?

— Est-ce possible ?

Wembley prit une longue et profonde inspiration, puis soupira.

— Je n'ai pas songé à vérifier. C'est possible, en effet. Pourtant, il n'y avait pas de sang. Je l'aurais remarqué.

— Sous quelle forme a-t-il pris l'opium ?

— Je n'en ai aucune idée. Quelle différence cela fait-il ?

— En poudre ? Avec de l'eau pour l'avaler ? Ou en solution quelconque ? Quelque chose comme du laudanum, ou un autre médicament assez puissant ?

— Quelle importance à présent ?

Wembley parlait plus lentement, sa curiosité éveillée.

— On ne peut pas transporter de l'opium en vrac, insista Monk. Ni avaler de la poudre sans eau. Quant au laudanum, il aurait été dans un flacon.

Wembley eut une moue.

— La police a dû l'emporter. Je n'ai vu ni flacon, ni sachet, ni quoi que ce soit. J'aurais dû demander, je suppose. Cela semblait sans importance. La scène parlait d'elle-même et j'étais secoué, je l'avoue.

Il parlait d'un ton d'excuse.

— J'admirais son travail et, si peu que je le connaisse, il m'était sympathique.

Ils demeurèrent silencieux quelques instants. Un bruit de pas résonna dans le couloir, puis s'éloigna.

Monk ne l'encouragea pas à poursuivre. Il était lui aussi ému par la mort de cet homme qu'il ne connaîtrait jamais et qu'il aurait sans doute apprécié, à en juger par ce qu'on disait de lui.

— Il avait un bon sens de l'humour, reprit Wembley à voix basse. Comme nombre de scientifiques, il s'amusait des absurdités des gens, avec une sorte d'affection pour leurs lubies.

Il regarda dans le lointain, comme s'il y voyait le passé.

— Si quelque chose n'allait pas, enchaîna-t-il au bout d'un moment, je serais heureux que vous le découvriez. C'est une de ces affaires où j'aimerais beaucoup m'être trompé.

Monk se rendit au commissariat de Greenwich, où il ne fut guère surpris de s'entendre dire que le dossier était classé, et qu'il valait mieux ne pas remuer de telles tragédies. Cela n'aboutirait à rien hormis bouleverser la famille.

— Le docteur Lambourn était un gentleman très respecté, monsieur, déclara le jeune sergent avec un sourire tendu. Quand des choses pareilles arrivent, tout le voisinage en est chamboulé. D'ailleurs, cela ne regarde pas vraiment la police fluviale.

Monk chercha en vain une raison de demander si on avait retrouvé une bouteille d'eau, d'alcool, ou un récipient qui aurait pu contenir une solution d'opium, mais le sergent avait raison. L'affaire ne relevait pas de ses compétences.

— J'aimerais parler à l'agent qui est arrivé le premier sur les lieux, se contenta-t-il de dire. Il est possible qu'il y ait un lien avec une de nos enquêtes. Au sujet d'un meurtre, ajouta-t-il, au cas où le jeune homme n'aurait pas été enclin à le prendre au sérieux.

Le visage lisse de ce dernier demeura indéchiffrable. Son regard neutre soutint celui de Monk.

— Désolé, monsieur. Il s'agit probablement de Watkins, mais il est parti du côté de Deptford aujourd'hui.

Il eut un très léger sourire. Monk n'aurait su dire s'il cherchait à être agréable ou insolent, mais penchait pour la seconde possibilité.

— Il ne reviendra pas ici avant demain, poursuivit le jeune homme. De toute façon, il ne pourrait pas vous aider. D'après le médecin, le docteur Lambourn était mort depuis des heures. Y a-t-il autre chose que je puisse faire pour vous, monsieur ?

Non sans mal, Monk dissimula son irritation.

— Qui dirigeait cette enquête ?

— Un haut gradé envoyé par le gouvernement, répondit le jeune homme. Vu que le docteur Lambourn était quelqu'un d'important. Il a été... d'une grande discrétion.

Il avait insisté sur le dernier mot.

— Et vous ne connaissez pas le nom de cet homme ?

— C'est exact, monsieur. Je ne le connais pas.

De nouveau, il sourit, et soutint avec arrogance le regard de Monk.

Ce dernier le remercia et s'en alla, avec le sentiment d'avoir été mis en échec. Perdait-il son temps ? Si Lambourn avait absorbé l'opium avec une forte dose d'alcool, ceux qui l'avaient trouvé avaient pu passer ce fait sous silence par compassion, s'avoua-t-il à regret. Peut-être en aurait-il fait autant à leur place.

Le lendemain matin, il retrouva Orme au quartier général de la police fluviale à Wapping. Debout sur le quai, face à la Tamise où des allèges remontaient le courant à la file, une quinzaine au total, transportant vers le port de Londres des marchandises qui seraient expédiées aux quatre coins du monde, ils pouvaient parler sans être constamment dérangés pour les affaires courantes.

— J'ai épluché toutes les archives sur lesquelles j'ai pu mettre la main, annonça Orme, maussade. Interrogé tout le monde. On n'a commis aucun crime de près ou de loin comparable à celui-ci, Dieu merci. Il y a eu des gens roués de coups ou étranglés, mais personne qui ait été attaqué de cette manière au cours des deux dernières années. Personne qui ait été éventré et mis en pièces.

Il eut une moue de dégoût et secoua la tête.

— Je crois que c'est un cas unique, monsieur. Et j'ignore s'il a le moindre rapport avec le docteur Lambourn. En tout cas, je n'ai trouvé personne d'autre qui la connaissait, hormis quelques voisins avec qui elle parlait de temps en temps. Des commerçants, une blanchisseuse, un vieil homme qui habitait à quelques rues de chez elle, mais il a au moins quatre-vingts ans et il peut à peine marcher, sans parler de se traîner jusqu'à la jetée.

— Lambourn était mort depuis deux mois à ce moment-là, ajouta Monk d'un ton las. Reste la possibilité qu'il ait connu l'assasin. Que pourrait-il donc avoir confié à Zenia Gadney pour qu'elle soit victime d'une pareille atrocité ?

— On a voulu nous faire croire que c'était un fou, et que le meurtre était lié à Limehouse et au métier qu'elle faisait, affirma Orme. Et il faut bien qu'il ait été fou pour faire une chose pareille, mon Dieu ! Jamais je n'ai vu de crime aussi… sauvage. Et absurde ! À quoi cela lui servait-il donc ? Puisqu'elle était déjà morte !

Monk ne discuta pas.

— Qu'est-ce qui a poussé Lambourn à se tuer à ce moment-là ? Pourquoi pas plus tôt, ou plus tard ? demanda-t-il, comme à sa propre intention. Qu'est-ce qui a changé si radicalement ?

Orme garda le silence. Il savait qu'aucune réponse n'était attendue.

Deux heures plus tard, Monk interrogeait l'ancien assistant de Lambourn, un jeune médecin nommé Daventry. Celui-ci était un peu déconfit de travailler désormais pour le successeur de Lambourn, un homme guindé qui, apparemment, était trop occupé pour parler à Monk et ne demandait pas mieux que de lui envoyer quelqu'un d'autre.

Ils se trouvaient dans un laboratoire brillamment éclairé, plein de pots, flacons, fioles, becs Bunsen, cuvettes et cornues ainsi que de divers instruments en verre et en métal. Un mur entier était dissimulé par des piles de classeurs.

— Vous travailliez en étroite collaboration avec le docteur Lambourn ? demanda Monk en guise d'introduction.

— Oui.

Daventry repoussa les mèches brunes rebelles qui lui tombaient dans les yeux et le toisa d'un air agressif.

— Qu'est-ce que vous voulez encore ? Ne pouvez-vous le laisser en paix ? C'était un bon médecin, mieux que ça...

Il se tut brusquement.

— Ne me faites pas perdre mon temps. Que voulez-vous ?

Monk se félicita d'avoir trouvé quelqu'un de loyal envers Lambourn, même si cela risquait de lui compliquer la tâche.

— Je travaille pour la police fluviale, pas pour le gouvernement.

— Quelle différence cela fait-il ? rétorqua Daventry d'un ton de défi.

Il se pencha en avant, dévisageant Monk avec plus d'attention.

— Excusez-moi. C'est juste que j'en ai assez d'entendre critiquer le docteur Lambourn par des gens qui ne le connaissaient pas et qui ne croyaient pas à ce qu'il faisait.

Monk changea aussitôt d'approche.

— Mais vous y croyiez ?

— Je ne sais pas, répondit Daventry avec une honnêteté scrupuleuse. Je n'en ai vu que des extraits par-ci par-là. J'ai rassemblé des données pour lui.

C'était un homme méticuleux, qui n'a jamais pris en compte des faits dont il n'était pas certain. Il a même rayé certains de mes chiffres parce que je ne les avais pas vérifiés auprès d'au moins deux sources différentes.

— Concernant l'opium ?

— Entre autres. Il travaillait sur toutes sortes de médicaments. Mais oui, c'était celui qui l'intéressait le plus ces derniers temps.

— Pourquoi ?

Daventry parut interdit.

— Pourquoi ? répéta-t-il.

— Oui. Quelles recherches effectuait-il, et pour le compte de qui ?

— Il faisait des recherches sur les risques présentés par l'opium. Et il travaillait pour le gouvernement, qui d'autre ?

Daventry regardait Monk comme s'il avait affaire à un écolier particulièrement obtus. Il dut lire la perplexité sur son visage.

— Le gouvernement envisage de faire voter une loi visant à réglementer l'usage d'opium dans les médicaments, expliqua-t-il avec une lassitude suggérant qu'il l'avait déjà dit trop souvent, à trop de gens apparemment incapables de comprendre.

— On veut empêcher les gens d'en acheter ?

C'était au tour de Monk de se montrer incrédule. Une petite dose d'opium, telle qu'on en achetait pour un penny, était la seule manière de supprimer la douleur, hormis boire jusqu'à l'oubli.

— Pourquoi, pour l'amour du ciel ? s'écria-t-il. Personne ne votera une loi pareille, et elle serait impossible à faire respecter. Les deux tiers de la population se retrouveraient en prison.

Daventry le dévisagea avec une exaspération visible.

— Il ne s'agit pas de l'interdire, mais d'en réglementer la vente, pour que l'on sache précisément la quantité d'opium contenue dans chaque médicament. Et pour être sûr qu'il s'agit d'opium pur, qui n'a pas été coupé avec n'importe quoi.

— Ne le sait-on pas en ce moment ?

— Non, monsieur. Savez-vous ce que contient la poudre de Douvres ?

Monk n'en avait pas la moindre idée.

— En dehors de l'opium ? Non, avoua-t-il.

— Du salpêtre, du tartre, de la réglisse et de l'ipecacuanhua. Et la chlorodyne ?

Cette fois, Monk ne prit pas la peine de répondre. Il attendit que Daventry en fasse la liste.

— Du chloroforme et de la morphine, lâcha ce dernier. Mais ce n'est pas le plus important. Quand votre enfant pleure parce qu'il a mal aux dents ou au ventre, lequel de ces médicaments allez-vous lui donner : celui de Godfrey, de Street, de Winston ou d'Atkinson ? Combien d'opium y a-t-il dans chacun d'entre eux ?

Il haussa les épaules.

— Vous l'ignorez, n'est-ce pas ? Tout comme la mère de famille moyenne, harassée, qui manque de sommeil et sans doute de nourriture, et qui peut-être ne sait pas bien lire ou comprendre les chiffres. Que diriez-vous de réglementer tout cela pour qu'elle n'ait plus à s'en inquiéter ?

— Est-ce cela que l'on propose ?

L'intérêt de Monk s'était éveillé et était presque aussi vif que celui de Daventry lui-même.

— En partie, oui.

— Et Lambourn recueillait des faits dans ce but ?

— Oui, confirma Daventry, avec plus de chaleur maintenant que Monk comprenait. Et sur d'autres choses aussi, mais l'opium était le sujet principal.

— Pourquoi s'y opposerait-on ? demanda Monk, perplexe.

— L'opium rapporte gros. Dès qu'on commence à dire aux gens ce qu'ils peuvent et ne peuvent pas vendre, ils se rebiffent. Et puis, cela signifierait que le gouvernement saurait tout. Ce qui est vendu en douce comme le reste. Les marchands d'opium – et vous seriez surpris de savoir qui ils sont, pour certains – aiment s'entendre dire qu'il améliore la vie des gens, mais pas que des enfants meurent d'avoir pris des doses trop fortes, ou que des patients en deviennent dépendants. Ils voient dans ce projet de loi une condamnation de leur commerce et une tentative pour en prendre le contrôle.

Il eut un geste embrassant le monde en général.

— Personne ne veut se souvenir des guerres de l'Opium ni des fortunes qui ont été bâties avec. On se ferait trop d'ennemis à remuer tout ça.

— Vous le savez, ou c'est le docteur Lambourn qui vous l'a dit ? demanda Monk doucement.

Le rouge monta au visage du jeune homme.

— Le docteur Lambourn m'en a dit l'essentiel, répondit-il d'une voix à peine audible. Mais je le crois. Il ne mentait jamais.

— Pour autant que vous le sachiez, fit Monk en souriant, afin de compenser la brusquerie de ses paroles.

Daventry s'assombrit, mais ne protesta pas.

— Pourquoi s'est-il suicidé, à votre avis ?

Une profonde détresse se lut sur les traits du jeune homme.

— Je ne sais pas. Ça n'a pas de sens.

— Connaissez-vous Mrs. Lambourn ?

— Je l'ai rencontrée. Pourquoi ?

— Elle pense qu'il a été assassiné.

Les yeux de Daventry brillèrent d'un éclat soudain.

— Pour faire disparaître ses recherches ? Ce serait logique ! Je peux le croire. Allez-vous trouver qui a fait ça ?

Il lançait clairement un défi à Monk.

— Je vais d'abord découvrir si c'est le cas. Où sont ses documents ?

— Les gens du gouvernement les ont emportés.

— Vous n'avez pas de doubles, de notes, que sais-je ? insista Monk.

Daventry secoua la tête.

— Non. Il n'y a rien ici. J'ai cherché. S'il avait gardé des papiers chez lui, ils les auront pris également. Je vous l'ai dit, de grosses sommes d'argent sont en jeu – et des réputations aussi.

Plusieurs répliques vinrent à l'esprit de Monk, mais elles ne franchirent pas ses lèvres. Daventry ignorait visiblement où se trouvaient les documents de Lambourn, et cela le désolait plus encore que lui.

— Comment le docteur Lambourn a-t-il réagi lorsque le gouvernement a refusé d'accepter ses conclusions ?

C'était cela qu'il avait besoin de savoir. Était-ce pour cette raison que Lambourn s'était donné la mort ? La disgrâce était-elle plus profonde qu'il ne l'avait cru tout d'abord ? Car outre ce rapport, sa réputation dans d'autres domaines n'était-elle pas en lambeaux ?

Son interlocuteur n'avait pas répondu.

— Mr. Daventry ? Comment a-t-il pris cette rebuffade ? Quelle importance cela a-t-il eu pour lui ?

Les traits du jeune homme se durcirent.

— S'il s'est réellement donné la mort à cause de ça, il est arrivé quelque chose entre le moment où je l'ai vu pour la dernière fois et cette nuit-là, répondit-il d'un ton farouche, la voix submergée par l'émotion. Quand il est parti d'ici, il était prêt à lutter jusqu'au bout. Il était certain des faits qu'il avançait, et de la nécessité d'une loi sur les médicaments. J'ignore ce qui s'est passé. Je ne vois pas ce qui aurait pu le faire changer d'avis.

— Et s'il avait trouvé dans ses chiffres une erreur qui en affectait la validité ?

— Cela me paraît peu probable, rétorqua Daventry en secouant la tête. Mais si cela s'était produit, il l'aurait admis. Il ne serait pas allé se suicider sur One Tree Hill. Il n'était pas ce genre d'homme, voilà tout.

— Je crains qu'il n'ait pas été aussi compétent qu'il le croyait, tant s'en fallait, affirma tristement l'un des assistants plus confirmés de Lambourn une demi-heure plus tard.

Nailsworth était un jeune homme séduisant, très sûr de lui. Il sourit à Monk d'un air de regret.

— Il a conçu une hypothèse et s'est mis en devoir de chercher des preuves pour l'étayer, en laissant de côté tout ce qui l'invalidait.

Il sourit de nouveau, trop volontiers.

— Il aurait dû mieux faire, vraiment. Il était excellent, autrefois. Peut-être avait-il un problème de santé que nous ignorions ?

Monk le regarda avec antipathie, tout en sachant qu'il était injuste.

— Oui, dit-il avec une pointe d'aigreur. Cela va totalement à l'encontre d'une approche scientifique, à vrai dire, ce n'est même pas tout à fait honnête que d'élaborer une théorie et de ne chercher que les faits qui la soutiennent. C'est encore pire de déformer les faits pour qu'ils conviennent, et puis d'affirmer qu'on a été impartial.

Il se montrait sarcastique et s'attendait à une vive réplique, mais il fut déçu.

Nailsworth acquiesça.

— Je vois que vous avez saisi. Je suppose qu'il y a une certaine logique aussi dans l'élucidation des crimes.

— En effet, répondit Monk, exaspéré. Peut-être pourriez-vous me faire part du processus logique qui vous a conduit à décréter que les recherches du docteur Lambourn étaient erronées et qu'il était incapable de l'accepter.

— Eh bien, il est tragiquement clair qu'il était incapable d'accepter son échec, rétorqua Nailsworth sèchement. Personne, hélas, ne peut éviter cette conclusion.

— Il est mort, c'est indéniable. Mais commencez par le début, je vous prie, et non par la fin.

Il esquissa un rictus plus qu'un sourire.

— Comme si vous élaboriez vous-même une théorie. En partant des faits.

Les yeux de Nailsworth brillaient d'un éclat dur.

— Le docteur Lambourn a recueilli un grand nombre de données concernant la vente d'opium dans les différentes régions du pays et les a consignées dans un rapport, expliqua-t-il d'un ton glacial. En les comparant avec les autres informations dont il disposait, le gouvernement a découvert que Lambourn avait commis trop d'erreurs. Le rapport a été rejeté, ce qu'il a très mal pris. Sa réputation de scientifique et de médecin était en cause. Pour une raison ou pour une autre, cette question d'opium lui tenait beaucoup trop à cœur. Il a tout misé là-dessus, et il a perdu. Et cela s'est terminé par le fait que vous ne contestez pas, sa mort, après s'être tranché les poignets.

Il regardait Monk fixement.

— Je suis désolé. C'était un homme très sympathique et sans doute bien intentionné, mais il s'est laissé emporter par ses émotions.

Il semblait tout sauf désolé. Il y avait peut-être de la condescendance chez lui, certainement pas du chagrin. Monk se demanda ce que Lambourn avait fait pour blesser si profondément l'amour-propre de Nailsworth.

— Ses recommandations étaient à la fois restrictives et totalement infondées, continua ce dernier. On a qualifié ses résultats d'« exagérations ». C'était une humiliation à laquelle il n'a pas pu faire face. À présent, si vous avez la moindre compassion pour sa famille, vous n'irez pas remuer toute cette affaire.

Tout en écoutant Nailsworth, Monk l'observait. L'homme était profondément en colère, mais la tension qui transparaissait dans sa voix trahissait autre chose. Un sentiment qu'il n'osait pas montrer ? Le désir de succéder à Lambourn ? Sa propre inquiétude concernant l'opium ? La peur de voir sa carrière menacée s'il ne disait pas ce qu'on attendait de lui ?

Monk le remercia et s'éloigna, penchant pour la dernière hypothèse. Nailsworth aurait-il été en danger si on le soupçonnait de partager les idées de Lambourn ?

Ou Monk était-il en train de déformer la réalité pour l'adapter à une théorie qu'il avait d'ores et déjà faite sienne, ne fût-ce que parce qu'il était en colère et qu'il désirait procurer quelques bribes de réconfort à Dinah Lambourn ? Était-il lui aussi coupable d'interpréter les faits à sa convenance ?

7

Debout dans la cuisine, Hester éminçait des oignons pour les faire frire avec un gros chou et les pommes de terre qui restaient de la veille. Le *bubble and squeak* était un des plats favoris de Scuff et – lorsqu'il s'accompagnait de saucisses – Monk lui-même semblait ne jamais s'en lasser.

Pour la première fois depuis plusieurs jours, elle était rentrée d'assez bonne heure pour confectionner un dessert aussi. Ces derniers temps, la clinique dont elle s'occupait dans Portpool Lane l'avait accaparée. Il semblait y avoir encore plus à faire que d'habitude.

L'établissement fonctionnait grâce à des dons. Margaret Rathbone, qui avait de loin été la plus efficace pour en obtenir, n'était pas revenue depuis le procès et la mort de son père. À ses yeux, Hester était aussi coupable qu'Oliver de l'avoir trahie, et leur amitié était, selon toute apparence, irrémédiablement détruite.

Hester ne pouvait changer d'avis. Elle y avait longuement réfléchi, désireuse de sauver une relation qui comptait beaucoup pour elle, mais il lui était impossible de fermer les yeux sur les crimes d'Arthur Ballinger sous prétexte qu'il était le père de Margaret. Le second meurtre, celui d'une jeune femme qu'Hester avait tenté d'aider de son mieux, l'avait particulièrement affectée. Elle en éprouvait encore du chagrin.

Sans l'aide de Margaret, il avait été d'autant plus ardu de trouver des fonds pour les médicaments, la nourriture et le combustible, car Hester n'était guère douée pour solliciter de l'argent. Il fallait user non seulement de charme, mais aussi de tact, ce qui lui était difficile. Elle ne tolérait ni l'hypocrisie ni les excuses polies, et finissait toujours par dire la vérité trop librement. Cependant, Claudine Burroughs avait enfin trouvé une nouvelle donatrice, si bien que la crise était passée.

En haut, dans sa chambre, Scuff lisait péniblement un livre, avec un mélange de fierté et de frustration auquel Hester était assez sensible pour ne pas le déranger.

Ce soir-là, peut-être Monk serait-il de retour à temps pour dîner avec eux.

Elle venait de terminer d'émincer les oignons quand elle l'entendit dans le couloir. Ses pas étaient lourds, comme s'il était fatigué, ou peut-être déçu.

Elle posa le couteau et se lava rapidement les mains pour se débarrasser de l'odeur. Elle les essuyait sur la serviette accrochée à la poignée du four lorsqu'il entra. Il sourit en la voyant, mais la lassitude se lisait sur ses traits. Il s'avança et l'embrassa tendrement.

— Qu'y a-t-il ? demanda-t-elle. Que s'est-il passé ?

— Scuff n'est pas là ? répondit-il en regardant autour de lui, éludant la question.

— Il est en train de lire. Il n'est pas aussi bon qu'il le prétend, mais il fait des progrès. Veux-tu une tasse de thé en attendant que le repas soit prêt ?

Il acquiesça et s'assit au bout de la table, se penchant un peu en avant pour soulager son dos, les coudes appuyés sur le bois frotté avec soin.

— Rien de nouveau dans l'affaire ?

Elle mit la bouilloire au centre du fourneau et sortit la boîte à thé du placard. Il n'était pas nécessaire d'ajouter du charbon. La cuisinière était chargée et le four déjà chaud.

— Je ne sais pas, avoua-t-il. La seule personne dont Zenia semble avoir été proche est un médecin respectable qui préparait un rapport destiné au gouvernement sur le commerce de l'opium et son usage.

— L'opium ?

Le mot avait retenu son attention. Elle interrompit ses activités et prit place en face de lui. En tant qu'infirmière, elle n'ignorait pas que le recours à l'opium pouvait déboucher sur une accoutumance, qui ne devenait cependant sérieuse que lorsqu'on le consommait à la chinoise – non par ingestion, mais en le fumant dans des pipes en argile.

Monk lui expliqua brièvement le rôle joué par Joel Lambourn dans le projet de loi sur les produits pharmaceutiques.

— Quel rapport avec la mort de Zenia Gadney ? demanda-t-elle, encore incapable de suivre le cheminement de ses pensées. Tu ne le considères pas comme suspect, si ?

Il eut un sourire attristé.

— Il s'est suicidé deux mois avant qu'elle meure.

— C'est affreux, murmura Hester, atterrée. Pauvre homme. Pourquoi s'est-il donné la mort ? Et dans ce cas, pourquoi t'intéresses-tu à lui ? Je ne comprends pas.

— Moi non plus, avoua-t-il. Je ne suis même pas sûr qu'il y ait un lien, sauf qu'il la connaissait et qu'il semble l'avoir soutenue financièrement. Si les événements avaient eu lieu dans l'ordre inverse, je dirais qu'il l'a tuée et s'est suicidé ensuite.

Elle prépara le thé et le laissa infuser quelques instants.

— Pourquoi a-t-il mis fin à ses jours ? répéta-t-elle. Es-tu sûr qu'il s'agisse d'un suicide ?

— D'après le verdict officiel, il s'est tué juste après que le gouvernement eut rejeté les conclusions de son rapport sur les risques présentés par les médicaments opiacés. Sa réputation a été détruite et il n'a pas pu le supporter.

— Était-il donc si... fragile ? demanda-t-elle, dubitative. S'il s'est réellement suicidé, il devait avoir une meilleure raison que celle-là. Fumait-il de l'opium ? Ou Zenia Gadney a-t-elle rompu avec lui et menacé de rendre leur liaison publique ? De dire à sa femme... qu'il avait des penchants étranges, ou quelque chose du même genre ?

Elle fronça les sourcils, le *bubble and squeak* momentanément oublié.

— William, tout cela n'a pas de sens, qu'il y ait ou non un lien avec le meurtre de Zenia Gadney.

— Je sais.

— As-tu vu ce rapport ?

— Non. J'ignore pour l'instant si je pourrai y avoir accès. Et sa femme, Dinah Lambourn, affirme qu'elle était de toute façon au courant de la liaison.

— Tu la crois ? demanda Hester, perplexe.

— Je ne sais pas.

— Comment est-elle ? insista-t-elle avec curiosité, s'efforçant de s'imaginer cette femme qui avait tant perdu et qui essayait désespérément de se cramponner à ce qui avait un sens dans sa vie.

— Encore très émue, dit-il tout bas. Mais elle possède une sorte de dignité qui force l'admiration.

Elle croyait passionnément en lui, et continue à le faire. D'après elle, il a été assassiné.

Hester fut stupéfaite, et pourtant cette hypothèse offrait à la veuve une bouée de sauvetage évidente.

— Est-ce possible ? murmura-t-elle, sceptique.

Un pli se forma sur son front avant qu'il réponde.

— Je commence à me le demander, admit-il lentement. Il est censé s'être ouvert les veines après avoir pris une forte dose d'opium.

Il eut un geste vague de la main.

— Sur One Tree Hill, dans Greenwich Park.

— Censé ?

Il secoua légèrement la tête.

— Les preuves semblent peu concluantes. On n'a retrouvé aucun récipient contenant de l'opium, aucun sachet de poudre, aucune bouteille d'eau ou autre. Pas de couteau ni de rasoir. Le médecin de la police l'a reconnu, mais il n'est certain de rien. Un des assistants de Lambourn affirme qu'il n'était pas anéanti par le rejet du rapport et qu'il avait l'intention de se battre. L'autre prétend qu'il était totalement détruit.

Elle se leva, alla prendre la bouilloire sur le fourneau et remplit deux tasses. Une vapeur odorante se répandit dans l'air. Elle poussa une tasse vers lui.

— Sa femme affirme qu'il était fort, et sa sœur dit le contraire, acheva-t-il. Et même s'il a été assassiné, j'ignore quel rapport cela pourrait avoir avec le meurtre de Zenia Gadney, hormis que sa femme l'a suggéré.

— Pourquoi ?

De nouveau, elle était perplexe.

— Parce qu'elle est au désespoir, je crois. Qu'y a-t-il de pire que de voir l'être qu'on aime le plus au monde se suicider sans rien dire, sans expliquer quoi que ce soit, sans vous donner la moindre chance de l'aider ou de comprendre ?

Hester se refusait à l'imaginer, et éprouvait une pitié douloureuse pour cette femme dont elle ignorait presque tout. Comment le bonheur pouvait-il être aussi fragile ? On avait un foyer, une place dans la société, et la seule chose qui comptait vraiment, un compagnon de cœur et d'esprit. Et brusquement, tout vous était arraché, non pas emporté de manière prévisible par le temps ou la maladie, mais atrocement et sans raison. Tout ce qu'on avait cru savoir était balayé, et ne restait plus qu'une image, vide, qui vous privait de toute certitude.

— Hester !

La voix de Monk s'imposa brusquement à travers ses pensées.

— Elle a perdu tout ce qui importait, n'est-ce pas ? souffla-t-elle.

— Oui. Aimer est toujours dangereux.

Il eut un sourire sombre et effleura doucement sa main.

— Comme tu me l'as dit plus d'une fois, la seule chose qui est pire est de ne pas aimer.

À cet instant, Scuff apparut sur le seuil, l'air content de lui, un livre à la main.

— Je l'ai fini, annonça-t-il d'un ton triomphant, quêtant du regard l'approbation d'Hester avant de se tourner vers la cuisinière. On mange bientôt ?

— Pas encore, répondit-elle, s'efforçant non sans mal de ne rien laisser paraître de son émotion. Tu as des corvées à faire. Après, ce sera des saucisses accompagnées de *bubble and squeak*.

Il sourit jusqu'aux oreilles, jeta un coup d'œil à Monk pour être sûr que tout allait bien, puis se tourna et sortit. Ils entendirent ses galoches claquer dans l'office et la cour qu'il allait balayer.

— Au temps pour la sécurité du cœur, commenta Hester en se levant de nouveau. Je ferais mieux de mettre ce plat au four et de m'occuper du dessert, sinon il ne sera jamais prêt à l'heure.

Le lendemain matin, Hester se retrouva dans le cabinet d'un homme qu'elle avait connu treize ans plus tôt, à l'époque où elle était infirmière dans l'armée. Elle l'avait rencontré deux ou trois fois depuis, et espérait qu'il ne l'aurait pas oubliée.

Le docteur Winfarthing était un homme imposant à tout point de vue. Grand, l'estomac proéminent, il possédait une abondante crinière de cheveux auburn désormais striés de fils gris, toujours en bataille. La générosité se lisait sur ses traits et il considérait le monde avec bonté, à travers une paire de lunettes qui semblaient toujours sur le point de glisser de son nez.

— Bien sûr que je me souviens de vous, mon petit, dit-il gaiement. La meilleure infirmière que je connaisse, et la plus la pire fauteuse de troubles. Qui avez-vous mis en colère cette fois ?

Elle ne s'offensa pas le moins du monde de sa remarque, au demeurant tout à fait justifiée, et, dans sa bouche, presque un compliment. À son retour de Crimée, elle avait eu de grands espoirs, totalement idéalistes, de réformer la profession d'infirmière. Elle s'était fâchée contre ceux qui s'accrochaient par habitude aux anciennes méthodes, même lorsqu'elles étaient mauvaises. Quand des vies étaient en jeu, elle n'essayait pas de faire preuve de tact.

— Personne récemment, répondit-elle avec un sourire empreint de regret.

D'un geste ample, Winfarthing lui fit signe de s'asseoir. Son cabinet, spacieux mais chaotique, était encombré de livres qui pour la plupart n'avaient aucun rapport avec la médecine. Nombre d'entre eux étaient des recueils de poésie, d'autres des contes de fées qui l'avaient amusé ou qui avaient capté son imagination au fil des années.

— Devrais-je me flatter de croire que vous êtes venue dans le seul but de prendre de mes nouvelles ? demanda-t-il avec un sourire de guingois. Voilà qui serait drôle – de voir comment vous parvenez à vous tirer d'affaire sans blesser ma sensibilité, et avec un semblant d'élégance.

— Docteur Winfarthing ! J'ai…

— … besoin d'aide, acheva-t-il à sa place. S'agit-il d'une affaire médicale ou politique ?

Sa question touchait de plus près à la vérité qu'elle ne s'y était attendue. Elle avait oublié à quel point ils se connaissaient, et combien elle avait été transparente.

— Je n'en sais trop rien, avoua-t-elle avec franchise. Connaissiez-vous le docteur Joel Lambourn ?

Il s'assombrit brusquement. Son visage défait parut creusé par les années.

— Oui. Je l'aimais beaucoup. C'était un homme remarquable. Il vous aurait plu aussi, quand bien même vous l'auriez trouvé exaspérant. Encore qu'à la réflexion il ne vous aurait sans doute pas agacée. Vous n'êtes vraiment pas plus sage qu'il ne l'était, le pauvre.

Hester fut décontenancée. Winfarthing était un des hommes les plus gentils qu'elle connût, mais d'une perspicacité redoutable, qui n'hésitait pas à parler franchement à ceux qu'il aimait bien. Elle était touchée par la confiance qu'il lui témoignait, comme s'ils étaient sur un pied d'égalité et que les faux-semblants n'avaient pas leur place dans leur conversation.

— Vous le connaissiez plutôt bien, conclut-elle.

Il sourit, conscient du fait qu'elle avait habilement éludé la remarque qu'il avait faite à son sujet.

— C'était le genre d'homme qui, s'il avait du respect pour vous, vous permettait de le connaître vraiment, répondit-il, cillant à plusieurs reprises, curieusement gêné par son émotion. Je suis très flatté qu'il m'ait apprécié. Il n'aurait pu me faire de plus beau compliment. Cela comptait infiniment plus pour moi que s'il m'avait dit que j'étais un grand médecin – ce que je ne suis pas. Mes connaissances médicales sont bonnes. Voire un peu dépassées à présent. Ce que vous admirez chez moi, c'est ma compréhension des gens et ma capacité à obtenir le meilleur d'eux-mêmes.

Elle croisa son regard et hocha la tête. Il méritait la vérité de sa part.

— Parlez-moi du docteur Lambourn.

Il passa la main dans ses cheveux, les laissant encore plus ébouriffés qu'avant.

— Pourquoi ? Quelle différence cela fait-il pour vous à l'heure qu'il est ? Il n'est plus de ce monde, le malheureux.

— Connaissiez-vous sa femme aussi ? demanda-t-elle, éludant encore une fois sa question.

— Je l'ai rencontrée, admit-il, dévisageant Hester pour deviner où elle voulait en venir. Très belle femme. Encore une fois, pourquoi ? Je peux continuer à poser la question aussi longtemps que vous l'éviterez, vous le savez.

— Elle ne croit pas qu'il se soit donné la mort.

— Serait-ce une autre de vos « causes perdues » ?

Il haussa ses énormes épaules.

— J'ai moi aussi du mal à le croire, mais les preuves sont là, paraît-il. De quoi d'autre pourrait-il s'agir ? Personne ne gravit une colline seul en pleine nuit et ne se taillade accidentellement les poignets, ma fille. Vous le savez aussi bien que moi.

Elle se sentait stupide, mais se refusait à abandonner la partie. Si Winfarthing ne croyait pas Dinah, qui d'autre le ferait ?

— Les recherches qu'il menait sur les produits opiacés étaient-elles d'une grande importance ? Devrait-il y avoir une loi pour les réglementer ?

Il fronça les sourcils.

— Oui, bien sûr. Il était en faveur d'une telle loi.

— L'êtes-vous ? insista-t-elle.

— Je me sens insulté que vous ayez besoin de poser la question !

Il avait parlé d'un ton sec, mais son visage n'exprimait aucune colère.

— Cependant, elle doit se baser sur des faits, et non sur des intérêts financiers ou religieux. L'opium, sous une forme ou une autre, est le seul moyen qu'ont la plupart des gens de traiter la douleur. C'est une évidence. Dieu seul sait combien en dépendent pour arriver au bout de leur journée – ou de leur nuit, acheva-t-il d'un ton accablé.

— Pour autant que je le sache, il voulait que tous les médicaments contenant de l'opium, ce qui en représente des centaines, je sais…

— Au moins ! Sinon des milliers, coupa-t-il.

— … que tous ces remèdes soient contrôlés et étiquetés afin d'indiquer la quantité d'opium contenue, et quelle dose prendre.

— Pauvre Lambourn. Il avait contre lui des intérêts puissants. Il y a beaucoup d'argent dans l'importation de l'opium. Certaines des meilleures familles ont construit leur fortune là-dessus, le savez-vous ?

— Assez d'argent pour qu'on essaie de supprimer son rapport ?

Il parut stupéfait.

— Vous pensez qu'il aurait cédé à des pressions ? s'écria-t-il en se redressant. Vous vous trompez. Personne n'aurait pu persuader Joel Lambourn de se suicider. C'était peut-être un novice en politique, mais aussi un scientifique de premier ordre, et, surtout, il aimait sa famille. Jamais il n'aurait laissé les siens ainsi.

Il cilla de nouveau.

— Il avait deux filles, vous savez, Marianne et Adah. Il était très fier d'elles.

La colère brillait dans son regard, comme si cette explication lui était insupportable.

Elle baissa les yeux.

— Je suis désolée.

— Et de quoi donc ? De m'avoir rappelé quelque chose que j'essayais d'oublier ? Je le sais. Ne me prenez pas pour un imbécile.

Il renifla.

— Pourquoi êtes-vous venue ? S'agit-il de Dinah Lambourn ?

— Non.

Elle leva la tête vers lui.

— À vrai dire, tout a commencé par Zenia Gadney.

— Qui diable est Zenia Gadney ?

— La femme qu'on a retrouvée mutilée sur la jetée de Limehouse, il y a une dizaine de jours.

Les traits de Winfarthing se figèrent, comme engourdis de tristesse et de pitié.

— Quel rapport avec Lambourn ? Ou avec l'opium ?

— Aucun avec l'opium, pour autant que nous le sachions. Elle achetait une dose à un penny de temps à autre, comme la moitié de la population. Le docteur Lambourn la connaissait bien, assez en tout cas pour aller la voir une fois par mois et subvenir à ses besoins.

— Balivernes ! dit-il aussitôt. Celui qui vous a raconté ça est soit fou, soit malintentionné, soit les deux.

— Sa sœur, Amity Herne, a fini par l'admettre. Sa femme aussi, mais elle ignorait où vivait Mrs. Gadney.

— Mrs. ? Elle était mariée ? Ou s'agit-il d'un titre qu'on lui donnait par courtoisie ?

— Surtout par courtoisie, je crois, bien que certains de ses voisins semblent penser qu'elle était veuve.

— Entretenue par Joel Lambourn ? Peut-être était-elle l'épouse d'un confrère ruiné ? suggéra Winfarthing, encore incrédule.

— C'est possible, admit Hester, sceptique. Quand il est mort, elle en a apparemment été réduite à travailler dans la rue pour survivre.

— Quel âge avait-elle ?

— Environ quarante ans.

— Quelque chose ne colle pas dans tout ça, commenta-t-il en secouant la tête. Quelqu'un ment. Forcément. Voulez-vous dire que cette malheureuse était d'une manière ou d'une autre liée à la mort de Lambourn ?

Elle ne répondit pas directement à la question, choisissant d'en poser une autre.

— S'il ne s'est pas tué à cause du rejet de son rapport, et qu'il ne semble pas avoir souffert d'une maladie, incurable ou autre, d'ailleurs – il a pu le faire pour une autre raison. N'aurait-il pu s'agir d'une liaison avec une prostituée qu'on était sur le point de révéler au grand jour ?

Le dégoût se lut sur le visage du médecin.

— Nous ne connaissons jamais les gens aussi bien que nous le croyons, je suppose. Étant médecin, je devrais le savoir mieux que personne. Vous n'imagineriez pas les choses que j'ai vues – ou entendues.

Il haussa les épaules.

— Ou peut-être que si, après tout ? Mais je ne vois toujours pas Joel Lambourn ayant une liaison de la dernière vulgarité avec une prostituée de Limehouse.

Sa voix prit un ton de défi, mais c'était à la conclusion d'Hester qu'il s'en prenait, et non à Hester elle-même.

— Et s'il s'est suicidé parce qu'elle allait cracher le morceau, cela ne nous dit pas qui l'a tuée, n'est-ce pas ? Pourquoi vous en souciez-vous, ma fille ? Était-elle une des femmes que vous soignez dans votre clinique ?

Elle secoua la tête.

— Non. Je n'ai jamais entendu parler d'elle avant ces jours-ci. Limehouse est assez loin de Portpool Lane, vous savez. Le pire, c'est la manière dont elle est morte. C'est mon mari qui mène l'enquête.

Il eut une grimace, irrité contre lui-même.

— Évidemment. J'aurais dû le deviner. Eh bien, j'ai toujours du mal à croire que Lambourn se soit suicidé, quelle qu'en soit la raison. La vie vous réserve bien des surprises, et certaines ne me gênent pas, mais celle-là, si.

— L'autre possibilité est que le docteur Lambourn ait lui aussi été assassiné, par quelqu'un qui voulait se débarrasser de son rapport, avança-t-elle, observant sa réaction.

Il hocha très lentement la tête.

— C'est possible, je suppose. Des fortunes sont faites et défaites avec l'opium. Mais c'est peu probable. Je...

Il hésita.

— Quoi ? demanda-t-elle aussitôt.

Il la regarda, les traits ravagés par la tristesse.

— Cela me peinerait de penser que nous vivons dans un monde assez corrompu pour discréditer et tuer un homme comme Joel Lambourn dans le seul but d'empêcher une loi dont nous avons fort besoin, non seulement pour l'opium, mais pour la vente de tous les produits pharmaceutiques.

— Cela signifie-t-il que vous refusez de l'envisager ?

Il fit un bond sur sa chaise, la foudroyant du regard.

— Certainement pas ! Comment osez-vous me poser cette question ?

Elle lui adressa un sourire charmeur.

— J'espérais vous mettre assez en colère pour que vous acceptiez de m'aider, répondit-elle. Discrètement, bien entendu. Je… je ne tiens pas à ce qu'on vous retrouve sur One Tree Hill avec les poignets tailladés.

Il lâcha un profond soupir.

— Vous êtes une manipulatrice, Hester. Et moi qui pensais que vous étiez la seule fille d'Ève à ignorer l'art de mener un homme par le bout du nez. Je suis un imbécile pétri d'illusions. Cela dit, je vais vous aider – pour Joel Lambourn, pas parce que vous m'y avez acculé !

— Merci, dit-elle avec sincérité. Si vous vouliez rassembler des informations pour rédiger le genre de rapport qu'il a fait, que chercheriez-vous ? Pouvez-vous me faire une liste ?

— Il n'en est pas question ! riposta-t-il avec une soudaine véhémence. One Tree Hill est assez grande pour nous deux. Je me charge de l'essentiel. Je peux invoquer des prétextes, des raisons. Contentez-vous d'interroger les pharmaciens et les petits commerçants, les sages-femmes, les marchands ambulants, que sais-je. Voyez ce que vous pouvez acheter. Renseignez-vous, c'est tout. N'achetez rien.

Elle hocha la tête. Un quart d'heure plus tard, ils avaient échafaudé un plan d'action.

Hester commença le jour même, sillonnant les rues animées de Rotherhithe sous le vif soleil d'hiver. La Tamise n'était pas loin et elle entendait le cri des mouettes, respirait l'odeur de sel et de poisson apportée par le vent. De temps à autre, en se tournant vers le nord, elle apercevait le reflet de la lumière sur l'eau, étincelante entre les rangées de maisons, les lignes sombres des mâts et des espars qui se découpaient sur le ciel clair.

Elle entra dans les petites épiceries, les pharmacies, les bureaux de tabac, et fut étonnée par le nombre de gens qui vendaient des préparations à base d'opium. Certes, elle en avait utilisé à la clinique de Portpool Lane, mais sous une forme pure, et le dosage avait été mesuré avec soin et parcimonie. C'était non seulement le meilleur remède contre la douleur, mais, dans bien des cas, le seul.

Elle demanda conseil aux commerçants pour savoir combien en prendre et à quelle fréquence, si l'âge ou le poids du patient faisaient une différence, et quelles autres circonstances pouvaient altérer ses effets. Était-il par exemple dangereux d'en absorber quand on souffrait d'une certaine maladie ou qu'on prenait d'autres médicaments ?

— Écoutez, ma petite dame, décidez-vous, lui lança avec exaspération un marchand débordé, avec un coup d'œil anxieux à la queue qui s'était formée derrière elle. Faites comme bon vous semble, mais ne restez pas là à discuter. Je n'ai pas le temps. Alors, vous en voulez, oui ou non ?

— Non, merci.

Sur quoi elle sortit du magasin encombré, frôlant des cagettes d'oignons et d'herbes aromatiques et de grands pots de farine, d'avoine et de blé.

À quoi bon consacrer une deuxième journée à parcourir les rues en s'arrêtant devant chaque boutique ? S'il était si facile d'acheter de l'opium à Rotherhithe, il en serait ainsi dans tout Londres et, sans doute, dans toutes les villes d'Angleterre.

Elle ne souffla pas mot de ses activités à Monk quand il rentra, tard ce soir-là. Il avait passé le plus clair de la journée sur la Tamise à s'occuper d'une affaire de vol et du meurtre d'un matelot durant une altercation, une de ces absurdes bagarres d'ivrognes qui avait dégénéré. Tout avait commencé par des insultes, des tempéraments qui s'échauffaient. L'instant d'après, la victime avait eu la gorge tranchée par une bouteille cassée, et s'était vidée de son sang avant que quiconque ait pu se ressaisir et même songer à l'aider. Le coupable avait pris la fuite, et il avait fallu à Monk et à trois de ses agents la majeure partie de l'après-midi pour le retrouver et l'arrêter sans autre incident.

C'était après seulement qu'il avait rejoint Orme pour continuer à chercher celui que les journaux appelaient désormais « le boucher de Limehouse ».

Le lendemain matin, Hester se rendit à la clinique afin de solliciter l'aide de Squeaky Robinson, le propriétaire des locaux à l'époque où ils abritaient le bordel le plus profitable du quartier. Par un habile subterfuge, Oliver Rathbone l'avait convaincu d'en faire don à une œuvre de charité afin d'échapper à la prison.

Fort mécontent, et sans foyer, Squeaky avait obtenu la permission de rester et de gérer la propriété dans son nouvel usage, sous bonne surveillance et sans qu'on lui accordât la moindre confiance.

Au fil des années, ils en étaient venus à se respecter, et, maintenant – dans certains domaines, tout au moins –, Squeaky était aimé et apprécié, ce qui lui plaisait grandement, malgré sa gêne à l'admettre.

Hester entra dans la pièce où il gardait ses dossiers et livres de comptes. Assis derrière son bureau, il ressemblait presque à un employé normal. Une vie tranquille et un rythme régulier avaient adouci les angles de son visage, mais il avait toujours un long nez, des dents légèrement écartées et des cheveux plus hirsutes que jamais.

— Bonjour, miss Hester, lança-t-il gaiement. Ne vous inquiétez pas pour l'argent, nous nous en sortons pas mal.

— Bonjour, Squeaky, répondit-elle en prenant place en face de lui. Ce n'est pas de cela qu'il s'agit aujourd'hui. J'ai besoin d'informations sur quelqu'un. Pas ici – à Limehouse. Où devrais-je aller me renseigner ?

— Vous devriez pas, rétorqua-t-il aussitôt. C'est pour cette pauv' femme qu'on a retrouvée sur la jetée, hein ? N'allez pas fourrer votre nez là-dedans. Un fou de ce genre, c'est des ennuis assurés.

Elle s'était attendue à le voir opposer une certaine résistance et s'y était préparée.

— Elle vivait dans le quartier, lâcha-t-elle sur le ton de la conversation, comme s'il l'avait interrogée. Quelqu'un devait la connaître en plus du docteur Lambourn. Si elle travaillait dans les rues, les autres femmes doivent bien savoir certaines choses à son sujet. Elles ne diront rien à la police, mais elles parlent entre elles.

— Pour dire quoi ? riposta Squeaky calmement.

Il la toisa et secoua la tête.

— Elle prenait de l'âge et elle était un peu trop vieille pour le métier. Son client régulier s'est buté Dieu sait pourquoi, donc elle était sans le sou et elle a pris des risques. Qu'est-ce qu'il y a d'autre à savoir ?

— Peut-être la raison pour laquelle il l'a choisie en premier lieu ? avança-t-elle.

— Non, sûrement pas, dit-il d'un ton sec. C'est quelque chose qu'une dame n'a pas besoin de savoir, qu'elle ait été infirmière dans l'armée ou pas.

Il fronça les sourcils.

— On se demande quand même ce qu'elle fabriquait avec un cinglé qui voulait la charcuter, hein ? Je veux dire, on penserait qu'elle aurait flairé qu'il était mauvais et qu'elle l'aurait laissé tranquille au lieu d'aller se trimbaler sur la jetée avec lui. Elle a été vraiment, vraiment imprudente. Quel endroit idiot pour aller forniquer, d'ailleurs ! Mais la question n'est pas là.

— Imprudente ou au désespoir, murmura Hester. Qui puis-je interroger, Squeaky ?

Il lâcha un grognement exaspéré.

— Je vous dis de laisser ça tranquille ! Vous ne pouvez plus l'aider à présent, la pauvre. Que fera Mr. Monk si vous vous faites trouer aussi ? D'ailleurs, qu'est-ce qu'on ferait, tous autant que nous sommes ? Des fois, je me dis que vous n'avez pas plus de bon sens qu'un lapin à deux sous !

Elle lui sourit, ignorant l'insulte.

— Dans ce cas, venez avec moi, Squeaky.

Il poussa un profond soupir et mit de l'ordre sur son bureau avec plus de soin que nécessaire. Puis il lui emboîta le pas et sortit avec elle dans la rue.

Il maugréa tout le long du chemin jusqu'à l'arrêt de l'omnibus et, lorsqu'ils descendirent dans Commercial Road, à Limehouse, il se tint si près d'elle qu'elle faillit trébucher une demi-douzaine de fois à cause de lui. Cependant, tout en marchant dans les ruelles étroites, humides, glaciales, elle se félicitait de sa présence.

— Je vous l'avais bien dit, grogna-t-il lorsque la cinquième personne qu'ils interrogèrent nia avoir vu Zenia Gadney ou même entendu parler d'elle. Les gens ont trop peur pour causer. Ils font semblant de rien savoir.

— C'est ridicule ! s'emporta-t-elle sèchement. Elles travaillaient dans les mêmes rues. Elles ont forcément entendu parler d'elle. Et pourquoi s'imaginent-elles que je veuille le savoir, sinon pour attraper cet homme ?

— Ce n'est pas à vous qu'elles racontent des histoires, répondit-il d'un ton las.

Ils descendaient Salomon's Lane en direction du Britannia Bridge et pouvaient apercevoir les reflets chatoyants de la lumière sur les eaux de Limehouse Cut et, au loin, la circulation intense sur West India Dock Road.

— C'est à elles-mêmes qu'elles s'en racontent, acheva-t-il. Le pire, c'est ce qu'on a dans la tête. On ne peut pas y échapper, jamais.

Hester garda le silence. Elle savait ce qu'il en était d'avoir peur de ses souvenirs. Les siens n'avaient pas les mêmes sources que ceux de Squeaky, mais l'émotion était similaire et le sentiment d'impuissance aussi.

Ils cheminèrent plusieurs heures encore, sans parvenir à en apprendre davantage sur Zenia Gadney que ce que Monk savait déjà. Ç'avait été une femme discrète, qui s'exprimait bien. Elle ne parlait pas comme les prostituées du quartier, ni même comme les commerçants, les blanchisseuses et les ménagères un cran plus respectables. Aucun de leurs interlocuteurs n'avoua l'avoir trouvée particulièrement sympathique ou le contraire. Il était évident qu'aucune prostituée ne voyait en elle une menace.

— Elle ? s'indigna une blonde aux traits grossiers. Pour commencer, elle était trop vieille. Je ne veux pas dire qu'elle était franchement moche ni rien. En fait, elle était même pas mal, si on prenait la peine de la regarder, mais triste. Triste à mourir, si vous voyez ce que je veux dire.

Elle planta les poings sur ses hanches.

— Pas fichue de se défendre pour un sou, et pas drôle non plus. Les hommes veulent pas juste qu'on se contente de rester là les bras ballants ! Si on n'est pas une beauté, il faut avoir autre chose, hein ?

Elle détailla Hester de la tête aux pieds, la jaugeant.

— Z'êtes largement trop maigrichonne, vous, mais vous êtes pleine de vie. Z'arriveriez peut-être à joindre les deux bouts.

— Merci, répondit Hester, pince-sans-rire. Si j'ai besoin d'avoir recours à ça, il vaudrait mieux que je ne tarde pas trop.

Le visage de la femme se fendit d'un large sourire.

— Z'avez raison là-dessus, mon petit. Vous n'avez pas trop d'années devant vous.

— Elle prenait beaucoup d'opium ? demanda soudain Hester.

Son interlocutrice parut stupéfaite.

— Qu'est-ce que j'en sais ? Mais si c'est le cas, où est le mal ? Elle avait peut-être des douleurs. Comme nous toutes, hein. Elle n'en vendait pas, si c'est ce que vous voulez savoir. Calme, qu'elle était. Il paraît qu'elle lisait des livres. Vous voulez que je vous dise la vérité ? À mon avis, elle ne manquait de rien fut un temps, et puis elle a eu du malheur. Je dirais que son mari est mort ou qu'il est allé en prison. Il l'a laissée sans un sou. Elle s'est débrouillée comme elle a pu, la pauvre. Jusqu'à ce qu'un cinglé s'en prenne à elle. Si les cognes savaient ce qu'ils faisaient, ils auraient pendu ce salopard à l'heure qu'il est.

Squeaky acquiesça, l'air de comprendre parfaitement son point de vue.

Hester le foudroya du regard et il lui sourit en retour, révélant des dents de travers, certaines noircies par des caries.

— Bon, ben, si vous z'avez rien à faire, reprit la femme, moi si.

Et sans un mot de plus, elle fit tournoyer ses jupes et s'éloigna, balançant des hanches de manière aguichante.

Hester retourna voir le docteur Winfarthing à son cabinet. Voûté et l'air morose, il se leva péniblement pour l'accueillir, parvenant tout juste à esquisser un sourire.

— Qu'avez-vous trouvé ? demanda-t-elle sans préambule.

— J'ai à peine gratté la surface. Mais assez pour savoir que ça grouille là-dessous. C'est un nid à rats, ma fille. Il y a des centaines de rats dedans, y compris de très gros, aux dents très pointues. Oui, il y a beaucoup d'argent dans l'opium. Je me suis renseigné sur la manière dont la matière première est importée, mais au fond nous le savons tous, je suppose. Il est coupé avec Dieu sait quoi. Tout remonte aux guerres de l'Opium qui ont eu lieu en Chine, de 1839 à 1842 et de 1858 à 1860. Il y a un tas de choses là-dedans qu'il vaut mieux ne pas savoir. Des morts, des escroqueries, des profits colossaux.

Elle finit par s'asseoir.

— Je sais qu'il y a parmi les amateurs d'opium des gens qu'on ne soupçonnerait pas. Des artistes et des écrivains que nous admirons.

Il secoua la tête et fit la moue.

— Ce n'est pas le pire de ce que vous allez découvrir, ma fille. Ce sont les belles fortunes respectables qui ont été bâties sur la tromperie, et le nombre de soldats sacrifiés dans une guerre sale, non pour l'honneur, mais pour l'argent. Et Dieu sait combien de Chinois. Des dizaines de milliers d'entre eux. Il ne plaira à personne que vous exposiez cela. Que des sauvages se conduisent comme des sauvages, très bien, mais on ne veut pas savoir que nous l'avons fait aussi – que des Anglais sont dépourvus du sens de l'honneur.

À l'évidence, il lui était douloureux de prononcer ces mots.

— Ceux d'entre nous qui connaissent un tant soit peu l'histoire le savent déjà, dit-elle très bas.

Elle était sincère et, pourtant, elle aussi avait du mal à l'admettre. Peut-être était-ce justement cela, autant que les morts absurdes, qui la rendait encore furieuse quand elle songeait à la Crimée.

Il acquiesça.

— Ceux d'entre nous qui en ont été témoins, et qui ont dû essayer de laver notre réputation, pas les autres. Avez-vous jamais rencontré quiconque voulant en savoir davantage ? Parce que moi non, aussi sûr que le feu brûle en enfer.

— Tout cela figurait-il dans le rapport du docteur Lambourn ?

— Je l'ignore, mais ce serait dans le mien, si j'en faisais un. Certains de ces agissements feraient honte au diable en personne.

Il la foudroya du regard, en colère parce qu'il s'inquiétait pour elle.

— N'insistez pas, Hester. Vous ne pouvez sauver Lambourn, qu'il repose en paix. Et cela n'a rien à voir avec la mort de cette pauvre femme. Elle n'est qu'une victime accidentelle de plus.

— Merci, dit-elle en lui adressant un sourire triste.

— Ne me remerciez pas ! rugit-il. Dites-moi seulement que vous allez renoncer.

— Je ne fais jamais de promesses que je n'ai pas l'intention de tenir, répondit-elle. Enfin – presque jamais. Et pas à des gens que j'apprécie.

Il émit un grognement, mais il la connaissait trop bien pour tenter de discuter.

8

De gros titres morbides s'étalaient toujours à la une des quotidiens, déplorant le meurtre de Zenia Gadney et l'échec de la police à l'élucider. Monk croisa plusieurs jeunes vendeurs qu'il s'efforça d'ignorer. Malheureusement, il ne pouvait se boucher les oreilles tandis qu'ils déclamaient d'une voix chantante dans l'espoir d'attirer les chalands.

— *Toujours aucun résultat dans l'assassinat sanglant de Limehouse !* cria un garçon aux dents écartées en brandissant un journal sous son nez. *Que fait la police ?*

Monk refusa d'un signe de tête et pressa le pas. Ses hommes et lui faisaient tout ce qu'ils pouvaient. Orme se concentrait sur le quartier de Limehouse. D'autres interrogeaient bateliers et débardeurs, tous ceux qui traversaient régulièrement la Tamise et qui étaient susceptibles d'avoir remarqué quelque chose d'étrange ou d'inhabituel. Les recherches n'avaient encore rien donné. À Copenhagen Place ou dans les rues environnantes, personne n'admettait avoir bien connu Zenia Gadney. Pour les habitants du quartier, c'était une intruse, quelqu'un qui troublait la routine de leur vie et amenait la police parmi eux. Pire, en s'étant fait assassiner de manière si horrible, elle avait effrayé des clients éventuels. Qui allait chercher une prostituée alors que les policiers questionnaient tout le monde ? Si un fou rôdait dans les parages, il valait mieux dominer ses appétits, ou les satisfaire ailleurs. Il suffisait de prendre le bac pour aller à Deptford ou à Rotherhithe, ou de partir à l'ouest, à Wapping, ou à l'est, vers l'île aux Chiens.

Les prostituées, en revanche, n'avaient pas ce luxe. Chaque coin de rue et chaque trottoir était déjà occupé. Une nouvelle venue était chassée comme un chien qui s'aventure sur le territoire d'une autre meute.

La police était seule à blâmer, tous s'accordaient pour le dire. C'était son travail d'attraper de tels déments et de les faire pendre. Aucun citoyen, respectable ou non, ne serait en sécurité avant que ce fût chose faite.

Barclay Herne, secrétaire d'État et beau-frère de feu Joel Lambourn, avait fait savoir à Monk qu'il désirait s'entretenir avec lui au sujet de la mort de Zenia Gadney, le priant de venir à son bureau afin qu'ils puissent parler en toute discrétion. En tant que fonctionnaire du gouvernement, Monk n'avait guère le choix. De plus, il était curieux d'entendre ce que Barclay Herne avait à lui dire. Cela concernait Joel Lambourn, sans doute ? Car quel autre lien Herne pouvait-il avoir avec Zenia Gadney ?

Monk héla un fiacre. Au bout d'une demi-heure passée à avancer au pas à travers les rues fréquentées des quartiers administratifs, il descendit devant le bureau de Herne, dans Northumberland Avenue. On l'introduisit dans une salle d'attente confortablement meublée, où il patienta un quart d'heure, debout, maîtrisant mal son impatience.

Lorsque Herne arriva enfin, Monk fut surpris. Il avait imaginé un homme plus imposant, d'apparence moins joviale. De taille moyenne, plutôt trapu, Herne montrait au premier abord un visage très ordinaire. Ce fut seulement lorsqu'il referma la porte et s'avança, la main tendue, que sa physionomie changea. Son sourire éclairait ses traits, ses dents étaient belles et très blanches, et une vive intelligence brillait dans son regard.

Sa poignée de main, si ferme qu'elle en était presque douloureuse, constituait une affirmation tangible de son pouvoir.

— Merci, dit-il, l'air sincère. J'apprécie que vous me consacriez un moment. Il est un peu tôt pour un whisky, poursuivit-il en haussant les épaules. Voudriez-vous du thé ?

— Non, merci.

À vrai dire, Monk aurait aimé prendre une boisson chaude après le long trajet qu'il venait d'accomplir dans le froid, mais il se sentait réticent à accepter l'hospitalité de cet homme.

— Que puis-je pour vous, Mr. Herne ?

Celui-ci lui fit signe de s'asseoir et s'installa aussitôt dans un des deux fauteuils en cuir vert disposés de part et d'autre de la cheminée, où brûlait un bon feu.

— L'affaire est plutôt dérangeante, admit-il à regret. On m'informe que vous enquêtez sur le décès de mon défunt beau-frère, en allant au-delà de ce qui a déjà été fait. Est-ce bien nécessaire ? Mon épouse se montre très courageuse, mais, comme vous l'imaginez, cela est très pénible pour elle. Êtes-vous marié, Mr. Monk ?

— Oui.

Monk revit le visage froid et totalement maître de lui d'Amity Herne, et fut d'accord avec lui sur un point. Si elle était bouleversée, elle le cachait avec une remarquable efficacité. Néanmoins, il choisit ses mots avec soin.

— Et si ma femme devait subir une telle perte, je serais fier qu'elle fasse preuve de tant de dignité.

Herne acquiesça.

— Je le suis, croyez-moi. Cependant, je préfère vous proposer notre assistance dans la mesure du possible, de manière que cette affaire soit réglée au plus vite. Ce pauvre Joel était...

Il haussa imperceptiblement les épaules et baissa la voix avant de continuer.

— ... moins stable mentalement que certains ne le croient. L'on ne confie pas ses problèmes familiaux au premier venu. Il est naturel de protéger... vous comprenez ?

— Bien entendu, répondit Monk, intrigué.

Il se demanda où Herne voulait en venir. Il avait peine à croire que ce dernier cherchât uniquement à épargner sa femme. Monk n'avait pas envisagé de l'interroger de nouveau. Il doutait fort qu'elle revienne sur sa déposition originale, selon laquelle Dinah se montrait naïve envers les faiblesses de Lambourn qui avait peut-être eu du mal à se hisser à la hauteur de son idéal.

Herne semblait avoir des difficultés à trouver ses mots. Lorsqu'il leva enfin les yeux vers Monk, la sincérité se lisait sur ses traits.

— Nos relations ont parfois été un peu délicates, admit-il. Au début de notre mariage, mon épouse et moi vivions en Écosse. À vrai dire, nous ne voyions presque jamais Joel et Dinah. Ma femme n'était pas proche de Lambourn. Il y avait plusieurs années de différence entre eux, si bien qu'ils n'ont pas été élevés ensemble.

Monk attendit.

Herne paraissait tendu. Ses mains étaient si crispées que les jointures de ses doigts en étaient blanches et luisantes. Il esquissa un faible sourire d'excuse.

— C'est seulement il y a peu de temps que j'ai commencé à comprendre que Joel était un être beaucoup plus complexe qu'il n'en donnait l'impression à ses amis et admirateurs. Oh ! Il était charmant, discret. Il avait une mémoire phénoménale et pouvait se montrer très distrayant lorsqu'il racontait des anecdotes, des histoires qui sortaient de l'ordinaire.

Il eut un sourire gêné.

— Et naturellement, des plaisanteries. Pas de celles qui font rire aux éclats, des plus subtiles, qui s'amusent de l'absurdité de la vie.

Il se tut de nouveau.

— On n'avait aucun mal à le trouver sympathique.

Monk prit une inspiration pour lui demander ce qu'il espérait de lui, puis se ravisa. Peut-être en apprendrait-il davantage s'il laissait Herne s'abandonner un peu plus à ses souvenirs.

Brusquement, celui-ci le regarda dans les yeux.

— Cependant, il n'était pas l'homme que Dinah choisissait de voir en lui.

Une fois de plus, il baissa le ton.

— Il avait un côté plus solitaire, beaucoup plus sombre, confia-t-il. Je savais qu'il entretenait une femme à Limehouse. Il lui rendait visite souvent. J'ignore exactement quand, et avec quelle régularité. Vous comprendrez, j'en suis sûr, que j'aie préféré ne pas le savoir. C'était une facette sordide de sa nature dont j'aurais franchement préféré ne pas avoir eu connaissance.

Il eut un léger geste de dégoût, peut-être pour ce qu'il imaginait de Lambourn, ou parce qu'il en avait sans le vouloir appris plus long qu'il ne le désirait sur la vie privée de son beau-frère.

— Comment l'avez-vous découvert, Mr. Herne ? s'enquit Monk.

Herne prit un air de regret.

— À vrai dire, c'est à cause de quelque chose que Dinah a dit. Je n'en ai saisi le sens qu'après coup. C'était très gênant.

Visiblement mal à l'aise, il changea de position.

— Joel avait toujours paru si... peu imaginatif, plutôt austère, en réalité. Je n'arrivais pas à l'imaginer avec une putain d'âge mûr dans les ruelles autour de West India Dock Road.

Il fronça les sourcils.

— Mais comme ce malheureux est mort avant que cette pauvre créature soit assassinée, il est impossible qu'il ait été mêlé à ces horreurs. Je suppose qu'elle était désespérément à court d'argent, et qu'ayant été entretenue par lui pendant si longtemps elle avait perdu tout sens de la prudence.

Monk était enclin à penser de même, mais il attendit que Herne achève ce qu'il voulait dire.

— Ma famille...

Herne hésita, apparemment réticent à formuler sa requête.

— Je vous serais très reconnaissant de ne pas rendre publique la relation de Joel avec cette femme. Dinah souffre suffisamment d'être au courant de... sa faiblesse, en plus de son échec professionnel et de son suicide. Et bien entendu, il en va de même pour mon épouse. C'était son frère, même s'ils n'étaient pas proches. Je vous en prie... ne révélez pas cela au grand jour. Cela ne peut avoir aucune incidence sur le meurtre de cette malheureuse.

Monk n'eut pas à peser le pour et le contre.

— Si cela ne peut influer sur la condamnation de celui qui l'a tuée, nous n'aurons aucune raison de mentionner le docteur Lambourn, répliqua-t-il.

Herne sourit et parut se détendre.

— Merci. Je… nous vous sommes très obligés. Ç'a été très dur pour nous tous, surtout pour Dinah. C'est quelqu'un de… très sensible.

Il se leva et tendit la main à Monk.

— Merci, répéta-t-il.

Ce fut seulement après avoir quitté Northumberland Avenue, dans un fiacre qui le ramenait au commissariat de Wapping, que Monk comprit clairement ce que Barclay Herne venait de lui révéler. Il se trouvait au milieu du flot de la circulation, à l'endroit où le Strand devient Fleet Street, lorsqu'il en prit brutalement conscience. Selon les dires de Dinah Lambourn, elle avait su que son mari s'intéressait à une autre femme, mais avait choisi à dessein de ne pas l'interroger au sujet de celle-ci. Elle avait déclaré ignorer où il se rendait, et le nom de sa rivale.

Or Herne, qui avait découvert la liaison par Dinah, avait ensuite évoqué non pas Limehouse en général, mais très exactement West India Dock Road, qui se trouvait à deux pas de Copenhagen Place. Il n'aurait pu être plus précis, hormis en donnant l'adresse de Zenia Gadney. À son insu, il avait donc trahi le fait que Dinah savait précisément où vivait celle-ci, et qu'elle avait menti.

À cette pensée, Monk sentit la nausée le gagner. Son imagination s'emballa malgré lui, dépeignant une scène après l'autre. Dinah avait voué à Lambourn un amour presque obsessif. Elle avait eu une trop haute opinion de lui, l'avait placé sur un piédestal où aucun homme n'aurait pu rester. Chacun a des faiblesses, bute sur certains obstacles. L'ignorer ou le nier impose un fardeau trop lourd à porter dans la vie quotidienne.

Tôt ou tard, le poids d'une attente impossible débouche sur des tromperies : peut-être insignifiantes au début, de plus en plus considérables à mesure que grandit la douleur.

Était-ce là ce qui était arrivé à Joel Lambourn ? Le piédestal était-il trop haut et lui imposait-il de surcroît une insupportable solitude ?

Le fiacre avançait au pas au gré du trafic. Il pleuvait plus dru à présent. Monk voyait les gouttes rebondir sur la chaussée, l'eau tourbillonner dans les caniveaux. Les jupes des femmes étaient trempées. Les hommes se bousculaient, tenant haut leur parapluie.

Dinah s'était-elle sentie trahie par son mari ? Elle avait vu en lui une idole, avant de s'apercevoir qu'il avait les pieds faits d'un matériau moins pur encore que l'argile. Le meurtre de Zenia Gadney avait-il été sa vengeance envers un dieu déchu ?

Ou cette hypothèse était-elle totalement absurde ? Il l'espérait. Il désirait ardemment se tromper. Il avait trouvé Dinah sympathique, l'avait même admirée. Pourtant, il n'avait d'autre choix que de chercher la vérité.

Il se pencha en avant et demanda au cocher de le conduire au Britannia Bridge, là où Commercial East Road traverse Limehouse Cut et devient West India Dock Road. Il devait retourner dans les magasins : parler au marchand de tabac, à l'épicier, au boulanger, à tous les habitants de Copenhagen Place.

Lorsqu'il y arriva, la pluie avait cessé. Une dizaine d'enfants jouaient à la marelle sur le trottoir quand il déboucha de Salomon's Lane dans Copenhagen Place. Deux lavandières bavardaient, d'énormes ballots de linge calés sur les hanches. Un chien grattait avec espoir dans un tas de détritus. Deux jeunes femmes marchandaient avec un homme à côté d'une charrette de légumes. Un jeune homme, la casquette de côté, flânait au bord du trottoir en sifflotant un air de music-hall, gai et juste.

La mort dans l'âme, Monk se résigna à sa tâche. S'il ne faisait pas de son mieux pour en avoir le cœur net, l'hypothèse de la culpabilité de Dinah continuerait à le hanter. Il commença par les lavandières. Comment Dinah se serait-elle habillée pour venir à la recherche de Zenia Gadney ? Pas à la mode. Peut-être aurait-elle même emprunté un châle à une bonne pour dissimuler la coupe et la qualité de sa tenue. À qui se serait-elle adressée ? Quelles questions aurait-elle posées ?

— Excusez-moi, dit-il aux deux femmes.

— Z'avez trouvé qui l'a surinée, oui ? demanda l'une d'elles d'un ton agressif.

Elle avait les cheveux blonds, brillants sous le pâle soleil hivernal, et un visage aux traits épais mais non dépourvu de charme.

Il fut stupéfait qu'elles l'aient reconnu. Il ne portait pas d'uniforme. Peut-être aurait-il dû s'y attendre. Il avait découvert qu'on ne l'oubliait pas facilement. On le remarquait à son visage mince, à ses vêtements élégants, à sa démarche et à sa posture droite.

— Pas encore, admit-il. L'enquête suit son cours.

Il éludait la vérité, cependant il ne s'en souciait guère.

— L'une d'entre vous a-t-elle vu une femme qui cherchait Mrs. Gadney, qui posait des questions, peut-être ? Grande, brune, vêtue de façon assez ordinaire sans doute, mais avec des manières de dame.

Elles plissèrent les yeux vers lui, avant d'échanger un regard.

— Z'êtes aussi saur qu'un hareng, lança la plus fanée des deux. Et qui donc l'aurait cherchée ?

— Quelqu'un dont elle a escroqué le mari, répondit-il sans hésiter.

— Tu vois, Lil ! s'écria la plus jeune avec jubilation. Je t'avais bien dit, hein, qu'elle ne valait pas cher. Je le savais, tiens !

Monk sentit sa gorge se nouer. Il aurait de loin préféré se tromper.

— Vous l'avez vue ? La femme qui cherchait Mrs. Gadney ? Vous en êtes sûres ?

— Moi, non, mais j'ai entendu parler d'elle par Madge, qui habite un peu plus haut, répondit la femme avec un geste sec de la tête en direction de la maison. Elle était dans le magasin du vieux Jenkins quand c'est arrivé.

— De quoi parlez-vous ?

— Quand cette femme est venue poser des questions sur celle qui s'est fait tuer, évidemment. Ce n'est pas ça que vous demandez ? Une vraie boule de nerfs, qu'elle était, d'après eux. La pauvre.

Elle étrécit les yeux, fixant Monk.

— Vous voulez dire que c'est elle qui a suriné cette malheureuse et l'a laissée en morceaux là-haut sur la jetée ? Écoutez, elle était peut-être un peu cinglée, mais une femme n'aurait pas fait ça à une autre, c'est moi qui vous le dis.

— Il n'a pas dit qu'elle l'avait fait ! intervint son amie. T'as des oreilles en coton ou quoi ?

— Merci, interrompit Monk, levant la main pour l'empêcher de poursuivre. Je vais aller me renseigner à l'épicerie.

Il tourna les talons et traversa rapidement la rue avant de la remonter. Un vent froid soufflait, venant de la Tamise, et il resserra les pans de son manteau autour de lui.

Dans l'épicerie, trois clients faisaient la queue au comptoir, un homme et deux femmes. Il attendit patiemment, tout en écoutant leur conversation. Il n'apprit pas grand-chose, hormis qu'ils étaient en colère et effrayés par ce crime incompréhensible que personne n'avait élucidé.

— Elle n'était pas méchante pour un sou, disait une des femmes avec une indignation croissante.

Ses cheveux blancs étaient tirés en arrière, si serrés par les épingles que la tension effaçait presque les rides qu'elle avait autour des yeux.

— Toutes les années qu'elle a vécu ici, elle n'a rien demandé à personne. Où va le monde quand une pauvre créature comme elle se fait couper en morceaux comme un quartier de viande ?

— Je vous dis que c'est dommage qu'on n'écartèle plus les gens, déclara le vieillard en opinant du chef. Enfin, évidemment, faudrait déjà qu'ils attrapent ce salaud.

— Ce sera de la farine d'avoine, du sucre et deux œufs, comme d'habitude, Mr. Waters ? interrompit le commerçant, derrière le comptoir.

— Ne faites donc pas comme si ça vous était égal, Mr. Jenkins ! riposta Mr. Waters, vexé. Elle faisait toutes ses courses ici, dans ce magasin !

— Ce doit être très éprouvant pour vous tous, intervint Monk avant que la conversation s'envenime.

Les trois clients se retournèrent et le fixèrent.

— Et vous êtes qui, vous ? demanda Jenkins d'un ton soupçonneux.

— Il est de la police, lança la deuxième femme avec mépris. Vous seriez capables d'oublier votre propre nom, vous autres.

Elle affronta Monk du regard.

— Qu'est-ce que vous êtes venu faire ici, cette fois ? Nous dire que vous avez lâché l'enquête ?

Monk lui décocha un sourire.

— Si c'était le cas, j'aurais honte de venir vous l'annoncer.

Il poursuivit avant qu'elle ait eu le temps de trouver une réponse appropriée.

— Le jour où Zenia Gadney a été tuée, ou peut-être la veille, une grande femme brune est-elle venue ici poser des questions à son sujet ?

Les deux femmes secouèrent la tête, mais Jenkins fronça les sourcils.

— Et alors ? C'était triste de voir une belle femme dans un état pareil.

— Oh ! Mais ça vous ferait rien si c'était un vieux laideron comme nous, c'est ça ? s'emporta une des clientes, furieuse. Eh bien, si c'est là ce que vous pensez, vous attendez pas à ce que je revienne acheter mes patates ici.

Elle jeta une pièce sur le comptoir et sortit à grands pas, heurtant la porte de son sac au passage.

— Je suis désolé, s'excusa Monk. Je ne voulais pas vous faire perdre des clients.

— Ne vous inquiétez pas pour ça, monsieur, répondit Jenkins en s'essuyant les mains sur son tablier. Elle est toujours en train de monter sur ses grands chevaux. Elle reviendra. Elle ne peut pas aller plus loin et porter ses patates elle-même, de toute manière. Maintenant, que puis-je faire pour vous ?

— Parlez-moi de la femme qui était si bouleversée ici, la veille de la mort de Zenia Gadney.

— Faut pas vous occuper d'elle, monsieur. Elle n'était pas du quartier. Elle était dans tous ses états, la malheureuse. Elle n'arrêtait pas de marmonner, de délirer. Elle parlait toute seule, c'était affreux. Je suppose qu'elle était perdue.

— Pouvez-vous me la décrire ? Et me répéter ce qu'elle a dit ?

— Ça n'avait ni queue ni tête, répondit Jenkins, dubitatif.

— Peu importe.

L'épicier se concentra, la revoyant clairement dans son esprit.

— Elle était grande pour une femme, commença-t-il. Les cheveux bruns, pour ce que j'en voyais. Mais pas noirs. Elle portait un vieux châle qui lui couvrait la tête à moitié. Un beau visage. Je vous dis qu'elle venait pas d'ici et elle ne parlait pas comme les gens d'ici non plus. La pauvre était à demi folle. Trop d'opium, à mon avis. De temps en temps, ça ne fait pas de mal. Le fait est que ça aide quand rien d'autre n'y fait, des fois. Mais si on en prend trop, ça vous frit le cerveau. C'est de le fumer qui vous démolit. Je me demande si elle n'avait pas fait ça. Y en a plein, du côté des quais. C'est les Chinois, surtout. Ils en raffolent par chez eux, à ce qu'on dit.

Monk serra les dents et prit une profonde inspiration.

— Que marmonnait-elle ? Vous en souvenez-vous ?

Jenkins ne semblait pas avoir remarqué son impatience.

— Plus ou moins, dit-il, songeur. Il y avait pas mal de choses qui n'avaient aucun sens, mais elle parlait surtout de suicide et de putains et de choses dans ce genre. Comme je vous disais, elle n'avait plus sa tête. Ce n'était pas une putain. Je miserais de l'argent là-dessus.

Il secoua la tête.

— C'était une dame de qualité, même si elle était folle. Je suis sûr que si elle retrouvait son bon sens, ce serait quelqu'un de différent. Devriez pas faire attention à ce qu'elle disait, monsieur. Et je ne pense pas qu'elle connaissait Mrs. Gadney. On ne pourrait pas imaginer deux femmes plus différentes.

— A-t-elle posé des questions sur Mrs. Gadney ? Demandé où elle vivait, ou si vous la connaissiez ?

— Pas que je me souvienne. Elle est juste venue acheter des doses d'opium, en délirant sur les gens qui se tuaient, et puis elle est ressortie.

— Merci. Vous m'avez été d'une grande aide.

Monk acheta une boîte de mélasse dans l'espoir qu'Hester confectionnerait un pudding pour Scuff et lui, après quoi il reprit son chemin.

Il se renseigna dans d'autres magasins le long de Copenhagen Place. Le marchand de tabac lui apprit qu'une grande brune était entrée dans sa boutique pour lui demander où habitait Zenia Gadney, mais apparemment, à ce moment-là, elle semblait s'être ressaisie. Il lui avait dit que Mrs. Gadney vivait un peu plus loin, qu'il n'était pas sûr du numéro, mais que la maison était située vers le milieu de la rue.

Deux autres personnes avaient vu la femme, mais n'avaient rien de nouveau à lui apprendre. Néanmoins, Monk en avait entendu assez pour être contraint de retourner voir Dinah Lambourn.

Puisque cette perspective l'affligeait, il rentra d'abord au commissariat de Wapping et s'assura que tout se déroulait normalement. Ensuite, il enfila son manteau et sortit sur le quai. Le moyen le plus rapide de se rendre à Greenwich était de suivre la rive nord, sur laquelle il se trouvait, et de prendre un bac à Horse Ferry. Il fallait un certain temps, mais la brise glaciale de cette fin d'après-midi et les sons familiers de la Tamise l'aideraient à se préparer à la rencontre.

Debout sur le quai, il regarda le fleuve fréquenté, houleux avec le changement de marée. Déjà, le ciel s'assombrissait, la lumière déclinait. Dans dix jours, ce serait le solstice d'hiver, et peu après, Noël. Pourquoi ne pas remettre cette visite ? Rentrer à la maison, laisser Dinah en paix un soir de plus, chez elle avec ses filles. Les pauvres petites, elles avaient déjà tant perdu. Il se demanda si elles avaient d'autres parents – hormis Amity Herne. Il la voyait mal leur apporter chaleur ou réconfort dans l'épreuve affreuse qui risquait de les attendre.

C'était une pensée peu charitable ! Peut-être était-ce une brave femme, au fond. Les gens se hissaient parfois à la hauteur du défi qui se présentait, se révélant plus courageux et meilleurs qu'ils ne l'avaient eux-mêmes cru possible.

Cela lui donnerait aussi un répit avant de devoir affronter Dinah et se résoudre à sa culpabilité.

De quel droit pensait-il à lui-même ? En quoi sa déception importait-elle ?

Un bac approchait des marches de Wapping. Ses passagers allaient débarquer, et il pourrait y monter pour rentrer chez lui. Une demi-heure plus tard, il serait dans sa cuisine et – surtout – enveloppé du sentiment de sécurité que lui apportait son foyer. Hester et lui discuteraient du cadeau qu'ils feraient à Scuff pour Noël : de ce qu'il voudrait, et de ce qui risquait de le gêner ou de le bouleverser. Monk avait songé à lui offrir une montre. Il venait d'apprendre à lire l'heure au lieu de la deviner. Hester voulait lui acheter des livres. Serait-ce trop que de lui offrir les deux ? Scuff se sentirait-il obligé de leur faire à chacun un cadeau ?

Il s'avança vers la première marche, prêt à rejoindre l'embarcation.

Soudain, il se ravisa et retraversa le quai d'un pas vif afin de gagner la route. Mieux valait y aller tout de suite, faire face et en finir.

Au bout d'une heure qui passa trop vite, il se trouvait dans le salon de Dinah. La jeune femme était assise bien droite en face de lui, grave et tendue, le visage presque livide. Ses mains étaient crispées sur ses genoux, nouées gauchement l'une à l'autre, les jointures blanches.

Que dire pour lui faciliter la chose ? Peut-être n'apprendrait-il jamais à trouver les mots qu'il fallait. Il commença néanmoins.

— Mrs. Lambourn, quand je suis venu ici, vous m'avez dit que vous saviez que votre mari avait une liaison avec une autre femme, mais que vous ignoriez tout d'elle et de l'endroit où elle vivait. Vous ai-je comprise correctement ?

— Je le sais à présent, bien sûr.

— Le saviez-vous avant qu'elle soit tuée ? insista-t-il.

— Non. Nous n'en avions pas parlé.

— Comment avez-vous découvert son existence ?

Une fraction de seconde, elle leva les yeux vers lui avant d'abaisser de nouveau le regard sur ses mains.

— L'on devine ces choses-là, Mr. Monk, dit-elle tout bas. À de petites nuances dans le comportement, des inattentions, des explications fournies sans qu'on les ait demandées, une tendance à éviter certains sujets. En fin de compte, je lui ai posé la question directement. Il l'a admis, mais ne m'a donné aucun détail. Je n'en désirais pas. Vous le comprendrez, j'imagine ?

Il acquiesça avec gravité.

— Connaissiez-vous son nom ?

Elle redressa légèrement le menton.

— Bien sûr que non. Je préférais qu'elle soit… grise, informe.

Sa voix tremblait légèrement. Monk fut certain qu'elle mentait, sans savoir au juste en quoi.

— La veille de sa mort, où étiez-vous, Mrs. Lambourn ?

— Où étais-je ?

— Oui, s'il vous plaît ?

Elle demeura silencieuse quelques secondes, inspirant et expirant lentement, comme si elle se préparait à une décision cruciale dont les conséquences la terrifiaient. Un nerf tressautait à sa tempe, près de la ligne de ses cheveux bruns.

Il patienta.

— Je… je suis allée à une réception d'après-midi avec une amie. Nous avons passé le plus clair de la journée ensemble, dit-elle enfin.

— Comment s'appelle-t-elle ?

— Helena Moulton. Mrs. Wallace Moulton, devrais-je dire. Elle…

De nouveau, elle prit une profonde inspiration.

— Elle habite dans The Glebe, à Blackheath. Au numéro 4. Pourquoi cette question, Mr. Monk ?

Ses mains étaient rigides, les jointures de ses doigts luisantes sous la peau tendue. Si elle n'y prenait garde, ses ongles allaient laisser des marques dans sa chair.

— Merci.

— Pourquoi ? répéta-t-elle.

Elle semblait avoir du mal à parler.

— Zenia Gadney a-t-elle pu être mêlée à la mort de votre mari ?

— Vous voulez dire… ?

Elle le fixa soudain, les yeux écarquillés, pleins de colère.

— Vous voulez dire qu'elle aurait menacé de révéler leur liaison au grand jour ? Peut-être. Était-elle ce genre de femme ? Était-elle cupide, rusée, destructrice ? Joel n'était pas un très bon juge d'autrui. Il avait souvent une meilleure opinion des gens qu'ils ne le méritaient.

Monk se souvenait clairement de leur précédente conversation.

— Cependant, vous m'avez laissé entendre qu'il avait été assassiné à cause de son travail sur l'opium, lui fit-il remarquer. Cela n'a aucun rapport avec Zenia Gadney.

Elle se pencha en avant et se couvrit le visage de ses mains. Elle resta figée quelques instants. Les secondes s'égrenèrent à l'horloge au-dessus de la cheminée. Ses épaules ne tremblaient pas, et elle n'émit pas le moindre son.

Il attendit, sincèrement malheureux. Il devrait aller voir Helena Moulton à Blackheath. Il espérait avec ferveur qu'elle confirmerait les dires de Dinah – et qu'il y aurait d'autres témoins pour les corroborer, mais il en doutait.

Enfin, Dinah se redressa.

— Je ne connais pas la réponse, Mr. Monk. Tout ce qui importe pour moi, c'est que Joel est mort, et qu'à présent cette femme aussi. À vous de découvrir comment ces choses se sont produites, et qui est coupable.

Elle paraissait épuisée, trop lasse même pour avoir peur.

Il se leva.

— Je vous remercie. Je suis désolé d'avoir dû vous déranger une fois de plus.

Elle le regarda bien en face, sans ciller.

— Faites votre travail, Mr. Monk, quoi qu'il exige. Nous devons savoir la vérité.

Après avoir marché un moment, il trouva un fiacre qui l'emmena jusqu'à The Glebe, une route en bordure de la ville et des champs qui menait au Heath proprement dit. Elle n'était pas longue, et il lui suffit de se renseigner une seule fois pour trouver la demeure de Mr. et Mrs. Wallace Moulton.

Il dut attendre une demi-heure le retour de Mrs. Moulton, en visite chez une amie, avant de pouvoir lui parler.

— Mrs. Lambourn ? s'écria-t-elle avec surprise.

C'était une femme au visage agréable, habillée avec soin pour donner l'impression d'être un peu plus grande qu'elle ne l'était en réalité. Son visage exprimait une perplexité totale.

— Oui. L'avez-vous vue le 2 décembre ?

— Pourquoi voulez-vous le savoir, pour l'amour du ciel ? Il faudra que je consulte mon agenda. S'est-il passé quelque chose d'important ?

— Je n'en suis pas certain, répondit-il, s'efforçant de contenir son impatience. Votre aide me permettrait peut-être de répondre à cette question.

Elle devint très grave.

— Je ne suis pas sûre de vouloir vous révéler mes faits et gestes, Mr. Monk, ou, plus précisément, ceux de Mrs. Lambourn. C'est une de mes amies, qui vient de connaître une tragédie. S'il est arrivé quelque chose de pénible, qui dépasse encore la perte terrible de son mari, je ne suis pas prête à y ajouter.

— Je découvrirai la vérité, Mrs. Moulton, rétorqua-t-il sur le même ton. Il me faudra plus longtemps que si vous me la dites et, bien entendu, j'aurai besoin d'interroger d'autres personnes. Cependant, si j'y suis obligé, je le ferai. Cela me répugne aussi. J'ai de l'estime et beaucoup de compassion pour Mrs. Lambourn, mais les circonstances ne me laissent pas le choix. Me parlerez-vous, ou dois-je questionner autant de gens que nécessaire pour obtenir cette information ?

Elle était visiblement désemparée et en colère. Ses yeux étaient vifs et brillants, ses joues teintées de rose foncé.

— Quoi que Mrs. Lambourn ait dit, je suis certaine que c'était la vérité.

Monk réfléchit à toute allure. La situation était des plus déplaisantes, mais jamais il ne s'était dérobé sciemment à son devoir, et, dans ce cas particulier, il n'y avait en fin de compte aucune échappatoire possible.

— Elle a déclaré qu'elle se trouvait à une exposition de tableaux à Lewisham tout l'après-midi, puis qu'elle avait pris le thé et causé des œuvres jusqu'en début de soirée.

— Dans ce cas, vous savez où elle était, déclara Helena Moulton avec un sourire crispé. Pourquoi prenez-vous la peine de m'interroger ?

— Dit-elle la vérité ? demanda-t-il tout bas, tandis qu'un froid l'envahissait.

— Bien entendu.

Elle était pâle, et soit furieuse, soit effrayée.

— Seriez-vous prête à en témoigner sous serment, devant un juge, si nécessaire ?

Il se sentait brutal.

Elle déglutit, mais resta silencieuse.

Il se leva.

— Bien sûr que non, parce que vous n'étiez pas avec Mrs. Lambourn.

— Si, protesta-t-elle dans un souffle, mais elle tremblait.

— Elle a affirmé que vous assistiez à une réception, pas à une exposition, et pas à Lewisham non plus.

Il secoua la tête.

— Vous êtes une amie fidèle, Mrs. Moulton, mais vous ne pouvez pas l'aider dans cette affaire.

— Je... je...

Elle ne savait que dire. À présent, elle était aussi inquiète pour elle-même, et gênée.

— Puis-je présumer que vous n'avez pas la moindre idée de l'endroit où se trouvait Mrs. Lambourn ce jour-là ? reprit-il avec plus de douceur.

— Oui...

Le mot, presque inaudible, s'accompagna d'un minuscule hochement de tête.

— Je vous remercie. Ne vous levez pas. La bonne me reconduira.

Elle resta où elle était, frissonnante, recroquevillée sur elle-même.

Il retourna dans Lower Park Street. L'arrestation de Dinah Lambourn était désormais inévitable. Il ne pouvait l'imaginer posséder la férocité nécessaire pour tuer Zenia Gadney et l'éviscérer. Néanmoins, Dinah était grande, bien bâtie. Elle avait pu puiser en elle une force née de la rage et du désespoir. Zenia Gadney mesurait dix centimètres de moins et était peut-être plus légère de sept ou huit kilos. L'hypothèse se tenait.

Cette pensée lui donnait la nausée, et pourtant, comment nier l'évidence ? Dinah avait été vue dans le quartier, à la recherche de Zenia, en proie à une colère croissante, ayant perdu toute maîtrise d'elle-même. Elle avait menti sur son emploi du temps. Comme tout le monde, elle avait dans sa cuisine des couteaux bien aiguisés. Peut-être, par une terrible ironie, avait-elle même utilisé un des anciens rasoirs de Joel.

Surtout, elle était d'une nature passionnée, impulsive. Zenia Gadney l'avait dépouillée de l'être qui lui était le plus cher, de celui qui était au cœur de sa vie. L'amour de Lambourn envers elle, et sa foi en lui étaient les fondements mêmes de son existence. Zenia Gadney lui avait volé cela. Sa soif de vengeance l'avait-elle emporté sur tout le reste ?

Il tenta d'imaginer sa vie si Hester s'était tournée vers un autre homme, avait ri et parlé avec lui, partagé ses pensées, ses rêves, l'intimité de l'amour physique. Voudrait-il tuer cet homme ? Au point de l'éviscérer ?

Peut-être. Ce serait l'anéantissement de son propre bonheur, de tout ce qu'il chérissait, de la foi qu'il avait en lui-même.

La bonne vint lui ouvrir et l'introduisit dans le salon. Il resta debout en attendant l'arrivée de Dinah, songeant aux filles de celle-ci, Marianne et Adah. Qui s'occuperait d'elles désormais ? Que leur réservait l'avenir, leur père suicidé, leur mère pendue pour le meurtre terrible de sa maîtresse ?

Il ne s'habituait jamais à la tragédie. Les angles ne s'adoucissaient jamais. Ils pénétraient toujours la chair jusqu'à l'os.

Dinah entra dans la pièce, très droite, la tête haute, le visage de cendre, comme si elle savait pourquoi il était revenu.

— Vous n'étiez pas avec Mrs. Moulton, dit-il calmement. Elle était disposée à mentir pour vous. Quand je lui ai dit que vous affirmiez être allées ensemble à une exposition de tableaux à Lewisham, elle l'a confirmé.

Il secoua légèrement la tête.

— On vous a vue à Limehouse, plus précisément à Copenhagen Place, où vivait Zenia Gadney. Vous

vous êtes renseignée sur elle, dans un état voisin de l'hystérie.

Il se tut en lisant la stupeur sur son visage, une incrédulité presque choquée. Un instant, il fut saisi par le doute. Et si elle avait perdu la tête, et qu'elle n'avait aucun souvenir de ses actes ?

— Je ne l'ai pas tuée, déclara-t-elle d'une voix rauque. Je ne l'ai même jamais rencontrée ! Si... si je ne peux le prouver, me pendra-t-on ?

Devait-il mentir ? Il en avait envie, mais la hideuse vérité lui apparaîtrait bien assez tôt.

— Sans doute, avoua-t-il. À moins qu'il n'y ait d'extraordinaires circonstances atténuantes. Je... je suis désolé. Je n'ai d'autre choix que de vous arrêter.

Elle déglutit, suffoqua, vacilla, comme sur le point de s'évanouir.

— Je sais... souffla-t-elle.

— Avez-vous du personnel à demeure qui puisse garder vos filles en attendant que quelqu'un d'autre soit averti, Mrs. Herne, peut-être ?

Elle eut un petit rire amer qui se mua en sanglot. Il lui fallut quelques secondes pour se ressaisir et reprendre la parole.

— J'ai du personnel. Il est inutile d'appeler Mrs. Herne. Je suis prête à vous accompagner. Je vous serais obligée de partir dès maintenant. Je n'aime pas les adieux.

— Dans ce cas, chargez quelqu'un de préparer vos affaires, suggéra-t-il. Mieux vaut cela plutôt que je vous suive au premier.

Elle rougit légèrement, puis son visage redevint livide.

Une servante arriva, assez âgée, aux cheveux gris et à la silhouette rondelette. Elle jeta à Monk un regard haineux, mais obéit aux instructions de Dinah qui la pria de préparer une petite valise pour elle et de veiller sur Adah et Marianne aussi longtemps que cela serait nécessaire. L'homme à tout faire fut envoyé à la recherche d'un fiacre.

Monk et Dinah descendirent à la jetée de Greenwich où ils prirent un bac. Sur l'autre rive, ils montèrent dans un nouveau fiacre pour le long trajet dans le froid, un peu à l'étroit dans le véhicule qui bringuebalait sur les pavés.

— Il n'y a qu'une seule manière dont vous pouvez m'aider, Mr. Monk, et j'ose espérer que, peut-être, vous ne refuserez pas, murmura-t-elle.

— Je le ferai si c'est en mon pouvoir, dit-il sincèrement, redoutant qu'il ne soit déjà trop tard.

— J'aurai besoin du meilleur avocat possible, expliqua-t-elle avec un calme surprenant. Je n'ai pas tué Zenia Gadney, ni personne d'autre. Si quelqu'un peut m'aider à le prouver, je crois que ce serait Sir Oliver Rathbone. J'ai entendu dire que vous le connaissez. Est-ce vrai ?

— Oui, admit Monk, stupéfait. Je le connais depuis des années. Voulez-vous que je lui demande de venir vous voir ?

— S'il vous plaît. Je lui donnerai tout ce que j'ai – tout, s'il accepte de me défendre. Le lui direz-vous ?

— Oui, bien sûr.

Il ignorait totalement si Rathbone accepterait l'affaire. Il semblait n'y avoir aucun espoir. Cependant, il était certain d'une chose : sa décision ne serait pas une question d'argent.

— J'irai le voir dès ce soir, s'il est chez lui.

Elle eut un tout petit soupir.

— Je vous remercie.

Enfin, comme si elle avait épuisé ses dernières forces physiques et mentales, elle parut se détendre et se laissa aller contre la banquette.

9

En rentrant chez lui, Oliver Rathbone songeait à la conclusion ambivalente du procès qui venait de s'achever. Il avait remporté une victoire partielle. Son client avait été condamné pour un délit mineur entraînant une peine relativement légère, un verdict mérité. L'homme était coupable de faits plus graves, même s'il avait des circonstances atténuantes. Une sentence plus favorable aurait été une injustice.

Il dîna seul, sans plaisir. Le silence lui pesait, alors qu'avant son mariage il ne s'accompagnait d'aucun sentiment de solitude, plutôt d'une sorte de paix.

Il s'était enfin rendu compte qu'il ne voulait pas renouer avec Margaret, et cette prise de conscience était amère. Il n'y avait plus de complicité entre eux à présent, ni même de gentillesse. Il regrettait seulement que les choses ne se soient pas déroulées autrement.

Avait-il manqué de tendresse ou de compréhension envers elle ? Pas à ses yeux. Il avait sincèrement défendu Arthur Ballinger de son mieux. Celui-ci avait été jugé coupable parce qu'il l'était. À la fin, il l'avait admis lui-même.

Ce souvenir rappela à Rathbone l'existence des photographies. Son estomac se noua et il eut l'impression qu'une ombre était passée au-dessus de lui, l'enveloppant de ténèbres. Peut-être la soirée était-elle plus fraîche qu'il ne l'avait cru. Le feu était allumé dans la cheminée, mais sa chaleur ne parvenait pas jusqu'à lui.

Il allait prier un domestique d'apporter davantage de charbon quand une autre pensée lui vint. Devait-il rester dans cette maison ? Elle était faite pour deux personnes au moins. Une autre pointe de douleur le transperça, étrangement vive. Avait-il désiré des enfants ? Supposé que cela allait de soi ?

Grâce au ciel, il n'y en avait pas eu. Cette perte-là aurait été infiniment plus difficile à supporter. Ou peut-être impossible ? Margaret ne serait pas partie en emmenant un enfant. En dehors de toute autre considération, la loi le lui aurait interdit.

Qu'aurait-il dit, ou fait ? Serait-elle restée, pour l'enfant ? Auraient-ils vécu dans une politesse glacée ? Quelle mort ç'aurait été pour leur bonheur !

Ou Margaret aurait-elle été différente s'il y avait eu un enfant ? Cela l'aurait-il séparée de la génération précédente de sorte qu'elle aurait dirigé son farouche instinct protecteur vers sa famille présente et future ?

Il s'interrogeait toujours lorsque Ardmore vint lui annoncer que Monk était dans le hall.

Rathbone fut étonnamment heureux de l'apprendre, en dépit du fait qu'il était dix heures passées.

— Faites-le entrer, Ardmore. Et allez chercher le porto, voulez-vous ? Je ne crois pas qu'il voudra du cognac. Un peu de fromage, peut-être ?

— Oui, Sir Oliver.

Ardmore se retira, dissimulant à demi un sourire.

Monk entra un instant plus tard et referma la porte. Il semblait las, en proie à une morosité inhabituelle. Ses cheveux étaient mouillés et, à en juger par la manière dont il regardait le feu, il était transi.

Rathbone sentit s'évanouir son plaisir momentané. Il lui désigna le fauteuil de l'autre côté de la cheminée.

— Quelque chose ne va pas ?

Monk s'installa confortablement.

— J'ai arrêté une femme aujourd'hui. Elle m'a demandé de l'aider à trouver un bon avocat pour la défendre. À vrai dire, elle m'a spécifiquement prié de faire appel à vous.

L'intérêt de Rathbone était déjà éveillé.

— Si vous l'avez arrêtée, j'imagine que vous la croyez coupable ? De quoi, au juste ?

Le visage de Monk se crispa.

— D'avoir tué et éviscéré la femme dont le corps a été retrouvé sur la jetée de Limehouse il y a une quinzaine de jours.

Rathbone se figea. Il dévisagea Monk, comme pour s'assurer que celui-ci parlait sérieusement. Rien dans son expression ne suggérait qu'il plaisantât. Au contraire, on y percevait une douleur qui excluait cette possibilité. Rathbone se redressa, joignit les mains.

— Vous feriez mieux de me donner plus de détails et de commencer par le début, s'il vous plaît.

Monk relata la découverte du cadavre sur la jetée, le décrivant brièvement. Malgré tout, Rathbone en eut l'estomac retourné. Il fut content de voir entrer Ardmore avec le porto, et Monk lui aussi en accepta un verre avec plaisir. Sa chaleur veloutée était réconfortante, même si rien ne pouvait effacer la vision du lever de soleil sur le fleuve et de la scène macabre qui avait suivi.

— L'avez-vous identifiée ? demanda Rathbone en observant Monk.

— C'était une femme d'une quarantaine d'années, une prostituée qui n'avait qu'un seul client. Apparemment, il lui donnait une somme assez généreuse pour subvenir à ses besoins. Elle vivait très discrètement, très modestement, à Copenhagen Place, à Limehouse, juste après Britannia Bridge.

— On dirait plus une maîtresse qu'une prostituée, commenta Rathbone. Est-ce l'épouse que vous avez arrêtée ? reprit-il, arrivant à la conclusion qui lui semblait évidente.

— La veuve, rectifia Monk.

Rathbone fut stupéfait.

— La prostituée a-t-elle tué le mari ?

— Pourquoi diable l'aurait-elle fait ? Sa mort la laissait sans ressources, lui fit remarquer Monk.

— Il aurait pu y avoir une querelle ? insista Rathbone. Si elle avait eu une proposition plus intéressante et qu'il ne voulait pas la laisser partir, par exemple ? Qui sait ? Est-il mort de cause naturelle ?

— Non. Il s'agirait d'un suicide, semble-t-il.

Rathbone se pencha vers lui, de plus en plus intéressé.

— Semble-t-il ? Vous en doutez ? Croyez-vous que sa femme l'ait tué ?

— Non, elle l'adorait et, à présent, elle est également sans ressources, hormis ce qu'il a laissé. J'ignore encore ce que cela représente, sans doute une somme assez considérable.

Il marqua une pause.

— À vrai dire, c'est beaucoup plus compliqué que cela. Je n'ai aucune idée de ce que l'avenir lui réservait. Il avait connu une certaine disgrâce sur le plan professionnel. Sa carrière n'était peut-être pas aussi solide qu'avant. D'un autre côté, son épouse affirme qu'il était résolu à se battre.

Rathbone écoutait, intrigué par ce récit plein de passion, de violence et de contradictions.

— Monk, il manque quelque chose dans ce que vous me dites, quelque chose de crucial. Cessez de faire des mystères et dites-moi tout.

— Cet homme était le docteur Joel Lambourn.

Rathbone fut atterré. Le nom lui était familier. Le médecin, hautement respecté, avait souvent été cité comme témoin expert au tribunal. Rathbone le revoyait très bien : un homme austère, qui parlait d'une voix douce mais avec le genre d'autorité que le contre-interrogatoire le plus poussé ne pouvait ébranler.

— Joel Lambourn, le célèbre médecin ? s'écria-t-il avec une profonde et soudaine tristesse.

— Je ne crois pas qu'il y en ait deux, répondit Monk. Il semblerait que sa femme, Dinah, ait tué Zenia Gadney pour se venger du rôle qu'elle aurait joué dans le suicide de Lambourn. Dinah est convaincue que les recherches de Lambourn étaient tout à fait fondées, et qu'il était innocent de toute faute professionnelle. Elle est également…

Il s'interrompit soudain, le visage tendu par l'anxiété.

— Il vaudrait mieux que vous alliez la voir vous-même plutôt que je vous rapporte ses paroles.

Rathbone se laissa aller en arrière dans son fauteuil, réfléchissant, très conscient du regard de Monk sur lui, et du poids de ses émotions.

— Pourquoi étiez-vous si pressé de venir me voir ce soir, plutôt qu'à mon cabinet demain ? demanda-t-il, songeur. Qu'est-ce qui vous intrigue tant ? S'agit-il seulement de pitié envers une veuve qui a été trompée, endeuillée, et qui désormais attend d'être jugée et, presque certainement, pendue ? Est-elle belle ? Courageuse ? Ce ne sont pas là des questions frivoles. Pour l'amour du ciel, dites-moi la vérité !

— Elle est belle, oui, répondit Monk avec un sourire teinté d'ironie. Mais je suppose que la vérité, c'est que je ne suis pas sûr de sa culpabilité. Il existe de fortes présomptions à son encontre et, jusqu'à présent, nous n'avons trouvé aucun autre suspect, ni même un semblant de suspect. Aucun autre crime de ce genre, élucidé ou non, ne figure dans les archives. Limehouse est un quartier mal famé, mais Zenia Gadney a vécu là des années durant sans le moindre problème.

— Des années ?

— Quinze ou seize au moins.

— Avec l'aide financière de Joel Lambourn ? s'étonna Rathbone. Cela représente une somme considérable. Sa femme était-elle au courant ? Je veux dire, il est clair qu'elle le savait à la fin, mais quand l'a-t-elle découvert ?

Peut-être l'affaire n'était-elle pas aussi banale ni aussi sordide qu'elle l'était apparue tout d'abord ?

— Son récit présente des contradictions, répondit Monk. Tout d'abord, elle a nié être au courant. Ensuite, elle en est convenue, tout en affirmant qu'elle ignorait le nom de la femme et l'endroit où elle vivait.

Rathbone arqua les sourcils.

— Et elle ne voulait pas chercher à le savoir ? Voilà un manque singulier de curiosité ! La plupart des femmes voudraient voir leur rivale, à tout le moins.

— Il ne s'agit guère de rivalité au sens normal du terme, expliqua Monk. Dinah Lambourn est, à sa manière, très séduisante. Surtout, c'est une femme exceptionnelle, pleine de personnalité, sensible et qui possède une dignité remarquable. Zenia Gadney était agréable, mais aussi ordinaire qu'une pomme de terre bouillie.

— Dont la plupart des gens se contentent, ironisa Rathbone. Le couple avait-il des enfants ?

— Deux filles. Une domestique s'occupe d'elles pour le moment.

Rathbone soupira. D'autres victimes de la tragédie.

— Je peux aller lui parler, je suppose, me faire une idée de sa version. Que dit-elle ?

Monk se mordit la lèvre.

— Je crois que je vais la laisser vous l'expliquer elle-même.

— C'est grave à ce point ?

— Pire.

Monk acheva son porto.

— Pire pour ce qui est arrivé à Lambourn, et pire en ce qui concerne l'assassin de Zenia Gadney et son mobile. Mais allez écouter ce qu'elle vous dira, Oliver. Faites-vous votre propre opinion. Ne vous fiez pas à la mienne.

— Je relèverai le défi avec plaisir, du moment qu'il n'est pas absurde.

— Il l'est peut-être, répliqua Monk. C'est certainement une possibilité.

Le lendemain matin, il faisait froid. L'hiver approchait.

Rathbone entendit claquer la porte de la cellule, le choc de l'acier contre la pierre, et regarda la femme qui se tenait debout en face de lui. Une table occupait le centre de la pièce, avec deux chaises en vis-à-vis. Hormis cela, il n'y avait rien.

Il se présenta.

— Je suis Oliver Rathbone. Mr. Monk m'a dit que vous vouliez me voir.

Sa curiosité ne faisait que croître. En disant qu'elle était belle, Monk avait été loin de décrire la particularité de son visage et de son maintien. Elle était presque aussi grande que lui, et sa posture, même là en ces lieux désolés, lui conférait une dignité remarquable, exactement comme Monk l'avait suggéré. Ce n'était pas une beauté classique – peut-être avait-elle des traits trop affirmés, une bouche trop généreuse –, mais il émanait d'elle un charme, une force, et même un équilibre rare et exceptionnellement attirant.

— Dinah Lambourn, répondit-elle. Merci d'être venu si vite. Je crains d'avoir de très graves ennuis et j'ai besoin de quelqu'un pour me représenter.

Il l'invita à s'asseoir et, lorsqu'elle l'eut fait, s'installa en face d'elle.

— Monk m'a relaté une partie de ce qui s'est passé, commença-t-il. Avant de m'y intéresser davantage ou d'écouter la version de la police, j'aimerais que vous me racontiez tout vous-même. J'ai entendu parler de votre mari, et de la réputation que lui valaient ses compétences. Je l'ai même vu témoigner, et j'ai pu constater sa fiabilité.

Il sourit très légèrement pour lui assurer que c'était un souvenir agréable.

— Vous n'avez donc pas besoin d'évoquer cet aspect. Commencez par ce que vous savez de Zenia Gadney et la manière dont vous l'avez appris, et peut-être aussi par les dernières semaines de la vie de votre mari, en mentionnant tout ce que vous jugerez à propos.

Elle hocha lentement la tête, comme si elle assimilait cette proposition et décidait comment livrer son histoire.

— C'est très à propos, dit-elle d'une voix sourde. De fait, c'est au cœur même de l'affaire. Le gouvernement envisage d'introduire une loi visant à réglementer le commerce de l'opium, que l'on trouve à peu près n'importe où. L'on peut s'en procurer dans des dizaines de petits magasins dans n'importe quelle grand-rue. Il figure aussi dans une foule de médicaments légaux, en quantité fixée par le fabricant. Rien n'indique à l'utilisateur avec quoi il est coupé, ni quelle dose est appropriée, ou dangereuse.

Elle se tut, scrutant le visage de Rathbone pour s'assurer qu'il la suivait.

— Quel était le rôle de votre mari dans ce projet ?

— Il rassemblait des informations pour faire en sorte que cette loi soit adoptée. Elle suscite une forte opposition de la part de ceux qui gagnent une fortune en vendant l'opium de la manière autorisée actuellement.

— Je vois. Poursuivez, je vous prie.

Elle prit une profonde inspiration.

— Joel s'est donné énormément de mal pour rassembler des faits et des chiffres, les vérifier et les revérifier. Il a aussi rendu visite aux gens afin d'écouter leur histoire. Plus il en apprenait, plus le tableau semblait empirer. Il revenait parfois à la maison au bord des larmes, après avoir entendu parler de nourrissons qui avaient succombé à des doses inappropriées. Il n'était pas sentimental, pourtant toutes ces morts évitables le bouleversaient profondément.

Son visage reflétait ses souvenirs.

— Il ne s'agissait pas de malice, mais d'ignorance. C'étaient des gens ordinaires : effrayés, souffrants, épuisés, peut-être, ne sachant plus à quel saint se vouer, prêts à tout essayer pour atténuer la douleur – la leur, ou celle d'un être aimé.

Peu à peu, Rathbone voyait se dessiner une réalité qu'il n'avait pas soupçonnée. Il se sentit soudain absurdement privilégié d'être en bonne santé.

— Il a donc présenté un rapport au gouvernement ? conclut-il.

C'était évident, indépendamment de ce que lui avait dit Monk, mais il devait se garder d'aboutir à des conclusions trop hâtives ou de parler à sa place.

— Oui. Et celui-ci l'a rejeté.

Il était clair qu'elle avait encore du mal à l'admettre. Monk avait vu juste en évoquant sa loyauté envers son mari.

— Pour quel motif ?

— Ils ont parlé d'incompétence, de partialité excessive à l'égard de ses propres opinions.

Sa voix s'étrangla tant elle avait du mal à répéter les termes utilisés.

— Ils ont refusé d'accepter les faits. D'après Joel, ses informations s'opposaient à leurs intérêts financiers.

— « Ils » ? Vous voulez dire le gouvernement ?

À l'évidence, elle était convaincue par cet argument, tandis qu'à l'entendre Rathbone se demandait si son mari n'avait pas été un tant soit peu partial.

Elle saisit l'inflexion de sa voix. Ses lèvres se pincèrent presque imperceptiblement.

— Je parle des membres de la commission gouvernementale, dirigée par Sinden Bawtry, et dont fait partie mon beau-frère, Barclay Herne.

À présent, elle ne cachait plus son amertume.

— Certaines personnes au sein du gouvernement croient que ce projet rendrait l'opium inaccessible à la majeure partie des pauvres, et qu'il serait donc discriminatoire. Et bien entendu, mesurer et étiqueter précisément les médicaments coûterait très cher. Cela réduirait d'autant les profits réalisés sur chaque flacon ou chaque boîte vendus. Certaines fortunes reposent là-dessus. C'est l'héritage des guerres de l'Opium.

Le visage grave, elle se pencha vers lui et posa les mains sur la table éraflée qui les séparait.

— Il y a beaucoup de choses dont nous ne parlons pas, Sir Oliver, des choses douloureuses que nombre de gens tiennent à cacher. Personne n'aime admettre que son pays a commis des actes honteux, injustifiables. Joel était aussi patriote que n'importe qui, mais il se refusait à nier la vérité, si horrible soit-elle.

Rathbone s'impatientait.

— Quel rapport cela a-t-il avec le meurtre de Zenia Gadney, Mrs. Lambourn ?

Elle cilla.

— Joel a été retrouvé mort deux mois... deux mois avant que Mrs. Gadney soit tuée.

Elle déglutit, comme si un nœud dans sa gorge menaçait de la faire suffoquer.

— Il était assis seul sur One Tree Hill, dans Greenwich Park. Il avait absorbé une forte dose d'opium et...

De nouveau, elle dut se faire violence pour prononcer les mots.

— Ses poignets avaient été tailladés et il s'était vidé de son sang. On a conclu à un suicide, provoqué par l'échec professionnel qu'il venait d'essuyer.

Elle parlait plus rapidement, pressée de tout dire et d'en finir.

— On a raconté qu'il était trop émotif, incompétent. Qu'il confondait des tragédies personnelles avec une analyse impartiale des faits. On... on l'a fait passer... pour un imbécile, un amateur.

Des larmes roulèrent sur ses joues, qu'elle tenta en vain de refouler.

— Il en a beaucoup souffert, mais il n'était pas suicidaire ! Je sais que vous allez penser que je dis cela parce que je l'aimais, pourtant c'est la vérité. Il avait la ferme intention de se battre et de prouver qu'il avait raison. La situation le préoccupait tellement qu'il n'aurait jamais renoncé.

« Les jours précédant sa mort, je l'ai trouvé à son bureau à trois, quatre heures du matin, pâle comme un linge, à bout de forces. Je l'ai supplié de venir se coucher, mais après ce qu'il avait entendu, ses cauchemars étaient pires que la fatigue qu'il pouvait éprouver. Sir Oliver, jamais il ne se serait donné la mort. À ses yeux, ç'aurait été trahir ceux qui comptaient sur lui pour les aider.

Il déplaisait à Rathbone de creuser davantage, cependant il ne pouvait la défendre sans connaître la vérité et, quel que fût le passé, quelle que fût la vérité sur la question de l'opium, c'était de sa défense à elle qu'il s'agissait. Il valait mieux la faire souffrir maintenant que plus tard, au tribunal, où le mal fait serait public et presque assurément irréparable.

— Si c'est ainsi, je suis d'accord avec vous, dit-il avec douceur. Le rejet du rapport n'était pas une raison pour qu'il se suicide. Ce qui me pousse à m'interroger sur ses motifs. L'accusation admettra peut-être avec vous qu'il était disposé à lutter contre le gouvernement, mais que sa liaison avec Zenia Gadney l'en a empêché d'une manière ou d'une autre. Peut-être a-t-elle menacé de la rendre publique…

— C'est absurde, rétorqua-t-elle sèchement. Pourquoi diable aurait-elle subitement décidé de le faire au bout de quinze ans ? La mort de Joel la laissait sans ressources, réduite à gagner sa vie dans la rue, ce qui, pour une femme de son âge, est à la fois difficile et – comme il est apparu tragiquement – dangereux !

— L'accusation prétendra qu'elle ne s'en rendait pas compte, répondit-il en l'observant.

— C'était une femme ordinaire, pas une niaise ! riposta-t-elle sans hésiter. Elle vivait à Limehouse. Elle y connaissait des gens, y faisait ses courses, marchait dans les rues.

L'ironie perçait dans sa voix.

— Et elle aurait ignoré que le quartier était douteux ?

— Peut-être espérait-elle que le docteur Lambourn allait lui donner plus d'argent au lieu de se suicider ?

Dinah le regarda avec mépris.

— Elle le connaissait depuis quinze ans, et elle se serait trompée à ce point ? Joel ne se serait jamais tué pour une question d'argent, et je doute qu'elle ait été assez cupide ou assez sotte pour le menacer. Une somme inférieure à ce qu'on désire vaut mieux que rien du tout, pour Zenia Gadney comme pour tout le monde. Elle avait peut-être quarante-cinq ans. Où donc aurait-elle trouvé un autre homme pour subvenir à ses besoins sans rien demander en retour ?

— Rien ? répéta-t-il, un peu surpris par son affirmation.

En était-elle réellement persuadée ? Était-ce possible ?

Elle rougit et baissa les yeux.

— Une visite une fois par mois, murmura-t-elle. Je sais que l'accusation refusera peut-être de le croire, mais cela ne change rien. Quoi qu'il ait demandé ou qu'elle ait donné, c'était tout de même plus facile que de chercher des clients dans les rues de Limehouse.

Il réfléchit quelques instants.

— On pourrait suggérer que c'était vous qui le faisiez chanter, pour l'empêcher de voir Zenia.

— En menaçant de faire quoi ? rétorqua-t-elle avec une pointe d'humour. De m'humilier en rendant sa liaison publique ? Ne soyez pas ridicule.

Il sourit en retour, à regret. Il admirait son courage.

— Dans ce cas, pourquoi s'est-il tué, Mrs. Lambourn ?

— Il ne s'est pas tué.

Son visage s'assombrit de nouveau.

— On l'a assassiné parce qu'il allait se battre pour faire accepter son rapport par le public, sinon par le gouvernement. On a maquillé le meurtre en suicide afin de le discréditer une fois pour toutes.

Cela ressemblait à une accusation hystérique, une folle invention pour échapper à la honte et au désaveu qu'impliquait un suicide, et pourtant il n'écarta pas immédiatement cette possibilité.

— Un meurtre ?

— Combien de gens se sont déjà noyés dans les eaux troubles de ce commerce ? Combien ont été tués pendant les guerres de l'Opium ou lors des actes de piraterie qui ont suivi ? Combien ont succombé à une dose excessive ? Combien de fortunes ont été faites et perdues ?

— Et qui a tué Zenia Gadney ? demanda-t-il gravement, attendant sa réponse. Ne s'agissait-il que d'une coïncidence ?

— Cela paraît si improbable que c'est sans doute impossible.

La peur était palpable dans la cellule. Il la regarda, envahi par un profond chagrin. Il savait exactement pourquoi Monk était venu lui demander de la voir et d'accepter l'affaire.

— Je veux tout faire pour laver son nom, continua-t-elle. Mais tous ses papiers ont disparu. Quelqu'un les a emportés. J'ai essayé encore de voir s'il n'y avait pas un autre médecin qui aurait le courage et la force de reprendre le flambeau.

— Même en pensant qu'on l'a assassiné pour le faire taire ?

— Il avait raison, répondit-elle simplement.

Il revint à la question précédente.

— Qui a tué Zenia ? répéta-t-il.

— Eux. Ceux qui ont tué Joel.

— Pourquoi ? Que savait-elle ? Détenait-elle des copies du rapport ?

Après tout, il n'aurait pas été déraisonnable de le dissimuler chez elle, si tant est qu'il existât.

— Peut-être.

Elle avait dit cela comme si l'idée ne lui était jamais venue à l'esprit avant.

Il ne pouvait pas la laisser s'en tirer avec une réponse que l'accusation mettrait en pièces.

— Dans ce cas, pourquoi ne pas avoir cambriolé sa maison ? Ils n'auraient pas attiré l'attention sur eux. Ou si elle l'avait caché et qu'ils n'arrivaient pas à le trouver, pourquoi ne pas la battre, voire la tuer, mais de manière moins hideuse ? Ce crime est si épouvantable qu'il a semé la peur et l'horreur dans tout Londres. Les gens sont terrifiés. Il est dans tous les journaux, sur toutes les lèvres. Cela n'a pas de sens.

Elle se couvrit le visage de ses mains, un geste de lassitude proche de l'épuisement.

— Au contraire, Sir Oliver. Comme vous venez de le faire remarquer, tout Londres est fasciné par l'horreur de ce crime. Lorsque les preuves me lieront à lui, et puis à Joel, si je ne peux pas prouver mon innocence, je serai pendue et Joel sera définitivement et totalement déshonoré. Son rapport a cessé d'être un danger, le projet de loi s'éteindra doucement, et des années s'écouleront sans doute avant que l'on puisse le ressusciter. Que vaut la vie de Zenia, ou la mienne, en regard des millions de livres qu'il y a à gagner, et de la dissimulation des péchés commis lors des guerres de l'Opium ?

Rathbone était encore sceptique. Certes, il était possible qu'on ait supprimé le rapport parce que ses conclusions n'étaient pas celles qu'espérait la commission. Cependant, serait-on allé jusqu'à assassiner Lambourn, puis Zenia dans le but de réduire Dinah au silence ? Les fortunes en jeu avaient-elles pu donner lieu à une conspiration aussi sordide ?

Ou se laissait-il complètement abuser parce que cette femme était belle et que sa loyauté envers son mari le touchait d'autant plus que sa propre blessure à cet endroit le rendait vulnérable ? Était-il en train de perdre tout sens critique ?

Dinah Lambourn risquait-elle sa vie pour sauver l'honneur de son mari ? Ou était-elle en proie à une jalousie si folle qu'elle avait tué Zenia dans un accès de rage incontrôlable ? Mentait-elle désespérément pour essayer d'échapper à la potence ?

À vrai dire, il n'en avait aucune idée.

Il voulait la croire. Plus exactement, il voulait croire qu'une femme pouvait avoir ce genre de loyauté envers son mari. Que même après sa mort, et quinze années de liaison avec une autre femme, elle était prête à se battre pour lui, pour les souvenirs qu'elle avait de lui, et tout ce qu'ils avaient partagé.

Elle semblait indifférente à sa propre blessure. Pas une seule fois elle n'avait critiqué son mari, ni d'ailleurs Zenia Gadney.

À l'évidence, elle était sous le coup d'une violente émotion, mais le contraire aurait pu indiquer un refus d'admettre la réalité. Si on la déclarait coupable, elle serait immanquablement pendue. La façon dont Zenia était morte et la colère du public interdisaient toute clémence.

Peut-être était-il lui-même incapable d'appréhender la vérité ?

— J'accepte votre affaire, Mrs. Lambourn. Je ne peux vous promettre de réussir, seulement de faire tout mon possible pour vous défendre.

Elle lui sourit et des larmes de soulagement roulèrent sur ses joues.

À quoi diable s'était-il engagé ?

10

Une fois sorti, Rathbone resta un instant immobile sur le trottoir verglacé, dans le vent qui se levait, sidéré par sa décision. Il venait de mettre le pied dans des sables mouvants, et déjà il était trop tard pour faire marche arrière. Il avait donné sa parole.

Cela étant, plutôt que de se rendre à son cabinet de si bonne heure, et afin de réfléchir à l'engagement qu'il avait pris, autant continuer vers l'est, traverser la Tamise à Wapping pour aller à Paradise Place annoncer la nouvelle à Monk. Il devait obtenir de lui des informations plus complètes sur l'affaire.

Il gagna d'un pas rapide l'artère principale et monta dans un fiacre, indiquant au cocher l'escalier de Wapping. Puis il se cala contre la banquette tandis qu'ils se faufilaient dans la circulation matinale et réfléchit. Comment diable susciter un doute raisonnable dans l'esprit des jurés en l'absence d'un autre suspect ? À voir les choses froidement, aurait-il eu lui-même un doute raisonnable ?

Car Dinah Lambourn incarnait l'impossible : une épouse qui aimait son mari malgré ses défauts, malgré la maîtresse qu'il avait eue pendant quinze longues années, et l'hypothèse ridicule selon laquelle le gouvernement tentait d'étouffer la vérité concernant l'opium. Si Lambourn avait vu juste, une telle loi serait votée un jour ou l'autre, qu'il s'agisse d'opium ou d'autres médicaments. Sa mort ne ferait-elle pas que retarder l'échéance d'un an, voire moins ?

Dinah refusait-elle tout simplement d'accepter l'échec, celui de son mari et le sien ? Ou était-elle, plus probablement, atteinte de démence, coupable de faits qu'elle devrait tôt ou tard reconnaître ? Peut-être avait-elle besoin, pour survivre, de n'importe quelle hypothèse susceptible de laisser intactes ses illusions.

Monk l'avait persuadé d'accepter cette affaire. À présent, Rathbone allait devoir le convaincre de l'aider à démêler cet affreux gâchis.

Plongé dans ses réflexions, il penchait tantôt d'un côté, tantôt de l'autre. Il fut soulagé de descendre et de régler le cocher, puis d'attendre le bac quelques minutes, exposé à la brise et aux sons du fleuve.

Les marches en pierre étaient mouillées, un peu glissantes, et il les descendit avec précaution, de crainte de s'exposer au ridicule de tomber dans l'eau froide et sale.

Le courant était rapide, la marée descendante. De petites vagues rendaient la traversée houleuse, mais il savoura le vent vif qui lui fouettait le visage, l'odeur du sel et de la vase, et les cris des mouettes au-dessus de lui.

Sur l'autre rive, il prit plaisir à gravir la côte depuis Princes' Stairs, traversant Rotherhithe Street avant de continuer encore un peu plus haut et d'aboutir, après quelques détours, à Paradise Place.

Hester lui ouvrit la porte. Elle avait bonne mine. Avec le temps, son visage s'était empreint d'une douceur qui ne masquait pas pour autant son désir ardent de lutter contre l'injustice, la bêtise et le mal.

Il se surprit à sourire, bien qu'il n'eût rien à fêter. Il n'avait même aucune certitude, hormis l'amitié.

— Oliver ! s'exclama-t-elle avec plaisir. Entrez. Comment allez-vous ?

Ses mots n'étaient pas vides de sens. Les yeux d'Hester fouillaient son visage, y cherchant la vérité. Y lisait-elle la désillusion, la solitude qu'il aurait de loin préféré cacher ?

— Je vais bien, merci, répondit-il en franchissant le seuil. Mais Monk m'a donné une tâche quasi impossible. J'aurais besoin de son aide. Ne me dites pas qu'il est déjà parti ?

— Il est ici, assura-t-elle. Voulez-vous vous asseoir dans le salon pour parler tranquillement ? Je vous apporterai du thé si vous voulez, ou même un petit déjeuner. Il doit faire froid sur le fleuve.

— N'êtes-vous pas déjà au courant ? demanda-t-il avec surprise.

Elle s'autorisa un minuscule sourire.

— Il m'a dit qu'il avait été contraint d'arrêter Dinah Lambourn. Vous n'avez pas accepté cette affaire, si ? Déjà ? Comme c'est... impulsif de votre part.

Son sourire s'élargit. Bien longtemps auparavant, lorsqu'elle avait compris qu'il était amoureux d'elle, elle l'avait taquiné sur sa prudence, affirmant qu'il était trop sage et trop circonspect pour être heureux avec quelqu'un d'aussi spontané qu'elle. À l'époque, il avait pensé qu'elle avait raison. Peut-être était-ce vrai alors. Cela ne l'était plus.

— Quel homme y songerait à moins d'être impulsif ? fit-il, pince-sans-rire.

— Dans ce cas, venez dans la cuisine.

Elle le précéda dans le couloir, l'invitant à la suivre.

La pièce chaude, un peu en désordre, était sans conteste le cœur de la maison. Du linge propre était empilé sur un des buffets ; de l'eau frémissait doucement dans la bouilloire qu'on venait de retirer du fourneau. Des herbes aromatiques étaient suspendues à des crochets au plafond, ainsi qu'un ou deux chapelets d'oignons. Des assiettes cerclées de bleu, en porcelaine, attendaient d'être rangées dans le vaisselier.

Attablé devant un bol de porridge accompagné de lait chaud, Monk se leva à son entrée. Rathbone se rendit brusquement compte qu'il n'avait pas mangé ce matin-là et qu'il mourait de faim.

Hester suivit son regard. Sans rien lui demander, elle mit un couvert pour lui et lui versa du thé.

— Eh bien ? demanda Monk, son propre repas oublié, impatient de savoir s'il avait accepté l'affaire.

Avec un petit rire crispé, Rathbone prit place en face de lui.

— Si la réponse était non, je vous aurais envoyé un message à Wapping, et peut-être un ici aussi, répondit-il à regret. Mais je vais avoir besoin de votre aide.

— Je ne vois guère ce que je peux faire.

En dépit de ses paroles, Monk semblait content.

— Eh bien, pour commencer…

Rathbone but une gorgée de thé. Le breuvage était un peu trop chaud, mais son arôme le réconforta. Hester avait raison, il avait fait froid sur le fleuve. Il ne s'en était pas rendu compte sur le moment, trop pressé d'arriver.

— Y a-t-il quoi que ce soit dont vous soyez absolument certain ? Qu'est-ce qui aurait pu faire de Zenia une victime désignée ?

Monk réfléchit quelques instants.

— Le fait qu'elle n'avait jamais eu d'autre client que Lambourn, tout au moins à notre connaissance, je suppose. Elle ne savait sans doute pas comment s'y prendre.

— Elle avait environ quarante-cinq ans, ajouta Rathbone, en versant du lait sur son porridge.

Monk parut surpris.

— Comment le savez-vous ?

— Dinah me l'a dit.

— Vraiment ? Lambourn le lui a-t-il avoué ?

Rathbone éprouva une pointe d'anxiété.

— Ce n'est pas le cas ?

— Si, mais comment Dinah le saurait-elle, puisqu'elle prétend ne l'avoir jamais rencontrée ?

— Dans ce cas, je suppose que Lambourn le lui a dit. C'est étrange qu'ils en aient parlé.

Hester l'observait.

— Vous ne savez pas si vous devez la croire, n'est-ce pas ?

— Non, avoua-t-il. J'ai la nette impression qu'elle ment sur certains points, au moins par omission. Seulement, je n'arrive pas non plus à m'imaginer qu'elle ait tué cette pauvre femme.

— Ce qui est sûr, c'est que ce n'était pas Lambourn, observa Monk. Il était mort depuis belle lurette à ce moment-là.

— S'il ne peut s'agir de Lambourn et que Dinah est innocente, qui l'a fait ? demanda Rathbone. A-t-elle par une affreuse coïncidence croisé le chemin d'un dément assoiffé de sang au moment même où Dinah la cherchait ?

— A-t-elle admis l'avoir cherchée ?

— Non. Mais vous m'avez dit qu'elle avait été identifiée.

— Seulement de manière approximative. On a vu une femme répondant à sa description, rectifia

Monk. Grande, brune, s'exprimant bien mais en proie à une sorte de rage, d'hystérie, ou sous l'effet de l'opium, peut-être.

— L'opium rend somnolent, maladroit, intervint Hester. Pas violent. Un individu sous son emprise a plus tendance à s'endormir qu'à attaquer quiconque.

Rathbone était perplexe.

— Dinah prétend qu'on a tué Lambourn et Zenia Gadney dans le but de discréditer le rapport puis de la faire accuser, elle, de meurtre, afin qu'elle soit pendue et que le projet de loi soit abandonné.

Il les regarda tour à tour.

— Est-ce possible, à votre avis ?

— Oui, affirma Hester au moment même où Monk disait « non ».

— Possible, peut-être, se corrigea Monk. Au sens où on pourrait le faire, mais cela ne fonctionnerait pas, et il faudrait être un imbécile pour ne pas s'en rendre compte. Le rapport de Lambourn serait enterré, certainement, mais pas la loi sur la pharmacie. Elle serait retardée, voilà tout. D'un an, au plus.

— C'est aussi ce que je me disais, acquiesça Rathbone en se mordillant la lèvre. Ce qui me ramène au point de départ. Si Zenia était maladroite et vulnérable parce qu'elle avait perdu l'habitude de chercher des clients, il se peut qu'elle n'ait pas su faire la différence entre un homme inoffensif et un individu dangereux.

Il regarda Monk.

— Y a-t-il une partie du récit de Dinah qui puisse être prouvée ?

— Rien d'important. Personne n'avait même imaginé qu'elle puisse avoir joué un rôle dans la mort de son mari. Elle a commencé par nier connaître Zenia Gadney, puis elle l'a admis, ce que m'a également confirmé sa belle-sœur, Amity Herne. Et ce doit être vrai, puisqu'elle a laissé échapper devant vous l'âge de Zenia. Les journaux n'ont rien publié à ce sujet parce que nous n'en étions pas certains nous-mêmes. Elle faisait plutôt jeune pour son âge, à en juger par sa silhouette et la texture de sa peau, ses cheveux, ainsi de suite. Ses dents étaient très saines. Une des personnes à qui j'ai parlé la croyait plus jeune.

Rathbone se remémora le visage de Dinah, lorsqu'elle avait rejeté la possibilité que Zenia se fût méprise sur le caractère de Joel Lambourn. Il fronça les sourcils et posa sa cuillère.

— À vrai dire, Dinah a affirmé que Joel et Zenia se connaissaient depuis quinze ans.

Monk leva brusquement les yeux.

— Comment diable le sait-elle ?

— C'est la question que je me pose.

Rathbone était de plus en plus mal à l'aise. Il n'avait jamais été très bon juge en matière de femmes. Depuis Margaret, il lui semblait l'être encore moins. S'était-il totalement ridiculisé en acceptant cette affaire ?

Hester lui effleura légèrement l'épaule.

— Il est probable qu'elle ment, ou tout au moins qu'elle élude la vérité, concernant la liaison de son mari avec cette femme. Elle se sent sûrement stupide. Elle va essayer de trouver un moyen de se l'expliquer, sans admettre qu'elle a été dupée, tout en tâchant en même temps de vous persuader qu'elle n'a pas tué Zenia. À sa place, n'importe qui ferait la même chose.

— La croyez-vous ? demanda Rathbone en se tournant à demi pour la voir tandis qu'elle passait derrière lui.

— Oui, pour ce qui est des recherches de Lambourn, répondit Hester en prenant place sur la troisième chaise. J'en ai parlé à un excellent médecin que je connais, et il était entièrement d'accord. D'après lui, le nombre de morts parmi les enfants est consternant, et pourrait facilement être limité en introduisant davantage de contrôle et d'information.

— Autrement dit, Lambourn avait raison sur les faits, même s'il apportait des preuves anecdotiques ?

— Oui. Je soupçonne que les anecdotes n'avaient été ajoutées que pour susciter l'émotion. Il a dû fournir des chiffres aussi exacts que possible.

Rathbone se tourna de nouveau vers Monk.

— Sommes-nous certains qu'il s'agissait d'un suicide ? Est-il possible qu'il y ait eu meurtre, comme Mrs. Lambourn le prétend ?

Monk fronça les sourcils.

— Je l'ignore. Il a été retrouvé dans Greenwich Park, sur One Tree Hill, les poignets tailladés, une forte dose d'opium dans l'organisme. Quant à savoir s'il avait un récipient quelconque, contenant soit un liquide pour dissoudre la poudre, soit l'opium lui-même, on ne m'a pas donné de réponse là-dessus. Cela dit, je n'ai pas pu parler à celui qui l'a découvert. Franchement, je pensais que Mrs. Lambourn refusait seulement de croire au suicide parce que c'était trop douloureux pour elle.

— Peut-être est-ce le cas, admit Rathbone. Quoi qu'il en soit, nous devons en avoir le cœur net.

Monk sourit.

— Nous ?

Rathbone se sentit de nouveau mal à l'aise.

— Vous la croyez coupable ?

— Je ne sais pas, avoua Monk. Je suppose que oui, même si je souhaite me tromper. J'accepte le « nous ».

— Votre position vous autorise-t-elle à pousser plus loin vos investigations ?

Cette question était la principale préoccupation de Rathbone. En tant qu'avocat de Dinah, il pouvait tenter d'enquêter lui-même, mais les compétences de Monk en la matière étaient supérieures aux siennes.

— J'en doute, mais je peux essayer. Ce n'est pas mon secteur et, autant que je peux en juger, il n'y a aucun lien avec la Tamise. On a déjà conclu à un suicide, il ne s'agit donc pas d'une affaire non élucidée. De fait, ce n'est pas une affaire à proprement parler, sauf aux yeux de l'Église, et même là, il y a une certaine latitude, selon l'état mental de la personne concernée.

— Et par le biais de l'opium ? intervint Hester.

Ils la regardèrent l'un et l'autre.

— De grandes quantités d'opium entrent dans le pays par le port de Londres, et une bonne partie finit à Limehouse, leur fit-elle remarquer. Tu pourrais dire que ce rapport t'inquiète, que tu t'interroges sur sa fiabilité.

Elle esquissa une légère moue.

— Ou même aller un peu plus loin, et prétendre que tu as entendu dire qu'il contient des informations susceptibles de t'être utiles dans des affaires de contrebande ? N'est-ce pas ? C'est sans doute vrai.

Monk lui sourit, une lueur amusée dans les yeux.

— Je pourrais, en effet. Et je vais le faire. Dans le seul but d'attraper des contrebandiers sur le fleuve, naturellement.

Il reporta son attention sur Rathbone.

— Les preuves de suicide brillaient par leur absence la première fois que je me suis renseigné. Et personne ne semble à même de dire ce qu'il est advenu du rapport. Il a été critiqué, mais jamais rendu public.

— Et Zenia Gadney ? continua Rathbone, sentant qu'il avait enfin des éléments sur lesquels s'appuyer.

Le crime a été d'une extrême violence. Il suggère une haine personnelle, sexuelle. Avez-vous activement cherché un dément qui hait les femmes en général ou les prostituées en particulier ?

— Très activement. Et Orme est un excellent policier. Il n'y a eu aucun crime comparable. La dernière fois qu'on a retrouvé une prostituée morte, elle avait été étranglée, et, la fois d'avant, la femme avait été victime d'un passage à tabac qui était allé trop loin. C'était pour une question d'argent, et le coupable a été appréhendé. Une autre a été poignardée, d'un seul coup de couteau plus proche du cœur que l'assassin n'en avait eu l'intention. C'était son souteneur, et il a été arrêté aussi.

Rathbone eut une moue.

— Avez-vous jamais vu un crime aussi brutal perpétré par une femme sur une autre ?

— Non. Il est difficile d'imaginer qu'une femme en soit capable. C'est en partie pour cette raison que Dinah va être l'objet d'une fureur intense. Franchement, je ne vois pas du tout comment vous allez la défendre. Le public réclamera la pendaison. Avez-vous vu les journaux ?

Rathbone accusa le coup.

— Bien entendu. Il est impossible de faire autrement, même si on ne le souhaite pas. N'est-il pas d'autant plus important que nous soyons absolument certains d'avoir arrêté la vraie coupable ?

— Allons ! lâcha Monk d'un ton las. Vous savez aussi bien que moi que la plupart des gens ne voient pas les choses ainsi. Ils prétendraient vouloir punir le vrai coupable, mais ils sont déjà convaincus de l'avoir trouvé, et la question ne fait que les mettre sur la défensive. Admettre qu'ils se sont trompés signifie qu'on a poursuivi une victime innocente, que la police est incompétente et, pire encore, que le coupable est toujours en liberté et qu'ils continuent à être en danger. Personne ne veut entendre cela.

Rathbone ne pouvait le nier. Il changea de sujet.

— J'ai besoin d'en apprendre davantage sur Dinah Lambourn. Je ne tiens pas à ce que l'accusation me fasse une mauvaise surprise au tribunal. Que pourrait-il y avoir ? Si elle est coupable, c'est qu'elle a un tempérament proche de la folie. Il est impossible qu'on n'en ait pas déjà vu des signes. Je ferai de mon mieux pour me renseigner, mais j'aurai besoin d'aide.

Hester le dévisagea, perplexe et soucieuse.

— Si elle est coupable, Oliver, voulez-vous la sauver ? Elle ne s'est pas contentée de tuer Zenia Gadney, elle l'a mutilée d'une manière répugnante. C'est impardonnable. Aucune provocation ne saurait justifier un tel acte.

— Hester…

— Et si elle s'en sort, coupa-t-elle, qu'arrivera-t-il à la prochaine personne qui la contrariera ? De plus, la police se remettra à chercher un coupable qui n'existe pas, les habitants de Limehouse continueront à se soupçonner mutuellement et à vivre dans la peur.

— Vous pensez qu'elle l'a fait ? demanda-t-il abruptement.

— Je n'en ai pas la moindre idée, répondit-elle. Mais que ferez-vous si c'est le cas ?

Il n'avait pas envisagé cette éventualité. Il était venu à Paradise Place sous le coup de l'émotion, prêt à s'engager dans une entreprise presque impossible. En partie, au moins, parce que cela accaparerait son esprit et son énergie au point que, pendant quelque temps, il en oublierait sa douleur.

Il se tourna vers Monk.

— Hester a raison. Il faut que je sache. M'aiderez-vous ?

— À prouver l'innocence d'une femme que j'ai arrêtée pour un des crimes les plus brutaux que j'aie jamais eu à élucider ? demanda Monk doucement.

— Êtes-vous certain qu'elle soit coupable ?

— Non, mais il n'y a aucun autre suspect envisageable.

— Dans ce cas, il nous faut découvrir la vérité, pour que nous n'ayons plus aucun doute.

Il regarda Hester qui, à son tour, regarda Monk.

— William ?

Ce dernier haussa les épaules et capitula.

— Je vous aiderai, naturellement. Je n'ai pas le choix.

11

Rathbone parti, Hester et Monk restèrent assis face
à face dans la cuisine familière et confortable. Pourtant
la chaleur qui y régnait semblait superficielle à présent.

— Comment vas-tu faire ? Que peut-il y avoir à
trouver ? demanda Hester.

Ce n'était pas à proprement parler une question,
plutôt une constatation résignée.

— Je l'ignore, avoua-t-il. J'ai déjà épuisé presque
toutes les pistes. Il n'y a rien à découvrir par ici.
Aucun crime de ce genre n'a été commis, la pauvre
femme n'avait de querelle notable avec personne. Elle
ne semble avoir eu de relation qu'avec Lambourn. Je
n'arrive même pas à savoir comment elle s'occupait,
hormis quelques services rendus à d'autres, de petits
travaux de couture. Elle lisait des livres, des journaux...

— Aurait-elle pu apprendre un secret gênant, par
accident ? Entendre une conversation, par exemple ?

— C'est possible.

Il voulait se montrer conciliant, ne pas la décourager.

— Cependant, rien ne le suggère. Elle était presque invisible. Et même si elle savait quelque chose,
cela ne peut guère justifier la mutilation.

— Elle n'avait pas de famille ? insista Hester, une note de désespoir dans la voix.

Une mèche vagabonde tombait sur son front, mais elle ne semblait pas en avoir conscience.

— Personne n'en a entendu parler. Nous nous sommes renseignés.

— Mais tu vas continuer à chercher ? pressa-t-elle.

— Pour Dinah Lambourn, ou pour Rathbone ? demanda-t-il avec un léger sourire.

Elle haussa presque imperceptiblement les épaules, son regard soudain radouci.

— En partie pour la vérité, mais surtout pour Oliver, admit-elle.

— Hester… j'ai les mains liées. Le suicide de Lambourn ne relève pas de mes responsabilités. Je peux poser quelques questions, certainement pas y consacrer beaucoup de temps. On me dira que le rapport a été détruit, peut-être par Lambourn lui-même parce qu'il le savait biaisé, et je ne pourrai pas prouver le contraire.

— Il y a très longtemps que tu n'as pas pris de vacances, observa-t-elle en plantant son regard dans le sien. Tu pourrais t'absenter. Je t'aiderai. J'ai déjà demandé au docteur Winfarthing d'essayer de glaner quelques renseignements, juste pour les comparer à ce qu'affirmait Joel Lambourn.

Un frisson d'angoisse le traversa, telle une main froide qui se serait posée sur lui.

— Hester, si quelqu'un a bel et bien assassiné Lambourn pour ce rapport, tu risques d'avoir mis Winfarthing en danger aussi !

— Je l'ai averti, se hâta-t-elle de répondre, tandis que ses joues se coloraient légèrement. Tu penses donc qu'il existe réellement un danger ?

Elle l'avait acculé, le poussait à l'admettre tout haut, et, surtout, ce qui était peut-être plus important, à l'admettre, lui.

— C'est possible, concéda-t-il. Si les affirmations de Dinah sont exactes, de grosses sommes d'argent sont en jeu, et sans doute des réputations aussi. Néanmoins, cela ne signifie pas que Lambourn ait été assassiné ou que Dinah soit innocente.

— Je t'aiderai, répéta-t-elle.

Monk ne voyait pas d'inconvénient à céder, tout au moins en attendant d'en savoir davantage. Le courage de Dinah le touchait, même si tout la désignait coupable. En outre, il avait du mal à croire que Lambourn s'était suicidé à la suite d'une simple déception professionnelle. Sa carrière jusqu'alors, et la manière dont ses confrères avaient parlé de lui, suggéraient un caractère mieux trempé.

Enfin, conscient de son propre bonheur, il était prêt à faire tout son possible pour distraire Rathbone de l'amère désillusion causée par l'échec de son mariage.

Après avoir fait un saut au commissariat de Wapping, il se rendit aux archives de la police métropolitaine afin d'apprendre le nom du policier qui avait été chargé de l'enquête sur la mort de Joel Lambourn. Il savait déjà qu'en raison de la notoriété de ce dernier l'affaire n'avait pas été limitée au commissariat de quartier.

À sa grande stupéfaction, l'homme en question n'était autre que Runcorn, celui-là même qui, au début de la carrière de Monk, avait été son ami, avant de devenir son rival, et plus tard son supérieur. Quant à savoir si Runcorn avait congédié Monk ou si ce dernier avait donné sa démission d'abord, c'était une question d'opinion. En tout cas, ç'avait été un entretien houleux et déplaisant. Ils ne s'étaient pas quittés en bons termes, loin de là. Monk était devenu détective privé, ce qui lui avait donné, en théorie tout au moins, la liberté de choisir les affaires sur lesquelles il enquêtait. En pratique, ç'avait été un travail très dur, et financièrement précaire.

Durant cette période, Runcorn et lui s'étaient croisés de temps à autre. Étonnamment, ils en étaient venus à se respecter davantage. Par la suite, Monk s'était rendu compte qu'il avait souvent été agressif et intolérant sans raison. À la tête de la brigade fluviale, il avait découvert à quel point un subordonné récalcitrant pouvait semer la zizanie au sein d'un groupe. Son opinion à l'égard de Runcorn en avait été changée.

De son côté, Runcorn avait appris à apprécier la compétence et la logique de Monk, et conçu un respect nouveau pour son courage face au handicap qu'avait représenté son amnésie.

Pour l'essentiel, Monk n'avait pas recouvré la mémoire de ce qui s'était passé avant son accident. Des bribes de souvenirs lui revenaient çà et là, jamais des images complètes. Cela avait cessé de le hanter. Il ne redoutait plus les inconnus autant qu'autrefois, ne se demandait plus s'ils étaient des amis ou des ennemis, ou même ce qu'ils pouvaient savoir de lui à son insu.

Affronter Runcorn de nouveau était plus délicat que de traiter avec un inconnu, mais au moins aucune explication ne serait nécessaire. En dépit des différends qui les avaient opposés, ils avaient dépassé le stade des préjugés.

Au commissariat de Blackheath, Monk déclina son nom et son rang au sergent de garde.

— Je viens pour une affaire très grave, déclarat-il. Elle concerne un décès récent qui pourrait en réalité avoir été un meurtre. Le commissaire Runcorn doit être averti au plus vite.

Moins de dix minutes plus tard, on l'introduisait dans le bureau de ce dernier. La pièce était impeccablement rangée et il n'en fut pas surpris. Contrairement à lui, Runcorn avait toujours été ordonné, presque maniaque. Il avait encore plus de livres qu'avant, ainsi que des tableaux très plaisants, des scènes pastorales qui mettaient aussitôt un visiteur à son aise. C'était une nouveauté, assez surprenante venant de l'homme qu'il avait connu. Un vase à motifs bleu et blanc, d'une grande délicatesse, était posé sur une des étagères. Peut-être n'avait-il pas grande valeur, mais sa forme était d'une ravissante simplicité.

Runcorn se leva et s'avança vers lui, la main tendue. C'était un homme de haute taille et bien bâti, dont la taille s'épaississait un peu avec l'âge. Ses cheveux semblaient plus gris que dans le souvenir de Monk, mais il n'y avait plus rien de la colère intérieure qui assombrissait son expression par le passé. Il souriait.

Ils échangèrent une brève poignée de main.

— Asseyez-vous, dit Runcorn en indiquant la chaise placée en face de lui. Culpepper m'a parlé d'un meurtre ?

Monk s'était attendu à un tout autre accueil – en un sens, à un tout autre homme. Il était désarçonné. Pourtant, s'il hésitait à présent, cela le mettrait en position d'infériorité – ce qu'il ne pouvait se permettre – et il donnerait en outre l'impression de manquer de franchise.

— J'enquête sur le meurtre particulièrement brutal d'une femme dont le corps a été retrouvé sur la jetée de Limehouse, commença-t-il en s'asseyant.

Le visage de Runcorn s'altéra aussitôt, exprimant la révulsion et une émotion sincère.

De nouveau, Monk fut surpris. Il avait rarement vu Runcorn manifester autant de sensibilité. Une fois, peut-être, devant une tombe, où il avait cédé à un brusque accès de compassion. Peut-être était-ce d'ailleurs à ce moment-là qu'il avait éprouvé sa première bouffée de sympathie envers lui, en devinant l'homme qui se cachait derrière cette façade agressive et manipulatrice.

— Je pensais que vous aviez procédé à une arrestation, répondit Runcorn à voix basse.

— En effet. Les journaux ne le savent pas encore, mais ce n'est qu'une question de temps.

Runcorn paraissait perplexe.

— En quoi cela me concerne-t-il ?

Monk prit une profonde inspiration.

— Il s'agit de Dinah Lambourn.

— Quoi ?

Runcorn secoua la tête, comme pour signifier que c'était impossible.

— Dinah Lambourn, répéta Monk.

— Que voulez-vous dire ?

Runcorn ne comprenait toujours pas.

— Tout porte à croire que c'est elle qui a tué cette femme. Elle s'appelait Zenia Gadney.

— C'est ridicule ! s'écria son collègue, choqué. Comment la veuve du docteur Lambourn aurait-elle connu une prostituée à Limehouse, et pourquoi diable se serait-elle souciée d'elle ?

Il n'était pas en colère, simplement incrédule.

Cela devait paraître absurde, en effet.

— Joel Lambourn avait une liaison avec Zenia Gadney, depuis une quinzaine d'années environ, expliqua-t-il. Il lui rendait visite au moins une fois par mois et lui donnait de l'argent. Il était son seul soutien.

— Je n'en crois pas un mot, répondit Runcorn calmement. Mais si tel était le cas, elle aurait été sans ressources à sa mort. Elle est sans doute partie chercher des clients dans la rue et elle sera tombée sur un dément. N'est-ce pas l'hypothèse qui s'impose ?

— Si, admit Monk. Sauf que nous ne pouvons pas trouver trace d'un fou. Un homme qui tue de cette manière ne commet pas qu'un seul crime, sans rien avoir fait avant ou après. Vous le savez aussi bien que moi. Il commet d'autres actes de violence aveugle qui empirent à mesure qu'il en réchappe et que sa folie s'accentue.

— C'était peut-être un individu de passage ? Un marin ? Vous ne parvenez pas à le retrouver parce qu'il n'est pas d'ici et que ses autres crimes ont eu lieu ailleurs.

— J'aimerais le croire, dit Monk avec sincérité. Mais ce crime était terriblement personnel, Runcorn. J'ai vu le corps. Un homme à l'esprit assez dérangé pour faire cela laisse des traces. D'autres auraient entendu parler de lui sur le fleuve. Même un marin étranger aurait été vu par quelqu'un. Croyez-vous que nous n'ayons pas cherché ?

— Dinah Lambourn aussi aurait été vue, rétorqua Runcorn aussitôt.

— Elle l'a été. Elle s'est donnée en spectacle dans un magasin en essayant de trouver Zenia Gadney. Les clients se souviennent d'elle, et le commerçant aussi.

Runcorn parut sidéré. Il secoua de nouveau la tête.

— Qu'attendez-vous de moi ? Je ne pourrais certainement pas témoigner contre elle, car elle m'a semblé tout à fait saine d'esprit : une femme qui aimait son mari et qui était anéantie par sa mort. Elle parvenait à peine à y croire.

— Imaginez ce qu'elle a ressenti en apprenant qu'il avait une liaison avec une prostituée de Limehouse depuis quinze ans.

— Était-elle au courant ?

— Oui. Sa belle-sœur l'affirme et Mrs. Lambourn elle-même en est convenue.

Runcorn restait figé sur sa chaise, comme paralysé.

— A-t-elle avoué avoir tué cette… femme, Zenia Gadney ?

— Non. Elle nie. Elle jure qu'elle était avec une de ses amies, Mrs. Moulton, à une réception…

— Vous voyez bien ! s'écria Runcorn, submergé par le soulagement.

Il se détendit enfin, se laissant aller contre le dossier de son siège.

— Cependant, Mrs. Moulton a déclaré qu'elle était à une exposition de tableaux et, lorsque je l'ai pressée un peu, elle a admis que Dinah Lambourn n'était pas avec elle.

Runcorn se raidit de nouveau.

— Que voulez-vous de moi ? répéta-t-il. Je n'ai vu chez elle que sa dignité et son chagrin.

Il soutenait le regard de Monk avec franchise, et une évidente pitié.

Monk en arrivait à la partie la plus délicate de l'entretien. L'idée qu'il risquait d'offenser Runcorn éveillait en lui une réticence inhabituelle. Il en était surpris. Par le passé, il avait parfois pris plaisir à lui chercher querelle.

— Elle m'a supplié de demander à Oliver Rathbone de la défendre, reprit-il, légèrement mal à l'aise. Il a accepté et m'a prié de l'aider. J'ignore s'il la croit innocente. Rien dans les faits ne soutient cette hypothèse. Cependant, cette affaire est truffée d'ambiguïtés, et elle a une portée autrement plus vaste que l'arrestation du meurtrier de Zenia Gadney.

Runcorn écarquilla les yeux.

— Vraiment ?

— Avez-vous entendu parler du projet de loi sur les produits pharmaceutiques ?

Runcorn fronça les sourcils.

— Je ne comprends pas.

Monk se jeta à l'eau.

— Dinah affirme que son mari ne s'est pas suicidé, mais qu'il a été assassiné à cause du rapport qu'il a rendu sur les dégâts provoqués par l'opium, notamment les décès de nourrissons et d'enfants en bas âge. D'après elle, ceux qui l'ont tué ont éliminé Zenia Gadney aussi, et fait porter les soupçons sur elle afin de l'empêcher d'attirer l'attention sur la mort de son mari et sur son rapport. Lequel semble d'ailleurs s'être volatilisé – avec toutes les notes que Lambourn avait prises.

Runcorn l'écoutait, tendu et perplexe, les épaules un peu voûtées.

— Et bien entendu, si cette liaison avec Zenia Gadney était rendue publique, ce qui est inévitable, poursuivit Monk, cela fournirait un motif excellent à son suicide.

Le dégoût, la colère, et surtout la pitié, se lisaient sur les traits de son ancien collègue. C'était là un Runcorn qu'il ne connaissait pas, un homme plein de bonté qu'il n'avait jamais vu auparavant. Avait-il changé du tout au tout, ou bien lui, Monk, ne percevait-il qu'à présent ce qui avait toujours été là ?

Runcorn réfléchit longuement avant de répondre. Lorsqu'il le fit, il choisit ses mots avec soin, et son regard ne quitta pas un instant celui de Monk.

— Je n'étais pas vraiment satisfait du verdict concernant Lambourn, confessa-t-il. Je voulais enquêter plus soigneusement, vérifier tous les détails.

Il secoua la tête.

— Non que j'aie eu des soupçons. Il était là-haut tout seul, assis par terre, à demi effondré, adossé à un arbre, les poignets en sang, les vêtements aussi. Je ne sais même pas pourquoi je voulais en savoir plus long, hormis qu'il me paraissait affreux qu'un père de famille se donne la mort ainsi.

Il se tut, comme s'il éprouvait le besoin de peser les mots qu'il s'apprêtait à prononcer.

Monk songea à l'existence solitaire de Runcorn. Imaginait-il ce que serait sa vie s'il avait une femme qui l'aimait autant que Dinah Lambourn avait aimé son mari ? Il aurait été cruel et maladroit d'y faire allusion.

— Le gouvernement avait hâte de classer l'affaire, continua Runcorn. À l'époque, on a évoqué la nature délicate de son travail, de graves erreurs de jugement. J'ignore lesquelles.

Il semblait dérouté.

— À ce que je comprends, il rassemblait des données sur le commerce de l'opium et son étiquetage. En quoi cela peut-il être partial ?

— Je ne sais pas, admit Monk. J'imagine qu'il s'agit de prouver la véracité des témoignages recueillis. Ou l'exactitude des dossiers médicaux utilisés. Vous l'a-t-on dit ?

— Non. On m'a seulement laissé entendre que, par égard pour sa réputation et pour sa famille, l'affaire devait être réglée avec rapidité et discrétion. Je n'étais pas entièrement satisfait des éléments que nous avions, mais je comprenais ce désir, et la nécessité de faire preuve de compassion. Voulez-vous dire que ces gens-là cherchaient à protéger leurs propres intérêts, et non ceux de Dinah Lambourn ?

— Je n'en suis pas sûr, avoua Monk honnêtement. Et il faut que je le sois. Avez-vous jamais vu le rapport en question ?

— Non. Ce sont eux qui ont fouillé la maison, pas moi. De toute manière, le document était la propriété du gouvernement. C'était lui qui l'avait commandité et qui avait payé Lambourn pour le faire. On a affirmé que ce travail reposait sur des convictions partisanes plutôt que des preuves scientifiques, mais sans donner de détails.

Runcorn soupira.

— On a même été jusqu'à suggérer un déséquilibre mental, à mots couverts, naturellement. Son suicide n'a pas paru surprendre – comme s'il était dans cet état d'esprit depuis quelque temps.

— A-t-on mentionné sa liaison avec Zenia Gadney ?

— Non. On a dit qu'il était excentrique à bien des égards. Peut-être était-ce à cela qu'on voulait faire allusion.

Il paraissait peiné, comme s'il n'imaginait que trop clairement la tragédie.

— Que comptez-vous faire ?

— Repasser au crible tous les éléments dont je dispose, répondit Monk. Déterminer s'il y a la moindre logique dans le récit de Dinah Lambourn, me pencher sur tout ce qui soulève des questions, contredit la thèse du suicide et des troubles mentaux ou émotionnels.

— Êtes-vous bien certain qu'il avait une liaison avec cette femme à Limehouse ?

L'incrédulité se lisait encore sur les traits de Runcorn. Pourtant, n'était-il pas policier depuis assez longtemps pour qu'une apparente aberration de ce genre ne le surprenne plus ?

— Dinah a nié le savoir au début, mais elle a fini par l'admettre, répéta Monk.

— Quelque chose ne colle pas, insista Runcorn.

Il baissa les yeux sur le bureau, puis regarda Monk de nouveau.

— Je serais heureux de tout reprendre depuis le début pour voir si des erreurs ont été commises, mais nous devrons procéder discrètement, et de manière officieuse, sans quoi le gouvernement nous mettra des bâtons dans les roues.

Il n'y avait nulle hésitation, nul doute dans sa voix.

Monk fut surpris par son courage. Le Runcorn qu'il avait connu autrefois n'aurait jamais défié les autorités, ouvertement ou pas. Ils échangèrent une poignée de main.

Nul besoin de formuler leur accord avec des mots.

— Je serai libre à quatre heures, déclara Runcorn. Venez chez moi à cinq.

Il écrivit une adresse à Blackheath sur un petit bout de papier.

— Je vous dirai tout ce que je sais, et nous aviserons.

Monk fut encore plus surpris en arrivant chez lui, cinq minutes avant l'heure dite. Située dans une rue calme, la maison était coquette et dotée d'un joli jardin, qui semblait bien entretenu. Jamais il n'aurait associé Runcorn à ce lieu.

Il fut totalement interdit lorsque la porte fut ouverte, non par ce dernier, ni par une bonne, mais par Melisande Ewart, la séduisante veuve que Runcorn et lui avaient interrogée en tant que témoin dans une affaire de meurtre. Elle avait insisté pour leur parler bien que son frère, un homme dominateur, eût essayé en vain de l'en dissuader. Monk avait deviné à l'époque que Runcorn l'admirait, et qu'il était même un peu amoureux d'elle. Cependant, il aurait été affreusement embarrassé si elle l'avait compris. À dire vrai, la situation était si délicate que Monk n'avait osé y faire allusion, sans parler d'en plaisanter. Runcorn était le dernier homme qui semblait capable de tomber amoureux, encore moins d'une femme qui, bien que sans fortune et dépendante d'un frère tyrannique, était issue d'un milieu social supérieur au sien.

Elle lui sourit avec une pointe d'amusement, un soupçon de rose sur les joues.

— Bonjour, Mr. Monk. Quel plaisir de vous revoir ! Entrez, je vous en prie. Voudriez-vous boire un thé pendant que vous discutez de cette affaire ?

Recouvrant l'usage de la parole, il la remercia et accepta le thé. Quelques instants plus tard, il était assis avec Runcorn dans un salon de taille modeste mais charmant où régnaient tous les signes d'une vie conjugale harmonieuse. Des tableaux étaient accrochés aux murs ; un bouquet arrangé avec grâce égayait le buffet ; une travailleuse était rangée avec soin dans un coin. Une bibliothèque contenait des livres de tailles diverses, choisis pour leur contenu et non par souci d'impressionner.

Monk se surprit à sourire jusqu'à ce que Runcorn, un peu embarrassé, le ramène au motif de leur entrevue.

— Voici les notes que j'ai prises à l'époque, annonça-t-il en lui tendant des papiers.

— Merci.

Il les parcourut tandis que Melisande apportait le thé, accompagné de pain grillé beurré et de petits gâteaux. Elle sortit après un échange poli, sans avoir tenté de s'imposer. Ils commencèrent tous les deux à manger.

Runcorn attendit patiemment, en silence, qu'il ait achevé sa lecture.

Monk était frappé par le changement intervenu chez lui, par la paix intérieure qui l'habitait à présent, après lui avoir si cruellement manqué. Il ne se souvenait pas de leur amitié du début, ni de ce qui avait rendu leur relation si amère. Cela faisait partie de son passé perdu. Cependant, il soupçonnait que sa langue acérée et son esprit mordant avaient joué un rôle, ainsi que son assurance et son physique. À l'époque, Runcorn était gauche, toujours dans son ombre, de moins en moins sûr de lui à mesure qu'il essuyait des échecs dans ses relations avec autrui.

Pourtant, rien de tout cela n'importait maintenant. Runcorn s'était débarrassé de sa gaucherie comme d'un manteau étriqué. Monk était infiniment plus heureux pour lui qu'il ne l'aurait cru possible. Il ne saurait sans doute jamais comment Runcorn avait courtisé et conquis Melisande, qui était belle, plus élégante et infiniment plus raffinée que lui. Peu importait.

— Vous avez vu Lambourn à l'endroit où on l'a retrouvé ?

— Oui. Tout au moins, c'est ce qu'on m'a dit.

Monk décela son hésitation.

— Vous en doutez ? Pourquoi ?

Runcorn parla lentement, comme s'il décrivait morceau par morceau la scène à mesure qu'il la recréait dans son esprit.

— Il était assis légèrement de travers. On aurait dit qu'il avait perdu l'équilibre. Il était adossé à l'arbre, les mains le long du corps, la tête inclinée d'un côté.

— Vous vous attendiez à autre chose ? demanda Monk avec une pointe de doute. Pourquoi pensez-vous qu'il avait peut-être été déplacé ?

— Il n'avait pas l'air à son aise, répondit Runcorn, choisissant ses mots avec un soin rare chez lui. Je n'ai pas vu beaucoup de suicidés, mais ceux qui l'avaient fait sans douleur semblaient... à leur aise. Pourquoi s'assoirait-on si inconfortablement pour faire une chose pareille ?

— Il a pu mal tomber ? suggéra Monk. Comme vous l'avez dit, il aura perdu l'équilibre en même temps que ses forces.

— Ses poignets et ses avant-bras étaient couverts de sang, reprit Runcorn, esquissant une moue à ce souvenir, ainsi que le devant de son pantalon, et davantage encore le sol.

Il leva les yeux vers Monk, soutenant calmement son regard.

— Le sol était imbibé de sang, mais il n'y avait pas de couteau. Ils ont prétendu qu'il devait l'avoir jeté quelque part ou laissé échapper en titubant. Pourtant, aucune trace de sang menant à l'endroit où il gisait n'était visible. D'ailleurs, pourquoi diable jetterait-on un couteau après s'être tranché les poignets ? Aurait-on seulement la force de le tenir, sans parler de le lancer assez loin pour que personne ne le trouve ?

Monk tenta de se l'imaginer, en vain.

— Quelle heure était-il ?

— Assez tôt le matin. Je suis arrivé vers neuf heures.

— Dans ce cas, il a dû être retrouvé de très bonne heure, observa Monk. Aux alentours de sept heures, j'imagine. Que faisait cet homme dans le parc, sur One Tree Hill, à sept heures du matin au mois d'octobre ?

— Il se promenait, répondit Runcorn. Faisait de l'exercice. Il n'avait pas bien dormi et voulait prendre l'air avant d'attaquer la journée, enfin, c'est ce qu'il nous a dit.

— Aurait-il pu s'emparer du couteau ?

— Pas à moins d'être fou à lier, ironisa Runcorn. Allons, Monk ! Quel homme sain d'esprit irait voler une arme qui vient de servir à un suicide ? C'était un homme d'âge mûr, respectable. Il travaillait pour le gouvernement, je ne sais plus dans quoi au juste.

— Pour le gouvernement ? répéta Monk vivement.

Runcorn comprit où il voulait en venir.

— J'ai cherché des traces de sang menant à l'endroit où on a découvert Lambourn. Il n'y en avait pas. Et le couteau n'a jamais été retrouvé. J'ai tout passé au crible dans un rayon de cent mètres. C'est un lieu dégagé. S'il avait été là, je l'aurais vu.

— Un animal aurait-il pu l'emporter ? suggéra Monk sans conviction.

Runcorn fit la moue.

— Il aurait pris le couteau sans lécher le sang sur le cadavre ? Vous vous laissez aller, Monk !

— Alors qui a pris le couteau et pourquoi ? Cela s'est-il passé au moment de sa mort, ou après ?

Monk disait tout haut ce qu'ils pensaient tous les deux, il le savait.

— C'est par là qu'il faut commencer. Nous avons fort à faire.

— Je vais me pencher de nouveau sur les témoignages, proposa Runcorn, le visage sombre. Nous allons devoir être discrets, laisser entendre que nous cherchons à empêcher qu'un lien puisse être établi avec le procès qui s'annonce. Le gouvernement…

Il haussa les épaules.

— J'ai pensé qu'il agissait par compassion, mais maintenant, je commence à avoir l'impression que c'était une manière de me tenir à distance.

Monk acquiesça.

— Je vais prendre des congés qui me sont dus. Donnez-moi le nom et les adresses des témoins, et je dirai exactement ce que vous venez de suggérer : que j'essaie de m'assurer que la défense de Dinah Lambourn ne puisse pas revenir sur cette affaire.

Il n'était pas sûr qu'on le croirait, mais il ne voyait pas de meilleure solution pour l'instant.

Il prit congé de Runcorn et remercia Melisande. Puis il sortit dans la rue calme et noire, prêt à marcher jusqu'à ce qu'il trouve un fiacre qui le ramènerait chez lui, encore qu'en vérité ce ne fût pas si loin.

Dès le lendemain matin, douze jours après la découverte du cadavre de Zenia Gadney, Monk se mit à l'œuvre. Il commença par informer Orme de ses projets. Il ne savait guère à quoi s'attendre, ni d'ailleurs quelles étaient ses raisons, hormis éliminer autant d'incertitudes que possible.

Il était décidé à retourner à Greenwich, afin de parler directement aux gens qui avaient vu le corps de Lambourn. On avait refusé auparavant de lui donner le nom de l'homme qui l'avait découvert en promenant son chien, mais il l'avait appris en consultant les notes de Runcorn. Cette fois, il insisterait pour voir l'agent Watkins, le premier policier sur les lieux, qu'il soit ou non en service.

Monk comptait aussi s'entretenir de nouveau avec le docteur Wembley, sous prétexte de mettre son propre dossier à l'abri de toute accusation susceptible d'être lancée par Dinah.

Il marcha d'un pas vif sous le soleil pâlot, sans même songer à chercher un fiacre. Au fond, il devait se l'avouer, il espérait démontrer que Lambourn ne s'était pas suicidé, que ce fût pour avoir échoué à persuader le gouvernement d'accepter ses conclusions, ou parce que sa vie privée s'était effondrée autour de lui.

Cette pensée l'irrita. Il aurait dû être assez solide pour ne pas se montrer aussi sentimental.

Dix heures approchaient quand il arriva au petit bureau bien ordonné de Mr. Edgar Petherton, tout près de Trafalgar Road. Monk se présenta et lui expliqua aussitôt qui il était.

Petherton avait une cinquantaine d'années, et déjà une chevelure argentée. Ses yeux étaient étonnamment sombres, l'humour et l'intelligence se lisaient sur ses traits. Il invita Monk à s'asseoir dans un des beaux fauteuils en cuir au coin du feu et s'installa dans l'autre.

— Que puis-je faire pour vous, monsieur ? demanda-t-il d'une voix calme, mais empreinte de curiosité. Êtes-vous sûr que c'est à moi que vous désirez parler et non à mon frère ? Il travaille au Naval College. Il s'appelle Eustace. On nous confond parfois.

— Peut-être me suis-je trompé, admit Monk. Est-ce vous qui avez découvert le corps du docteur Joel Lambourn alors que vous promeniez votre chien de bon matin il y a neuf ou dix semaines de cela ?

Petherton ne tenta pas de dissimuler la douleur qu'éveillait en lui ce souvenir.

— Il n'y a pas d'erreur, j'en ai peur. C'était bien moi. J'ai répondu aux questions que la police et un gentleman du gouvernement m'ont posées à l'époque. Il venait du ministère de l'Intérieur, me semble-t-il.

— J'en suis sûr.

Monk poursuivit, fournissant l'explication qu'il avait préparée.

— J'imagine que vous avez entendu parler du très violent meurtre d'une femme sur la jetée de Limehouse au début de ce mois ?

Le choc de Petherton fut visible.

— Quel rapport peut-il bien y avoir avec la mort du docteur Lambourn ? Le pauvre homme était décédé bien avant.

— La veuve de Lambourn a été arrêtée et accusée d'avoir tué cette femme, répondit Monk. Nous essayons de maîtriser l'émotion du public afin que le procès se déroule avec au moins un semblant d'impartialité…

— Mrs. Lambourn ?

Petherton secoua la tête, incrédule.

— C'est ridicule ! Pour l'amour du ciel, pourquoi aurait-elle fait une chose pareille ? Ce doit être une épouvantable méprise.

— C'est possible, admit Monk, tout en se demandant s'il se contentait de prononcer des mots conciliants.

Était-il donc hypocrite ? Ou avait-il une conscience plus aiguë qu'autrefois des sentiments d'autrui ?

— Quoi qu'il en soit, je revérifie tous les faits, afin qu'ils ne puissent pas être déformés par la défense pour étayer des affirmations mensongères.

— Et si elles ne sont pas mensongères ? protesta Petherton.

— Dans ce cas, il se peut qu'elle soit innocente, et nous devrons chercher ailleurs la personne qui a si sauvagement assassiné cette pauvre femme.

Petherton fronça les sourcils, dévisageant Monk comme s'il était un spécimen étrange de la nature, pas tout à fait humain.

— Croyez-vous vraiment qu'une femme, à plus forte raison une dame digne et bien élevée, ait pu infliger pareil traitement à un membre de son propre sexe ?

— Je travaille dans la police depuis un certain temps et je peux croire beaucoup de choses que je n'aurais pas crues il y a dix ou quinze ans. Cela étant, j'ai moi aussi peine à imaginer que Mrs. Lambourn soit capable d'un tel acte. C'est pourquoi j'ai besoin de connaître l'affaire de fond en comble. S'il existe une autre explication, je dois la découvrir.

— Je ne peux que répéter ce que j'ai déjà dit.

À l'évidence, Petherton regrettait de ne pas posséder l'imagination ou le courage nécessaires pour mentir.

— Promenez-vous souvent votre chien à une heure aussi matinale ? Et allez-vous en général dans Greenwich Park ?

— Je vais assez souvent au parc, en effet. La plupart du temps. En revanche, je ne suis pas si matinal d'habitude. Je ne pouvais pas dormir, et il faisait beau. Je suis parti une bonne heure plus tôt que d'ordinaire.

— Avez-vous coutume d'aller à One Tree Hill ?

— Non, j'y vais rarement. Ce jour-là, j'avais besoin de réfléchir. J'étais préoccupé par une affaire personnelle et je ne faisais guère attention à l'endroit où j'étais. Je n'en ai pris conscience que lorsque Paddy – mon chien – s'est mis à aboyer, et j'ai eu peur qu'il ne harcèle quelqu'un. Il faisait un bruit étrange, comme s'il était troublé. Ce qui était le cas, évidemment. J'ai couru derrière lui et je l'ai trouvé les poils hérissés, nerveux, fixant un homme assis dos à un arbre, les jambes étendues devant lui. Il avait basculé sur le côté. On aurait dit qu'il était endormi. Sauf que, bien sûr, il était mort.

— L'avez-vous compris immédiatement ? se hâta de demander Monk.

— Je...

Petherton réfléchit, en proie à une détresse visible.

— Il me semble que oui. Son visage était très pâle, presque exsangue. Il avait une mine affreuse. Et, bien sûr, il y avait du sang sur ses poignets et sur le sol. Je ne l'ai pas touché tout de suite. J'étais plutôt... secoué. Quand je me suis ressaisi, je me suis penché et j'ai effleuré son avant-bras, au-dessus des entailles.

— Sa manche était remontée ? coupa Monk.

— Oui. Oui, elle était retroussée assez haut sur son bras.

— Portait-il une veste ?

— Je... pas autant que je m'en souvienne. Non, il était en chemise, c'est sûr. Je lui ai touché le bras et il était froid. Ses yeux étaient enfoncés dans leurs orbites. Je n'ai senti aucun pouls à son cou. Quant à ses poignets...

Il prit une profonde inspiration.

— Et je ne voulais pas... laisser de marque là où... je l'avoue, je ne voulais pas mettre le doigt dans son sang. Cela me semblait non seulement répugnant mais indiscret. Le pauvre homme avait déjà atteint le pire enfer qu'une personne puisse connaître. Son désespoir devait être traité avec... avec un tant soit peu de décence.

Monk acquiesça.

— Vous avez bien fait, par égard pour lui mais aussi pour les procédures policières. Où était le couteau ?

Petherton cilla.

— Je ne l'ai pas vu.

— N'était-il pas à côté de sa main ? insista Monk d'un ton presque dégagé.

Petherton secoua la tête.

— Non. Est-il possible qu'il ait bougé, et que le couteau se soit retrouvé à demi sous lui ?

— Dissimulé par sa veste ?

— Il ne portait qu'une chemise, je vous l'ai déjà dit.

— Et vous, portiez-vous une veste ?

— Oui, bien sûr. C'était en octobre, tôt le matin. Le jour se levait tout juste. Il faisait froid.

Petherton fronçait les sourcils à présent, clairement troublé.

— Ça ne tient pas debout, n'est-ce pas ? Même quand on a l'intention de se donner la mort, on ne s'expose pas délibérément à l'inconfort de faire au moins huit cents mètres dans le froid, avant l'aube. Je n'ai jamais songé à cela avant.

Il se mâchonna la lèvre.

— Il devait être à demi fou de désespoir, et pourtant il semblait paisible. On aurait dit qu'il s'était assis là contre l'arbre et laissé aller.

— Il avait absorbé une forte quantité d'opium, expliqua Monk en l'observant. C'est sans doute pour cette raison qu'il avait l'air calme. Il était probablement quasi inconscient.

— Dans ce cas, comment a-t-il grimpé cette colline ? demanda Petherton aussitôt. Ou voulez-vous dire qu'il a pris l'opium sur place ? Si oui, il aurait mis une veste pour y aller. Je me demande où elle est passée.

— Avez-vous remarqué des empreintes de pas ?

Petherton parut surpris.

— Je n'en ai pas cherché. Il faisait à peine jour. On y voyait juste assez pour marcher. Vous croyez que quelqu'un était avec lui ?

— Eh bien, comme vous dites, il aurait sûrement mis une veste, à moins qu'il ne soit sorti la veille au soir et qu'il n'ait pas eu l'intention d'aller si loin.

Petherton comprit où il voulait en venir.

— Qu'il n'ait voulu aller faire une brève promenade et rentrer chez lui ? De fait, je me souviens que la soirée était très douce. Je suis moi-même resté tard à bricoler dans le jardin. C'est durant la nuit que le temps s'est refroidi.

Monk changea d'approche.

— Avez-vous vu un quelconque objet qui ait pu contenir de l'opium ou de l'eau pour dissoudre une poudre ?

— Non. Je ne l'ai pas fouillé !

De nouveau, un léger dégoût se lut sur ses traits.

— Aurait-il pu avoir une bouteille ou une fiole sur lui ? insista Monk.

— Une bouteille, non. Une fiole dans la poche de son pantalon, peut-être. Que s'est-il donc passé, à votre avis ?

— Je l'ignore, Mr. Petherton. C'est justement ce que je dois découvrir. Mais si quelque chose a été caché, il est préférable, dans votre intérêt comme dans celui de l'enquête, de ne parler à personne de cette affaire. Dieu sait que nous avons eu assez de tragédies. Peut-être y a-t-il une explication toute simple à laquelle nous n'avons pas encore songé.

Il s'était exprimé d'un ton tranquille, mais il sentait un poids peser sur lui. En dépit des quelques anomalies que présentait l'affaire, seule l'hypothèse du suicide paraissait vraisemblable. Dinah avait-elle pu sortir après son mari et le suivre sur le chemin qu'il avait coutume d'emprunter ? Avait-elle découvert le corps et emporté le couteau et la fiole dans le but d'éveiller les soupçons ?

Monk remercia Petherton et le laissa aussi troublé qu'il l'était lui-même. Il sortit dans l'air frais et partit vers l'ouest, en direction du commissariat, afin de trouver l'agent Watkins.

L'entreprise se révéla plus ardue qu'il ne l'avait escompté. Tout d'abord, il fut dirigé à tort sur Deptford. Au terme d'un trajet compliqué qui lui prit plus d'une heure, on lui apprit que l'agent Watkins était déjà reparti.

De retour à Greenwich, Watkins participait à une enquête et Monk fut prié de patienter. Une heure plus tard, lorsqu'il se renseigna de nouveau, le sergent lui annonça avec moult excuses que Watkins avait été appelé à l'extérieur et ne reviendrait que le lendemain. Et non, il ne savait pas où vivait l'agent.

Il était trop tard pour aller voir le docteur Wembley et, de toute façon, cela ne servait à rien avant que Monk ait obtenu de Watkins la confirmation des dires de Petherton. Ayant perdu toute une journée, il rentra chez lui en colère, convaincu d'avoir été à dessein mal aiguillé, sans doute pour protéger la réputation de Lambourn.

Aurait-il agi de même ? Pas si le sort de ce dernier pouvait avoir un lien avec la mort de Zenia Gadney, il en avait la certitude.

Le lendemain matin, il arriva au commissariat de Greenwich à sept heures et demie et attendit Watkins. Le sergent consterné tenta de l'intercepter, mais il y avait là une vieille femme vêtue d'une robe en coton défraîchi et d'un châle déchiré, venue se plaindre d'un chien errant. Elle écoutait tout ce qui se disait, dardant son regard de l'un à l'autre.

Monk s'avança vers un jeune homme que le sergent avait pris soin de ne pas appeler par son nom, contrairement à ceux de ses collègues qui étaient déjà arrivés.

— Agent Watkins ? demanda Monk d'une voix claire et sonore.

Le jeune homme se retourna vers lui.

— Oui, monsieur. Bonjour, monsieur. Est-ce que je vous connais ?

Il n'y avait nulle trace de duplicité dans ses grands yeux bleus.

— Non, agent Watkins, vous ne me connaissez pas, répondit Monk avec un sourire. Je suis le commissaire Monk de la brigade fluviale de Wapping. J'ai besoin de vous interroger très brièvement afin de vérifier certains faits. Que diriez-vous de prendre un thé avant de commencer la journée ? Et un sandwich ?

— Ce n'est pas nécessaire, monsieur, mais… oui, merci, monsieur, accepta Watkins, essayant sans grand succès de dissimuler son plaisir à cette perspective.

Le sergent prit une brusque inspiration et se dandina d'un pied sur l'autre. Monk devina qu'il avait reçu pour consigne d'éviter cette rencontre.

— Watkins ! lança-t-il sèchement. Mr. Monk… l'agent a des obligations, monsieur. Il ne peut pas tout simplement…

Il regarda Monk et sa voix vacilla.

— Vous a-t-on donné l'ordre d'empêcher Watkins de coopérer avec la brigade fluviale dans toutes ses enquêtes, sergent ? demanda Monk d'un ton tranchant. Ou dans une enquête en particulier ?

Le sergent balbutia une dénégation, mais il était évident que tel était précisément le cas.

Monk emmena Watkins au coin de la rue et acheta du thé chaud et des sandwiches à un marchand ambulant. Le jour commençait juste à se lever autour d'eux. Un vent froid et âpre soufflait de la Tamise, transperçant la laine des écharpes et des manteaux.

Watkins était mal à l'aise, mais semblait se rendre compte qu'il n'avait d'autre choix que de coopérer. Monk devrait faire de son mieux pour le protéger.

— Agent Watkins, vous avez été le premier à arriver sur le lieu de la mort du docteur Joel Lambourn, sur One Tree Hill, il y a environ deux mois et demi.

— Oui, monsieur.

— J'ai parlé à Mr. Petherton, l'homme qui a trouvé Mr. Lambourn. Il m'a été d'une grande aide. Mais vous comprendrez que j'aie besoin d'un œil plus exercé pour savoir si ses observations sont correctes.

— Oui, monsieur.

Watkins buvait son thé à petites gorgées, sans détacher son regard de celui de Monk.

Ce dernier lui répéta précisément les propos de Petherton concernant la chemise aux manches retroussées, le sang répandu sur les poignets de Lambourn et sur le sol.

— Y avait-il autre chose ? demanda-t-il enfin. Réfléchissez bien, je vous en prie. Il ne faudrait pas avoir à ajouter le moindre détail à une date ultérieure. Au mieux, cela serait considéré comme un signe d'incompétence ; au pire, comme une tromperie délibérée. Nous ne pouvons tolérer ce genre de chose. La mort d'un homme est toujours une affaire grave. Celle du docteur Lambourn l'est d'autant plus qu'il travaillait pour le gouvernement. Ai-je décrit la scène telle que vous l'avez vue ? Repassez-la dans votre mémoire, faites appel à vos souvenirs de policier avant de me répondre.

Watkins ferma les yeux, demeura silencieux quelques instants, puis les rouvrit et regarda Monk.

— Oui, monsieur, c'est parfaitement exact.

— Mr. Petherton a donc été honnête et précis ?

— Oui, monsieur.

— Il n'a rien omis ? Il n'y avait rien d'autre à voir ? Pas de traces de pas ? De signes de bagarre ? Rien ?

— Non, monsieur. Rien du tout.

— Merci, Watkins. Ce sera tout. Je ne dois pas vous retenir plus longtemps. Dites à votre sergent que je lui suis obligé et que vous avez simplement confirmé l'exactitude du rapport que vous avez fait à l'époque. Vous n'y avez rien ajouté, ni ne l'avez modifié d'aucune manière. Vous pourrez l'affirmer sous serment au tribunal le cas échéant.

Watkins poussa un soupir de soulagement et le rouge lui monta aux joues.

— Merci, monsieur.

Le docteur Wembley ne trouva rien de particulier à ajouter, et se contenta de répéter ce qu'il lui avait déclaré la première fois. Ce soir-là, sous une pluie fine et froide, Monk alla chez Runcorn afin de lui relater sa journée.

Ils s'installèrent au coin du feu dans le petit salon confortable, du thé et des tranches de tourte au poulet sur la table entre eux. Cette fois, Melisande était présente. Lorsqu'elle était venue leur servir une collation, Runcorn l'avait invitée à rester et Monk n'avait pas soulevé d'objection. Il ne voulait pas peiner Melisande. Il ne savait que peu de chose de sa vie, hormis qu'elle avait eu le courage de témoigner dans l'affaire qui les occupait lorsqu'ils s'étaient rencontrés. Il jeta un ou deux coups d'œil dans sa direction et ne lut sur son visage qu'un mélange de pitié et de concentration.

— C'est exactement ce qu'ils m'ont dit, déclara Runcorn lorsque Monk eut terminé son récit. Quant à moi, j'ai relu les instructions qu'on m'a données à l'époque.

Il parut quelque peu embarrassé.

— Sur le moment, j'ai cru qu'elles visaient à protéger l'honneur de Lambourn et à épargner sa veuve.

Maintenant, il me semble plutôt qu'on essayait de dissimuler la vérité. Et si on s'est donné tant de mal pour le faire, nous devons nous demander pourquoi.

— Il est monté là-haut en bras de chemise, raisonna Monk à voix haute. Ou alors, il portait une veste que quelqu'un lui a fait retirer. D'après Petherton, la soirée de la veille était clémente. Lui-même l'a passée dans son jardin. C'est dans la nuit que le temps a changé et, le matin, il faisait indéniablement froid. Cela suggère que Lambourn n'avait pas l'intention d'aller si loin, et sûrement pas de s'attarder.

Runcorn hocha la tête sans l'interrompre.

— Petherton est certain qu'il n'y avait pas de couteau et aucun récipient susceptible de contenir du liquide – à moins qu'il n'ait été vraiment très petit, et caché dans la poche de son pantalon. Watkins n'a rien dit qui le contredise. Ils ne peuvent pas mentir ou se tromper tous les deux. Et on ne peut pas absorber ces choses-là sans liquide.

— Quelqu'un d'autre était là et, au mieux, a emporté le couteau et le récipient dont il s'est servi, conclut Runcorn. Au pire, Mrs. Lambourn a raison, et il a été assassiné.

Il regarda Monk, le front barré d'un pli.

— Les coupables espéraient faire croire à un suicide, reprit Monk. Seulement, ils ont été négligents. Pas de couteau. Rien pour contenir l'opium. Pas de veste pour faire ce trajet à pied un jour d'octobre. Est-ce parce qu'ils ont été surpris et qu'ils ont dû agir précipitamment, avant d'être préparés ? Ou simplement par arrogance ?

Melisande intervint pour la première fois.

— C'était très stupide, commenta-t-elle lentement. Le couteau aurait dû être posé à côté de lui, ainsi que le récipient contenant l'opium. Pourquoi ne les ont-ils pas laissés sur place ? Même si la veste avait seulement été drapée autour de lui, ç'aurait été plus logique.

Elle les dévisagea tour à tour.

— Quelque chose sur le couteau ou la fiole aurait-il permis de les identifier à coup sûr ?

Il était inutile de lui répondre. Runcorn regarda Monk avec intensité.

— Est-il vraiment possible qu'on l'ait tué pour le réduire au silence et enterrer son rapport ? Mais pourquoi ?

Monk lui répondit d'une voix un peu rauque.

— Je commence à le croire, en effet. Et il doit y avoir une raison, plus impérative que de retarder la publication du rapport et, par conséquent, le projet de loi – probablement pour peu de temps.

Ils restèrent silencieux quelques instants. Le feu chuchotait doucement dans l'âtre, diffusant une lueur chaleureuse.

— Qu'allez-vous faire ? demanda enfin Melisande.

La crainte se lisait dans sa voix et sur ses traits.

Runcorn se tourna vers elle. Jamais Monk n'avait vu sur son visage une émotion si nue, si facilement déchiffrable. C'était comme si Melisande et lui étaient seuls dans la pièce. Il attachait énormément d'importance à l'opinion qu'elle avait de lui, et pourtant il savait que c'était à lui de prendre la décision, en obéissant à ses seules convictions.

Monk osait à peine respirer, priant pour que Runcorn donne la bonne réponse.

De la cendre tomba dans l'âtre, les boulets de charbon se tassèrent.

— Si nous ne faisons rien, nous sommes complices, dit Runcorn au bout d'un moment. Je suis désolé, mais nous devons découvrir la vérité. Si

Lambourn a été assassiné, il nous faut découvrir par qui, qui l'a caché et pourquoi.

Il tendit la main et la posa doucement sur celle de Melisande.

— Ce sera peut-être très dangereux.

Elle lui sourit, les yeux brillants de peur et de fierté.

— Je sais.

Pour sa part, Monk n'avait nul besoin de parler. Il était venu voir Runcorn précisément parce qu'il craignait que les choses ne se fussent déroulées ainsi. S'il avait été convaincu que Dinah Lambourn mentait, il n'aurait pas porté l'affaire à l'attention de Rathbone, sans parler de reprendre l'enquête lui-même, il le comprenait à présent.

Runcorn se leva et alla attiser le feu.

Ils causèrent encore un peu, décidèrent d'informer Rathbone et de se pencher plus avant sur les questions qu'il leur soumettrait, après quoi Monk prit congé de ses hôtes et sortit dans la rue obscure. La pluie avait cessé, mais l'air s'était rafraîchi.

À cette heure tardive, loin du centre et de ses rues animées, il savait qu'il serait difficile de trouver un fiacre. Il marchait d'un pas vif, voyant assez clair grâce aux lampes des portes d'entrée, quand il prit conscience d'une présence derrière lui. Il songea tout d'abord que quelqu'un d'autre cherchait aussi un fiacre. Les pas étaient rapides, presque silencieux. Comme Monk se rangeait pour le laisser passer, il sentit un choc à l'épaule, si brutal qu'il en eut tout le bras engourdi. S'il avait été touché à la tête, il aurait certainement été assommé.

Son assaillant recouvra l'équilibre et prit son élan pour le frapper de nouveau, mais cette fois Monk le devança, lui décochant un violent coup de pied qui l'atteignit au bas-ventre. L'homme tomba en avant et Monk lui planta le genou dans la mâchoire alors qu'il s'effondrait. Sa tête bascula en arrière si brusquement qu'il craignit de lui avoir cassé le cou.

Monk avait encore le bras gauche paralysé.

Roulant sur lui-même, son agresseur tenta tant bien que mal de se remettre à quatre pattes.

Soulagé qu'il soit vivant, Monk lui flanqua un nouveau coup de pied, visant la partie inférieure de la poitrine afin de lui couper le souffle.

L'homme toussa, pris d'un haut-le-cœur.

Monk se redressa. Une silhouette s'avançait au bout de la rue, non pas en courant comme l'aurait fait quelqu'un qui voulait lui venir en aide, mais tranquillement, un objet dans la main droite.

Monk pivota. Une ombre dense se dressait devant lui de ce côté-là aussi, peut-être celle d'un homme à demi dissimulé sous un porche. Il tourna les talons, le bras lourd comme du plomb, déchiré par une douleur lancinante. Il repartit dans la direction d'où il venait, courant aussi vite qu'il en était capable.

Il était à moins d'un kilomètre et demi de chez Runcorn. Cependant, il ignorait le nombre de ses adversaires, se trouvait dans un quartier qu'il ne connaissait pas, et minuit approchait.

Il n'alla pas droit chez Runcorn. Ses poursuivants l'y attendraient sans doute. Il resta dans les rues plus importantes, marcha aussi vite que possible, puis passa par l'arrière et traversa des jardins avant d'arriver enfin à la porte de la cuisine, où il chercha désespérément un signe indiquant que quelqu'un n'était pas encore couché.

Il ne vit rien. Il s'accroupit, se dissimulant derrière la serre et les rangs de légumes. Il avait du mal à imaginer Runcorn occupé à une tâche aussi domestique que le jardinage. Il sourit malgré les frissons qui commençaient à le gagner. Cependant, il ne pou-

vait s'éterniser. Non seulement il faisait extrêmement froid et il recommençait à pleuvoir, mais sa
blessure le faisait souffrir. Enfin, tôt ou tard, ses
poursuivants songeraient à le chercher là. Peut-être
même plus tôt qu'il ne le croyait !

Il ramassa une poignée de cailloux et les lança
vers une fenêtre du premier étage.

Rien.

Il recommença, plus fort.

Cette fois, Runcorn ouvrit et passa la tête au-
dehors, son ombre tout juste visible contre le ciel
nocturne.

Monk se leva lentement.

— Ils sont après nous, dit-il dans le noir. J'ai été
attaqué.

La fenêtre se referma et, un instant plus tard, la
porte de derrière s'ouvrit. Runcorn sortit, une veste
jetée sur sa chemise de nuit. Sans rien dire, il aida
Monk à entrer, referma la porte à clé et tira le verrou,
puis regarda Monk de la tête aux pieds.

— Eh bien, au moins, c'est la preuve que nous
avons vu juste, commenta-t-il, pince-sans-rire. Nous
avons une chambre d'amis. Vous saignez ?

— Non, c'est juste que je ne peux pas bouger le
bras.

— Je vais aller vous chercher une chemise de
nuit propre et un whisky pour vous remettre.

Monk sourit.

— Merci.

Runcorn demeura immobile un instant.

— C'est comme au bon vieux temps, n'est-ce
pas ? lança-t-il avec une satisfaction morose. Mais
en mieux.

12

Assis dans son bureau à l'Old Bailey, Oliver Rathbone s'efforçait de se préparer mentalement à la défense de Dinah Lambourn, inculpée du meurtre de Zenia Gadney. C'était la première fois depuis un certain temps qu'il s'occupait d'une affaire aussi en vue, et il avait d'ores et déjà reçu nombre de critiques pour l'avoir acceptée. Certes, elles n'avaient pas été formulées directement. Chacun savait que tout individu a le droit d'être représenté au tribunal, indépendamment de son identité, du crime dont il est accusé et de la certitude de sa culpabilité. Telle est la loi.

Le dégoût personnel était une tout autre question. Admettre que cette femme devait être défendue était très différent de s'en charger soi-même.

— Ce n'est pas une sage décision, Rathbone, avait déclaré un de ses amis en faisant la moue. Vous auriez dû laisser cette affaire à un jeune loup qui n'a rien à perdre.

— C'est ce genre de personne que vous voudriez pour défendre votre femme ? avait rétorqué Rathbone, piqué au vif.

— Ma femme n'aurait pas haché une prostituée en morceaux, avait riposté l'autre avec irritation.

Elle n'a aucune raison de le faire, pour l'amour du ciel ! Et elle ne le ferait pas, de toute manière.

— Dinah Lambourn ne l'a peut-être pas fait non plus, avait répondu Rathbone, regrettant d'avoir été assez stupide pour se laisser entraîner dans la discussion.

Et si cet homme avait raison ? Installé dans son grand fauteuil confortable, il baissa les yeux sur les papiers étalés devant lui et se demanda s'il n'avait pas réagi de façon irréfléchie. Avait-il vu dans cette affaire une sorte de suicide, un châtiment qu'il s'infligeait pour avoir échoué envers Margaret ?

Les journaux faisaient leurs gros titres du procès, laissant entendre d'autres crimes hypothétiques. À en croire certains, Dinah était consumée par une jalousie maladive, qui frôlait la folie ; elle s'imaginait toutes sortes de choses, et sa nature possessive avait poussé Lambourn à se donner la mort.

Le jury ne pouvait tolérer un meurtre aussi épouvantable, une telle dépravation, sous prétexte qu'un mari avait eu recours à une prostituée, clamait un éditorial, sinon, ce serait la porte ouverte à une boucherie sans fin. Il suffirait qu'une épouse se mette pareille idée en tête pour que toute autre femme à qui son mari adressait la parole soit en danger !

Certaines femmes avaient en revanche pris fait et cause pour Dinah, affirmant que ceux qui frayaient avec les prostituées souillaient le lit conjugal : non seulement ils trahissaient leurs vœux de mariage, mais ils couraient le risque de rapporter à leur fidèle épouse les maladies du bordel, et de les transmettre ainsi à leurs enfants. Il ne fallait pas oublier non plus l'argent dont ils privaient leur compagne afin d'assouvir leurs propres appétits.

Au club de Rathbone, d'aucuns voyaient en Dinah une victime absolue. Pour d'autres, elle incarnait la femme hystérique, résolue à restreindre la liberté de son mari, à contrôler tous ses faits et gestes.

Un auteur la dépeignait en héroïne des épouses trahies, des malheureuses exploitées, humiliées, abandonnées. L'émotion emportait le raisonnement comme la marée les détritus.

Rathbone s'était préparé de son mieux, sans se bercer d'illusions. Ni Monk ni Orme n'avaient pu dénicher le moindre témoin qui aurait vu Zenia avec un homme au cours des heures précédant sa mort. L'unique personne avec qui elle avait été aperçue, brièvement, sur la route qui longeait la Tamise, était indéniablement une femme. Il ne comptait évidemment pas attirer l'attention sur ce fait.

Les seules armes dont il disposait étaient, en fin de compte, la loyauté passée de Dinah envers Lambourn et Zenia, et son caractère. Il espérait pouvoir éviter de l'appeler à la barre, car sa théorie du mystérieux complot risquait de l'exposer au ridicule. Pourtant, il y serait peut-être contraint.

Monk et Hester, avec l'aide de Runcorn, continuaient à chercher des preuves. Le problème, c'était que tous les éléments réunis jusque-là pouvaient raisonnablement être interprétés comme des signes de la culpabilité de Dinah.

Par ailleurs, rien ne permettait d'établir un lien entre l'agression perpétrée contre Monk, brutale et bien organisée, et le meurtre de Zenia Gadney. Et jusqu'alors, l'incident ne s'était pas reproduit.

Gagné par une appréhension croissante, Rathbone fut soulagé lorsqu'on vint le chercher pour entrer dans la salle.

Le procès était sur le point de débuter.

On s'acquitta des préliminaires. C'était là un rituel auquel Rathbone n'avait guère besoin de prêter attention. Il leva les yeux vers le box des accusés, où

Dinah était assise entre deux gardiennes, bien au-dessus de la salle. Côté gauche, sous la fenêtre, se trouvaient les jurés. Face à eux, le juge trônait dans son fauteuil, magnifique dans sa toge écarlate, coiffé de sa longue perruque.

Son regard alla des uns aux autres pendant que les voix bourdonnaient en arrière-fond. Pâle comme un linge, Dinah Lambourn écarquillait les yeux, superbe malgré sa peur. Ses épais cheveux bruns étaient tirés en arrière, et sa coiffure un peu austère soulignait les contours de son front et de ses pommettes, l'équilibre parfait de ses traits, sa bouche généreuse et vulnérable. Sa beauté jouerait-elle à son avantage, ou serait-elle un handicap, au contraire ? Les jurés admireraient-ils sa dignité ou la confondraient-ils avec de l'arrogance ? Impossible de le savoir.

Le juge s'appelait Grover Pendock. Rathbone le connaissait depuis des années, quoique fort peu. Son épouse étant invalide, il évitait les soirées mondaines auxquelles elle ne pouvait assister, que ce fût par égard pour elle, ou parce que ces obligations ne lui procuraient aucun plaisir. Il avait deux fils. L'aîné, Hadley, sportif assez célèbre, faisait la fierté de son père. Le cadet, plus porté sur les études, disait-on, n'avait pas encore fait parler de lui.

Rathbone considéra le magistrat, notant la gravité de son expression, sa mâchoire puissante, ses lèvres minces. Ce procès aurait beaucoup de retentissement. Il devait savoir que tous les regards seraient rivés sur lui, et que tous attendaient, voire désiraient une conclusion rapide et sans ambiguïté. Plus tôt l'affaire serait terminée, plus vite l'hystérie s'apaiserait et la presse s'intéresserait à d'autres faits divers. Nul ne devait douter que justice avait été rendue, dans la dignité, et surtout, sans qu'il y eût le moindre risque d'appel.

Sorley Coniston, l'avocat général, arborait un air solennel et sûr de lui, comme s'il avait hâte d'en découdre. Plus grand et plus corpulent que Rathbone, les joues glabres, il approchait de la cinquantaine. Lorsqu'il souriait, ses dents de devant laissaient apparaître un léger écart qui ne manquait pas de charme. Il était presque séduisant. Néanmoins, Rathbone décela une pointe de suffisance dans son attitude lorsqu'il se leva pour appeler le premier témoin à la barre.

Comme prévu, ce fut le sergent Orme, de la police fluviale. Rathbone le savait, mais n'en était pas moins étonné que Coniston eût choisi ce dernier plutôt que Monk.

Cependant, en voyant Orme gravir les marches de la tribune et baisser les yeux sur la cour, il comprit cette décision. Monk était mince et élégant. Il ne pouvait rien y faire. Un air d'autorité émanait de lui : dans son port de tête, l'ossature fine de ses traits, dans ses yeux remarquables. En revanche, le visage solide et calme du sergent Orme était tout à fait ordinaire. Personne ne le jugerait retors ou excessivement intelligent. On le croirait. Quiconque mettrait en cause son honnêteté nuirait d'abord à sa propre cause.

Coniston s'avança vers le policier, qui avait déjà prêté serment et décliné son nom et son rang.

— Sergent Orme, commença-t-il avec courtoisie. Voulez-vous, je vous prie, relater à la cour l'expérience que vous avez vécue tôt le matin du 2 décembre, alors que vous approchiez de la jetée de Limehouse ? Décrivez les lieux pour ceux d'entre nous qui ne les connaissent pas.

Orme, qui s'attendait à cette question, était néanmoins mal à l'aise. Cela se voyait à son expression et à la manière dont il se penchait en avant, les mains agrippées à la barre. Rathbone savait pourquoi : on lui demandait d'évoquer une scène qui faisait partie de sa vie quotidienne, mais sur laquelle il n'était pas accoutumé à mettre des paroles. Les jurés allaient penser qu'il était bouleversé par ce qu'il avait vu. Coniston était méticuleux, les préparait déjà à l'horreur, au lieu de la laisser s'imposer d'elle-même. Rathbone fut impressionné.

— Mr. Monk et moi, nous avions enquêté sur un cambriolage en amont, et nous étions en train de rentrer de Wapping, commença Orme.

— Vous n'étiez que deux ? Vous ramiez ?

— Oui, confirma Orme. L'un derrière l'autre, une rame chacun.

— Je vois. Merci. Quelle heure était-il ? Faisait-il jour ?

— Le soleil se levait, monsieur. Il y avait beaucoup de couleur dans le ciel et sur l'eau aussi.

Orme était visiblement troublé.

— Étiez-vous près de la rive, ou au milieu de la Tamise ?

— Près de la rive, monsieur. Si on va vers le milieu, on gêne la circulation, les bacs et tout le reste.

— Vous étiez donc dans l'ombre des entrepôts ? Donnez-nous des détails, sergent Orme, s'il vous plaît.

Orme se balança d'un pied sur l'autre.

— On était à environ vingt mètres du quai, monsieur. Les bâtiments… ils nous dominaient, mais ne faisaient pas d'ombre. L'eau était moins houleuse près du bord. On était à l'abri du vent.

— Je vois. Vous en faites une bonne description, le félicita Coniston. Résumons : le commissaire

Monk et vous rentriez de Wapping après avoir été appelés là-bas avant l'aube. Il faisait frais. La brise faisait friser le fleuve sauf près de la rive, presque à l'ombre des entrepôts, et le soleil levant déversait une lumière rougeoyante sur l'eau lisse et noire autour de vous ?

Les traits d'Orme se crispèrent. Visiblement, insister sur la beauté du décor en de telles circonstances lui répugnait.

— Quelque chose comme ça, monsieur.

— S'est-il produit un incident qui vous a contraints à vous arrêter ?

Un silence total se fit dans la salle, rompu seulement par un léger froissement d'étoffe.

— Oui, monsieur. Une femme s'est mise à crier sur la jetée de Limehouse. Elle hurlait et gesticulait. Nous n'avons vu pourquoi qu'en arrivant en haut des marches. Un corps de femme gisait à terre, recroquevillé sur le côté. Elle... elle avait été éventrée et ses vêtements étaient dégoulinants de sang...

Il ne put achever, non seulement à cause de sa propre émotion, mais du brouhaha croissant d'exclamations et de gémissements provenant du public. Une femme pleurait déjà dans la galerie, et des voix s'élevaient, murmurant des paroles de réconfort ou réclamant le silence.

— Silence ! Je vous en prie, mesdames et messieurs, intervint Pendock. Permettez-nous de poursuivre. Laissez parler le sergent Orme.

— Merci, Votre Honneur, dit Coniston sobrement. Je présume que le commissaire Monk et vous-même avez examiné les restes de cette malheureuse ?

— Oui, monsieur. Nous ne pouvions plus rien faire pour elle, répondit Orme d'une voix rauque. Il était trop tard pour ça. Nous avons demandé au témoin ses nom et adresse, et ce qu'elle pouvait nous dire, mais ça ne se montait pas à grand-chose. Elle était venue là chercher son mari. Ensuite, j'ai veillé sur le corps pendant que Mr. Monk allait au commissariat du quartier.

— Au commissariat du quartier ? répéta Coniston en arquant les sourcils. Étant donné qu'elle avait été trouvée sur la jetée, le meurtre ne relevait-il pas de votre compétence ?

— Si, monsieur. Mais la première chose à faire était de l'identifier.

Coniston sourit et se détendit quelque peu.

— Naturellement. Nous allons y venir. Vous ne la connaissiez pas ?

— Non, monsieur.

— Et pourriez-vous décrire le corps, sergent ?

Rathbone aurait aimé faire objection, mais il n'avait aucun motif à invoquer. Le crime était monstrueux. Coniston était en droit d'horrifier les jurés au point qu'ils seraient malades et en larmes. Tout individu qui ne se réveillerait pas en sueur en pleine nuit tandis qu'il repassait cette scène dans sa mémoire était indigne d'être un citoyen, plus encore un juré. À la place de Coniston, Rathbone aurait adopté la même tactique.

Orme déglutit avec peine. Même de là où il se trouvait, Rathbone voyait se crisper les muscles de son cou et de sa mâchoire. L'effort qu'il faisait pour garder le contrôle de lui-même n'échapperait pas aux jurés.

— Oui, monsieur, murmura-t-il.

Les mains crispées sur la barre, il inspira et expira plusieurs fois avant de commencer.

— Elle n'était pas toute jeune, elle pouvait avoir une quarantaine d'années, mais était assez mince. Sa peau était très blanche, ce qu'on en voyait. Ses vêtements avaient été déchirés, ou coupés, et sa... sa poitrine était dénudée. Quelqu'un l'avait fendue en deux depuis...

D'un geste saccadé, il porta la main à sa poitrine et la descendit lentement sous la barre jusqu'à hauteur de son bas-ventre.

Il déglutit de nouveau.

— Et ses viscères avaient été sortis, monsieur, et laissés là sur elle. Il... il n'était pas commode de voir si tout y était, monsieur, et je ne l'aurais pas su, de toute manière.

Coniston avait pâli, lui aussi.

— Elle n'avait pas d'autres blessures ?

— Si, monsieur. Elle avait du sang séché dans ses cheveux, comme si elle avait reçu un vilain coup.

Orme fit mine de poursuivre, mais il était trop avisé pour révéler que les mutilations avaient été infligées après la mort, même pour épargner le jury.

Coniston avait baissé la tête.

— Je vous remercie, sergent. Restez là, je vous prie, au cas où mon distingué confrère représentant la défense aurait des questions à vous poser.

Il regarda Rathbone avec un sourire courtois. Celui-ci ne pouvait rien mettre en doute, et ils le savaient tous les deux.

Rathbone se leva.

— Merci, Votre Honneur, dit-il, s'adressant au juge. Il me semble que le sergent Orme nous a déjà dit tout ce qu'il savait.

Orme fut remplacé par Overstone, le médecin qui avait examiné le corps. Il se tenait raide comme un militaire et regardait Coniston droit dans les yeux, la mine sombre, ses cheveux clairsemés plaqués sur son crâne. Son air las semblait indiquer qu'il avait trop souvent connu cette situation, et que cela devenait non pas plus facile, mais plus pénible. Rathbone eut l'impression fugitive que l'homme devait faire appel à toute sa volonté pour parler d'une voix neutre, dépourvue d'émotion.

— Vous avez examiné la malheureuse que la police a retrouvée sur la jetée de Limehouse, docteur Overstone ? commença Coniston.

— En effet.

— Décrivez-la-moi, s'il vous plaît. Je veux dire, comment était-elle lorsqu'elle était encore en vie ?

— Elle mesurait environ un mètre soixante, répondit Overstone. De stature moyenne, la taille qui s'épaississait un peu. Elle semblait bien nourrie. Je dirais qu'elle avait quarante-cinq ans environ. Cheveux châtain clair, yeux bleus. Pour autant qu'on puisse en juger, elle devait avoir été plutôt jolie. Elle avait de bonnes dents, des mains fines.

— Des signes de maladie ? s'enquit Coniston, comme si c'était une question raisonnable.

Le visage d'Overstone se crispa.

— Cette femme était dans un tel état ! siffla-t-il entre ses dents. Comment diable voudriez-vous que je le sache ?

Coniston rougit légèrement et, à cet instant, Rathbone sut qu'il avait délibérément provoqué cette réaction. La tension était à son comble dans la salle. Rathbone avait les muscles noués, le cou douloureux tant il s'efforçait de respirer profondément et de se calmer. Certains des jurés l'observaient, se demandant comment il allait s'y prendre pour défendre une personne accusée d'un tel crime. Et peut-être même ce qu'il faisait là.

Le remords de Coniston fut de courte durée. Il s'adressa de nouveau à Overstone.

— Vous avez néanmoins pu déterminer la cause du décès, n'est-ce pas, docteur ?

— Oui. Elle a eu le crâne fracassé. Elle a dû mourir sur le coup. Dieu merci, elle n'a été mutilée qu'après la mort. Elle n'a pas pu savoir ce qui lui arrivait.

Une très légère agressivité perçait dans le ton d'Overstone, mais si peu perceptible que Coniston ne pouvait la relever.

— Merci, docteur, dit-il calmement.

Il regagna sa place, mais, au dernier moment, fit volte-face et leva les yeux.

— Oh ! Une dernière chose. Fallait-il posséder beaucoup de force pour asséner le coup qui l'a tuée ?

— Non, pas si on avait pris son élan.

— Avez-vous jamais trouvé l'objet dont on s'est servi ?

— On m'a apporté le corps ! rétorqua Overstone avec irritation. On ne m'a pas emmené sur la jetée pour l'examiner.

Coniston demeura impassible.

— Certes. Avez-vous une idée de la nature de l'objet ? Quelle est l'hypothèse la plus vraisemblable, selon vous ?

— Une barre de métal : un morceau de tuyau, quelque chose de ce genre. Je doute qu'un bout de bois ait été assez lourd, à moins qu'il ne se soit agi de bois dur, d'ébène, par exemple.

— Et les mutilations ? Exigeaient-elles une force ou une compétence particulières ?

— Seulement une lame bien aiguisée. Il n'y avait rien de compétent là-dedans, même pas en matière de boucherie, répondit Overstone, prononçant ce dernier mot avec haine.

— Une femme aurait-elle eu la force de le faire ? insista Coniston, formulant à voix haute la question que tous se posaient en silence.

— Oui.

Overstone n'ajouta rien. Coniston le remercia et se tourna vers Rathbone.

— La parole est à vous, Sir Oliver.

Rathbone chercha désespérément quelque chose à dire qui fût susceptible de faire la moindre différence. Dinah devait se demander pourquoi diable elle l'avait engagé. Il tenait sa vie entre ses mains.

— L'examen des blessures permettait-il de déterminer le sexe de la personne qui les avait infligées ? demanda-t-il en levant les yeux vers Overstone.

— Non, monsieur.

— Ou sa taille ? poursuivit Rathbone. Sa force ? Si la personne était droitière ou gauchère, par exemple ? Jeune ou âgée ?

— Rien du tout, monsieur, je vous l'ai dit, répéta Overstone. Sauf que, à en juger par la violence du coup mortel, il a peut-être été porté des deux mains.

Il leva les bras au-dessus de sa tête, joignit les mains et les abattit, comme s'il tenait un sabre.

— Mais cela n'est pas d'une grande aide. Au contraire, la taille alors cesse d'avoir une importance.

— De sorte que l'assassin aurait pu être n'importe qui, hormis, peut-être, un enfant ?

— Exactement.

Ensuite, Coniston appela Monk à la barre.

Celui était impeccablement vêtu, comme toujours, élégant jusqu'à ses bottes cirées avec soin. Cependant, il grimpa les marches de la tribune d'un pas raide, et se tint debout, une épaule légèrement plus haute que l'autre.

Pour commencer, la cour parut se détendre, ne sachant trop à quoi s'attendre de sa part. On croyait le pire passé. Néanmoins, les jurés encore pâles l'observèrent avec gravité. Certains semblaient fébriles, gênés. Ils sentaient sur eux les regards du public, qui s'efforçait de lire dans leurs pensées. Rathbone n'en vit aucun jeter un coup d'œil en direction de Dinah Lambourn.

Cette fois, Coniston semblait conscient d'avoir affaire à un témoin potentiellement hostile, en dépit du fait que Monk avait arrêté Dinah. La longue amitié de Rathbone et de Monk devait être bien connue. L'avocat général était trop intelligent pour ne pas s'être renseigné à ce sujet.

Il arpenta le demi-cercle, adoptant une posture menaçante quoique non dénuée de grâce. Le silence régnait dans le public, qui ne voulait pas perdre une miette de l'échange.

— Mr. Monk, commença-t-il doucement. Vous étiez avec le sergent Orme lorsque vous avez découvert le corps de cette pauvre femme. Vous avez entendu comme lui les cris de la malheureuse qui l'a trouvée. Orme est resté avec le cadavre pendant que vous alliez alerter la police du quartier, afin de l'identifier et de le confier aux autorités appropriées.

— En effet, répondit Monk, impassible.

— Était-elle connue de la police locale ? demanda Coniston d'un ton dégagé.

— Non.

Coniston parut légèrement surpris. Il s'arrêta brusquement et se figea.

— Elle n'avait jamais fait l'objet d'une arrestation, ou tout au moins d'un avertissement, concernant ses activités de prostituée ?

— C'est ce qu'on m'a dit.

— Si elle était effectivement une prostituée, ne trouvez-vous pas cela remarquable ? reprit Coniston, feignant l'étonnement.

Le visage de Monk demeura indéchiffrable.

— Il est parfois difficile de reconnaître les victimes de mort violente, surtout lors de circonstances particulièrement horribles.

Coniston ne parut guère satisfait de cette réponse. Il changea d'optique.

— Avez-vous tenté de l'identifier ?

— Bien entendu.

— Où vous êtes-vous renseigné ? demanda Coniston avec un geste d'impuissance qui soulignait l'immensité de la tâche.

— Auprès des gens du quartier, des commerçants, d'autres femmes, répondit Monk, d'une voix presque neutre.

— Quand vous dites « d'autres femmes », vous voulez parler de prostituées ? insista Coniston.

Monk resta de marbre. Seul Rathbone sans doute remarquait le petit muscle qui tressautait sur sa joue.

— Je veux parler des blanchisseuses, ouvrières, marchandes ambulantes, de toutes celles qui auraient pu la connaître.

— Avez-vous appris son nom ?

— Oui. Il s'agissait de Zenia Gadney, une femme d'âge moyen qui vivait discrètement et seule au numéro 14, à Copenhagen Place, juste au-dessus de Limehouse Cut.

— De quoi vivait-elle ?

Coniston était toujours calme et courtois, mais les jurés percevaient sa tension. Il suffisait à Rathbone de le regarder pour la sentir aussi.

— Elle ne travaillait pas. Un homme lui rendait visite une fois par mois et lui donnait de quoi vivre modestement. Rien ne suggère qu'elle ait gagné de l'argent par d'autres moyens, hormis en effectuant de petits travaux de couture à l'occasion, ce qu'elle faisait peut-être surtout par gentillesse et pour avoir un peu de compagnie.

Monk s'était assombri et sa voix sourde trahissait l'émotion qu'il éprouvait face à la mort affreuse de cette femme, mais aussi au vide apparent de son existence.

Le connaissant comme il le connaissait, Rathbone n'avait aucun mal à déchiffrer ses sentiments. Il se demanda si Coniston les avait compris aussi.

Ce dernier hésita un instant avant de poursuivre.

— J'imagine que, naturellement, vous avez tenté d'identifier cet homme et de découvrir la nature de ses relations avec elle ?

— Bien sûr. C'était le docteur Joel Lambourn, de Lower Park Street, à Greenwich.

— Je vois, dit Coniston aussitôt. Ce monsieur est le défunt mari de l'accusée, Mrs. Dinah Lambourn ?

Monk était redevenu impassible.

— Oui.

— Êtes-vous allé voir Mrs. Lambourn ? L'avez-vous interrogée concernant les liens de son mari avec Mrs. Gadney ? demanda Coniston d'un ton innocent. Il a dû vous être pénible de l'informer de sa relation avec la morte.

Il y avait une pointe de pitié dans sa voix à présent.

— Oui, bien entendu.

Il avait beau faire de son mieux pour dissimuler sa compassion, elle se devinait néanmoins.

Les jurés l'observaient avec attention. Pendock lui-même se pencha légèrement en avant. On entendit un soupir dans la tribune du public, comme si la tension était devenue insoutenable.

— Comment a-t-elle réagi ? demanda Coniston d'un ton sec, apparemment irrité d'avoir à poser la question.

— Elle a d'abord affirmé qu'elle ne connaissait pas Mrs. Gadney. Ensuite, elle a admis avoir su que son mari avait subvenu à ses besoins jusqu'à sa propre mort, deux mois auparavant.

— Elle savait ! répéta Coniston d'une voix claire et sonore, se tournant à demi vers le public pour que chacun l'entende.

Il pivota de nouveau vers Monk.

— Mrs. Lambourn savait que son mari rendait visite à Zenia Gadney et qu'il la payait depuis des années ?

— C'est ce qu'elle m'a dit.

Rathbone griffonna une note sur le papier posé devant lui.

— Pourtant, elle a commencé par le nier ? insista Coniston. Était-elle gênée ? En colère ? Humiliée ? Effrayée, même ?

Rathbone envisagea de faire objection au motif qu'un tel jugement ne relevait pas des compétences de Monk, mais se ravisa. Cela ne servirait à rien et ne ferait qu'attirer l'attention sur son inquiétude.

L'ombre d'un sourire traversa le visage de Monk, puis s'effaça.

— Je l'ignore. Elle était en proie à une violente émotion, je ne saurais affirmer laquelle. Ç'aurait facilement pu être le choc ou l'horreur d'apprendre la manière dont Zenia Gadney était morte.

— Ou le remords ? suggéra Coniston. Ou même l'absence de remords ?

Rathbone fit mine de se lever.

Pendock le vit.

— Mr. Coniston, ce sont là des suppositions déplacées. Limitez-vous aux questions auxquelles votre témoin peut répondre, je vous prie.

— Veuillez m'excuser, Votre Honneur, répondit Coniston d'une voix contrite.

Il leva de nouveau les yeux sur Monk.

— Cependant, vous disiez que Mrs. Lambourn était en proie à une vive émotion, Mr. Monk ?

— Oui.

— Compte tenu des liens du docteur Lambourn avec la victime et du fait que Mrs. Lambourn en avait eu connaissance à un moment ou à un autre, avez-vous cherché à déterminer si Mrs. Lambourn avait elle-même rendu visite à Zenia Gadney ?

— Oui.

Le visage crispé de Monk trahissait sa réticence, mais il ne chercha pas à se dérober.

— Plusieurs témoins ont vu une femme correspondant à sa description à Copenhagen Place la veille du jour où on a retrouvé le cadavre de Zenia Gadney sur la jetée. Elle posait des questions, surtout dans les magasins, elle était en quête de Mrs. Gadney.

Coniston hocha lentement la tête.

— Elle cherchait la victime. Quelqu'un a-t-il décrit son comportement ? Soyez précis, s'il vous plaît, Mr. Monk.

— Elle était bouleversée. Deux ou trois personnes ont dit qu'elle se conduisait comme une folle. C'est pour cette raison qu'elles se souvenaient d'elle.

— Avez-vous interrogé Mrs. Lambourn à ce sujet ?

— Naturellement.

— Et qu'a-t-elle répondu ?

— D'abord, elle m'a dit qu'elle avait assisté à une réception en compagnie d'une amie. Je suis allé voir cette amie, qui m'a affirmé tout autre chose.

— Est-il possible que ladite amie se soit trompée – ou pire, qu'elle ait menti ?

— Non, rétorqua Monk d'un ton sec. Je n'ai fait que lui demander où elle se trouvait à cette heure ce jour-là, et elle me l'a dit. Elle était avec un grand nombre d'autres personnes, et nous avons vérifié ses dires par la suite. La réception mentionnée par Mrs. Lambourn n'a jamais eu lieu.

— Elle vous a donc menti ? insista Coniston, d'une voix redevenue claire et forte.

— Oui.

Coniston eut un léger sourire.

— Résumons, commissaire Monk. L'accusée, Dinah Lambourn, savait que son mari fréquentait la victime depuis des années et lui versait régulièrement de l'argent. La veille du meurtre, elle est allée dans la rue où vivait la victime et s'est renseignée pour savoir où elle habitait. D'après plusieurs témoins, elle était dans tous ses états. Lorsque vous l'avez interrogée à ce sujet, elle vous a menti en prétendant qu'elle était ailleurs, et vous en avez apporté la preuve. Est-ce exact ?

— Oui, admit Monk à regret.

— À ce moment-là, l'avez-vous arrêtée et inculpée du meurtre de Zenia Gadney ?

— Oui. Elle a nié l'avoir tuée et être allée à Copenhagen Place.

— Et vous avez prouvé qu'elle mentait, lui fit remarquer Coniston avec une évidente satisfaction. Merci, commissaire.

Il se tourna vers Rathbone.

— La parole est à vous, Sir Oliver.

Rathbone s'avança lentement et leva les yeux vers Monk. Il se rendait compte que toute l'assistance l'observait, attendait de voir ce qu'il pouvait faire. Il eut la vision soudaine d'un chrétien pénétrant dans la fosse aux lions. Il espérait un miracle, sans oser vraiment y croire.

— Mr. Monk, vous dites que Mrs. Lambourn savait que son mari rendait visite à Mrs. Gadney depuis des années. Celle-ci était-elle mariée, à propos, ou utilisons-nous ce titre par pure courtoisie ?

— D'après les voisins, elle affirmait avoir été mariée, répondit Monk. Cependant, nous n'avons trouvé aucune trace de quiconque appelé Gadney, aucune archive le concernant.

— Le docteur Lambourn subvenait à ses besoins depuis qu'elle vivait là ?

— Oui. Depuis une quinzaine d'années, environ.

— Je vois.

Rathbone fronça les sourcils.

— Et d'après vous, Mrs. Lambourn était au courant depuis le début, ou presque ? En êtes-vous certain ?

— Oui.

— Parce qu'elle vous l'a dit ? Et que, naturellement, vous l'avez crue ?

Rathbone laissa une pointe d'incrédulité percer dans sa voix.

Monk baissa sur lui un regard amusé, mais se reprit aussitôt.

— Parce qu'un autre témoin me l'a confirmé, rectifia-t-il.

— Ah ! Vous n'avez donc aucun doute sur le fait qu'elle connaissait l'existence de Mrs. Gadney depuis fort longtemps, des années peut-être ?

— C'est exact.

— Depuis combien de temps le docteur Lambourn était-il mort lorsque Mrs. Gadney a été assassinée ?

— À peu près deux mois.

Rathbone voyait sur les traits de Monk que ce dernier savait précisément ce que serait la question suivante. Leurs regards se rencontrèrent.

— Et pour quelle raison, selon vous, Mrs. Lambourn serait-elle brusquement allée chercher Zenia

Gadney à Copenhagen Place, au bout de deux mois de veuvage, au comble de l'émotion, au point de se donner en spectacle devant les commerçants et leurs clients ? Que voulait-elle donc à Zenia Gadney à ce moment-là, alors qu'elle était au courant de son existence depuis des années ? Son mari ne lui avait pourtant rien légué, si ?

Plusieurs jurés se penchèrent en avant, comme pour s'assurer de saisir l'intégralité de la réponse. L'un d'eux fronça les sourcils et secoua la tête.

Il y eut une soudaine agitation dans la salle, chacun retenant son souffle.

Pendock fixait Rathbone, le front plissé par l'appréhension.

Monk ne paraissait pas troublé le moins du monde. Rathbone se demanda un instant s'il était tombé délibérément dans le piège qu'il lui avait tendu. Monk en était capable, pour faire triompher la vérité. C'était lui qui avait arrêté Dinah, mais lui aussi qui était allé chercher Rathbone pour la défendre, et qui consacrait son temps libre à la poursuite de l'enquête.

— Elle a affirmé qu'elle n'était pas allée à Copenhagen Place, déclara Monk, d'une voix lente et claire. Elle est persuadée que son mari, le docteur Joel Lambourn, a été assassiné à cause du travail qu'il faisait pour prouver que l'opium vendu dans ce pays…

Coniston bondit sur ses pieds.

— Votre Honneur ! coupa-t-il avec véhémence. Ceci est tout à fait sans rapport avec l'affaire présente, et trompeur, de surcroît. L'opium est un médicament courant, prescrit par les médecins et disponible dans toutes les pharmacies d'Angleterre et dans des milliers de magasins ordinaires. Si Mrs. Lambourn en a pris, pour la douleur ou pour d'autres raisons, cela n'excuse en rien sa conduite. Des millions de gens ont recours à l'opium. Il soulage l'inconfort et l'insomnie, il ne mène pas à la folie ni n'excuse le meurtre.

— Si on en prend beaucoup et trop souvent, cela peut mener à une dépendance, surtout si on le fume, rétorqua Rathbone d'un ton acerbe. Et un excès d'opium tue.

Coniston se tourna vers lui.

— Zenia Gadney n'était pas dépendante et n'est pas morte d'un abus d'opium, Sir Oliver ! Elle a eu le crâne fracassé par une barre de fer avant d'être affreusement mutilée. On l'a éviscérée…

Pendock abattit furieusement son marteau sur la table, noyant presque ses paroles.

— Nous savons comment elle est morte, Mr. Coniston, tonna-t-il. Sir Oliver ! Êtes-vous en train de suggérer que Mrs. Lambourn a pris de l'opium et que cela excuse d'une manière ou d'une autre cet épouvantable crime ?

— Non, Votre Honneur, je…

— Bien, coupa Pendock. En ce cas, poursuivez, si vous avez d'autres questions à poser à Mr. Monk. Sinon, l'audience sera suspendue jusqu'à cet après-midi.

— J'aurai bientôt fini, Votre Honneur.

Sans attendre la réponse du magistrat, Rathbone se retourna vers Monk.

— Croyez-vous que sa soudaine décision d'aller voir Zenia Gadney ait un rapport avec la mort de son mari ?

— Moins avec sa mort qu'avec sa réputation ruinée, répondit Monk. Elle refusait de croire à son suicide.

De nouveau, Coniston se leva.

— Votre Honneur, le suicide tragique de Joel Lambourn…

Pendock l'interrompit d'un geste.

— J'en ai conscience, Mr. Coniston.

Il se tourna vers Rathbone d'un geste brusque.

— Sir Oliver, le docteur Lambourn était mort depuis deux mois quand Mrs. Lambourn s'est mise à la recherche de Zenia Gadney. Si elle était au courant de son existence depuis quinze ans, cela n'a aucun sens. Si elle croyait que Mrs. Gadney était d'une manière ou d'une autre responsable du suicide de son mari, vous devez disposer d'éléments convaincants. En avez-vous ?

— Non, Votre Honneur…

— Dans ce cas, passez à autre chose, je vous prie.

C'était un ordre.

Rathbone prit une brève inspiration, cherchant une autre question. Battre en retraite à présent lui faisait l'effet d'une capitulation. À l'évidence, toute interrogation portant sur la mort de Joel Lambourn ou son rapport sur l'opium allait être écartée, à moins qu'il ne puisse fournir une preuve si claire de son importance qu'un refus lui fournirait un motif d'appel.

— Merci, Votre Honneur. Je n'ai rien à ajouter, dit-il avec autant de bonne grâce qu'il en était capable, avant de regagner sa place.

Après le déjeuner, Coniston fit appel à des témoignages susceptibles de jeter quelque lumière sur la réaction de Mrs. Lambourn à la mort de son mari. L'intérêt de Rathbone s'aiguisa. Peut-être aurait-il enfin l'occasion d'élargir le sujet de manière à susciter des doutes sur la théorie du suicide. Monk lui avait donné largement assez d'éléments pour lancer le débat, à condition de se ménager une ouverture. Il suffirait d'une toute petite erreur de jugement de la part de Coniston, d'une parole imprudente d'un des témoins, pour que la question puisse être abordée.

Jetant un coup d'œil derrière lui, Rathbone remarqua que nombre de journalistes avaient pris une pose attentive, crayon en main. Ils ne manqueraient pas la moindre inflexion, même si elle échappait aux jurés.

Comme il se retournait pour faire face au magistrat et à la tribune des témoins, un visage connu attira son attention, celui de Sinden Bawtry, qu'il avait croisé plusieurs fois dans des soirées. Sans savoir au juste pourquoi, Rathbone fit en sorte d'éviter son regard. Il ne voulait pas que Bawtry se rende compte qu'il l'avait vu, tout au moins pas encore. Celui-ci était bel homme, et sa présence ne manquerait pas d'être remarquée par la presse. Dès le lendemain, chacun saurait qu'il avait assisté à l'audience.

Rathbone redoubla de concentration. Bawtry s'intéressait-il au procès à titre personnel ou représentait-il le gouvernement ? Quoi qu'il en fût, l'affaire avait des ramifications plus profondes qu'il ne l'avait cru, et la lutte serait d'autant plus ardue.

Il reporta son attention sur le policier inconnu qui gravissait les marches de la tribune. Monk lui avait dit que Runcorn avait dirigé l'enquête sur la mort de Lambourn. Qui était donc cet homme, et pourquoi Coniston l'avait-il choisi ?

— Commissaire Appleford, commença Coniston avec assurance, je crois savoir que l'enquête sur la mort tragique de Joel Lambourn a été transférée de la police ordinaire à vos services. Est-ce exact ?

— En effet.

Appleford était de taille moyenne, svelte malgré un début d'embonpoint. Ses cheveux châtain clair étaient plus que clairsemés, mais il semblait intelligent et sûr de lui, comme s'il n'était là que pour rendre service et aplanir des difficultés qui auraient pu paraître insurmontables à d'autres.

— Pourquoi l'affaire n'a-t-elle pas été confiée au commissariat le plus proche, celui de Greenwich ? Il est dirigé par Mr. Runcorn, n'est-ce pas ? demanda Coniston, affectant un air dégagé.

— Mr. Runcorn a en effet pris connaissance des premiers éléments, répondit Appleford avec un léger sourire. Puis il est apparu que la victime n'était autre que Joel Lambourn, scientifique réputé qui avait connu peu avant…

Il hésita, cherchant une expression suffisamment neutre.

— … une profonde déconvenue. Le gouvernement de Sa Majesté a exprimé le désir que l'enquête dans ses affaires personnelles soit menée aussi discrètement que possible sans contrevenir à la loi. Il était impossible de nier le suicide, mais d'autres faits sensibles n'ont pas été rendus publics. Cela n'aurait été dans l'intérêt de personne, et permettait d'épargner sa famille. C'était un acte de compassion envers un homme qui avait si bien servi son pays.

— Certes.

Coniston inclina la tête, puis la releva.

— A-t-on dissimulé des éléments pertinents ? Je veux dire, y a-t-il la moindre possibilité qu'il ne se soit pas donné la mort ?

— Aucune, affirma Appleford. Il a pris de l'opium, en assez forte dose, sans doute pour atténuer la douleur, et puis s'est tailladé les veines des poignets.

— Je vous remercie, commissaire.

Coniston se tourna vers Rathbone.

— Sir Oliver ?

Rathbone devina avant même de commencer qu'il n'arriverait à rien avec Appleford, mais refusa de s'avouer battu sans avoir essayé.

— S'entailler les poignets est-il particulièrement douloureux ? demanda-t-il. Suffisamment pour avoir besoin d'opium pour le supporter, je veux dire ?

— Je n'en ai pas la moindre idée, répondit Appleford avec un soupçon de sarcasme.

— Pardonnez-moi, rétorqua Rathbone sur le même ton. Je croyais qu'on avait fait appel à vous parce que vous étiez un expert, plus que le commissaire Runcorn. N'est-ce pas le cas ?

— On m'a confié la responsabilité de traiter cette affaire avec discrétion, riposta Appleford, mordant. Runcorn n'en avait pas le pouvoir.

— Apparemment non, admit Rathbone. Puisque tout le monde semble savoir que Joel Lambourn était profondément discrédité et plongé dans le désespoir et s'est suicidé à cause de cela dans Greenwich Park. C'est bien arrivé dans Greenwich Park, n'est-ce pas ? Ou est-ce là qu'entre en jeu la discrétion ?

Coniston se leva, visiblement exaspéré.

— Votre Honneur, Sir Oliver cherche à embarrasser le témoin parce qu'il n'a aucune question utile à lui poser. Ne pouvons-nous, par égard pour la décence, laisser reposer le docteur Lambourn dans le peu d'intimité qu'il lui reste ? Sa mort n'a aucun rapport avec le meurtre de Zenia Gadney.

Rathbone pivota vers lui.

— Ah non ? Il semble alors que vous soyez beaucoup mieux informé à ce sujet que je ne le suis. Tout votre raisonnement repose sur votre conviction que Mrs. Lambourn a tué Zenia Gadney pour des raisons qui tiennent au docteur Lambourn, poursuivit-il d'une voix pleine de sarcasme. Suggérez-vous qu'il y ait un autre lien entre les deux femmes, dont l'une est la veuve respectée d'un médecin de Greenwich, et l'autre une prostituée d'âge mûr de Limehouse, de l'autre côté de la Tamise ?

— C'est Lambourn qui est le lien, évidemment, répliqua Coniston avec irritation. Mais alors qu'il était en vie, et non dans la mort.

— Peut-on les séparer entièrement l'une de l'autre ? fit Rathbone, incrédule.

Il discerna des mouvements dans la galerie. Des gens se penchaient en avant, craignant de manquer quelque chose.

Les jurés les regardèrent tour à tour avant de lever les yeux vers le juge.

— Oui, affirma Coniston sans hésiter. Dans la mesure où la déception professionnelle qui a provoqué son suicide était totalement distincte de la jalousie qui a conduit sa femme à assassiner Mrs. Gadney.

Il se tourna lui aussi vers le magistrat.

— Votre Honneur, la défense cherche à brouiller les cartes en soulevant des questions qui se rapportent à une période antérieure au meurtre de Mrs. Gadney et qui ne le concernent en rien. Mrs. Lambourn n'était aucunement mêlée aux travaux de son mari pour le gouvernement, aussi ils ne peuvent avoir aucun rapport avec le meurtre de Zenia Gadney.

Rathbone se leva pour protester. Rien ne justifiait la conclusion de son adversaire.

— Votre Honneur…

Pendock ne lui laissa pas le temps de finir.

— Je prends acte de votre remarque, Mr. Coniston. Sir Oliver, puisque vous n'avez pas de questions opportunes à poser au commissaire Appleford, la cour l'excuse, et passe au témoin suivant. Mr. Coniston, s'il vous plaît ?

Rathbone se rassit, assommé par ce coup qu'il n'avait pas vu venir. Il ne savait pas du tout quelle tactique adopter. Le jugement était injuste et pourtant, s'il protestait de nouveau, il ne ferait que s'attirer les foudres de Pendock sans pouvoir prouver quoi que ce fût en faveur de Dinah, parce que, à vrai dire, il ne disposait d'aucun argument.

Il se sentit brusquement au bord du désespoir.

13

Alors que débutait le procès de Dinah Lambourn, Hester avait entamé sa propre enquête, et son inquiétude grandissait à mesure qu'elle glanait des informations.

Ayant acquis son expérience d'infirmière en temps de guerre, elle connaissait les avantages de l'opium pour apaiser les souffrances des soldats victimes de blessures, de fièvre ou de dysenterie. Cependant, depuis quelques années, elle soignait à la clinique de Portpool Lane des prostituées dont certaines n'avaient guère plus de douze ou treize ans et, grâce au docteur Winfarthing, elle avait découvert les ravages causés par les médicaments opiacés parmi les jeunes enfants.

Le temps manquait à présent pour justifier les conclusions auxquelles était parvenu Lambourn dans son rapport. La priorité était de découvrir qui avait tué Zenia Gadney. Et pour y parvenir, la première chose à faire était de se renseigner à son sujet.

Si la plupart des femmes qui fréquentaient la clinique vivaient dans un rayon d'un à trois kilomètres, certaines, atteintes de maladies chroniques, venaient parfois de plus loin. En général, Hester ne pouvait pas faire grand-chose pour elles, mais soulager leurs douleurs était déjà une aide. Elle se mit donc à la recherche de Gladys Middleton, qu'elle avait veillée des nuits durant lorsque celle-ci avait été atteinte de pneumonie, et qui avait fini par recouvrer suffisamment la santé pour retourner dans la rue, jusqu'à la prochaine fois. Sans doute cet hiver-là, où la faim, le froid et la fatigue risquaient fort de la tuer.

Achetée et vendue depuis l'âge de douze ans, Gladys approchait désormais de la quarantaine, mais était encore étonnamment belle. Son épaisse chevelure avait conservé son éclat. Son teint, quoique moins clair qu'autrefois, ne présentait aucune imperfection, tout au moins pas à la lueur des bougies. Sa maladie l'avait amaigrie sans l'enlaidir. Elle possédait toujours des courbes généreuses et marchait avec une grâce surprenante.

Il fallut à Hester une bonne partie de la journée pour apprendre où elle habitait. Et même après avoir découvert la pension, elle dut attendre sous un porche, aussi discrètement que possible, que Gladys revienne de la taverne située au coin de la rue.

Hester la suivit à distance et franchit le seuil derrière elle. Une fois à l'intérieur, elle se trompa deux fois, et dut s'excuser avant de frapper enfin à la bonne porte.

Gladys l'entrouvrit prudemment. Il était encore tôt. Un éventuel client ne se serait pas risqué à venir en plein jour, de crainte de rencontrer quelqu'un de connaissance dans la rue et de devoir expliquer sa présence dans ce quartier.

— Bonjour, Gladys, lança Hester en souriant.

Inutile de prétendre qu'il s'agissait d'une simple visite de courtoisie. Rompue aux arts de la survie, Gladys n'apprécierait guère qu'on lui raconte des mensonges, même pour flatter sa vanité.

Hester lui montra une bouteille du sirop tonique qu'elle affectionnait.

Gladys la regarda avec plaisir, puis avec suspicion.

— C'est pas que je sois ingrate ou mécontente de vous voir, mais qu'est-ce que vous voulez ? demanda-t-elle d'une voix sceptique.

— Ne pas rester à la porte, pour commencer, répondit Hester, souriant toujours.

Gladys s'effaça à regret.

Hester la suivit. La pièce était plus propre qu'elle ne s'y attendait. Rien ne trahissait le métier de Gladys, hormis une vague odeur de sueur et de nourriture.

— Merci.

Hester s'assit au bord d'une chaise, gardant la bouteille de sirop à la main. Il devait être entendu que c'était une monnaie d'échange, et non un cadeau.

Gladys prit place en face d'elle, sur le bord de sa chaise elle aussi, mal à l'aise.

— Qu'est-ce que vous voulez, alors ?

— Des informations.

— Je sais rien du tout !

La réponse avait été instinctive, immédiate.

— Sottises, rétorqua Hester vivement. Les femmes qui ne savent rien ne survivent pas très longtemps. Ne me mentez pas, et je ne vous mentirai pas non plus.

Gladys haussa les épaules, admettant une défaite partielle.

— Qu'est-ce que vous voulez savoir ?

— Connaissiez-vous Zenia Gadney ? demanda Hester.

Toute couleur déserta le visage de Gladys, le laissant de cendre.

— Mon Dieu ! Je sais rien de tout ça, je vous le jure !

— Je suis sûre que vous ne savez rien concernant le meurtre, répondit Hester, optant pour une réponse voisine de la vérité. Ce qui m'intéresse, c'est de savoir comment elle était.

Gladys cilla, perplexe.

— Comment ça ?

Cherchait-elle à gagner du temps ou bien ne comprenait-elle réellement pas ? Hester désigna la bouteille de sirop.

— Cette boisson est plutôt bonne pour la santé, observa-t-elle.

— Ben, ça va pas vous guérir d'une gorge tranchée ! riposta Gladys d'une voix rauque. Ou d'avoir les entrailles déchirées et enroulées autour de vot' taille, hein !

— Pourquoi vous ferait-on une chose pareille ?

Hester arqua les sourcils.

— D'ailleurs, elle n'a pas eu la gorge tranchée. Elle a reçu un coup à l'arrière de la tête. Elle n'a sans doute rien senti après. Et vous n'avez rien eu à voir avec le docteur Lambourn, si ?

Gladys parut stupéfaite.

— Évidemment que non ! Il était pas comme ça ! Il demandait juste si c'était facile d'acheter de l'opium et si on savait ce qu'il y a dans les trucs qui aident à dormir ou à soigner le mal au ventre.

— Vous le saviez ?

Hester s'efforça de dominer sa curiosité. Elle ne pouvait se permettre de laisser Gladys flairer une vulnérabilité.

— Je sais que ça marche, je me moque du reste, hein ! rétorqua Gladys. D'ailleurs, c'est pas à moi qu'il le demandait, il parlait à celles qui ont des gamins. Moi, j'étais là, c'est tout.

— Connaissiez-vous Zenia Gadney ? répéta Hester, revenant à la charge.

— Ouais. Pourquoi ?

— Comment était-elle ?

— Vous me l'avez déjà demandé. Qu'est-ce que vous voulez savoir au juste ?

Gladys secoua la tête.

— Elle était plus vieille que moi, pas bavarde, c'était pas vraiment une beauté, mais elle était propre sur elle. Tout dépend de ce qu'on veut, hein ? Y a des hommes qui les aiment ordinaires, mais prêtes à faire tout ce qu'on leur demande, si vous voyez ce que je veux dire… Comme leurs femmes, en plus docile.

— Oui, je comprends. Et Zenia était comme ça ? À vrai dire, elle ne ressemble pas du tout à Mrs. Lambourn.

— Elle est comment, elle ? demanda Gladys, intriguée.

Hester se remémora les paroles de Monk, et l'effet qu'elle avait semblé produire sur lui.

— Belle, très belle. Grande et brune, de très beaux yeux.

Gladys parut interdite.

— Eh ben, Zenia était tout le contraire. On aurait dit une petite souris, grise et silencieuse. En fait, elle était ennuyeuse comme la pluie, mais gentille, voyez ce que je veux dire ? Elle parlait de haut à personne. S'énervait pas, racontait pas de mensonges sur les autres. Elle était pas voleuse non plus.

C'était au tour d'Hester d'être perplexe.

— Comment l'avez-vous connue ?

Gladys leva les yeux au ciel, le prenant à témoin de sa stupidité.

— J'ai entendu parler d'elle parce qu'elle avait ce qu'on veut toutes, hein ? Un gentleman bien gentil qui venait la voir qu'une fois par mois, la traitait comme une dame et payait tous ses frais. Si ça m'arrivait, je me croirais au paradis. Comment elle a fait, c'est ça que je voudrais savoir. C'était sûrement pas parce qu'elle savait faire rire un homme ou lui donner l'impression qu'il était le plus intéressant ou le plus beau qu'elle avait jamais vu !

— Le docteur Lambourn l'aimait-il, à votre avis ? Était-elle particulièrement douce, ou bonne ?

Gladys haussa les épaules.

— Qu'est-ce que j'en sais ? M'est avis qu'elle devait être prête à faire des trucs bizarres pour lui. Y a que ça qui me vient à l'esprit. Pourtant il avait l'air tout ce qu'il y a de respectable, complètement normal. Ça prouve qu'on sait jamais ce qu'il y a derrière la façade, hein.

C'était une hypothèse qu'Hester avait déjà envisagée, si répugnante fût-elle. Elle n'avait jamais rencontré Dinah Lambourn. Pourquoi était-elle si troublée à l'idée que celle-ci ait pu aimer profondément un homme aux goûts pervers ? Peut-être imaginait-elle ce qu'elle aurait ressenti en découvrant cela chez Monk. Elle n'aurait pu le supporter. Cette possibilité aurait détruit ce qu'elle possédait de plus intime, de plus précieux.

Dans ce cas, voudrait-elle tuer la femme qui avait satisfait ses désirs, comme Dinah était accusée d'avoir tué Zenia ? Peut-être. Pas avec autant de violence, autant de brutalité, mais la tuer cependant ? Le seul fait de l'imaginer était étrange et troublant.

À présent, l'affaire lui apparaissait sous un jour différent – triste, sordide, douloureuse au-delà de l'entendement.

— Pensez-vous que Zenia l'aimait ? demanda-t-elle.

Cette question avait-elle un sens pour Gladys ? Toute sa vie, tous ses gestes et toutes ses pensées ne visaient qu'à un but : survivre. L'amour était un luxe qu'elle ne pourrait probablement jamais se permettre. S'était-elle même jamais autorisée à en rêver ? De mille manières différentes, cela était sans doute vrai pour des millions de femmes, issues de tous les milieux, depuis les domestiques jusqu'aux dames respectables, et même aux plus fortunées, qui jouissaient d'une position dans la société. Peut-être parce qu'elles se sacrifiaient pour leurs enfants. Ni Hester ni Gladys n'auraient jamais d'enfants, mais Hester avait l'amour. De cela, elle était sûre.

Pourtant, de nombreuses femmes croyaient avoir l'amour. Sans doute même Dinah Lambourn.

Elle regarda Gladys de nouveau. Celle-ci fronçait les sourcils, intensément concentrée.

Hester attendit.

Gladys leva enfin les yeux vers elle.

— P't-être. Ça n'a guère d'importance, commenta-t-elle lentement. C'est affreux, ce qui lui est arrivé. Je me fiche de ce qu'elle avait fait, elle méritait pas ça.

Hester ne savait que dire.

— Elle a fait quelque chose de vraiment mal ?

Elle avait peur que Gladys ne se réfugie dans le silence, mais elle avait l'impression de plus en plus nette que celle-ci en savait plus long qu'elle ne l'avouait.

— Justement.

Gladys se mordit la lèvre.

— Elle était pour ainsi dire cachottière, des fois elle se donnait des airs, mais elle était gentille quand même à sa façon. Elle faisait comme si elle avait connu des jours meilleurs, et c'était peut-être vrai. Un jour que Tillie Biggs était complètement saoule, elle s'est allongée dans le caniveau et elle voulait plus en bouger. En tout cas, elle pouvait pas tomber plus bas. Zenia a été la seule à prendre le temps de la relever. Nous autres, on disait que c'était sa propre faute, mais Zenia n'a rien voulu entendre. Elle a dit qu'il nous arrivait à toutes des choses par notre faute, mais que ça voulait pas dire qu'on n'avait pas besoin d'aide.

— Qu'a-t-elle fait ? demanda Hester, la gorge nouée par une émotion qu'elle avait du mal à maîtriser.

Gladys esquissa un petit geste triste.

— Elle l'a relevée et tirée dans l'entrée d'une ruelle, au sec, pour que personne tombe sur elle. Puis elle l'a adossée au mur et laissée là. Elle pouvait rien faire de plus. Elle le savait.

Elle se tut, hésitant à en dire davantage.

Hester ne savait si elle devait l'y encourager ou pas. Elle prit une inspiration pour parler, et finalement se ravisa.

— Je me dis qu'elle était peut-être tombée dans le caniveau aussi, murmura Gladys. Elle m'a raconté un jour qu'elle avait été mariée. Peut-être qu'il l'a laissée parce qu'elle buvait. Ou qu'elle est partie. J'en sais rien.

Elle secoua la tête.

— Mais c'était pas une de nous autres, je veux dire, elle venait pas du coin.

— D'où venait-elle, le savez-vous ? demanda Hester doucement.

La réponse de Gladys avait ajouté à l'affaire une dimension douloureuse dont elle ne voulait pas. Zenia devenait par trop réelle : une femme qui avait des rêves, des gentillesses soudaines, une femme capable de souffrir.

— Elle l'a jamais dit.

Les paroles de Gladys la ramenèrent brusquement au présent.

— Elle était bizarre. Elle aimait les fleurs. Je veux dire, elle savait les faire pousser, dans quel endroit elles se plaisent, des trucs dans ce genre-là, elle en parlait des fois. À quel mois elles fleurissent, et tout ça. Il n'y a pas de fleurs par ici. Souvent, elle se tenait sur la jetée et elle regardait de l'autre côté du fleuve, comme si elle venait de là-bas, du Sud.

Elle haussa les épaules.

— Ou peut-être qu'elle voulait juste être toute seule, hein. Réfléchir. Rêver qu'elle montait dans un de ces bateaux et qu'elle allait quelque part. J'y songe bien, des fois.

De nouveau, Hester attendit, réticente à rompre le charme.

Gladys leva les yeux vers elle et lui adressa un sourire un peu gêné.

— C'est bête, hein ?

— Non, répondit Hester. Nous avons tous besoin de rêver de temps en temps. Qui d'autre la connaissait ? Comment était le docteur Lambourn ? Parlait-elle de lui quelquefois ?

— Non. M'est avis qu'elle savait qu'il valait la peine de le garder pour elle toute seule. Qu'elle pouvait pas partager. Il y en avait pas assez pour tout le monde.

— Les autres étaient jalouses ? demanda Hester très vite.

— Bien sûr que oui, mais, Seigneur, on ferait une chose pareille à personne ! Vous nous prenez pour qui, enfin ?

Gladys était indignée, blessée même. Hester battit en retraite.

— Je ne le pensais pas.

Elle ne voyait pas quelle autre question poser. Depuis qu'elle écoutait Gladys, elle commençait à se demander si Dinah n'avait pas perdu la tête et mis Zenia Gadney en pièces dans un moment de folie. Une femme normale pouvait-elle se sentir trahie au point de donner libre cours à la facette la plus noire, la plus sanglante de sa nature ? La blessure avait-elle été si profonde – l'échec, le dégoût de soi-même, la haine – qu'elle l'avait conduite à la démence ?

Cette hypothèse ne lui semblait plus inimaginable.

— Vous avez donc rencontré le docteur Lambourn ?

— Ouais, une fois ou deux. Il cherchait Agony.

— Comment ? fit Hester, surprise.

— Agony. Enfin, je suppose qu'elle s'appelle Agatha, de son vrai nom, ou quelque chose comme ça, mais tout le monde l'appelle Agony, parce qu'elle aide les gens qui ont des douleurs, des douleurs affreuses.

— Elle leur donne de l'opium ?

— Évidemment. Vous connaissez autre chose qui pourrait soulager quand ça va mal à ce point-là ?

— Non, avoua Hester. L'a-t-il trouvée ?

— J'en sais rien. Je suppose que oui, parce qu'il est pas revenu.

— Décrivez-le-moi, insista Hester, plus par curiosité que dans l'espoir d'apprendre quelque chose d'utile.

Elle ne savait plus très bien ce qu'elle essayait de faire. Elle avait commencé en espérant établir l'innocence de Dinah. À présent, elle était troublée, entrevoyait un chagrin proche de la folie, et n'était plus certaine qu'il y eût une autre explication à trouver.

Pouvait-elle rapporter cette conclusion à Monk, et par conséquent à Rathbone ? Serait-ce une capitulation, ou seulement de la lucidité ?

Gladys haussa une épaule.

— Il était pas comme je l'imaginais, admit-elle, la surprise se lisant encore sur ses traits. Il parlait doucement, il était vraiment gentil. Il m'a traitée comme si j'étais… quelqu'un. Je suppose qu'on sait jamais, hein, avec les gens ?

Hester resta encore un peu, mais Gladys ne put rien lui apprendre de plus, hormis lui indiquer où chercher « Agony » Nisbet. Elle la remercia et s'en alla.

À Copenhagen Place, Hester interrogea plusieurs personnes et parla au même commerçant que Monk. Il lui relata la visite de Dinah, décrivant sa fureur lorsqu'elle avait mentionné le nom de Zenia.

Après avoir remercié l'homme, elle repartit dans la rue froide et venteuse. Tandis que les avant-toits gouttaient sur elle, qu'on la bousculait sur le trottoir mouillé, elle tenta de s'imaginer ce que Dinah avait ressenti. Tout son univers avait dû être brutalement anéanti. Tout ce qu'elle avait aimé, tout ce qui faisait son bonheur, était irréparablement abîmé.

Sauf qu'apparemment Dinah savait depuis des années que son mari rendait visite à cette femme et qu'il la payait. Comment cette épouse soumise, qui tolérait et même acceptait cet état de fait, avait-elle pu se transformer en une créature dénuée de la moindre humanité ?

Si Hester avait découvert quelque chose de ce genre concernant Monk, son amour pour lui en aurait été sali. Mais cela aurait-il pour autant détruit ses valeurs, sa compassion, son honneur, sa foi en elle-même ?

Son chagrin aurait probablement été insupportable. Elle aurait pleuré jusqu'à l'épuisement, incapable de manger ou de dormir et, si son désespoir avait été absolu, elle se serait donné la mort. Elle n'aurait pas tué quelqu'un d'autre.

N'est-ce pas ?

Dinah avait-elle tué Joel ? Monk et Rathbone avaient-ils envisagé cette éventualité, l'avaient-ils pesée froidement, indépendamment de la compassion que cette femme leur inspirait ?

La mort de Lambourn ressemblait à un suicide. Elle avait même été douce, grâce à l'opium consommé d'abord pour atténuer la souffrance. Il n'y avait pas de haine là-dedans, pas même de colère. Mais Dinah se serait-elle sciemment privée de sa respectabilité, du statut social et du revenu auxquels elle était habituée ? Et Adah, et Marianne, ses filles ? Une femme pouvait-elle jamais oublier ses enfants ?

Lambourn lui avait-il laissé une fortune suffisante pour vivre, élever et marier convenablement les deux jeunes filles ?

Était-il physiquement possible que Dinah ait commis ce crime seule ? Avait-elle attiré son mari sur One Tree Hill en pleine nuit ? L'avait-elle persuadé de prendre l'opium, avant de lui entailler les poignets, de ramasser calmement le flacon et le couteau et de retourner à ses enfants ? Pourquoi emporter ces objets ? C'était absurde. S'il s'était réellement suicidé, ils seraient restés sur les lieux. Quelle raison aurait-elle eue de dissimuler le fait qu'ils provenaient de son domicile ?

Une femme capable d'organiser un meurtre de sang-froid aurait-elle mutilé Zenia Gadney avec une rage aussi folle ? Et cela, après avoir été au courant de cet arrangement depuis des années ? Pourquoi ces deux crimes, à deux mois d'intervalle ?

Cela n'avait aucun sens. Il devait y avoir une autre explication.

Hester consacra le reste de la journée à parler à des gens du quartier et en apprit un peu plus long sur Zenia Gadney, mais rien de nature à modifier le portrait que lui en avait fait Gladys, celui d'une femme discrète, plutôt triste, qui avait peut-être détruit sa jeunesse par la boisson, mais qui semblait avoir triomphé de ses démons. Elle vivait à Copenhagen Place depuis quinze ans. Elle faisait de petits travaux de couture ou de ravaudage pour autrui, surtout pour voir du monde et bavarder un peu. Apparemment, le docteur Lambourn lui donnait assez d'argent pour qu'elle n'ait pas besoin d'un autre revenu, à condition d'être économe.

Certains déclarèrent l'avoir souvent vue se promener, par tous les temps sauf les pires. En général, elle longeait Narrow Street, au bord de la Tamise. Parfois, elle se tenait debout, face au vent, les yeux tournés vers le sud, regardant le va-et-vient des péniches. Quand on lui adressait la parole, elle répondait toujours poliment, mais cherchait rarement à lier conversation.

Personne ne trouva rien à critiquer chez elle.

Hester alla dans Narrow Street, à l'endroit où Zenia s'était tenue, le visage offert aux éléments, devant les eaux grises scintillant au soleil. Elle percevait avec acuité la solitude de Zenia, voire le regret qui avait dû si souvent la tourmenter. Pourquoi s'était-elle mise à boire ? À cause d'une tragédie familiale ? La mort d'un enfant, peut-être ? Ou d'un mariage désespérément malheureux ? Sans doute ne le saurait-on jamais.

Rien ne semblait prédestiner Zenia à une mort aussi horrible, hormis sa relation avec Joel Lambourn. S'il ne s'agissait pas de cela, elle n'était qu'une victime du hasard, sacrifiée à une rage démente.

Hester avait commencé par éprouver de la pitié pour Dinah. Privée non seulement du mari qu'elle aimait, mais de tout ce qu'elle avait cru être son bonheur, elle n'avait plus que des souvenirs souillés. Bientôt, elle perdrait sa propre vie, condamnée à l'affreux châtiment rituel de la pendaison.

À présent, debout devant les flots maussades qui tourbillonnaient sous ses yeux, sa pitié allait à Zenia Gadney. La malheureuse n'avait connu que de rares joies et, au cours des quinze années écoulées, presque jamais la chaleur du rire, du partage, ou même du contact avec un autre être humain, mis à part la visite de Joel Lambourn une fois par mois, contre de l'argent. Elle se refusait à imaginer ces moments-là. Que pouvait-il avoir désiré de si étrange ou de si obscène pour que son épouse refuse de le lui accorder et qu'il doive payer à sa place une prostituée triste de Limehouse ?

Elle se réjouit de ne pas avoir à le savoir.

Des vagues déferlèrent bruyamment sur les galets dans le sillage d'un bateau. Au milieu du fleuve passait un chapelet de péniches chargées de charbon, de bois et de hautes piles de ballots. Les bateliers maniaient leurs longues perches avec une grâce simple et puissante. La brise se levait, apportant l'odeur du sel et de la pluie. Au-dessus d'elle, les mouettes poussaient de longs et mornes cris.

Hester avait le sentiment d'avoir épuisé le sujet de Zenia Gadney.

À quoi bon en apprendre plus long sur les recherches du docteur Lambourn concernant l'opium ? Cela ne servirait sans doute à rien. Le jour déclinait et, avec le changement de marée, l'air s'était rafraîchi. Il était temps de rentrer à la maison, au chaud, à l'abri du vent qui soufflait du fleuve, loin du poids de la mort, de la fureur et du désespoir, et des appétits qui, en fin de compte, avaient tué ce qu'il y avait de plus précieux.

Elle allait préparer à Scuff un de ses plats préférés pour le dîner ; elle l'écouterait rire de petits riens, lui dirait bonne nuit lorsqu'il serait prêt à aller se coucher, sentant bon le savon après sa toilette.

Plus tard, elle reposerait auprès de Monk et remercierait le ciel pour toutes les bonnes choses dans sa vie.

Il fallut à Hester la journée du lendemain et la moitié de celle d'après pour trouver Agatha Nisbet. Elle avait suivi l'étroit sentier qui partait vers l'ouest après Greenland Dock pour se diriger vers l'intérieur et Norway Yard. Parvenue dans Rotherhithe Street, elle se renseigna de nouveau et aboutit quelques centaines de mètres plus loin à un vaste entrepôt désaffecté où on avait installé un hôpital de fortune pour marins et débardeurs.

Elle entra d'un pas sûr, la tête haute, ignorant les regards curieux d'une jeune femme qui, munie d'un seau et d'une serpillière, était occupée à lessiver les planchers, puis d'un homme aux vêtements maculés de sang, qui semblait être une sorte de garçon de salle. Elle lui sourit, il se détendit et ne lui posa pas de question.

Elle croisa deux ou trois femmes d'âge mûr à l'air las et préoccupé, dont les vêtements froissés suggéraient qu'elles les avaient portés toute la nuit ainsi que toute la journée. Ces images ravivèrent dans l'esprit d'Hester les souvenirs de l'époque où elle s'échinait à l'hôpital à nettoyer, rouler des bandages, changer des lits, aider des patients malades ou blessés à manger, et, surtout, obéir à des ordres. Elle se remémorait la fatigue et la camaraderie, la peine et les triomphes partagés.

Des hommes pâles et crasseux reposaient sur des paillasses à même le sol, couverts de pansements. Les plus chanceux semblaient dormir. Si Agatha Nisbet leur avait donné de l'opium et avait refermé leurs plaies, Hester pour sa part n'y trouvait rien à redire. Ceux qui voulaient la critiquer devraient essayer de passer une semaine ou deux allongés sur ce plancher, le corps meurtri et brisé, sans réconfort durant les longues heures amères de la nuit, dans le froid et dans le noir, quand le simple effort requis pour respirer était presque insupportable.

Arrivée au bout de l'immense salle, elle s'apprêtait à frapper à la porte d'un des box quand celle-ci s'ouvrit à la volée. Hester se trouva face à une femme d'au moins un mètre quatre-vingts et à la carrure de terrassier. Elle avait des cheveux frisés, d'un auburn un peu fané, et des traits décidés qui avaient sans doute été beaux trente ans auparavant, dans sa jeunesse. À présent, ils étaient épaissis par les ravages du temps et de la vie, et le soleil et le vent avaient rendu sa peau rugueuse. Des yeux farouches la toisaient avec mépris.

— Qu'est-ce que vous venez faire ici, ma petite dame ? demanda-t-elle d'une voix douce, légèrement sifflante et haut perchée, qui semblait incongrue en regard de ce corps énorme.

Sa condescendance était palpable.

Hester ravala une réponse mordante et adopta un ton poli.

— Miss Nisbet ?

— Et alors ? Vous êtes qui ?

— Hester Monk. Je dirige une clinique pour prostituées de l'autre côté du fleuve. Dans Portpool Lane, répondit Hester d'une voix forte, sans se laisser intimider.

— Ah oui ?

Agatha Nisbet la jaugea froidement.

— Et qu'est-ce que vous voulez de moi ?

Hester décida de se jeter à l'eau. Les politesses ne la mèneraient à rien.

— Une meilleure source d'approvisionnement en opium que celle que j'ai en ce moment.

— Moins chère, vous voulez dire ? fit Agatha avec un petit rictus.

— Je veux dire plus fiable, corrigea Hester. Moins chère, ce serait bienvenu, mais je crois qu'en général on en a pour son argent.

Elle haussa les épaules.

— À moins de débuter dans le métier, auquel cas, on a moins. Quantité de revendeurs n'hésitent pas à escroquer les malades.

Elle détailla Agatha de la tête aux pieds, aussi ouvertement que celle-ci venait de le faire avec elle.

— J'imagine qu'ils ne vous font pas le coup deux fois.

Agatha sourit, révélant des dents grandes et fortes, d'une étonnante blancheur.

— S'ils ont un grain de bon sens, ils n'essaient même pas la première fois. Les bruits circulent.

— Vous avez donc une source aussi fiable que possible ? insista Hester.

— Ouais. Mais ça va vous coûter cher.

— Le docteur Lambourn est-il venu ici ?

Agatha écarquilla les yeux.

— Il est mort.

Hester lui adressa le sourire le plus sincère dont elle était capable.

— Et peut-être que maintenant, il n'y aura pas de projet de loi au Parlement pour réglementer la vente d'opium, tout au moins pas avant un moment.

La femme fronça les sourcils.

Hester éprouva un brusque frisson d'angoisse en comprenant qu'elle venait peut-être de commettre une erreur, voire de mettre sa vie en danger. Elle avait la bouche sèche, mais elle ne devait pas montrer son désarroi à cette géante.

— Ce qui me donne un peu de latitude, ajouta-t-elle, d'une voix qui lui parut rauque.

Agatha demeura immobile, une main sur la hanche. Hester ne put s'empêcher de remarquer la grosseur de son poing, les jointures brillantes et osseuses.

— Et qu'est-ce que vous voulez dire par là, au juste ? demanda Agatha.

Sa voix était si fluette qu'on aurait cru entendre parler un enfant.

Hester était incapable de déglutir. La gorge nouée, elle avala une goulée d'air.

— Que je ne peux pas faire mon travail sans approvisionnement, répondit-elle. Les gens du gouvernement ne pensent pas à ces choses-là, hein ? Les riches peuvent acheter de l'opium pour s'offrir de beaux rêves, mais les gens de la rue et des docks, ceux qui se font passer à tabac ou qui sont usés, se débrouillent comme ils peuvent, là où ils peuvent. Faut-il que je vous explique cela ? conclut-elle, une pointe de dégoût dans la voix.

Le corps massif d'Agatha se détendit et l'ombre d'un sourire se dessina sur son visage.

— Un thé, ça vous dirait ? demanda-t-elle en reculant d'un pas pour laisser entrer Hester. J'ai le meilleur. Il vient spécialement de Chine.

Hester cilla.

— Tout le thé ne vient-il pas de Chine ?

Elle suivit Agatha dans la pièce, étonnamment bien rangée, et même propre. Une légère odeur de fumée et de métal chaud se dégageait du poêle à bois placé dans le coin, très semblable à ceux qu'elle avait vus dans les salles d'hôpital du temps où elle était infirmière. Une bouilloire était posée dessus, laissant échapper des volutes de vapeur.

Elle referma la porte derrière elle.

Agatha leva les yeux au ciel.

— Pour l'essentiel, mais la plupart des gens disent qu'il ne va pas tarder à bien pousser en Inde aussi. Celui-ci est le meilleur. Subtil. Ils en connaissent un rayon, les Chinois.

Malgré elle, Hester sentit son intérêt s'éveiller. Elle prit place sur le siège que lui désignait Agatha, et, quelques instants plus tard, acceptait une tasse de thé jaune pâle, brûlant et parfumé, servi sans lait. Il possédait un arôme vif et pur auquel elle n'était pas accoutumée. Elle jeta un coup d'œil autour d'elle. Une bonne trentaine de livres plus ou moins abîmés étaient alignés sur une étagère. À l'évidence, ils avaient été souvent consultés. Sur le mur opposé étaient disposés des bocaux pleins d'herbes séchées, poudres et racines en tout genre.

Elle se força à reporter son attention sur l'énorme femme qui, à présent installée en face d'elle, l'observait en silence.

Hester but une autre gorgée de thé. Il était très différent de celui qu'elle connaissait, mais elle avait l'impression qu'elle pourrait apprendre à l'apprécier.

— Merci, dit-elle tout haut.

Agatha haussa les épaules et leva sa propre tasse.

— Comment avez-vous découvert ce thé ? demanda Hester.

— Il y a plein de Chinois à Londres. Ils s'y connaissent en médecine, les pauvres diables. Ils m'ont montré certaines choses.

Elle braqua sur Hester des yeux perçants. C'était une mise en garde : ses secrets étaient précieux.

Elle s'était donné du mal pour les obtenir et n'allait pas les partager sans contrepartie.

Hester, dont les compétences avaient été acquises en temps de guerre, avait un certain respect pour ce genre d'attitude.

— J'aurais aimé que nous ayons assez d'opium en Crimée, murmura-t-elle. Ç'aurait aidé un peu, surtout quand il fallait amputer.

Agatha étrécit les yeux et la considéra avec attention.

— Vous avez fait ça souvent ?

— Assez.

Les souvenirs assaillirent Hester, comme si elle était encore accroupie dans la boue et la désolation du champ de bataille, essayant de fermer son esprit aux hurlements et de se concentrer seulement sur les blessés silencieux, au visage de cendre, aux yeux enfoncés dans leurs orbites, terrassés par le choc et la souffrance.

Agatha hocha lentement la tête.

— Mieux vaut ne pas y repenser, déclara-t-elle. Ça vous rendrait folle. Vous en avez maintenant, des gens qui ont les pires douleurs, les entrailles arrachées, les os fracassés et tout le reste ?

— Pas souvent.

Hester saisit la chance qu'elle attendait.

— Mais parfois. Des calculs qui ne veulent pas descendre, ou des femmes au ventre déchiré après un accouchement qui s'est mal passé. Des filles rouées de coups. C'est pour ça que j'ai besoin d'opium de bonne qualité.

Agatha hésita, l'air de soupeser sa décision.

Hester attendit. Les secondes s'écoulèrent.

Agatha prit une profonde inspiration.

— Je peux vous dégoter le meilleur, assura-t-elle sans détacher son regard de celui d'Hester. À un bon prix. Mais ce n'est pas tout. Avaler l'opium, c'est mieux que rien, mais pas aussi bon que de le fumer. Mais il y a encore mieux. Un Écossais a inventé une aiguille qu'on peut piquer directement dans la veine, là où ça fait le plus mal. Il y a de ça quinze ans, ou plus. Je peux vous procurer une de ces aiguilles.

— J'en ai entendu parler ! s'écria Hester, éprouvant une soudaine bouffée d'excitation. Vous pourrez m'apprendre à m'en servir ? Et me dire combien il faut en donner ?

Agatha acquiesça.

— Faut faire attention, hein. Si on se trompe, on a vite fait de tuer quelqu'un. Et pire que ça, si on leur en donne plus de quelques fois, ils finissent par en vouloir tous les jours, ils ne peuvent plus s'en passer.

Hester fronça les sourcils, le cœur battant plus vite.

— Comment est-ce qu'on peut empêcher que ça arrive ? demanda-t-elle, d'une voix un peu rauque.

— C'est impossible. On réduit les doses, et puis on arrête complètement. Ils apprennent. Enfin, la plupart. Certains non. Ceux-là continuent à en prendre, d'une manière ou d'une autre, jusqu'à la fin de leurs jours. De plus en plus. Ça fait la fortune des marchands.

Hester cilla en voyant son visage furieux.

— Il n'y a pas d'autre moyen de lutter contre la douleur ? insista-t-elle doucement, connaissant déjà la réponse.

— Non.

— C'est ça qui intéressait le docteur Lambourn ? Les aiguilles ?

— Pas au début, répondit Agatha. Il s'intéressait surtout aux gamins qui meurent parce que leurs mères leur achètent des médicaments sans savoir ce qu'il y a dedans. De toute façon, il n'est arrivé à rien.

— Vous lui avez parlé ?

— Bien sûr que oui ! Je vous l'ai dit, même si le gouvernement avait accepté son rapport, ça n'aurait fait aucune différence pour vous ou pour moi. Et ça ne s'est pas produit, de toute manière, alors pourquoi est-ce que vous vous en souciez ?

Ses yeux perçants, brillants d'intelligence, fixaient le visage d'Hester.

— Quand même, il vous a interrogée sur la dépendance à l'opium qu'on fume ?

Agatha fit la grimace.

— Pas beaucoup, mais je lui ai dit ce que je savais. Il a écouté.

— Croyez-vous qu'il se soit suicidé ? demanda Hester à brûle-pourpoint.

Agatha fronça les sourcils.

— Il ne m'a pas fait l'effet d'être un lâche, mais on ne sait jamais, je suppose. Qu'est-ce que ça peut vous faire ?

Hester se demanda quelle part de vérité lui révéler. Elle dévisagea Agatha avec plus d'attention et résolut de ne pas lui mentir. Toute la question de l'usage de l'opium dans la médecine était compliquée par l'abus qu'on en faisait pour échapper à la détresse mentale ou aux misères de la vie. Où se trouvait la frontière entre satisfaire un besoin et en profiter ? Et cela avait-il un rapport avec la mort de Joel Lambourn, ou celle de Zenia Gadney ?

— Je pense qu'il a peut-être été assassiné et qu'on a maquillé le meurtre en suicide. Certaines choses ne tiennent pas debout.

— Ah non ? Comme je disais, qu'est-ce que ça peut vous faire ? répéta Agatha en plissant les yeux avec méfiance.

274

— S'il a été assassiné, cela donne plus de sens au meurtre de Zenia Gadney sur la jetée de Limehouse.

Agatha frissonna.

— Depuis quand est-ce que les fous ont du sens ? Qu'est-ce qui ne va pas chez vous ?

— Mrs. Lambourn est en train d'être jugée pour le meurtre de Zenia Gadney parce que le docteur venait la voir chaque mois et qu'il réglait son loyer et tout le reste, riposta Hester non sans irritation.

— La pauvre idiote, commenta Agatha d'un ton amer. À quoi ça lui a servi d'aller faire ça, hein ?

— À rien, surtout deux mois après la mort du docteur lui-même.

— Dans ce cas, pourquoi est-ce qu'elle l'a fait ? demanda Agatha, fronçant les sourcils, la bouche déformée par la colère.

— Peut-être qu'elle est innocente ? Elle affirme que le docteur ne s'est pas suicidé.

Agatha la fixa, comprenant peu à peu.

— Et vous croyez qu'il y a un rapport avec les questions qu'il posait ?

— Pas vous ? Il y a beaucoup d'argent à gagner dans l'opium, lui fit remarquer Hester.

— Et comment donc ! répliqua Agatha avec une brusquerie mêlée de mépris. Des fortunes sont faites avec, et des réputations ruinées.

Elle se pencha légèrement en avant.

— Soyez prudente, avertit-elle. Vous seriez étonnée d'apprendre quelles grandes familles se sont enrichies là-dessus et n'en parlent plus à présent.

— Le docteur Lambourn le savait-il ?

— Il ne l'a pas dit, mais il n'était pas naïf – et moi non plus. N'allez pas rôder autour des vendeurs d'opium, ma petite dame, sinon vous finirez découpée en morceaux dans une ruelle, ou ventre en l'air sur le fleuve. Je vous trouverai ce qu'il vous faut. Et je ne dis pas ça pour faire du profit. Ces salauds vous avaleraient toute crue, mais ils ne se frotteront pas à moi.

— Zenia était au courant ? se hâta de demander Hester.

Agatha écarquilla les yeux.

— Comment voulez-vous que je le sache ?

— J'ignore comment, mais je parierais que vous en savez long sur tout ce qui vous intéresse, rétorqua Hester du tac au tac.

Agatha eut un rire presque silencieux.

— C'est vrai. Seulement, les fous qui massacrent les femmes ne m'intéressent pas, à moins qu'ils ne s'en prennent à moi. Et s'ils essaient...

Elle exhiba ses mains puissantes et fit délibérément craquer les jointures de ses doigts.

— J'ai un grand couteau que je peux utiliser au besoin ! Mêlez-vous de vos affaires, ma petite dame. Je vous dégoterai de l'opium, le meilleur qui soit. Au juste prix.

— Et l'aiguille ? demanda Hester timidement.

Agatha cilla.

— Et l'aiguille. Mais faudra faire très attention avec !

— Je ferai attention.

Hester se mit debout, heureuse que ses jupes dissimulent ses jambes flageolantes. Elle s'efforça de maîtriser sa voix.

— Merci.

Agatha soupira et leva les yeux au ciel, puis sourit brusquement, révélant ses grandes dents blanches.

14

Oliver Rathbone prenait son petit déjeuner quand la bonne vint lui annoncer que Mrs. Monk venait le voir pour une affaire urgente.

Il posa son couteau et sa fourchette et se leva.

— Faites-la entrer.

Il désigna d'un geste son repas inachevé. Il n'avait pas d'appétit. Il mangeait seulement par nécessité.

— Merci, j'ai terminé, mais apportez du pain grillé et du thé pour Mrs. Monk.

— Bien, Sir Oliver.

La bonne sortit, emportant son assiette.

Un instant plus tard, Hester entra, les joues rosies par le vent. Elle remarqua aussitôt la table mise et comprit qu'elle l'avait interrompu.

— Je suis désolée, s'excusa-t-elle. Il fallait que je vous voie avant votre départ pour le tribunal.

— Asseyez-vous. On va vous apporter du thé.

Il lui fit signe de prendre place sur la chaise qui était naguère celle de Margaret, puis s'assit à son tour.

— Vous avez dû partir très tôt de chez vous. Est-il arrivé quelque chose ? J'ai peur de ne pas avoir de bonnes nouvelles à vous annoncer.

— Vraiment ? demanda-t-elle aussitôt, l'anxiété se lisant sur ses traits.

Il avait appris à ne pas lui mentir, même pour amortir un coup.

— Je commence à croire que Mrs. Lambourn pourrait avoir raison, au moins dans la mesure où il semble y avoir une volonté au sein du gouvernement de ne pas accorder la moindre crédibilité au rapport de Lambourn. À chaque fois que j'ai essayé de soulever des doutes sur son suicide, le juge m'a interrompu. Je crois que Coniston aussi a reçu pour instruction d'éviter ce sujet à tout prix.

— Mais vous n'allez pas le laisser faire ?

Ce n'était pas tout à fait une question ; l'incertitude perçait dans sa voix et dans ses yeux.

— Nous ne sommes pas encore battus, répondit-il à contrecœur. En un sens, leur accord pour ne pas le mentionner suggère qu'ils ont quelque chose à cacher. Quoi qu'ils en disent, ils n'agissent pas ainsi par compassion.

La bonne arriva avec du thé et du pain grillé, et Rathbone la remercia. Il servit à Hester du thé sans lui demander si elle en voulait. Elle l'accepta en souriant, puis se beurra une tartine.

— Oliver, je me suis renseignée un peu, parmi des gens que je connais. J'ai longuement parlé à une prostituée qui vit près de Copenhagen Place. Elle connaissait Zenia Gadney, probablement aussi bien qu'on pouvait la connaître.

Il décela la pitié dans sa voix et sentit un nœud se former au creux de son ventre, un barrage pour faire obstacle aux émotions qu'il sentait naître en lui. Il aurait aimé être plus convaincu de l'innocence de Dinah Lambourn. Même si son mari avait été assassiné, cela ne prouvait pas que Dinah n'eût pas tué

Zenia pour se venger de sa trahison durant toutes ces années.

Sauf que, évidemment, il ne s'agissait pas d'une trahison. Zenia gagnait sa vie ainsi, sans chercher à se cacher. Si quelqu'un avait trahi Dinah, c'était Joel lui-même. Cependant, il était déjà mort et hors d'atteinte. Deux seules raisons incitaient Rathbone à douter de la culpabilité de Dinah : l'absurdité du moment choisi pour tuer Zenia, et la détermination visible de Pendock et de Coniston à l'empêcher de suggérer que Joel avait pu lui aussi être assassiné.

Hester perçut son manque d'attention.

— Oliver ?

Il se concentra de nouveau.

— Oui ? Excusez-moi. Que vouliez-vous m'apprendre ?

Elle étala de la marmelade sur son pain.

— Que Zenia était une femme très discrète, qui se liait peu. Qu'elle se promenait souvent, surtout au bord de l'eau. Apparemment, elle regardait la rive sud, le fleuve et le ciel.

— Vous voulez dire qu'elle regardait en direction de Greenwich ? demanda-t-il, intrigué.

— L'autre côté du fleuve, de toute façon. Elle parlait rarement de son passé, mais elle l'a évoqué une fois devant Gladys, la fille dont je vous ai parlé.

Rathbone éprouva un léger frisson.

— Quel genre de passé avait-elle eu ? Quelqu'un pouvait-il avoir une raison de s'acharner sur elle à ce point ?

Elle secoua la tête.

— Pas pour autant que je puisse en juger. Elle a affirmé avoir été mariée autrefois. Peut-être buvait-elle à l'époque et a-t-elle quitté son mari, à moins que ce ne soit lui qui l'ait fait.

— Qui était-ce ? demanda Rathbone aussitôt, sentant s'éveiller un mince espoir qu'il osait à peine s'avouer. Où pouvons-nous le trouver ? Aurait-il pu la suivre à Limehouse et la tuer ? S'il avait voulu se remarier, par exemple, et qu'elle s'y opposait ?

Il réfléchissait à toute allure. Enfin, il entrevoyait des pistes sans rapport avec Dinah Lambourn.

— C'est quelque chose que Zenia n'a mentionné qu'une seule fois, et Gladys en a tiré ses propres conclusions, répondit Hester. Elle ne savait même pas si c'était vrai, et elle n'a jamais vu d'autre homme lui rendre visite ou même la chercher à Copenhagen Place. Si le mari a bel et bien existé, il est peut-être mort à l'heure qu'il est.

Elle baissa la voix, et son visage s'emplit de tristesse. Elle avait l'air de s'excuser.

— Elle a pu l'inventer pour se rendre plus respectable, ou même plus intéressante. Ou peut-être qu'elle rêvait un peu, qu'elle imaginait ce qu'elle aurait pu avoir.

Il sentit l'émotion le gagner à son tour, éprouvant à l'égard de ces rêves tendres une compréhension qui le troublait.

— Dans ce cas, pourquoi teniez-vous à me parler si tôt, avant que j'aille au tribunal ? demanda-t-il sèchement, la déception perçant dans sa voix.

— Je suis désolée, je vous ai induit en erreur, s'excusa-t-elle, écartant ses paroles d'un geste. Ce que je suis venue vous dire, c'est que j'ai aussi trouvé une certaine Agatha Nisbet, une femme qui dirige une sorte d'hôpital de fortune sur la rive sud, près de Greenland Dock. Elle soigne surtout les débardeurs et bateliers blessés. Elle est régulièrement approvisionnée en opium…

— En opium ?

Il écoutait avec attention à présent.

— Oui, confirma-t-elle avec un sourire morose. Je me suis arrangée avec elle pour qu'elle m'en procure de la meilleure qualité, pour la clinique. Elle a parlé à Joel Lambourn à plusieurs reprises. Il était allé la voir dans le cadre de ses recherches. D'après elle, c'étaient surtout les décès d'enfants qui le bouleversaient.

Rathbone acquiesça. Cela confirmait ce qu'il savait déjà.

— Mais elle m'a avertie que beaucoup de gens gagnent de l'argent avec l'opium, continua Hester. Les pires d'entre eux n'ont aucun scrupule à encourager la dépendance, parce qu'elle leur fournit un marché permanent.

Un mélange de colère et de détresse crispa ses traits.

— Nombre de familles puissantes ont bâti leur fortune à l'époque des guerres de l'Opium, et n'auraient guère été enchantées que ce rapport attire l'attention sur elles lorsqu'on en aurait débattu au Parlement. Toutes sortes de fantômes pourraient être déterrés.

— On ne peut pas déterrer un fantôme, répondit-il machinalement. Pensez-vous qu'elle ait raison ?

— Oui, répondit-elle sans hésiter. C'est logique, Oliver. Enfin, ça pourrait l'être. Qui sait ce que ces gens risquent de perdre si tout est exposé au grand jour et réglementé ? Certaines compagnies pourraient faire faillite, tout simplement parce qu'elles n'obtiendraient pas autant de profits si elles devaient mesurer les doses et les étiqueter.

Il réfléchit quelques instants. Cela ouvrait de nouvelles possibilités, mais ne prouvait rien. Les grandes fortunes avaient de tout temps été acquises de manière consternante : par le biais de la boucanerie – qui n'était qu'un euphémisme pour la piraterie ; de l'esclavage, avant son abolition quarante ans plus tôt ; et de l'opium. Rares étaient les familles qui n'étaient pas souillées par l'une ou l'autre pratique. Compte tenu de la peur et de la colère qui régnaient dans la salle d'audience, il était peu probable que le « doute raisonnable » parvienne à sauver Dinah Lambourn.

— Que savez-vous des guerres de l'Opium ? demanda-t-elle, coupant court à ses réflexions.

— Peu de chose, avoua-t-il. Elles se sont déroulées en Chine. C'étaient des guerres commerciales, à ma connaissance. Certains ont justifié le rôle que nous y avons joué, mais ce n'était pas glorieux. Il me semble que nous avons introduit l'opium en Chine et qu'à présent des centaines de milliers de gens en sont dépendants. Il n'y a pas de quoi être fier.

— Peut-être devrions-nous en apprendre davantage, au cas où cela aurait de l'importance, murmura-t-elle.

— Vous fiez-vous à cette femme ? Je veux parler de ses connaissances, pas de son honnêteté.

— Oui... je crois. Son expérience est comparable à bien des égards à celle que j'ai eue en Crimée.

— Y a-t-il des guerres qui ne soient pas laides ? lâcha-t-il avec amertume, songeant à tout ce qu'il avait entendu dire sur la guerre de Crimée, sa violence, sa futilité, ses pertes. Prenez la guerre de Sécession en Amérique. Dieu seul sait combien y ont perdu la vie. Là-bas aussi, c'est un marché florissant pour l'opium. On parle d'affreux massacres, de survivants affligés de blessures atroces. J'imagine qu'ils ne se rendent pas encore compte de l'ampleur de la catastrophe. Et il n'y a pas que les morts, mais le pays en ruine et la haine qui perdure.

— Je crois qu'il reste pas mal de haine aussi après les guerres de l'Opium, observa-t-elle. Et d'argent et de culpabilité. Beaucoup de secrets enfouis.

— Les secrets ne restent jamais enfouis, dit-il tout bas.

Il était tenté de lui avouer le sien, encore tapi chez lui, attendant d'être mis dans le coffre d'une banque d'où lui seul pourrait le tirer. Jamais il ne serait enfoui dans son esprit.

Elle le dévisageait. Elle le connaissait trop bien pour qu'il élude sa question silencieuse.

— Oliver ? Savez-vous quelque chose que nous ignorons sur Dinah ? Quelque chose de grave ?

Sa voix était inquiète.

— Non ! répondit-il, avec une bouffée de soulagement. Non… ce n'est pas du tout à ça que je pensais.

Elle parut sceptique.

— Que voulez-vous dire ?

— Il s'agit de… de…

Il inspira et expira profondément. Son tourment était presque insupportable.

— Savez-vous ce qu'il est advenu des photographies prises par Arthur Ballinger ?

Elle pâlit légèrement, et la douleur se lut dans son regard.

— Je n'en ai aucune idée. Pourquoi ? Craignez-vous que quelqu'un ne les ait ?

Elle se pencha et lui effleura doucement la main.

— Il ne sert à rien de vous inquiéter. Elles sont probablement sous clé, dans un endroit où personne ne les trouvera jamais. Mais si tel n'est pas le cas, vous n'y pouvez rien de toute façon.

Ses doigts étaient tièdes sur les siens.

— Si quelqu'un les détient et veut les utiliser, il ne peut que faire chanter les coupables, et avez-vous réellement de la compassion pour des hommes qui ont abusé ainsi des enfants ? Je sais qu'ils ont peut-être été plus bêtes que vils au départ, mais ils ne méritent pas pour autant d'être protégés.

— Il ne s'agit pas d'argent, Hester, mais de pouvoir.

— De pouvoir ?

Une peur plus précise apparut sur ses traits à mesure qu'elle commençait à saisir.

— Le pouvoir de les contraindre à obéir à ses désirs, à moins d'être publiquement déshonorés.

— Pensez-vous qu'il y ait d'autres gens qui... des juges, des politiciens, ou...

Elle lut la réponse sur son visage.

— Oui ! Ballinger vous l'a-t-il dit ?

— Non. Il a fait pire, Hester. Il m'a légué ces photographies.

Il la regarda avec intensité, guettant l'horreur dans ses yeux, voire la révulsion.

Elle resta immobile, assimilant peu à peu la révélation qu'il venait de lui faire. Elle le dévisagea, consciente sans doute du fardeau qu'il portait, et de l'ironie amère de ce legs qui était aussi une vengeance. Tout en ignorant l'effet qu'il aurait sur lui, Ballinger avait dû savourer les possibilités, apprécier le goût terrible de leur noirceur.

— Je suis désolée, murmura-t-elle enfin. Si vous les aviez détruites, vous me l'auriez dit autrement, n'est-ce pas ?

Ce n'était pas une question, mais une manière de lui dire qu'elle comprenait.

— Oui, avoua-t-il. Je vais les cacher. Si je meurs, elles seront détruites. J'avais l'intention de le faire sur-le-champ, mais quand j'ai vu qui figurait parmi elles, je n'ai pas pu. Peut-être le ferai-je néanmoins. Le pouvoir qu'elles ont est... si grand. Au début, Ballinger s'en est servi pour faire le bien, savez-vous ? Il me l'a dit. Pour obliger certains à agir contre l'injustice ou les abus, quand ils refusaient de le faire de leur plein gré.

Tentait-il d'excuser Ballinger ? Ou de s'excuser lui-même parce qu'il n'avait pas détruit les clichés ? Il regarda Hester, devina sa perplexité et sa compréhension. Il attendit qu'elle lui demande s'il allait s'en servir, mais elle opta pour une autre question.

— Croyez-vous à l'innocence de Dinah ?

— Je l'ignore, avoua-t-il honnêtement. J'y ai cru au départ, et puis j'ai eu des doutes quand le procès a débuté. Maintenant, je ne sais pas si elle a tué Zenia Gadney, mais je crois de moins en moins au suicide de Lambourn. Et s'il a été assassiné, cela ouvre la porte à une foule d'autres questions.

Un bruit de pas résonna dans le vestibule. Quelques secondes plus tard, Ardmore entra et rappela poliment à Rathbone qu'il était l'heure de partir.

Hester sourit et se leva. Toute explication était inutile, aussi se contenta-t-elle d'un simple au revoir.

Rathbone y songeait toujours une heure et demie plus tard lorsqu'il croisa Sorley Coniston dans le couloir du tribunal, juste avant la reprise des audiences.

— Bonjour, lança Coniston avec un sourire bref. Vous n'avez pas la tâche facile, Rathbone. Pourquoi donc avez-vous accepté cette affaire ? Je me suis parfois demandé si vous en défendiez certaines pour vous faire un nom, mais j'ai toujours conclu que non. Vous n'avez pas changé, dites-moi ?

— Pas à ce point, rétorqua Rathbone sèchement.

Il ne connaissait pas très bien Coniston, mais ce dernier lui avait toujours paru sympathique. Il était imprévisible et faisait parfois preuve d'une honnêteté stupéfiante.

— Dans le cas présent, je n'arrive pas à me faire une opinion.

— Pour l'amour du ciel ! s'écria Coniston en secouant la tête. La seule question qui se pose est de savoir si vous pouvez faire jouer cette satanée question d'opium. Lambourn a peut-être perdu la tête dans sa vie privée, mais c'était un homme honnête. Ne le traînez pas dans la boue pour ses faiblesses personnelles. Ses enfants ne méritent pas cela, même si vous pensez le contraire.

Rathbone lui répondit d'un sourire empreint d'ironie.

— Vous avez peur ?

— C'est vous qui allez avoir peur, riposta Coniston.

— Vraiment ?

Rathbone haussa les épaules, feignant une assurance qu'il était loin d'éprouver, et les deux hommes entrèrent dans la salle.

Vingt minutes plus tard, Coniston se leva afin d'interroger son premier témoin de la journée, la belle-sœur de Dinah, Amity Herne.

Celle-ci s'avança. Soulevant élégamment ses jupes d'une main pour ne pas trébucher, elle gravit les marches et fit face à la cour.

Rathbone aurait aimé lever les yeux vers Dinah afin de voir son expression, mais il ne désirait pas attirer l'attention des jurés sur elle, alors qu'ils étaient tous en train d'observer Amity Herne. Il n'osait imaginer la douleur qu'elle devait éprouver en voyant un membre de sa propre famille témoigner contre elle. La blâmait-on pour la mort de Lambourn ? Pour la détresse qui avait mené à son suicide ? Peut-être le saurait-il bientôt. Il se rendit compte que ses mains étaient crispées sur ses genoux, sous la table, là où nul ne pouvait les voir, ses muscles déjà douloureux malgré l'heure matinale.

Amity Herne déclina son nom et jura de dire toute la vérité, rien que la vérité. Elle reconnut être la sœur de Joel Lambourn, le mari de l'accusée.

— Je vous présente mes condoléances pour le décès récent de votre frère, Mrs. Herne, commença Coniston. Et je regrette de devoir aborder publiquement un sujet qui doit vous être particulièrement douloureux après la récente tragédie qui a frappé votre famille.

— Je vous remercie, dit-elle avec courtoisie.

C'était une femme d'aspect agréable, à défaut d'être belle, que Rathbone jugea d'emblée un peu trop froide à son goût. Étant donné les circonstances, peut-être une certaine raideur était-elle son seul recours pour rester maîtresse d'elle-même alors qu'on allait fouiller dans son intimité. Quelque chose dans la dignité de sa posture lui rappela Margaret. Il aurait dû l'admirer davantage. Dans quelle mesure sa propre désillusion influait-elle sur son opinion ?

Coniston se tenait debout, dans une attitude respectueuse, sachant forcément que les jurés n'apprécieraient guère qu'on se montre brusque avec Amity Herne sans raison. Il commencerait en douceur, un exemple que Rathbone serait contraint de suivre.

— Mrs. Herne, étiez-vous au courant de la nature du travail que votre frère, le docteur Lambourn, faisait pour le gouvernement ?

Rathbone se redressa légèrement. Pendock n'allait tout de même pas permettre que ce sujet fût soulevé ?

— Seulement en termes vagues, répondit Amity avec calme, d'une voix douce et précise. Il s'agissait d'une sorte d'enquête médicale ; il n'en disait pas plus.

— Confidentielle ?

— Je le suppose.

Elle gardait les yeux sur lui, sans jamais les laisser se poser sur la galerie, et certainement pas sur le box où Dinah était assise entre ses gardiennes.

— De toute façon, je n'ai pas cherché à l'interroger davantage, reprit-elle. Je sais qu'il était préoccupé. Cette enquête le touchait beaucoup et j'avais peur qu'il ne s'y engage d'une manière trop personnelle.

Rathbone se leva.

— Votre Honneur, Mrs. Herne vient de dire qu'elle ignorait presque tout de la nature de ce travail. Dans ces conditions, comment aurait-elle pu juger de l'engagement de son frère ?

Il s'abstint d'ajouter qu'il ne voyait là aucun rapport avec la mort de Zenia Gadney, gardant pour plus tard cet argument qui lui ouvrirait une porte bienvenue.

Coniston sourit.

— Si cela avait une incidence sur l'état d'esprit de Joel Lambourn, Votre Honneur, il en allait forcément de même sur l'état d'esprit de l'accusée.

— Votre Honneur !

Rathbone était toujours debout.

— Comment les soucis professionnels du docteur Lambourn auraient-ils pu avoir une incidence sur l'état d'esprit de l'accusée deux mois après sa mort ? Mon honorable confrère suggère-t-il une sorte de folie contagieuse ?

Quelques rires nerveux fusèrent dans la galerie. Un juré éternua et porta un mouchoir à son visage, dissimulant son expression.

Pendock s'éclaircit la gorge.

— Je vais autoriser des questions dans ce sens, à condition que vous parveniez rapidement à une conclusion, Mr. Coniston, décréta-t-il, évitant le regard de Rathbone.

— Merci, Votre Honneur.

Coniston se tourna de nouveau vers Amity Herne.

— Mrs. Herne, le docteur Lambourn était-il plus occupé par cette tâche, quelle qu'elle fût, qu'il ne l'était en temps ordinaire ?

— Oui, affirma-t-elle d'un ton péremptoire, le visage soudain assombri par le chagrin. Elle l'absorbait entièrement.

— Que voulez-vous dire, Mrs. Herne ? Qu'y a-t-il d'exceptionnel à ce qu'un médecin soit absorbé par son travail ? demanda Coniston, toujours sur un ton d'une extrême politesse.

— Quand le gouvernement a refusé d'accepter ses conclusions, il a été bouleversé, presque hystérique. Je…

Elle parut mal à l'aise. Ses mains agrippèrent la barre et elle déglutit, refoulant ses larmes.

— Je crois que c'est pour cette raison qu'il s'est donné la mort. Je regrette de ne pas avoir compris à quel point c'était grave. Peut-être aurais-je pu dire ou faire quelque chose. Je ne me rendais pas compte que toutes ses certitudes se désintégraient sous ses yeux. Ou tout au moins qu'il le pensait.

Parfaitement immobile, Coniston était l'incarnation de l'élégance, voire de la bonté.

— Se désintégraient, Mrs. Herne ? N'est-ce pas un peu excessif ? Parce que le gouvernement n'acceptait pas son point de vue sur… ce qu'il étudiait ?

— Cela et…

Sa voix devint presque inaudible. Il n'y avait pas un mouvement dans la salle. Les membres de l'assistance étaient figés, comme pétrifiés.

Coniston attendit.

— Cela, et sa vie privée, acheva Amity dans un quasi-murmure.

Pendock se pencha en avant.

— Mrs. Herne, je sais que ce doit être extrêmement difficile pour vous, mais je dois vous prier de parler un peu plus fort, afin que les jurés vous entendent.

— Je suis désolée, dit-elle, contrite. Il m'est… très gênant d'évoquer cela en public. Joel était un homme très discret, très attaché à sa vie privée. Je ne sais guère comment expliquer cela avec délicatesse.

Elle fixait Coniston ; pas une seule fois elle ne se laissa aller à regarder Rathbone. On aurait dit qu'elle ignorait qu'il était là, et qu'il allait l'interroger ensuite. De fait, elle semblait à dessein exclure le reste de la cour.

— Sa vie privée ? l'encouragea Coniston. C'était votre frère, Mrs. Herne. S'il s'est confié à vous, même indirectement, vous devez le dire. Je suis navré de vous y obliger, mais il s'agit d'une affaire de meurtre. Une femme a perdu la vie dans des circonstances abominables, et une autre est accusée de l'avoir tuée. Si elle est déclarée coupable, elle perdra aussi la sienne. Nous ne pouvons nous accorder le luxe de préférer la délicatesse à la vérité.

Au prix d'un immense effort, Amity Herne leva la tête.

— Il m'a laissé entendre qu'il avait des besoins que son épouse n'était pas prête à satisfaire et qu'il rendait visite à une autre femme dans ce but.

Elle avait prononcé les mots clairement et distinctement, comme si elle s'infligeait des coups de couteau.

— Et il souffrait de ne pas se sentir à la hauteur de la vision que sa femme avait de lui.

Elle se mordit la lèvre.

— Je regrette que vous m'ayez amenée à dire cela, mais c'est la vérité. On aurait dû lui permettre d'emporter son secret dans la tombe.

Elle ne pouvait plus retenir les larmes qui roulaient sur ses joues.

— Je regrette moi aussi que ce n'ait pas été possible, déclara Coniston avec contrition. Cette autre femme dont vous parlez, savez-vous qui elle était ? A-t-il mentionné son nom, ou quoi que ce soit la concernant ? L'endroit où elle habitait, par exemple ?

— Elle s'appelait Zenia. Il n'a pas dit où elle vivait, tout au moins pas à moi.

Le sous-entendu flotta légèrement dans l'air.

— Zenia ? répéta Coniston. En êtes-vous sûre ?

Amity se raidit.

— Oui. Je n'ai jamais entendu parler de quelqu'un d'autre portant ce nom.

— Et son épouse, Dinah Lambourn, était-elle au courant de cet… arrangement ?

— Elle l'a su, m'a-t-on dit.

— Comment ?

— Je l'ignore. Joel ne me l'a pas précisé.

— A-t-il dit quand elle l'avait appris ?

— Non. Pas à moi, en tout cas.

— Merci, Mrs. Herne. Une fois de plus, je suis profondément désolé d'avoir eu à soulever ce sujet pénible, mais les circonstances ne me laissaient pas le choix.

Il se tourna vers Rathbone.

— Le témoin est à vous, Sir Oliver.

Rathbone le remercia et se leva lentement. Il s'avança vers la tribune, sentant les regards prudents des jurés sur lui, prêts à l'accabler s'il manquait de tact envers Amity Herne. Ils étaient naturellement mal disposés à son égard parce qu'il représentait une femme accusée d'un crime bestial. Et maintenant, pour couronner le tout, il allait poser des questions gênantes, cruelles, qui ne feraient qu'ajouter au chagrin et à l'embarras bien naturels d'une innocente.

— Vous avez déjà plus qu'assez souffert, Mrs. Herne, commença-t-il avec douceur. Je serai aussi bref que possible. Il est tout à votre honneur d'avoir été si honnête concernant les… penchants de votre frère. Cela n'a pas dû être facile pour vous. Votre frère et vous étiez proches ?

Il connaissait déjà la réponse à cette question, d'après l'entretien que Monk avait eu avec elle.

Elle cilla. Il comprit qu'elle envisageait de mentir, mais qu'au moment où leurs regards se rencontrèrent elle décida de n'en rien faire.

— Pas jusqu'à récemment, admit-elle. Mon mari et moi vivions assez loin d'ici. Il n'était guère facile de se fréquenter. Mais nous avons toujours échangé des nouvelles. Nous n'étions que deux, Joel et moi. Nos parents sont morts depuis longtemps.

Une tristesse douloureuse perçait dans sa voix, la solitude se lisait sur son visage. Elle était un témoin idéal pour Coniston.

Rathbone changea d'approche. Il avait fort peu à gagner, voire rien.

— Avez-vous alors également fait plus ample connaissance avec votre belle-sœur ?

Elle hésita de nouveau.

L'estomac noué, Rathbone se demanda s'il avait eu tort de poser cette question. Si elle répondait par l'affirmative, soit elle défendrait Dinah, soit elle donnerait l'impression de la trahir. Si elle disait que non, elle devrait donner une raison. Il avait commis une erreur.

— J'ai essayé, dit-elle d'un air coupable, une légère rougeur aux joues. Je pense que, si la situation avait été différente, nous aurions pu être proches. Mais elle était folle de chagrin après la mort de Joel, comme si elle se reprochait...

Elle laissa sa phrase en suspens.

Dans la galerie, on entendit des gens s'agiter, soupirer, des bruits de papier et d'étoffe froissée.

— La blâmez-vous ? demanda Rathbone distinctement.

Elle parut stupéfaite.

— Non... bien sûr que non.

— Elle n'avait joué aucun rôle dans le rejet du rapport du docteur Lambourn ?

Coniston fit mine de se lever.

Rathbone se tourna vers lui.

Coniston se détendit.

— Mrs. Herne ?

— Comment aurait-ce pu être le cas ? Ce n'est pas possible.

— Aurait-elle dû... se soumettre à ses besoins ? Ceux qui l'ont poussé à aller voir la femme du nom de Zenia ?

— Je... je...

Apparemment incapable de trouver ses mots, elle ne quêta pas du regard l'aide de Coniston, mais baissa timidement les yeux.

Coniston se leva.

— Votre Honneur, la question de mon distingué confrère est gênante et déplacée. Comment Mrs. Herne pourrait-elle...

Rathbone esquissa un petit geste gracieux.

— Ne répondez pas, Mrs. Herne. Votre silence est suffisamment éloquent. Je vous remercie. Je n'ai pas d'autres questions.

Ensuite, Coniston appela à la barre Barclay Herne, qui relata brièvement comment Lambourn s'était vu confier par le gouvernement la tâche de préparer un rapport confidentiel sur l'usage et la vente de divers médicaments. Il ajouta qu'à son profond regret Lambourn avait manifesté trop de passion pour ces questions, au point que son jugement en avait été faussé et que le gouvernement avait dû rejeter ses conclusions.

— Comment le docteur Lambourn a-t-il réagi, Mr. Herne ?

Herne ne chercha pas à dissimuler son chagrin.

— J'ai peur qu'il ne l'ait très mal pris, répondit-il d'une voix douce, un peu rauque. Il a vu là une insulte personnelle. J'étais inquiet pour son équilibre mental. Je regrette profondément de ne pas m'être occupé de lui davantage. J'aurais pu le persuader de consulter un confrère, mais… je ne croyais vraiment pas qu'il en serait affecté si… directement, de façon si excessive.

Il paraissait désemparé, humilié de devoir exposer en public une tragique affaire familiale.

À sa grande surprise, Rathbone éprouva envers lui une pointe de compassion. Il pivota aussi discrètement que possible pour voir si son épouse était restée dans la galerie après avoir témoigné. Il la chercha des yeux et la vit au moment où un homme corpulent se baissait. Amity Herne était assise juste derrière lui, à côté de Sinden Bawtry. Ce dernier lui parlait, son visage séduisant tourné vers elle.

L'instant d'après, l'homme se redressa, et Rathbone reporta son attention sur la tribune des témoins. Herne répondait à la question suivante.

— Je me suis demandé par la suite s'il n'avait pas un penchant plus prononcé pour l'opium que nous ne le devinions à l'époque. Je suis navré de l'admettre. Je me sens coupable de ne pas avoir pris son état beaucoup plus au sérieux.

— Merci, Mr. Herne.

De nouveau, Coniston s'inclina devant Rathbone. Après l'avoir remercié, celui-ci prit sa place au centre de l'arène, tel un gladiateur face aux lions.

— Vous avez parlé d'opium, Mr. Herne. Saviez-vous que le docteur Lambourn en prenait ?

— Je ne l'ai su qu'à sa mort ! s'empressa d'affirmer Herne.

— Pourtant, vous venez de dire que vous vous reprochiez de ne pas avoir deviné qu'il en consommait tant. Comment auriez-vous pu le soupçonner ?

— Je voulais dire que j'aurais peut-être dû m'en douter, rectifia Herne.

— Aurait-il pu en prendre plus qu'il ne le pensait lui-même ?

Herne parut perplexe.

— Je ne vois pas ce que vous voulez dire.

— Ses recherches ne portaient-elles pas justement sur la quantité d'opium contenu dans les médicaments brevetés, qu'on achète dans n'importe quelle rue commerçante du pays, sans étiquetage permettant aux clients de savoir…

Coniston bondit sur ses pieds.

— Votre Honneur, le travail du docteur Lambourn était confidentiel. Il serait déplacé de débattre ici d'un rapport dont l'exactitude reste à démontrer.

— Oui, je prends note de votre objection, Mr. Coniston.

Pendock s'adressa à Rathbone.

— Ces questions ne relèvent pas de cette cour, Sir Oliver. Vous ne pouvez établir de lien entre elles et le meurtre de Zenia Gadney. Êtes-vous en train de suggérer que Mrs. Lambourn aurait consommé de l'opium incorrectement étiqueté, au point de ne plus être responsable de ses actes ?

— Non, Votre Honneur. Cependant, mon éminent confrère a soulevé la question de l'opium...

— Oui, coupa Pendock très vite. Mr. Coniston, Sir Oliver n'a pas soulevé d'objection à votre référence, mais moi si. Cela n'a aucun rapport avec le meurtre de Zenia Gadney. Limitez-vous à ce sujet, je vous prie. Vous abusez du temps et de la patience de la cour, et risquez de semer la confusion dans l'esprit des jurés. Continuez, Sir Oliver, si vous avez des questions à poser au témoin sur l'objet de ce procès.

Rathbone leva les yeux et fixa le juge assis sur son siège majestueux. Sa perruque blanche et sa toge écarlate le désignaient comme un être à part, doté d'un pouvoir supérieur. Il lut sur le visage de Pendock qu'il serait inflexible sur ce point. Ce fut une prise de consciente étrange, glaçante. Le magistrat n'était pas impartial ; il avait son propre ordre du jour, voire des consignes à respecter.

— Je n'ai pas d'autres questions, Votre Honneur.

Rathbone retourna à sa place. Comme il faisait face à la galerie, il vit Sinden Bawtry qui regardait par-dessus les têtes des gens devant lui, droit en direction de Pendock.

En fin d'après-midi, Rathbone alla voir Dinah en prison. Étant son avocat, il avait le droit de lui parler sans témoins. Dès que la porte eut claqué derrière lui, les enfermant dans l'étroite cellule à l'air vicié, où les voix résonnaient entre les murs de pierre, il prit la parole. Leur temps était limité et précieux.

— Quand avez-vous appris la relation entre votre mari et Zenia Gadney ? demanda-t-il. Votre vie est en jeu. Ne me mentez pas à présent. Croyez-moi, vous ne pouvez pas vous le permettre.

Son visage était de cendre, son regard vide, son corps tendu à craquer, mais elle n'hésita pas. Il n'osait imaginer ce que cet effort lui coûtait.

— Je ne m'en souviens pas au juste. Il y a une quinzaine d'années.

— Les affirmations de votre belle-sœur sont-elles exactes ? Exigeait-il de vous certaines pratiques auxquelles vous n'étiez pas disposée à vous prêter ?

Une étincelle de colère jaillit dans ses yeux.

— Non ! Joel était… doux… parfaitement normal. Jamais il ne lui aurait dit une chose pareille. On ne parle pas de ces choses-là, même si c'était vrai !

Il la dévisagea avec attention. Elle était en colère, sur la défensive – pour Joel ou pour elle-même ? Niait-elle si farouchement parce que c'était un mensonge, ou parce que c'était horriblement et douloureusement vrai ? Il voulait la croire.

— Dans ce cas, pourquoi est-il allé lui rendre visite durant toutes ces années ? Pourquoi la payait-il ?

Tout dépendait peut-être de la réponse à cette question.

Elle cilla, mais ne baissa pas les yeux.

— C'était une amie. Elle avait été respectable, mariée. Elle a subi un accident et beaucoup souffert. Elle est devenue dépendante à l'opium. Elle…

Dinah prit une profonde inspiration avant de poursuivre :

— Son mari était un ami de Joel. Quand Zenia s'est retrouvée à la rue, Joel l'a aidée financièrement. Il n'en a pas parlé à Amity parce qu'elle vivait loin d'ici à l'époque, et que cela ne la regardait pas. De toute façon, Joel et elle n'ont jamais été proches, même en grandissant. Il avait sept ans de plus qu'elle et ils n'avaient que peu de choses en commun. Il a toujours été studieux, Amity non.

Elle secoua brièvement la tête.

— Et pourquoi le lui aurait-il dit ? Il était médecin et tenu au secret professionnel. Il ne me l'a révélé que pour m'expliquer pourquoi il se rendait à Limehouse et lui donnait de quoi vivre.

Rathbone était tenté de la croire. Pourtant, la tension dans son cou, ses yeux qui ne se détachaient pas des siens, lui faisaient soupçonner que ce n'était qu'une partie de la vérité, et qu'elle omettait délibérément quelque chose de crucial.

D'après Hester, Zenia avait raconté à Gladys qu'elle avait été mariée. Hester avait également émis l'hypothèse d'un abus d'alcool qui aurait provoqué une rupture, peut-être à cause de la compassion que Zenia avait témoignée à une femme ivre dans la rue. Et si le problème avait été l'opium ?

Tout concordait – ou presque !

— Mrs. Lambourn, dit-il gravement, vous n'avez plus le temps de garder des secrets, si douloureux soient-ils. Vous vous battez pour survivre, et, croyez-moi, le fait d'être une femme ne vous sauvera pas. Si on vous déclare coupable, on vous conduira à la potence trois dimanches après l'annonce du verdict.

Elle était si pâle qu'il crut qu'elle allait perdre connaissance. Il se sentait brutal, et pourtant elle ne lui laissait d'autre choix s'il voulait avoir la moindre chance de la sauver.

— Pour l'amour du ciel, dites-moi la vérité ! s'écria-t-il, au désespoir.

— C'est la vérité !

Sa voix était étranglée, à peine audible.

— Joel lui remettait de l'argent chaque mois afin qu'elle puisse survivre sans avoir recours à la prostitution.

— Pouvez-vous le prouver ? Au moins en partie ?

— Bien sûr que non ! Comment le pourrais-je ?

— Saviez-vous que l'argent sortait régulièrement ?

Il s'accrochait aux dernières branches.

Elle écarquilla les yeux.

— Oui. Il était versé le 21 de chaque mois. Cela figurait dans le livre de comptes de la maison.

— Sous quelle rubrique ?

— Sous ses initiales – ZG. Il ne m'a pas menti, Sir Oliver.

À l'évidence, elle en était convaincue. Mais comment aurait-elle pu supporter de croire le contraire ? Quelle femme l'aurait fait à sa place ?

— Malheureusement, il n'y a là aucune preuve que nous puissions présenter à la cour, dit-il tout bas. Le fait qu'il vous ait dit qu'il agissait par amitié ne prouve pas qu'il n'y ait pas eu autre chose. Qu'est-il arrivé au mari de Zenia ? Pourquoi ne lui a-t-il rien laissé ?

— Il est mort, dit-elle simplement, un chagrin inattendu sur son visage.

— Comment s'appelait-il ?

— Je… je l'ignore.

Cette fois, il fut certain qu'elle mentait, sans parvenir à comprendre pourquoi. Il changea de sujet.

— Pourquoi avez-vous raconté à la police que vous assistiez à une réception avec Mrs. Moulton alors que vous saviez qu'elle ne pourrait pas confirmer vos déclarations ? C'était là un mensonge qui ne pouvait manquer d'être découvert.

Elle baissa les yeux et fixa ses mains.

— Je sais.

— Avez-vous cédé à un accès de panique ?

— Non, murmura-t-elle.

— Que diable espériez-vous obtenir en parlant à Zenia ? insista-t-il. Que croyiez-vous qu'elle vous apprendrait sur votre mari ? Pensiez-vous qu'il avait laissé chez elle des documents liés à son rapport ? Ou qu'elle l'avait aidé, d'une manière ou d'une autre ? Savait-elle quelque chose concernant l'opium qui aurait validé ses découvertes ?

Elle le regarda de nouveau.

— Je ne suis pas allée à Copenhagen Place. J'ignore qui était cette femme. De toute évidence, elle a voulu se faire passer pour moi. Il est inutile de demander au marchand et aux clients de témoigner, parce qu'ils diront ce que tout le monde attend – et ce qu'ils croient être la vérité. Mais je n'y suis pas allée. Je le sais, comme je sais que je suis assise ici.

Elle prit une profonde inspiration.

— Et je ne croirai jamais que Joel s'est tué. Il était convaincu de l'exactitude de son rapport et résolu à leur tenir tête. Vous ne pouvez pas deviner à quel point le commerce de l'opium est coupable et honteux, Sir Oliver, ni de quelles vilenies sont capables ceux qui y sont mêlés.

Sa voix tremblait à présent.

— Joel a versé des larmes sur nos crimes en Chine. C'est très dur de devoir reconnaître que son pays a commis des atrocités. Beaucoup de gens en sont incapables. Ils continuent à mentir pour couvrir les tromperies.

Son regard était empreint d'une expression curieuse, presque du défi.

Une certitude soudaine envahit Rathbone, avec une violence qui fit perler la sueur sur son corps et lui coupa le souffle. Dinah avait menti à dessein sur ses faits et gestes, en sachant que Monk n'aurait d'autre solution que de l'accuser du meurtre de Zenia Gadney – et qu'elle serait jugée, au péril de sa vie. Elle avait fait ce choix délibérément. Elle avait prié Monk de le persuader de la défendre dans l'espoir qu'il ferait éclater au grand jour la vérité sur le meurtre de Joel, et laverait son nom. Peut-être même son travail serait-il poursuivi par quelqu'un d'autre. Telle était la profondeur de sa foi en lui – et de son amour.

Il se surprit à avoir la bouche sèche, et dut déglutir avec force avant de pouvoir parler. Il se sentait ridicule. Il se détourna, cillant rapidement pour refouler les larmes qui lui montaient aux yeux.

— Je ferai tout ce que je peux.

Il tiendrait sa promesse, sans savoir si cela suffirait à la sauver, sans parler de réhabiliter Joel Lambourn. Elle avait dû se rendre compte que Pendock était contre eux. Et pourtant, elle n'avait pas renoncé.

Comme elle était différente de Margaret ! Comme elle était courageuse, intrépide, et loyale ! Belle, et un peu intimidante aussi. Quel homme Joel Lambourn avait-il donc été pour être digne d'une telle femme ?

Il se leva très lentement.

— À demain, dit-il d'une voix rauque. Je sais au moins où demander de l'aide.

15

Tard la veille au soir, Monk avait reçu un message de Rathbone lui donnant rendez-vous à huit heures à son cabinet afin qu'ils puissent s'entretenir avant la reprise du procès. Il se leva donc à six heures et prit son petit déjeuner avec Hester. Ils parlèrent peu, conscients de la tournure de plus en plus désespérée que prenait l'affaire. À sept heures, il traversait la Tamise par le bac qui reliait Princes'Stairs à Wapping, l'épaule toujours endolorie après son agression dans la rue. Depuis lors, Runcorn et lui s'étaient montrés plus prudents.

Il n'attendait rien de bon de sa rencontre avec Rathbone. Une bagarre sur les docks, au cours de laquelle un homme avait trouvé la mort, l'avait accaparé toute la journée de la veille, et dans le peu de temps qu'il avait eu le soir, il n'avait rien pu faire. Il savait qu'Hester avait déjà parlé à Rathbone de l'infirmière, Agatha Nisbet, mais cela ne faisait que confirmer que Joel Lambourn enquêtait sur les médicaments opiacés, exactement comme il l'avait dit.

Pouvait-il vraiment y avoir un rapport entre les profits générés par ce commerce, les atrocités honteuses des guerres de l'Opium, et ce qui ressemblait de plus en plus à une tragédie familiale ?

Si Rathbone espérait qu'il avait du nouveau à lui apprendre, il allait être amèrement déçu.

Orme continuait à interroger les habitants de Limehouse, surtout dans les quartiers proches de la jetée, sans résultat jusque-là. Un badaud, qui avait remarqué trois hommes dans un état avancé d'ébriété, n'était pas sûr que ce fût le soir du crime. Un autre avait vu deux femmes se diriger vers la jetée autour de l'heure en question, et le bon jour, mais pas d'homme. C'était un échec qui pesait lourdement sur Monk.

Arrivé à Wapping, il régla le passeur et descendit, prenant garde à ne pas glisser sur les marches mouillées. Une chute, ou pire encore, un plongeon dans l'eau froide, serait un très mauvais début alors que la journée s'annonçait déjà difficile.

Une fois en haut, il traversa le quai désert. La marée commençait à remonter. À l'odeur de sel et de poisson se mêlait par moments la puanteur des égouts. Cependant, il avait appris à aimer l'air des quais, plus sain et plus vivifiant que dans les rues de la ville. Ici, le ciel était immense. Aucun bâtiment ne gênait la vue et il y avait toujours de la lumière sur l'eau, même par temps gris. La nuit, on distinguait les navires à la lueur jaune de leurs fanaux.

Il n'avait pas le temps de faire un saut au commissariat d'abord. Il se dirigea directement vers High Street, hélant le premier fiacre venu.

Rathbone, tendu mais remarquablement débordant d'énergie, l'accueillit dans son bureau familier et silencieux. Un feu modeste pétillait dans l'âtre, en dépit du fait qu'il passerait le plus clair de la journée au tribunal.

— Entrez. Asseyez-vous, dit-il en lui désignant un des fauteuils en cuir. Monk, j'ai besoin de votre aide. Il s'agit d'une urgence. La sœur de Lambourn a présenté hier un témoignage accablant Dinah, et Lambourn aussi. Je crois qu'elle est plus loyale envers son mari qu'envers son frère.

— Son mari est toujours en vie, lui fit remarquer Monk non sans cynisme.

Les traits de Rathbone se crispèrent, mais il s'abstint de commentaires.

— Sinden Bawtry assistait de nouveau à l'audience.

— Pour protéger les intérêts du gouvernement dans le projet de loi sur la pharmacie ?

— Peut-être. La réputation du gouvernement, de toute façon. Le juge me donne tort chaque fois qu'il le peut, parfois même à la limite du raisonnable. Je ne peux m'empêcher de penser qu'il a reçu des consignes.

Il continua à faire les cent pas, trop fébrile pour s'asseoir.

— Monk, je viens de comprendre ce qui se passe. Je ne sais pas comment j'ai pu être aveugle à ce point ! Enfin… si. Mais peu importe à présent.

Il alla jusqu'à la porte, fit volte-face et revint.

— Dinah a menti exprès sur ses faits et gestes pour vous contraindre à l'arrêter et à me persuader de la défendre ! annonça-t-il avec fougue.

Monk le regarda, incrédule. Apparemment, le chagrin causé à Rathbone par sa rupture avec Margaret avait altéré son jugement plus qu'il ne l'avait craint.

— Dinah Lambourn se serait impliquée dans un meurtre particulièrement immonde dans le seul but d'être défendue par vous ? répondit-il, incapable de dissimuler son scepticisme. Pourquoi, pour l'amour du ciel ? N'aurait-elle pas tout simplement pu faire en sorte de vous être présentée ?

— Ce n'était pas pour faire ma connaissance, quel sot vous faites ! s'écria Rathbone avec une pointe d'humour teinté d'amertume. Elle voulait porter le meurtre de Joel devant un tribunal. Elle a compris que le meurtre de Zenia lui en offrait l'occasion et l'a saisie. Elle est prête à risquer la mort pour laver le nom de son mari et lui restituer la réputation qu'il avait acquise par son dévouement.

Monk remarqua l'éclat du visage de Rathbone, la douceur et le chagrin qui perçaient dans ses yeux. Sa posture était rigide, et il était plus mince qu'il ne l'avait été quelques mois plus tôt, avant la conclusion de l'affaire Ballinger. Pourtant, ce matin-là, il était habité par une énergie nouvelle, une grande cause à défendre.

Monk n'aurait su dire si son ami avait tort ou raison, mais il ne voulait pas le détromper. C'était enfin un baume sur sa plaie.

— Qu'attendez-vous de moi ? demanda-t-il, redoutant une requête vague ou désespérée, impossible à satisfaire.

— D'après Dinah, Lambourn soutenait Zenia parce qu'elle était la veuve d'un de ses amis. Dinah est au courant depuis le début, pour ainsi dire. La somme remise était inscrite sur le livre de comptes de la maison, sous les initiales ZG, le 21 de chaque mois. Si nous pouvons prouver que c'est la vérité, le mobile principal disparaît.

Monk sentit le cœur lui manquer.

— Oliver, c'est ce qu'il lui a dit – ou ce qu'elle a inventé comme excuse pour sa conduite ? C'est…

— … quelque chose qui peut être prouvé ! coupa Rathbone d'une voix pressante. Il nous faut savoir d'où venait Zenia. Cherchez davantage dans les archives. Elle a dû se marier au cours des trente dernières années. Trouvez son mari.

Il était illuminé par l'enthousiasme à présent, et sa voix était sourde, pleine de conviction.

— Découvrez quels étaient ses liens avec Joel Lambourn. Peut-être ont-ils étudié ou exercé ensemble. Ce qui est sûr, c'est que leurs chemins se sont croisés et qu'ils sont devenus si bons amis que Lambourn a soutenu financièrement sa veuve toute sa vie durant. Il est allé la voir une fois par mois, sans faute. C'est une sacrée loyauté. Il doit y avoir le moyen d'en retrouver la trace.

Monk garda le silence.

— Faites-le ! ordonna Rathbone d'un ton sec.

— Vous la croyez ? demanda Monk à regret.

Rathbone hésita une seconde de trop et s'en rendit compte.

— Au fond, oui, dit-il avec un léger sourire, comme s'il se moquait de lui-même. Elle ment à propos de quelque chose, j'ignore quoi. Je pense vraiment qu'elle s'est délibérément accusée en espérant qu'elle serait jugée, que le suicide de Joel serait réexaminé et que, d'une manière ou d'une autre, on prouverait qu'il s'agissait d'un meurtre.

Monk se leva.

— Dans ce cas, je vais poursuivre mon enquête dans ce sens, murmura-t-il. Et demander à Runcorn d'en faire autant.

Rathbone sourit et se détendit, les yeux pleins d'espoir.

— Merci.

Monk alla droit au commissariat de Greenwich, situé à l'est de la cité. Le trajet était long et il dut retraverser le fleuve, balayé par un vent auquel se mêlait un peu de neige fondue. Peut-être neigerait-il pour Noël ?

Il trouva Runcorn sur le seuil, prêt à partir.

Sans un mot, ce dernier pivota sur ses talons et remonta dans son bureau, lui faisant signe de le suivre. La porte close, Monk lui relata sa conversation avec Rathbone. Runcorn ne l'interrompit pas une seule fois.

Lorsqu'il termina son récit, son ancien collègue se contenta de hocher la tête.

— Nous allons devoir découvrir d'où venait Zenia, conclut-il, pragmatique. Le problème, c'est qu'il va falloir interroger beaucoup de gens. Mieux vaudrait que les ennemis de Lambourn ignorent que nous continuons à fouiner.

Un moment, Monk crut que Runcorn songeait à leur propre sécurité. Puis il jeta un coup d'œil vers lui, se souvint de son expression alors qu'il regardait Melisande à la lueur du feu de cheminée, et se sentit honteux d'avoir eu une telle pensée.

— A-t-on exercé des pressions sur vous ?

Après son agression dans la rue, la présence de Sinden Bawtry au tribunal, et la conviction de Rathbone que Pendock lui faisait délibérément obstacle à la moindre occasion, il aurait dû s'y attendre.

Runcorn haussa les épaules.

— Indirectement, répondit-il, adoptant une attitude désinvolte, bien que Monk eût perçu une légère tension dans sa voix. Ce n'était pas à proprement parler un avertissement, plutôt un remerciement anticipé pour ma discrétion.

Monk hésita. Devait-il dire à Runcorn qu'il comprendrait que ce dernier décide d'en rester là ? Sa carrière risquait d'être compromise. Or il y avait attaché beaucoup d'importance par le passé, témoignant d'une détermination aveugle à gravir les échelons.

— Nous avons tout intérêt à être prudents, reprit Runcorn, interrompant ses réflexions. Nous renseigner sur Zenia, et non sur Lambourn. Il serait plus facile de retracer la carrière de Lambourn pour retrouver d'anciens collègues, mais cela se saurait. Enfin, Zenia n'est pas un nom courant. Ce serait beaucoup plus compliqué si elle s'appelait Mary ou Betty.

Il eut un sourire de guingois.

— Je me demande si Gadney est son nom de jeune fille. Le savez-vous ?

— Commençons par vérifier si un certain Gadney est mort il y a une quinzaine d'années, répondit Monk avec une bouffée soudaine d'enthousiasme.

Il serait heureux de collaborer avec Runcorn, comme à leurs débuts. Runcorn s'en souvenait, lui non. Peut-être la mémoire lui reviendrait-elle par bribes ? C'était arrivé dans les premiers temps de son amnésie, de soudains tressaillements provoqués par une scène qui lui semblait familière, et, l'espace d'un instant, terriblement réelle. Cependant, les souvenirs de cette époque avec Runcorn seraient agréables, ni effrayants ni étrangers, contrairement à d'autres qui lui avaient donné des sueurs froides tant il avait peur de sa propre culpabilité.

— Autant y aller tout de suite.

Runcorn attrapa sa veste.

— Nous en avons peut-être pour un certain temps. Combien de jours nous reste-t-il ?

— Une semaine, peut-être. Je suppose que Rathbone va faire traîner les choses en longueur autant qu'il le pourra.

Ni l'un ni l'autre n'avaient besoin de dire tout haut qu'une fois le verdict prononcé il serait quasi impossible d'obtenir une réouverture du procès. Des preuves ne suffiraient plus. Il faudrait un vice de procédure, ou un fait nouveau, absolument irréfutable aux yeux de tous, pour casser la décision de la cour. Le temps était un ennemi de plus, outre les intérêts puissants qu'étaient l'argent et la réputation.

La constitution d'archives d'état civil regroupant les naissances, décès et mariages était devenue obligatoire en 1837, trente ans plus tôt. Cependant, au début, des omissions s'étaient produites et il était toujours possible qu'un événement n'ait pas eu lieu au cours du trimestre supposé ou dans le comté prévu. Les gens se trompaient, confondaient un nom ou un chiffre, un cinq avec un huit ou même un trois, par exemple, ce qui changeait tout. Et naturellement, certains mentaient, surtout à propos de leur âge.

Ils quittèrent le bureau de Runcorn à Greenwich et traversèrent le fleuve, recroquevillés sur eux-mêmes, le visage cinglé par le vent et la neige fondue, piqué par de fines particules de givre.

Ils débarquèrent à Wapping et prirent un fiacre en direction de l'ouest. Ils roulèrent dans un silence étrangement confortable, sans éprouver le besoin de faire la conversation. Chacun était absorbé par ses pensées sur l'affaire, et ses éventuelles conséquences. Un mot de temps à autre suffisait à se faire comprendre.

Ils furent introduits dans une vaste salle silencieuse et entreprirent d'éplucher les registres à la recherche d'un nommé Gadney. Ni Runcorn ni lui n'avaient la moindre idée du prénom de l'homme, ou de la date de son décès. Monk commença quinze ans plus tôt et remonta vers le présent, Runcorn fit l'inverse.

Ils continuèrent jusqu'à avoir la gorge sèche et les yeux larmoyants, puis firent une pause pour chasser le goût de la poussière et du papier qui imprégnait l'air.

— Rien, lâcha Runcorn, sans parvenir à dissimuler sa déception.

— Nous devons repartir de zéro, déclara Monk en remettant le dernier lourd volume à sa place sur l'étagère. Allons manger quelque chose dans un pub. J'ai l'impression d'avoir de l'encre plein la bouche.

Un quart d'heure plus tard, ils étaient attablés devant d'épaisses tranches de pain frais accompagné de caerphilly friable à souhait et de petits légumes macérés dans du vinaigre.

Ils étaient l'un et l'autre assez assoiffés pour boire une pinte de cidre et en commander une seconde.

— Peut-être Gadney est-il son nom de jeune fille, pas celui de son mari, suggéra Monk. Elle se faisait appeler Mrs. Gadney, mais cela ne signifie pas forcément que c'était son vrai nom.

— Dans ce cas, elle pourrait s'appeler n'importe comment.

Runcorn s'essuya la bouche.

— Quelqu'un a-t-il fait allusion à un accent ? Je vous en prie, ne me dites pas qu'elle était irlandaise ! Nous n'avons pas le temps de chercher aussi loin. D'ailleurs, nous ne saurions même pas dans quel comté commencer.

— Personne n'a parlé de ça.

Monk prit une part de pâté aux pommes acidulé, cuit à la perfection, les tranches de fruit tendres mais encore entières.

— Et je crois qu'on l'aurait dit. De toute façon, elle est née bien avant qu'on commence à constituer les archives. Il nous faudrait aller consulter les registres des paroisses. Et à quoi cela nous servirait-il ? Connaître son lieu de naissance ne nous avancerait pas à grand-chose.

Monk laissa échapper un juron et se prit la tête entre les mains. C'était la dernière chose qu'il voulait entendre.

— Pensez-vous que Dinah l'ait découvert ? demanda-t-il, levant les yeux lentement pour rencontrer ceux de Runcorn.

— Il n'existe aucune trace d'un mariage entre Joel Lambourn et Dinah. J'imagine qu'elle a toujours été au courant.

— Voilà le mensonge, murmura Monk. Le mensonge que Rathbone sentait. Il savait qu'elle ne lui disait pas toute la vérité. Lambourn subvenait aux besoins de son épouse, il n'allait pas rendre visite à une prostituée. Dinah le savait parfaitement. Elle n'avait aucune raison d'être jalouse.

Runcorn semblait accablé.

— En revanche, elle avait toutes les raisons possibles de vouloir la mort de Zenia Gadney, dit-il en se mordant la lèvre.

Monk comprit brusquement.

— Parce que Zenia était l'héritière ? Dinah étant sa maîtresse, ses enfants sont illégitimes. Quel gâchis ! Mais… Dinah est peut-être allée à Copenhagen Place pour continuer les paiements ? suggéra-t-il, s'accrochant désespérément à un dernier espoir, si mince fût-il.

— Il était un peu tard, non ? rétorqua Runcorn. Zenia était déjà retournée dans la rue.

— Vraiment ? insista Monk. Nous avons supposé que c'était le cas parce qu'elle a été tuée dehors et que les voisins n'avaient pas vu Lambourn dans le quartier. Ils en ont conclu qu'elle était à court d'argent, et que c'était pour cela qu'elle était plus lente que d'habitude à régler ses dettes et qu'elle faisait un peu de couture. Mais peut-être avaient-ils tort.

— Peut-être que si. Les femmes se marient souvent dans la ville où elles sont nées plutôt qu'à l'endroit d'où vient leur mari.

Il avait raison. Il fut un temps où Monk l'aurait contredit et lui aurait fait remarquer qu'ils ne seraient guère plus avancés. À présent, il ne voyait là qu'un encouragement à poursuivre les recherches. Il termina son cidre.

— Continuez à chercher un mariage impliquant un Gadney, homme ou femme, suggéra-t-il. Pour ma part, je vais commencer à retracer la carrière de Lambourn. Voir si quelqu'un se souvient des gens qu'il fréquentait il y a quinze ans. Quelqu'un réagira peut-être au nom de Gadney.

Runcorn fronça les sourcils.

— Cela se saura, avertit-il. Combien de temps croyez-vous qu'il faudra pour que ce soit rapporté à Bawtry ou à un de ses subordonnés ?

L'anxiété se lisait sur son visage.

— Je vous accompagne. Nous irons plus vite à deux.

Monk secoua la tête.

— Cherchez une trace du mariage. Si Bawtry ou un autre m'interrogent sur ce que je fais, j'ai une raison. Ou j'en inventerai une.

— Telle que ? insista Runcorn.

Il était visiblement soucieux, conscient des risques qu'ils couraient, et dont Monk tentait de le protéger.

Monk réfléchit un instant.

— Je pourrais dire que je veux m'assurer que le dossier à charge de Dinah ne présente aucune faille, répondit-il avec un rictus ironique. Ça ne m'ennuie pas de mentir.

— Ne vous faites pas pincer !

Il n'y avait aucune trace d'humour dans les yeux de Runcorn, seulement de l'inquiétude.

— Rendez-vous ici à six heures.

Monk se leva.

— Et si je découvre quelque chose ? demanda aussitôt Runcorn.

— Je ne sais pas où je serai. Attendez-moi.

Runcorn ne protesta pas. Il se leva à son tour et ils sortirent ensemble dans l'après-midi venteux.

Pour Monk, les heures qui suivirent se révélèrent aussi épuisantes qu'infructueuses. Il se renseigna aussi discrètement que possible, réfrénant mal son impatience. Il trouva des professeurs dont Lambourn avait été l'étudiant, d'anciens camarades qui avaient obtenu leur diplôme de médecin en même temps que lui, et un autre qui s'était tourné vers la chimie en cours d'études.

Ils se souvenaient de lui, mais ne purent rien apporter d'utile à Monk en dehors de ce qu'il savait déjà. Tous se prétendaient trop occupés pour lui consacrer une entrevue. Peut-être étaient-ils gênés de parler d'un homme dont la vie s'était terminée en tragédie, mais Monk ne pouvait s'empêcher de soupçonner qu'ils avaient été avertis que la moindre indiscrétion leur attirerait la défaveur de leurs supérieurs. Des portes qui leur avaient été ouvertes jusque-là risqueraient fort de se refermer inexplicablement à l'avenir.

Il aurait pu continuer des heures durant pour épuiser toutes les pistes qui s'offraient à lui, mais hésitait à attirer davantage l'attention sur ses recherches. De plus, il ne désirait pas faire attendre Runcorn. Il avait le vague souvenir de l'avoir fait assez souvent par le passé.

Ce dernier était assis dans le même coin du pub, pianotant impatiemment sur la table. Monk savait qu'il n'était pas en retard, mais jeta quand même un coup d'œil à sa montre pour s'en assurer. Il s'assit en face de Runcorn.

Celui-ci fronçait les sourcils, visiblement troublé.

— Ça ne va pas vous plaire, dit-il tout bas.

Monk sentit ses muscles se nouer et retint son souffle.

— Vous avez trouvé quelque chose ?

Il avait la bouche sèche et sa voix s'étrangla, provoquant une quinte de toux.

Runcorn ne le fit pas attendre.

— Un mariage, pas de décès.

Monk fut stupéfait.

— Le mari est donc toujours vivant ?

— Plus maintenant.

Runcorn prit une profonde inspiration.

— Zenia Gadney était bel et bien mariée... à Joel Lambourn.

— Quoi ?

Monk se figea. Il avait dû mal entendre. Ce n'était pas une plaisanterie, si amère ou déplacée qu'elle ait pu être. Il n'y avait pas la moindre espièglerie dans le regard de Runcorn.

— C'est encore pire, ajouta-t-il, morose. Cela s'est passé environ cinq ans avant qu'il épouse Dinah.

— Pourquoi est-ce pire ?

Monk n'avait nulle envie d'entendre la réponse.

— J'ai cherché partout, croyez-moi. Par deux fois, précisa Runcorn tristement. Il n'y a pas eu de divorce.

— Mais alors... alors son mariage avec Dinah n'était pas légal ?

Il marqua une pause.

— Dinah était dévastée par la mort de Lambourn, reprit-il. Elle devait avoir une foule d'autres soucis plus urgents que d'aller voir comment Zenia s'en tirait. Sans compter qu'elle n'avait sans doute pas énormément d'argent en réserve, en attendant que la succession soit réglée – peut-être tout juste assez pour subvenir à ses besoins et à ceux de ses enfants. Ses filles passaient forcément bien avant Zenia.

— Nous devons découvrir en quoi consiste l'héritage, observa Runcorn à regret. Vous aurez le droit de le savoir.

Monk acquiesça.

— Je vais avoir pas mal de questions à poser – y compris sur ce qu'Amity Herne savait au sujet de son frère, et pourquoi elle a menti à la barre en disant que Zenia était une prostituée qu'il allait voir parce que Dinah refusait de satisfaire ses besoins.

— Il est possible qu'elle sache beaucoup de choses, ajouta Runcorn avec dégoût. Le fait que Dinah et son frère n'étaient pas mariés, par exemple, et que Zenia aurait hérité si elle était toujours en vie. Mais comme elle ne l'est plus, Amity Herne elle-même est la plus proche parente.

Monk le fixa.

— Je ne sais même pas si c'est une bonne ou une mauvaise nouvelle ! avoua-t-il d'une voix rauque.

— Tout dépend de l'héritage.

Runcorn le dévisagea, la mine sombre.

— À la fois de ce qu'il est réellement, et de ce que Dinah ou Amity Herne imaginaient.

— Herne est déjà riche, lui fit remarquer Monk.

— Quand est-on assez riche ? demanda Runcorn. Pour certaines personnes, jamais. On ne tue pas par désespoir – on tue parce qu'on désire plus qu'on a déjà.

Il se leva lentement.

— Je vais vous chercher une bière. Vous devriez manger quelque chose. Ils font de très bonnes tourtes au porc.

— Merci, répondit Monk avec reconnaissance. Merci beaucoup.

Runcorn lui décocha un sourire soudain – aussitôt évanoui – avant de se diriger vers le comptoir avec ses rangées de chopes soigneusement alignées sur les étagères, derrière les poignées rutilantes des pompes à bière.

— Oui, monsieur, répondit tristement le notaire à la question que lui posait Monk, le lendemain matin. Une somme tout à fait considérable. Je ne peux vous révéler le montant exact, mais Mr. Lambourn était très avisé, très prudent. Il a toujours vécu en deçà de ses moyens.

— À qui a-t-il légué ses biens, Mr. Bredenstoke ?

Le notaire demeura impassible, et ses yeux bleus le fixèrent sans ciller.

— À ses filles naturelles, monsieur : Marianne et Adah.

— En totalité ?

— Hormis un ou deux dons mineurs, oui, monsieur.

— Rien à Dinah Lambourn ?

— Non, monsieur. Elle a seulement de quoi subvenir aux besoins des enfants.

Monk éprouva un sentiment inattendu de réconfort.

— Merci.

16

La cour ne siégeait pas le samedi matin, ce qui offrit à Rathbone un répit bienvenu. Il rédigea plusieurs lettres de vœux à l'occasion de Noël, distant de quelques jours à peine, et confia à Ardmore le soin de les mettre à la poste.

Pour une fois, le silence de la maison le troublait moins que d'habitude. Pourtant, ce n'était pas le calme paisible de l'attente optimiste, temporaire, qui précède le retour de l'être aimé. C'était un vide qui s'étendait à l'infini devant lui, et même jusque dans son passé, à présent que sa désillusion le déchirait si profondément.

Margaret et lui avaient-ils jamais été aussi heureux qu'il l'avait cru ? Avait-il seulement aimé la femme qu'il la croyait être – en se trompant du tout au tout, à l'évidence ? Éprouvait-elle la même chose : le sentiment de s'être donnée et d'avoir donné sa vie à un homme inférieur à celui qu'elle avait imaginé, en qui pourtant elle avait eu une confiance aveugle – et mal placée ?

Ils n'avaient ni l'un ni l'autre été malhonnêtes, et pourtant, avaient-ils tenu certaines choses pour acquises ? Vu ce qu'ils voulaient voir ? S'il l'avait réellement aimée, se serait-il conduit de cette manière ? Avec le recul, et la réalité de la rupture, il s'interrogeait. L'amour exigeait-il plus de générosité qu'il n'en possédait ? Pardonnait-il en toutes circonstances ?

S'il s'était agi d'Hester, lui aurait-il pardonné ? De quoi ? D'être trop faible pour affronter la vérité concernant son père ? D'être incapable de l'admettre ? Ou simplement de ne pas avoir été celle qu'il croyait, celle dont il avait besoin pour être heureux ?

Jamais Hester n'aurait fait passer quiconque avant la justice. Même si cela l'avait profondément bouleversée, même si elle avait dû en avoir le cœur brisé, elle aurait attendu des autres, quels qu'ils fussent, qu'ils assument leurs fautes. Elle n'aurait pas cessé de les aimer, mais elle aurait été fidèle à elle-même et à ses convictions.

Il se rendit compte avec une surprise fugace que s'il s'était trahi pour faire ce que Margaret exigeait de lui, il aurait perdu le respect d'Hester et une amitié solide, peut-être à jamais. Il sut aussi que c'était là un prix qu'il n'était pas disposé à payer : ni alors, ni maintenant.

L'amitié de Monk lui aurait manqué aussi, mais différemment, et un peu moins.

Il tournait encore ces réflexions dans son esprit lorsque la bonne vint lui annoncer que Monk l'attendait dans le petit salon. Il posa son porte-plume et referma l'encrier, puis se leva et traversa le vestibule pour aller le rejoindre.

Face à la porte, Monk semblait grave et tendu, légèrement hors d'haleine, comme s'il avait couru.

— Que se passe-t-il ? demanda Rathbone, se dispensant des politesses d'usage.

— Vous aviez raison. Elle mentait, par omission tout au moins.

Rathbone sentit la nausée le submerger. Il comprit à quel point il avait désiré que Dinah fût innocente, et c'était là un coup qu'il ne s'était pas préparé à recevoir.

— Lambourn n'avait rien à se reprocher, reprit Monk. Pas de penchants bizarres, pour autant que je le sache. En fait, à tous points de vue sauf un, c'était un homme extrêmement honorable, plus qu'il n'avait besoin de l'être.

Rathbone se fit violence pour parler.

— Sauf un ?

— Il n'a pas divorcé de sa femme pour épouser Dinah. Celle-ci a dû l'accepter car il n'existe aucune trace d'un mariage entre Lambourn et elle.

— Quoi... vous voulez dire ? balbutia Rathbone, qui ne comprenait pas encore vraiment.

— Son seul mariage a été avec Zenia Gadney. Devenue Zenia Lambourn par la suite, évidemment. C'est pourquoi il l'a soutenue loyalement, avec compassion. Si Dinah est réellement allée à la recherche de Zenia, c'était sûrement pour continuer à l'aider. Elle a peut-être manqué le premier mois suivant la mort de Joel à cause de son chagrin ou parce qu'elle avait du mal à obtenir des fonds tant que la succession n'était pas réglée.

Le soulagement de Rathbone éclata sous forme de colère.

— Dans ce cas, pourquoi faites-vous cette tête d'enterrement ? Cela signifie qu'elle est innocente, pour l'amour du ciel ! Elle n'a pas de mobile !

— Bien sûr que si ! rétorqua Monk d'un ton mordant, le rouge aux joues, non moins furieux. Lambourn mort, elle n'a plus rien ! Zenia était la veuve, et l'héritage est apparemment considérable.

Rathbone réfléchit à toute allure, s'efforçant de trouver une logique et une solution à cette confusion.

— Elle devait se douter que l'héritage serait important, reprit Monk. Mais la vraie question est la suivante : savait-elle, oui ou non, ce qui figurait dans le testament de Lambourn ?

— Et vous ? riposta Rathbone.

— Oui. En dehors de quelques legs insignifiants, le gros de la succession revient à ses deux filles, Marianne et Adah.

— Bon sang, Monk ! Pourquoi ne me le disiez-vous pas ? s'énerva Rathbone.

— Parce que j'ignore si Dinah était au courant. Tout dépend de ce qu'il lui a dit. D'après le notaire, elle n'était pas présente lors de la rédaction du testament.

Rathbone se laissa lourdement tomber dans un fauteuil.

— Résumons. Lambourn n'entretenait ni une maîtresse ni une putain, il soutenait financièrement sa propre épouse tout en vivant avec la femme qu'il aimait – et qui est maintenant prête à risquer la pendaison pour sauver son honneur et sa réputation.

Monk prit place en face de lui.

— Amity Herne a menti sans vergogne à la barre pour convaincre la cour que son frère était un incompétent qui s'est suicidé à cause de son échec professionnel et de ses appétits sexuels, ajouta-t-il. Et pour faire condamner sa belle-sœur accusée d'avoir tué et éviscéré la femme avec qui il la trahissait. Ce qui soulève la question de savoir de quoi il retourne réellement dans ce cauchemar sanglant ! S'agit-il au fond d'opium, du droit de l'importer et de le vendre pour faire d'immenses profits sans les restrictions qui seraient imposées par la loi sur la pharmacie ?

— Si tel est le cas, Dinah a raison, conclut Rathbone. Des gens qui ont des intérêts dans l'opium ont tué Lambourn de façon à le discréditer et son rapport avec. Et quand Dinah a tenté de le défendre, ils ont assassiné Zenia Gadney et fait en sorte que les soupçons se portent sur elle, de manière à la réduire au silence aussi. C'est monstrueux. Y a-t-il vraiment des gens aussi corrompus au sein de notre gouvernement ? Seigneur, j'espère que non !

Il se remémora brusquement la salle d'audience, la galerie, et Sinden Bawtry assis au bout d'une rangée, presque dissimulé par l'ombre d'un pilier. Pourquoi était-il là ? Pour protéger la loi sur la pharmacie ou pour la saboter ?

— Qui, alors ? Un sérieux doute pèse sur la culpabilité de Dinah Lambourn et, personnellement, j'ai tendance à la croire innocente.

— J'ai besoin d'en savoir davantage sur le projet de loi, ses partisans et ses détracteurs, déclara Rathbone, se forçant à réfléchir calmement. Et ce qui en résultera si elle est adoptée. Qui sera le perdant dans cette affaire ? Un homme sain d'esprit, si cupide soit-il, irait-il vraiment jusque-là pour retarder un vote qui interviendra de toute manière tôt ou tard ?

— Non, admit Monk en secouant la tête. Il doit y avoir autre chose. Et vous n'avez pas de temps à perdre là-dessus.

Rathbone se leva.

— Je n'ai pas le choix. Il ne s'agit peut-être pas de la loi sur la pharmacie, ni même des guerres de l'Opium, mais il y a un lien. Sinon pourquoi détruire Lambourn et son rapport ? Venez avec moi.

Cela sonnait comme un ordre, et il en avait eu l'intention.

Monk se leva docilement.

— Où allons-nous ?

— Voir le Premier ministre, répondit Rathbone. Tout au moins, je l'espère.

Il gagna la porte et sortit dans le vestibule, déjà plongé dans son projet : il comptait s'adresser à un homme en particulier à qui il avait rendu un immense service. Ce dernier pouvait lui obtenir une entrée au 10, Downing Street et l'attention de Gladstone, même un samedi matin, s'il jugeait l'affaire assez urgente.

Monk lui emboîta le pas, assez impressionné pour garder le silence.

On était au milieu de l'après-midi lorsque, toutes les faveurs obtenues, William Ewart Gladstone consentit à leur consacrer un moment. On les fit entrer dans le cabinet de travail du Premier ministre. Debout près de la cheminée se tenait un homme bien bâti, imposant, aux favoris en côtelette et au visage étrangement familier, comme la photographie d'un journal qui aurait pris vie.

— Eh bien, messieurs ? demanda-t-il, les regardant tour à tour. Ceci doit avoir une importance remarquable. Soyez brefs, je vous prie. Je peux vous accorder très précisément une demi-heure.

— Merci, monsieur.

Rathbone avait résumé mentalement ce qu'il avait à dire sous différentes formes, omettant un point puis un autre, s'efforçant d'aller droit au cœur de l'affaire et à l'aspect qui séduirait le plus Gladstone, l'homme à principes prêt à lutter pour une cause.

— Je suis l'avocat de la veuve de Joel Lambourn, accusée d'un meurtre atroce dont je la crois innocente, commença-t-il.

Le dégoût se lut sur le visage de Gladstone et Rathbone se décida aussitôt. Connaissant le côté puritain de Gladstone, il courait un risque, mais il était habitué à observer les visages des jurés et à juger s'il gagnait ou perdait la partie.

— Cette femme fait preuve d'une loyauté sans faille envers lui, reprit-il. J'ai appris ce matin même par le commissaire Monk…

Il eut un geste désignant ce dernier.

— … qu'en réalité ils vivaient en concubinage, car il était toujours marié à la victime, Zenia Gadney. S'il se rendait régulièrement à Limehouse, c'était afin de s'assurer que celle-ci ne manquait de rien. Elle avait souffert par le passé d'une dépendance à l'opium qu'il l'avait aidée à surmonter.

Une lueur soudaine de pitié traversa le regard de Gladstone, accompagnée d'une bouffée de colère.

— La dépendance à l'opium est un des pires fléaux de notre époque, dit-il à voix basse. Et pourtant nous ne pouvons ignorer les bienfaits qu'il apporte à ceux qui souffrent. Que Dieu nous aide, nous devons être très prudents pour ce qui est du projet de loi sur la pharmacie.

— Dinah Lambourn s'est délibérément impliquée dans le meurtre de Zenia Gadney, poursuivit Rathbone en hâte. Quand la police l'a interrogée, elle a menti dans le but d'être jugée lors d'un procès très en vue…

— Pourquoi ? demanda Gladstone, incrédule, ses traits taillés à la serpe momentanément détendus sous l'effet de la perplexité.

— Pour faire connaître le travail de son mari sur les décès dus à l'opium, expliqua Rathbone, utilisant le mot « mari » à dessein. Surtout chez les enfants. Il avait remis un rapport au gouvernement, qui l'a rejeté, avant de salir son nom en l'accusant d'incompétence.

— Je suis au courant de cette affaire de suicide.

Gladstone secoua la tête.

— Le pauvre homme aura péché par désespoir.

— Sauf votre respect, monsieur, intervint Rathbone, aussi promptement qu'il le pouvait sans être grossier, je commence à croire, comme Dinah Lambourn, qu'il s'agit en réalité d'un meurtre très habile.

Il se tourna vers Monk, l'invitant à poursuivre.

Ce dernier prit la relève.

— Au début, monsieur, tout portait à croire à un suicide. Cependant, l'inspecteur de police chargé de l'enquête a été supplanté par des agents du gouvernement qui prétendaient agir dans l'intérêt de la famille de Lambourn, par loyauté et par discrétion. Les éléments rassemblés lors du meurtre de Zenia Gadney m'ont conduit à soupçonner Dinah Lambourn de ce crime. Lorsque je l'ai interrogée, elle a passionnément réfuté la thèse du suicide de son mari, tout comme celle de son incompétence.

Monk parlait vite, de crainte d'être interrompu. Rathbone vit qu'il s'efforçait de ne pas s'emballer.

— Elle affirme qu'on l'a assassiné dans le dessein de jeter le discrédit sur lui, reprit-il. J'ai enquêté sur ces allégations, par souci d'équité, et j'ai découvert plusieurs incohérences inexpliquées dans le récit fait par les policiers chargés de l'affaire. Je peux vous les citer toutes si vous le souhaitez, mais, pour vous donner un exemple, il n'y avait ni couteau ni arme d'aucune sorte à côté du corps.

Rathbone, qui observait le visage de Gladstone, vit son intérêt s'aiguiser brusquement.

— Croyez-vous vraiment qu'il ait été assassiné ? demanda ce dernier.

— Oui, monsieur. Je crois que de gros intérêts sont en jeu, et que certaines personnes étaient prêtes à tuer Lambourn et la pauvre Zenia Gadney par la suite afin d'accabler Dinah Lambourn et la réduire au silence. Le rapport serait enterré du même coup.

— À quel genre d'intérêts faites-vous allusion ?

— Je ne sais pas, monsieur, avoua Monk. Nous n'avons pu trouver aucun exemplaire du rapport du docteur Lambourn, bien que nous ayons fouillé son domicile et celui de Mrs. Gadney. Par conséquent, nous ignorons sa teneur, ses conclusions et les noms de ceux qu'il menaçait.

— Votre dossier est bien mince, commissaire, observa Gladstone d'un ton sombre. Qu'attendez-vous de moi ?

Monk prit une profonde inspiration. Il avait beaucoup à gagner, beaucoup à perdre.

— Un résumé du projet de loi, et toutes les lettres ou notes que le docteur Lambourn a pu fournir avant la remise de son rapport définitif.

— C'est beaucoup, commenta Gladstone sèchement. Croyez-vous vraiment à l'innocence de cette femme ?

— Je n'en suis pas certain, monsieur, mais j'y crois.

Monk sentit la sueur perler sur sa peau alors qu'il songeait au risque qu'il courait. Si Dinah était coupable, qu'adviendrait-il de sa carrière ?

Gladstone réfléchit quelques instants.

— Cela semble un geste à la fois remarquable et stupide. La loi sera votée, car elle est nécessaire au bien-être du peuple. Je peux vous en obtenir un résumé sans difficulté. Concernant le rapport de Lambourn, ce sera peut-être plus compliqué, mais je ferai mon possible.

Rathbone le remercia avec chaleur, avant de se mordre la lèvre.

— Il ne reste sans doute plus qu'un seul jour à l'accusation pour présenter ses arguments, après quoi je devrai commencer sa défense. Au mieux, je peux faire durer cela trois ou quatre jours. Une fois le verdict prononcé – et en ce moment, il est presque certain qu'elle sera déclarée coupable –, elle sera condamnée à mort et il sera presque impossible de faire casser le jugement.

Il jeta un coup d'œil à Monk, puis reporta son attention sur le Premier ministre.

— Non seulement une innocente paiera de sa vie sa loyauté envers son mari, mais la loi sur la pharmacie sera repoussée ou sa portée réduite. Personne ne peut estimer combien de gens mourront inutilement, des enfants pour la plupart.

Le visage de Gladstone était sombre et crispé. Il était visiblement en proie à une vive émotion. Lorsqu'il répondit, son regard était lointain, perdu dans les profondeurs de sa mémoire.

— Il existe de nombreuses taches dans notre histoire, messieurs, mais l'un des épisodes les plus lamentables de l'existence de notre nation est celui des guerres de l'Opium. Il y eut des moments glorieux où nous avons fait preuve de courage et d'honneur, de génie intellectuel, d'humanité chrétienne. Ces guerres incarnent l'opposé : la cupidité, le déshonneur, la cruauté barbare. La Grande-Bretagne est dépendante du thé, qu'à l'époque de ces conflits nous ne pouvions acheter qu'en Chine. Nous aimons aussi beaucoup la porcelaine, et la soie, également achetées dans une large mesure à la Chine. La seule monnaie qu'ils acceptent en échange est le lingot d'argent et nous en avons peu.

Rathbone jeta un coup d'œil à Monk, mais ni l'un ni l'autre ne soufflèrent mot.

Gladstone continua, la voix empreinte de honte.

— Nous avons discuté, supplié, et quand cela est resté sans effet sur les Chinois, nous avons commencé à leur vendre de l'opium venu d'Inde. Peut-être l'ont-ils utilisé comme remède au départ, mais ils se sont très vite mis à fumer pour le plaisir. Je n'ai ni le temps ni l'envie de vous décrire les progrès de cette abomination, mais, en l'espace de quelques années, des dizaines de milliers de Chinois sont devenus dépendants au point d'être incapables de travailler, ou même de subvenir à leurs besoins ou à ceux de leurs familles.

« Nous en avons envoyé en quantité toujours croissante, l'avons fait entrer en contrebande, en dépit de tous les efforts du gouvernement chinois pour empêcher ce commerce. En fin de compte, nous avons empoisonné une nation, nous l'avons réduite à l'impuissance, et même à l'agonie. Certes, beaucoup d'entre nous choisissent de le nier. Aucun homme n'admet facilement des actes aussi vils. Il est particulièrement bouleversant de reconnaître que son pays s'est conduit d'une manière déshonorante. Beaucoup croient que le patriotisme les oblige à le nier, à le cacher, voire à mentir et à rejeter le blâme sur d'autres. Des hommes ont été assassinés pour dissimuler des faits moindres, et les coupables se sentaient justifiés.

Sa voix était sourde et rauque.

— La défense de la famille, de son pays, que ce soit bien ou mal… c'est la trahison absolue de Dieu.

Monk et Rathbone se turent, ne sachant que dire. D'ailleurs, l'émotion de Gladstone était si profonde que parler aurait semblé non seulement superflu mais déplacé.

Comme s'il se souvenait soudain de leur présence, il reprit la parole. Son visage était rouge de colère à présent.

— Nous avons peut-être d'abord considéré qu'il s'agissait d'un commerce raisonnable. De fait, certains affirment que, si nous ne leur avions pas vendu de l'opium indien, d'autres leur en auraient procuré

327

venant d'ailleurs. Les Français et les Américains ne sont pas innocents.

— Vraiment ? demanda Rathbone, regrettant aussitôt de ne pas avoir gardé le silence.

Gladstone leva un instant les yeux vers lui.

— Oui, mais c'est un argument spécieux. Le péché de l'un ne justifie pas celui de l'autre.

— Et les guerres, monsieur ? demanda Monk.

— Les Chinois ont essayé de nous empêcher de leur vendre de l'opium, en usant d'arguments, de taxes douanières, avec très peu de diplomatie. Les émissaires de la reine étaient traités comme des serviteurs venus apporter le tribut d'un quelconque vassal.

Il était si offensé qu'il avait du mal à articuler.

— Étant la nation la plus puissante de la terre, nous avons mal réagi à de telles insultes. Il était difficile d'empêcher les débordements.

Il baissa la voix.

— Sinon impossible.

Rathbone l'imaginait, mais s'abstint de tout commentaire.

— Des incidents violents se sont produits, reprit Gladstone. Certains d'une bestialité inimaginable, et nous ne sommes pas exempts de reproches. Bien que je ne puisse imaginer que nous nous soyons abaissés à certaines des choses qu'on m'a relatées.

Il se secoua légèrement.

— Cela n'est pas une excuse, cependant. Nous avons eu affaire à des sauvages par le passé, et nous savons que ce n'est pas parce qu'un homme est capable de créer la plus exquise beauté ou d'inventer des bienfaits aussi importants pour l'humanité que le papier ou la porcelaine, et même la poudre à fusil dans tous ses usages, qu'il est aussi une créature civilisée dans l'âme. Quoi qu'il soit, cela ne nous absout pas de notre propre devoir en tant que chrétiens.

Son visage était assombri par la fureur, il tremblait.

Rathbone regarda Monk et lut la compassion sur ses traits, accompagnée d'une certaine perplexité. Il ouvrit la bouche, mais n'osa pas intervenir.

— Nous avons assisté à une escalade dans la violence jusqu'au moment où les Chinois ont confisqué de vastes quantités d'opium, des centaines de kilos.

Ayant recouvré la maîtrise de lui-même, Gladstone poursuivit son discours.

— Ils en avaient le droit. Même si certains le nient, c'est la vérité. L'opium était un produit de contrebande, introduit en Chine par nos soins. La Royal Navy a attaqué. Les Chinois avaient de petits bateaux, un arsenal moyenâgeux. Nos canons les ont coulés, et leurs marins se sont noyés alors que nous n'avons connu presque aucune perte. Nous avons détruit les fortifications aux embouchures des fleuves, bombardé les remparts des villes et les femmes et les enfants qui s'abritaient derrière. Nos navires – dont le *Nemesis*, le vapeur à aubes, doté d'une coque en acier, indépendant du vent et de la marée – étaient impossibles à combattre avec leurs moyens. Certains avaient des fusils primitifs ; d'autres n'avaient que des arcs et des flèches, les malheureux. Notre victoire a été écrasante.

L'énormité des faits prenait lentement forme dans l'esprit de Rathbone.

— Il y avait trois cents millions d'habitants, continua Gladstone rapidement, comme s'il avait hâte d'en avoir terminé. Nous les avons forcés à nous donner six millions de dollars en argent contre la libération du port de Canton. En 1842, nous avons pris le contrôle de Shanghai et de tout l'estuaire du

Yang-tsé, et nous les avons obligés à accepter un traité honteux après l'autre. Nous leur avons pris l'île de Hong Kong, et les ports de Canton, Xiamen, Fuzhou, Shanghai et Ningbo, et neuf millions de dollars, ce qui équivaut à près de deux millions de livres en guise de réparations pour l'opium de contrebande qu'ils avaient saisi et détruit.

Il secoua la tête.

— Ce n'était pas tout. Il y a eu d'autres concessions. En 1844, la France et les États-Unis ont exigé le même traitement, mais cela ne nous excuse pas. C'était notre guerre, déclenchée et menée à sa conclusion par nos armes et notre appât du gain.

Enfin, il se tourna vers Monk et Rathbone.

— La seconde guerre de l'Opium, quelques années plus tard, ne valait pas mieux. Une fois de plus, nous nous sommes enrichis sur la ruine d'une nation. Qu'il y ait eu d'autres coupables n'y change rien. La France, les États-Unis et même la Russie se sont joints à nous dans la guerre et le pillage. Cependant, c'est nous qui avons joué le rôle le plus important, et qui avons indéniablement le plus profité des traités et de la conquête d'autres ports le long de la côte. Pendant tout ce temps nous avons continué à vendre de l'opium à un peuple de malheureux qui se noyaient dans un océan de dépendance. C'est un épisode affligeant, et vous en trouverez beaucoup pour le nier.

Rathbone s'éclaircit la voix.

— Si je comprends bien, la loi sur la pharmacie va réglementer la vente et l'étiquetage de tous les médicaments en Grande-Bretagne, et empêcher qu'ils soient vendus par des gens qui n'ont aucune connaissance médicale ?

— En effet, confirma Gladstone, son regard allant de l'un à l'autre. Mr. Wilkie Collins, un écrivain talentueux et, surtout, d'une grande notoriété, soutient ardemment le projet de loi, et le docteur Lambourn devait fournir les éléments médicaux. Sa mort a été un coup rude ; sa disgrâce plus encore. Nous surmonterons cet obstacle, je vous le promets. Cependant, j'aimerais savoir ce qu'il a pu découvrir pour qu'on souhaite à la fois l'assassiner et le déshonorer. Peut-être, messieurs, est-il crucial de l'apprendre.

« D'après Sinden Bawtry, le rapport de Lambourn était trop inadéquat pour être de la moindre utilité, et il a été détruit par respect pour sa mémoire. Je l'ai cru sur le moment, mais ce que vous me dites éveille en moi de graves doutes. Je connais Bawtry depuis plusieurs années. C'est un homme compétent qui a de vastes connaissances et a témoigné d'une grande générosité envers son pays. Néanmoins, il a pu être induit en erreur. Qui sait quelles découvertes sordides le docteur Lambourn a pu faire accidentellement lors de ses recherches : des actes de barbarie qui auraient été révélés au grand jour ?

— Merci, monsieur, dit Rathbone avec reconnaissance.

Gladstone eut un sourire sans joie.

— Tâchez de sauver Mrs. Lambourn, dit-il d'une voix pressante. Je tremble à la pensée que notre honte pourrait être exposée devant les tribunaux, mais il serait monstrueux de sacrifier une innocente dans le but de la cacher. Un tel acte reviendrait à déshonorer notre justice en plus de notre commerce. Mais je vous avertis, Sir Oliver, vous allez vous faire des ennemis coriaces. Faites de votre mieux, messieurs. Et tenez-moi au courant. Je vous souhaite une bonne journée.

Dehors, dans l'austère dignité de Downing Street, Rathbone se tourna vers Monk.

— Je ne sais pas si j'y vois plus clair, constata-t-il. Rien n'est tel que je l'avais cru. J'avais imaginé un homme intelligent mais profondément faible, conduit au suicide par ses appétits sexuels ; et une épouse poussée à la vengeance par le chagrin et le sentiment d'avoir été trahie. Au lieu de quoi, il semble que Lambourn ait été un homme remarquable dont la seule faute a été de ne pas divorcer pour vivre avec la femme qu'il aimait réellement.

« Il a résisté aux manipulations et aux pressions pour écrire un rapport sur les dangers de l'opium, et son courage lui a valu de se faire assassiner. Sa veuve, tout au moins sa veuve en apparence, a mis sa propre vie en jeu pour laver son nom. Rien dans cette affaire n'est vraiment ce qu'il paraît être.

Monk secoua la tête.

— C'est vrai.

Rathbone songea à d'autres moments où sa vie avait subitement pris un tour totalement différent de ce qu'il avait escompté. Le familier était soudain devenu étranger, et toute sa confiance en lui s'était envolée. Cela arrivait-il à chacun d'entre nous ? C'était sans doute ainsi que Dinah avait ressenti la situation. Avait-elle découvert que Lambourn n'était pas l'homme qu'elle avait aimé et qui n'existait que dans son imagination, comme lui avec Margaret ? N'avait-il vu d'elle que la surface, et inversement ?

Était-ce ce qu'il comprenait à présent ? La douleur et la désillusion de savoir que l'on ne pouvait jamais avoir de certitude ?

Il marchait au même rythme que Monk, leurs pas presque silencieux dans la rue déserte.

— Nous sommes à deux doigts d'un verdict qui sera peut-être irréversible, et cela m'effraie, avoua-t-il. Quelqu'un a commis deux meurtres qui sont forcément liés. Quant à Amity Herne, pourquoi s'est-elle parjurée ? Par haine envers son frère ou envers Dinah, ou pour justifier le rejet du rapport de Joel ? À moins qu'elle n'ait personnellement intérêt à faire obstacle à la loi ?

— Je l'ignore, admit Monk. Et Gladstone a raison. Personne ne va nous remercier de rouvrir la porte sur les horreurs des guerres de l'Opium !

Il s'arrêta et fixa Rathbone.

— Mais vous allez le faire !

— Oh ! oui ! confirma Rathbone.

À l'instant où les mots quittaient ses lèvres, il se demanda s'il venait de sonner le glas de sa carrière.

17

Monk était profondément ébranlé par le récit de Gladstone. Peut-être, avant son amnésie, avait-il eu vaguement conscience des méthodes honteuses employées lors des guerres de l'Opium, sans toutefois en soupçonner l'ampleur. La cupidité, la violence et la duplicité dont on avait fait preuve l'horrifiaient. Quelle arrogance d'introduire en contrebande un tel poison dans un pays étranger, dans le but de le mettre à genoux ! Enfin, pour couronner le tout, la Grande-Bretagne avait exigé des réparations pour les conséquences de sa propre sauvagerie.

Si son pays avait été la victime et non l'agresseur, il aurait condamné l'envahisseur et brûlé du désir de se venger.

Mais les barbares n'étaient autres que ses compatriotes, des gens qu'il avait crus civilisés, dotés du sens de l'honneur, animés du désir d'apporter la foi à des races moins conscientes du bien et du mal, gouvernées par des lois moins justes.

Il était assis au coin du feu dans le salon, entouré des tableaux familiers, des livres qu'il avait lus et qu'il aimait. Scuff dormait en haut. À voix basse, il relata à Hester tout ce que le Premier ministre leur avait dit.

Finalement, il se leva et alluma les lampes, observant le visage d'Hester alors qu'elle l'écoutait. Il y lut la tristesse et la douleur, bien qu'il lui eût épargné certains détails. Avait-elle aussi honte que lui ? Elle ne semblait guère surprise.

— Le savais-tu ? demanda-t-il malgré lui.

Pourquoi n'avait-elle pas essayé de le contredire, d'en contester au moins une partie ?

— Non, murmura-t-elle, mais ce n'est pas la première fois que je suis confrontée à la bêtise et à l'ignorance. Par le passé, j'ai refusé de croire à certaines choses, j'ai voulu trouver des excuses, des justifications à certains comportements. En fin de compte, j'ai dû accepter que la plupart de ces choses étaient vraies, et même qu'on en avait minimisé la gravité. Les gens mentent pour dissimuler leurs erreurs et en commettent d'autres encore pour cacher leurs mensonges.

Elle le regarda avec anxiété et une étrange tendresse, et il eut l'impression qu'elle aurait aimé le protéger de la désillusion.

— Autrefois, je m'imaginais que les gens au pouvoir étaient différents, mais ce n'est pas le cas, reprit-elle. Personne n'aime admettre que les siens peuvent être aussi cupides et aussi cruels que n'importe quel étranger. L'on a beau se prêter à toutes sortes de contorsions de l'esprit pour nier les apparences, ne s'y trompent que ceux qui veulent bien se laisser tromper.

— Peut-être l'ai-je su et oublié, dit-il, songeant à la bataille qu'il avait menée pour apprendre à connaître l'homme qu'il avait été, ses qualités et ses défauts.

Il y en avait certains qu'il aurait été plus agréable de nier, mais il avait dû se résoudre à les affronter – de petites mesquineries, qui ne s'imposaient pas et qu'il avait regrettées. Cesser de fuir lui avait apporté une sorte de réconfort. L'honnêteté pouvait être salvatrice.

Comme si elle lisait dans ses pensées, ou qu'elle songeait aussi au chemin qu'il avait parcouru, elle lui sourit. Ce fut un moment de complicité d'une étonnante douceur. Toute la douleur était partagée, et se fondait dans un sentiment plus profond, et plus apaisant.

Il tendit la main vers elle, et les doigts d'Hester se refermèrent autour des siens.

Le silence se rompit naturellement.

— Crois-tu que Joel Lambourn ait découvert quelque chose qui aille au-delà des dégâts ordinaires causés par l'opium ? demanda-t-elle. Des faits tout autres, et beaucoup plus graves ?

C'était justement la question qu'il se posait.

— Je ne vois pas pourquoi on l'aurait assassiné pour si peu. Sans parler de Zenia Gadney.

— Non, dit-elle. Quelque chose nous a échappé. Quelqu'un a davantage à perdre.

— Qui ? Les fortunes de l'opium sont déjà faites et personne n'a été déshonoré pour ça.

— Je ne sais pas.

— Gladstone a laissé entendre que certaines familles pourraient être ruinées si de vieux secrets venaient à être connus, observa-t-il, cherchant une solution logique. Lambourn aurait-il pu être sur le point de révéler des atrocités susceptibles de détruire une réputation ?

Elle secoua la tête.

— Pourquoi l'aurait-il fait ? Il n'avait pas besoin d'entrer dans les détails de la contrebande ou de la violence pour prouver que les médicaments opiacés peuvent tuer si on n'a pas conscience du dosage. Et n'était-ce pas son seul objectif ?

— Sauf s'il a découvert autre chose par accident.

Son imagination s'emballait. Il était atterré par sa propre ignorance.

— Et que quelqu'un n'ait pas supporté l'idée qu'on expose une pareille honte nationale. L'humiliation est amère. Certains préfèrent la mort au déshonneur – en fait, beaucoup de gens.

— Je sais, murmura-t-elle.

Il scruta son visage, la peine profonde et soudaine qu'il exprimait, et se souvint trop tard que son père s'était suicidé après avoir été escroqué et réduit à la faillite par Joscelyn Grey. La première affaire sur laquelle il avait enquêté au début de sa nouvelle vie, à la suite de son amnésie. C'était là qu'Hester et lui s'étaient rencontrés et, tout à son discours sur le déshonneur et le suicide, il n'y avait même pas songé. Il avait peine à croire qu'il avait pu être aussi maladroit.

— Hester…

Que dire ? Il avait les joues en feu, il brûlait de honte.

Elle sourit, les larmes aux yeux.

— Je ne pensais pas à lui, dit-elle doucement. Il a été imprudent, il a accordé sa confiance à un homme vil, et je n'étais pas là pour l'aider. J'étais trop occupée à suivre ma conscience un tant soit peu égoïste en Crimée. Une honte nationale est différente.

Elle baissa la tête, fixant ses genoux.

— L'on peut commettre des actes monstrueux sous couvert d'agir pour son pays. C'est une excuse si facile. Je ne sais pas où est la vérité. Demain, je retournerai voir Winfarthing et peut-être une ou deux personnes qui en savent plus long sur les guerres de l'Opium et la manière dont nous nous sommes battus.

— Je crois que tu ne devrais pas…

Il s'interrompit en voyant la calme détermination qui brillait dans son regard.

Elle le ferait, quoi qu'il dise, pour sa propre tranquillité d'esprit, tout comme elle était allée en Crimée sans l'accord de ses parents, et comme elle avait fondé la clinique destinée aux prostituées sans le sien. Il aurait préféré qu'elle se souciât davantage de son propre bien-être, ou au moins de sa sécurité. Mais alors l'insatisfaction naîtrait d'autre chose, et irait croissant à mesure qu'elle nierait sa nature et ses convictions.

— Sois prudente, au moins ! conclut-il. Pense à Scuff.

Elle rougit légèrement, prit une inspiration pour riposter, puis se mordit la lèvre.

— Je le serai, promit-elle.

Hester commença par aller voir Winfarthing. Elle fut obligée d'attendre près d'une heure qu'il termine d'ausculter ses patients, après quoi il lui accorda toute son attention. Comme toujours, son bureau croulait sous les livres et les papiers. Un petit chat était pelotonné sur une pile désordonnée à souhait, un lit idéal où se coucher. Il ne bougea pas quand Hester s'assit sur la chaise la plus proche.

Winfarthing semblait las et mécontent, les cheveux en bataille.

— Je n'ai rien qui puisse vous être utile, déclarat-il avant qu'elle ait eu le temps de lui poser la question. Sinon, je vous aurais prévenue.

Elle lui révéla ce qu'ils avaient découvert concernant Dinah et Zenia Gadney.

— Seigneur ! s'écria-t-il, stupéfait, le visage altéré par une profonde pitié. Je suis prêt à l'aider, mais que faire ? Si ce n'est pas elle qui a tué cette femme, qui est le coupable ?

Le dégoût se lut sur ses traits.

— Je n'apprécie guère les politiciens, et je ne les respecte pas beaucoup non plus, mais je me refuse à croire que l'un d'entre eux aurait pu assassiner Lambourn de sang-froid dans le seul but de retarder la loi sur la pharmacie. Car elle viendra tôt ou tard – et plus tôt que tard, quoi qu'ils fassent. Y a-t-il vraiment tant d'argent à gagner en un an pour que cela vaille la peine de tuer un homme ? Et de perdre son âme ?

— J'en doute. Il doit y avoir autre chose.

Il la dévisagea avec curiosité.

— Quoi ? Quelque chose que Lambourn aurait appris et inclus dans son rapport ?

— N'êtes-vous pas de cet avis ?

Elle n'en était plus aussi sûre à présent, et tâtonnait à la recherche de réponses. Elle ne voulait pas que Dinah fût coupable, ni que Joel Lambourn fût considéré comme un incompétent qui s'était suicidé. Était-ce cela qui la motivait, plutôt que la logique ? Elle lisait trop clairement cette pensée sur les traits de Winfarthing, et sentit le rouge lui monter aux joues.

— Le suicide de Lambourn n'a aucun sens, dit-elle, sur la défensive. Et les preuves vont à l'encontre de cette hypothèse.

Il ignora son argument. Peut-être n'avait-il plus d'importance à présent.

— Qu'avez-vous à l'esprit ? demanda-t-il. Croyez-vous qu'il ait pu découvrir quelque chose ayant trait à la vente de l'opium ? Ou à la contrebande ? Personne en Grande-Bretagne ne se soucie que la Compagnie anglaise des Indes orientales fasse de la contrebande sur les côtes chinoises.

Il claqua des doigts avec dédain.

— Pour la plupart d'entre nous, la Chine pourrait aussi bien être sur Mars. Ce qui s'y passe n'intéresse en rien l'individu moyen. D'un point de vue moral, c'est une honte : la corruption, la violence et l'empoisonnement de la moitié d'une nation simplement parce que nous avons les moyens et le désir de le faire et que cela génère d'absurdes profits.

— Je ne sais pas, répéta-t-elle, gagnée par le désespoir. Il doit bien y avoir quelque chose dont nous nous soucions. Peut-être peut-on justifier à ses propres yeux le massacre d'étrangers mais pas le fait de dépouiller les siens, et certainement pas de les trahir.

— Est-ce de cela qu'il s'agit, Hester ? demanda-t-il à voix basse. Pourquoi pensez-vous que Lambourn aurait mis le doigt sur des agissements de ce genre ? Concernant qui ? Tout le monde sait que nous avons introduit l'opium en Chine pour payer les produits luxueux que nous leur achetons – la soie, la porcelaine, et surtout le thé. Nous en sommes dépendants. Eux ne voulaient accepter que des lingots d'argent en paiement, et nous n'en avions pas. Par conséquent, nous les avons rendus dépendants à l'opium, et exigé d'être payés en lingots d'argent ou directement en thé. La grande différence est que nous importons le thé légalement et qu'il ne nous cause aucun mal. Alors que nous faisons entrer l'opium en contrebande et qu'il les tue à petit feu. Ils descendent dans les abîmes de l'âme, qu'aucun homme ne peut mesurer, vers une mer sans soleil. Lisez Coleridge – ou De Quincey !

Elle y songeait depuis quelque temps, ne sachant au juste quelle question poser, ni même quelle réponse elle cherchait. La seule certitude était qu'elle avait confiance en Winfarthing.

— « Une mer sans soleil », répéta-t-elle. On dirait un emprisonnement, une noyade. La vraie dépendance à l'opium est-elle très grave ?

Il la dévisagea avec une attention soudaine, plissant les yeux.

— Pourquoi cette question ? Pourquoi maintenant ?

— Nous ne fumons pas l'opium, contrairement aux Chinois. Nous le mangeons, nous l'absorbons dans des médicaments, mélangé à toutes sortes d'autres produits, répondit-elle lentement.

— Je le sais, mon petit. Où voulez-vous en venir ?

— J'ai rencontré une femme sur les docks qui dirige une espèce d'hôpital pour les marins et matelots. Elle m'a parlé d'une seringue avec une aiguille qui permet d'injecter directement l'opium dans le sang. Cela soulage la douleur beaucoup plus vite, et plus complètement. Moins d'opium pour plus d'effet.

Il hocha la tête.

— Et une dépendance accrue, grogna-t-il. Bien sûr. Soyez prudente, Hester. Très prudente. La dépendance à l'opium est une chose terrible. Vous avez raison, c'est une mer dans laquelle un million d'hommes peuvent se noyer en même temps, et pourtant chacun le fait seul. Donnez-leur-en juste pour la douleur, puis donnez-leur-en le lendemain, et enfin seulement pour les empêcher de devenir fous. Les hommes bons s'en servent pour apaiser les souffrances insoutenables d'autrui, les méchants pour faire naître une passion à laquelle rares sont ceux qui échappent.

— Qui possède de telles aiguilles ?

— Je l'ignore. Et vous ?

— Moi aussi. Je ne sais même pas s'il en existe beaucoup. Ni s'il y a ou non un lien avec la mort du docteur Lambourn. Personne ne semble savoir ce qui figurait dans son rapport…

Il se redressa, son grand corps rigide, les yeux écarquillés.

— Vous croyez que c'est de ça qu'il s'agit ? Pas de la loi sur la pharmacie ni des guerres de l'Opium, mais de quelqu'un qui créerait une maladie que lui seul pourrait soigner ?

— Je l'ignore, répéta-t-elle. Mais les guerres de l'Opium étaient assez laides pour que n'importe quoi soit possible !

— Ma chère, les gens n'entendent que ce qu'ils ont envie d'entendre, répliqua-t-il doucement. On vous accusera de mensonge, de trahison envers votre pays, si vous osez ne serait-ce que suggérer des choses pareilles. On défendra les coupables plutôt que d'admettre qu'on nous a dupés. Personne ne renonce de son plein gré à l'illusion de sa propre valeur. Certains préfèrent même mourir.

— Ou tuer ? demanda-t-elle aussitôt. Faire taire la voix qui met en cause leurs convictions ? De tout temps, on a voulu punir le blasphémateur, n'est-ce pas ? Ce serait une justification facile.

— Si quelqu'un avait été lapidé, peut-être, observa-t-il en secouant la tête. En revanche, taillader les poignets d'un homme et maquiller sa mort en suicide n'est pas un acte de colère bien-pensante, Hester. C'est un meurtre de sang-froid, le genre d'acte qu'on commet pour protéger ses propres intérêts, pas ceux d'autrui.

Elle resta silencieuse, songeant à Joel Lambourn seul dans le noir sur One Tree Hill.

— Ce qu'on a fait subir à Zenia Gadney est le geste d'un individu dépourvu d'humanité, reprit-il.

Et commettre un tel crime dans le but de faire condamner quelqu'un d'autre est au-delà de toute justification, même pour un dément. Vous avez raison, il ne s'agit pas de la loi sur la pharmacie, ni des guerres de l'Opium.

— Dans ce cas, on a agi par intérêt, pour défendre une fortune déjà amassée ou qui s'accroît encore grâce à ce commerce, insista-t-elle, refusant d'abandonner la partie.

— Pour la défendre de quoi ? La loi sur la pharmacie exigera le dosage, l'étiquetage…

— Mais Lambourn est mort, coupa-t-elle. Et il ne s'est pas ouvert les poignets. Il n'y avait ni couteau, ni flacon, ni fiole à côté de lui.

— Ce sont des contradictions, admit-il. Ou un manque d'attention de la part des premiers policiers arrivés sur place. Est-il possible – non pas probable, mais possible – que quelqu'un d'autre ait volé le couteau ?

— Pourquoi persistez-vous à vouloir expliquer cela ? demanda-t-elle d'un ton accusateur.

Elle était troublée, sur la défensive, comme si une vérité horrible lui glissait entre les mains, en laissant des mensonges plus horribles encore à sa place.

— Pensez-vous qu'il ait fait preuve d'incompétence et qu'il se soit suicidé ? ajouta-t-elle. Ou voulez-vous m'empêcher de remuer des affaires plus gênantes – au prix de la vie de Dinah Lambourn ?

Une profonde tristesse se lut sur son visage, et elle comprit qu'elle l'avait blessé.

— Je suis désolée, s'excusa-t-elle. Ce n'était pas juste et je regrette de l'avoir dit. Je me sens impuissante. Je sais qu'il se passe quelque chose d'affreux, et j'ai trop peu de temps pour comprendre.

Il eut un petit geste de la main, écartant ses paroles.

— Vous n'avez pas changé, n'est-ce pas ? Vous n'avez pas appris votre leçon.

Il baissa la voix et une grande douceur envahit ses traits.

— Je m'en réjouis. Certaines personnes ne devraient jamais vieillir – pas de l'intérieur. Mais soyez prudente, mon petit. S'il y a vraiment quelque chose là-dessous, c'est très grave en effet, et très dangereux.

Il se pencha par-dessus le bureau pour prendre un porte-plume. Il griffonna un nom et une adresse sur un bout de papier qu'il lui tendit.

— Cet homme a aidé Lambourn. Il soigne les pauvres, gagne sa vie comme il peut. Il ne sera peut-être pas facile à trouver. Il est instable, heureux un jour et malheureux le lendemain, mais c'est quelqu'un de bien. Soyez prudente en vous renseignant sur lui.

Elle prit le papier et y jeta un coup d'œil. Alvar Doulting. Un nom qu'elle ne connaissait pas.

— Merci, dit-elle en le glissant dans son réticule. Je vais me mettre à sa recherche.

La journée du lendemain était déjà bien avancée lorsqu'elle trouva enfin Alvar Doulting, au travail dans une unique pièce près d'un entrepôt de St. Saviour's Dock. Il avait une demi-douzaine de patients qui présentaient des hématomes, des fractures ou un membre écrasé. Après la plus brève des conversations, une simple mention de la Crimée, elle se mit à l'aider.

C'était un jeune homme grave, très pâle, peut-être à cause du froid ou de l'épuisement. Son visage mince, à la fois décidé et sensible, était assombri par une barbe naissante et creusé par les rides. Il portait des vêtements en haillons, les uns par-dessus les autres pour essayer de se tenir au chaud, et autour du cou une écharpe en laine au lieu d'une cravate.

Il l'observa un bref instant, le temps de s'assurer qu'elle avait de l'expérience et qu'elle n'était pas rebutée par la misère ou la saleté. Elle ne voyait que la souffrance, les risques d'hémorragie ou de gangrène, et – comme toujours à cette époque de l'année – les dangers provoqués par le choc et le froid.

Ils travaillaient avec des chiffons, des pansements de fortune confectionnés à partir de bandes de tissu déchiré, des attelles de bric et de broc, du brandy bon marché qu'on faisait ingurgiter aux patients pour atténuer la douleur, et qu'on versait sur les plaies avant de les recoudre à l'aide de fil et de boyaux. Il n'avait que peu d'opium, et n'en utilisait que dans les pires des cas.

Au bout de deux bonnes heures, ils se retrouvèrent seuls, enfin libres de parler.

Ils étaient assis dans son minuscule bureau encombré de livres et de piles de papiers, sans doute des notes sur des patients, parce qu'il était trop fatigué ou trop occupé pour se fier à sa mémoire. Elle se souvenait d'avoir fait la même chose. Il y avait un petit poêle dans le coin, et une bouilloire qui chauffait. Il lui offrit du thé qu'elle accepta avec gratitude.

— Merci pour votre aide, dit-il en lui tendant la tasse en fer-blanc, pleine de breuvage fumant.

Elle écarta sa reconnaissance d'un geste.

— J'essaie de sauver la veuve de Joel Lambourn de la potence, déclara-t-elle sans préambule. Je ne crois pas qu'elle ait tué qui que ce soit, mais j'ignore qui est le coupable. Si je le savais, cela pourrait m'aider.

Il était assis sur un tabouret branlant. Il leva la tête vers elle, avec dans les yeux tant d'impuissance et de pitié qu'il ne tenta pas de les exprimer par des mots.

— Vous ne pouvez rien faire, dit-il simplement. Vous vous battez dans une guerre dont personne ne sortira vainqueur. Nous avons ruiné les Chinois, et maintenant nous nous ruinons nous-mêmes.

Il eut un petit rire amer.

— Un petit verre d'opium pour calmer le bébé qui pleure, le mal d'estomac, dormir un peu. Un peu plus pour apaiser la souffrance du soldat blessé, de l'homme qui a la jambe écrasée ou des calculs dont il ne peut pas se débarrasser.

Son visage se tordit brusquement.

— Une pipe entière pour celui dont la vie est une corvée et qui préférerait mourir plutôt que de renoncer à un peu d'évasion.

Il baissa la voix.

— Et parfois, une aiguille creuse, une fiole qu'on vide dans une veine, et, l'espace d'un instant, l'enfer devient le paradis – un instant seulement, car après il faut en reprendre.

Il cilla.

— Il y a trop de sang versé, et trop de profits là-dedans pour qu'on ne cherche pas à vous faire taire. Croyez-moi, je le sais. J'ai perdu ma maison, mon cabinet, la femme que j'allais épouser.

Elle sentit la peur se refermer autour d'elle telle une ombre noire, et pourtant elle éprouva aussi un regain de force, même si ce n'était qu'une illusion. Elle avait mis le doigt sur quelque chose de tangible, au lieu de dénégations.

— Qu'a découvert Joel Lambourn pour qu'on veuille le tuer ?

— Je ne sais pas. Il ne m'a parlé que des enfants qui meurent faute d'informations. Les mères leur donnent des médicaments contenant de l'opium quand ils font leurs dents, contre la colique ou la diarrhée sans savoir combien leur en faire prendre ni à quels intervalles. Les chiffres sont terribles et, pourtant, ces remèdes portent le nom de marques que nous connaissons tous et qui nous semblent dignes de confiance.

— Quoi d'autre ?

Elle but une gorgée de thé. Il était trop fort, et fait depuis trop longtemps, mais il était chaud. Il lui rappelait les jours qu'elle avait passés dans l'armée, comprit-elle avec un mélange de douleur et de douceur.

— Il ne me l'a pas dit, assura Doulting. Il savait que quelqu'un essayait de le miner, de le faire passer pour incompétent. Il était prudent. Tout était documenté.

Son visage était devenu très pâle, envahi par la tristesse et un sentiment de culpabilité. De temps à autre il cillait, comme s'il luttait contre une souffrance personnelle.

— J'ai essayé de rassembler des informations et je lui ai donné ce que j'avais. J'ai posé des questions, pris des notes. Certaines histoires vous auraient brisé le cœur.

— Où sont vos notes ?

— Mon cabinet a brûlé. Tous mes papiers et toutes mes archives ont été perdus. Même mes instruments, mes scalpels, mes aiguilles, mes médicaments – tout a été détruit. J'ai dû repartir de zéro ailleurs, en quémandant et empruntant ce que je pouvais ici et là.

Hester frissonna, glacée de l'intérieur.

— Savez-vous qui a fait cela ?

— Je n'ai pas de noms. Quant au motif, je n'en suis pas sûr. Ce n'était pas uniquement pour empêcher la publication d'un rapport visant à réglementer la vente d'opium. Évidemment, cela va coûter une certaine somme de mesurer les doses, de tout étiqueter

347

et de s'assurer que seuls des gens qualifiés le vendent, mais pas une fortune. Certains affirment que c'est une atteinte à la liberté des pauvres car l'opium est le seul remède qu'ils connaissent contre la douleur, mais ce qui les inquiète surtout, c'est leur propre liberté de le vendre aux désespérés aussi facilement que possible.

— Cela aurait-il pu pousser quelqu'un à commettre un meurtre tel que celui de Zenia Gadney ?

— Non, admit-il. Et il ne vous servirait à rien de me demander à qui Lambourn faisait allusion, parce qu'il ne me l'a pas dit. Mais je suis certain qu'il connaissait son nom. C'était dans ses notes. Il ne voulait pas me dire grand-chose. Il affirmait que c'était moins dangereux pour moi.

— Mais c'était quelqu'un qui vit ici, à Londres ?

Il hocha la tête.

— L'assassinat de Lambourn, celui de la pauvre Zenia Gadney et la pendaison de Dinah Lambourn n'ajouteraient rien à la noirceur de son âme. Peut-être ne reste-t-il plus rien qui puisse le faire.

Elle était convaincue qu'il disait la vérité telle qu'il l'avait entendue, ou devinée à demi-mot. La peur était gravée sur son visage, le manque d'instruments et de médicaments dans la salle confirmait son récit. Lambourn avait-il eu la preuve que quelqu'un créait une dépendance dans le seul but de la nourrir, et si oui, était-ce un crime ? Un péché, certes, mais pas un péché qui fût puni par la loi. Lambourn s'apprêtait-il à le dénoncer ? Cela n'aurait pas fait progresser sa cause concernant la réglementation des ventes.

Ne s'agissait-il pas là d'une question totalement distincte, à aborder ultérieurement, à supposer que ce fût nécessaire ? Qui y prêterait attention ? Qui voudrait entendre dire que l'on pouvait être capable d'une telle brutalité, d'une telle cupidité, d'un tel mépris envers l'être humain ? Le croirait-on seulement, ou dirait-on que si un homme décidait d'aller en enfer, il avait le droit de le faire à sa guise ? C'était tellement plus facile, et plus sûr, de condamner le messager de telles nouvelles, de détruire les mots plutôt que les actes effrayants, indélébiles.

— S'il rassemblait des informations sur les maladies et les décès dus à l'ignorance, comment aurait-il découvert qu'une plus grande dépendance était possible par l'injection dans le sang ? Il s'intéressait aux mères qui avaient perdu un enfant : à des gens ordinaires, qui n'étaient jamais allés beaucoup plus loin que leur quartier.

Il paraissait las.

— Je ne sais pas. Je ne sais pas où il est allé ni à qui d'autre il a parlé. Il l'a sans doute appris par hasard, de la bouche d'anciens soldats. Il ne me l'a pas dit.

— D'anciens soldats ?

Il eut un mince sourire, exprimant un profond chagrin.

— De la guerre de Crimée et des guerres de l'Opium : des hommes qui souffriront de leurs blessures jusqu'à la fin de leurs jours. Ils prennent de l'opium pour apaiser leurs vieilles douleurs, dormir malgré les cauchemars. Certains cherchent à se soulager des fièvres et des crampes de la malaria, ou d'autres maladies dont ils ne connaissent même pas le nom.

Elle se sentit stupide de ne pas l'avoir compris plus tôt. Elle s'était trop centrée sur le travail de Lambourn concernant la mortalité infantile. Peut-être avait-il évoqué ce sujet afin de ne pas attirer l'attention sur les autres choses qu'il avait découvertes par hasard, et qui, il le savait, ne seraient pas reconnues.

— Vous ne trouverez pas de preuves pour sauver Dinah Lambourn, murmura Doulting, sans l'ombre d'un espoir dans les yeux. Nous n'admettrons pas les maux de l'opium parce que nous l'avons vendu à toute une nation. Nous avons volé, pillé, tué des civils, empoisonné les hommes, les femmes et les enfants d'un pays trop peu développé militairement pour nous résister, et nous sommes des barbares : tous autant que nous sommes, ceux qui l'ont fait, et ceux qui les ont laissés faire, et nous qui choisissons de ne pas le reconnaître à présent.

Il laissa échapper un soupir.

— Il est tellement plus facile de dire que ce commerce est inoffensif et que ceux qui prétendent le contraire sont des traîtres – de les faire taire et de continuer. Si nous l'admettons, nous devrons réparer le mal commis et rendre les profits. Pouvez-vous imaginer quiconque faire une chose pareille ?

Elle ne trouva pas de réponse à lui donner.

— Nous avons encore le temps d'identifier cet homme ! s'écria-t-elle. Quelqu'un a tué Joel Lambourn et Zenia Gadney aussi.

— Mais qui aiderons-nous si nous mourons en essayant de le prouver ?

— La seule chose que je veux pour le moment, c'est sauver Dinah de la pendaison.

— Et vous pensez que ça vous aidera de savoir ce que Lambourn a découvert ?

Il souriait, mais elle voyait à son regard qu'il n'en croyait rien.

— Oui ! c'est possible, insista-t-elle. Cela fera au moins comprendre aux jurés que cette affaire va bien au-delà d'une histoire de jalousie. Elle connaissait l'existence de Zenia Gadney depuis des années.

À quoi diable cela lui aurait-il servi de la tuer alors qu'il était mort ?

— Je n'en ai aucune idée.

Il haussa les épaules.

— Les gens qui tuent ainsi sont-ils toujours sans d'esprit ? demanda-t-il avec douceur, comme s'il essayait d'amortir le coup.

Elle ne sut que répondre. D'ailleurs, restait la question de l'argent laissé par Lambourn, et la possibilité que Zenia sorte de l'ombre et prouve qu'elle était encore légalement son épouse. L'aurait-elle fait ? Lambourn s'était occupé d'elle alors qu'il n'y était pas obligé, non seulement financièrement mais aussi personnellement. Il ne s'était jamais contenté de lui envoyer l'argent. Il lui avait rendu visite et lui avait parlé. Après tout cela, aurait-elle cherché à déshériter ses enfants ?

Dinah n'était-elle pas prête à courir ce risque ? L'accusation pourrait l'affirmer et être crue. Zenia était morte d'une façon si hideuse qu'il serait difficile de la présenter autrement que comme la victime.

— Où puis-je trouver les soldats qu'il a vus ? demanda-t-elle. Je pourrais les chercher seule, mais je n'ai pas de temps à perdre.

— Je vais vous donner quelques noms. Ensuite, il faudra que je me remette au travail.

Elle termina son thé et posa la tasse sur l'un des rares espaces disponibles.

— Merci.

18

Rathbone sentait l'affaire lui échapper. Il ne voyait toujours pas ce qui se trouvait en son cœur : quel mobile avait fini par pousser un être au meurtre. Il ne pouvait se défaire de la conviction que Dinah était innocente et se demandait si la loyauté qu'elle témoignait à Lambourn le touchait parce qu'il éprouvait le besoin de croire en l'existence d'un tel amour : un amour plus grand que l'instinct de survie, plus profond que les preuves elles-mêmes. Ni l'attachement de Lambourn à une autre femme ni son suicide, réel ou mis en scène, n'avaient en rien affaibli sa dévotion envers lui.

Sa foi était-elle fondée, ou prouvait-elle au contraire qu'elle était incapable de voir la vérité en face ?

Étendu seul dans sa chambre silencieuse, il ne parvenait pas à répondre. Le ciel pâlissait à l'est et le jour s'infiltrait entre les rideaux qu'il n'avait pas fermés correctement. Ç'allait être une de ces journées d'hiver lumineuses qui rendaient l'approche de Noël plus gaie, plus charmante encore. La veille avait été le jour le plus court. Les gens coupaient des branches de houx et de lierre pour confectionner des couronnes et décoraient leurs portes de rubans.

Des chants de Noël allaient bientôt résonner dans la rue.

Dans le jardin, les tout derniers chrysanthèmes étaient chétifs et courbaient la tête, certains touchés par le gel. On respirait l'odeur des feuilles mortes et de la fumée des feux de bois, toute la beauté qui suggérait la fuite du temps, et l'impossibilité de garder même les choses qui sont les plus précieuses à nos yeux.

Ce Noël-là il serait seul.

Réussirait-il à sauver Dinah ? Au début, il avait compté sur ses talents d'avocat, certain que ceux-ci au moins avaient survécu au départ de Margaret. À présent, il en était moins sûr.

Si Dinah était innocente, qui était coupable ?

Qui diable pouvait-il citer comme témoin pour l'aider ?

L'affaire reposait-elle réellement sur le rapport de Lambourn ? Le meurtre de Zenia semblait motivé par une émotion personnelle, violente, différente de l'appât du gain. Était-il concevable qu'il n'y ait aucun lien entre leurs deux morts ? Que deux calamités aient frappé la même famille en l'espace de deux mois ?

Si tel était le cas, Dinah était innocente et Zenia Gadney victime d'un dément que l'on n'identifierait peut-être jamais. De toute manière, il n'obtiendrait pas la preuve de l'existence d'un tel homme au cours des deux jours à venir. On était dimanche et Pendock tenait à mener le procès à sa conclusion avant Noël, qui tomberait le mercredi. Si l'affaire devait se poursuivre la semaine suivante, les jurés en seraient contrariés et lui en tiendraient rigueur.

Rathbone suffoquait sous le poids du désespoir tel un homme en train de se noyer, incapable de respirer tandis que l'eau se referme autour de lui. Le corps rigide, il fixait le pan de clarté qui s'élargissait au plafond. Il était pourtant en parfaite santé. C'était la désillusion qui l'étouffait, un profond sentiment d'échec allant bien au-delà d'une simple défaite juridique. Il voulait que Dinah fût innocente, saine d'esprit, courageuse, loyale, qu'elle aimât son mari – bien qu'il fût mort – plus qu'elle-même.

Enfin, il résolut d'aller voir Amity Herne, dans l'espoir de mieux comprendre Lambourn et les relations complexes qu'il entretenait avec Zenia Gadney. Peut-être apprendrait-il des choses qui lui déplairaient, mais il était trop tard pour reculer devant la vérité, dût-elle confirmer la culpabilité de Dinah. Il n'avait plus le loisir de flatter ses désirs.

Le déjeuner dominical était un moment des plus mal choisis pour rendre visite à quiconque, surtout sans être annoncé, pourtant les circonstances ne lui laissaient pas le choix. D'ailleurs, il ne se souciait guère de déranger ou d'offenser Amity Herne ou son mari.

Il se vêtit avec une élégance sobre, comme s'il venait de l'église, bien que ce ne fût pas le cas. Ce matin-là, ni le rituel ni la certitude pompeuse du révérend ne lui auraient été d'aucun réconfort. Il avait besoin de réfléchir, d'envisager la plus sordide, la pire des possibilités.

À midi et demi, il était à la porte des Herne. Non sans une certaine réticence, le majordome le fit entrer dans le petit salon et le pria d'attendre pendant qu'il informait son maître que Sir Oliver Rathbone était là.

C'était surtout Amity Herne qu'il désirait voir, mais il lui serait utile de leur parler à tous deux. Avec un peu de chance, il pourrait jauger leur relation. L'ambition de Barclay Herne avait-elle poussé

Amity à s'éloigner de Lambourn ? Rathbone n'hésiterait pas à faire pression sur elle afin d'en apprendre davantage sur Dinah, voire assez pour prolonger le procès jusqu'après Noël et donner ainsi à Monk le temps d'en découvrir davantage.

Tandis que ces pensées se succédaient dans son esprit, il faisait les cent pas dans le petit salon prétentieux. Les bibliothèques étaient garnies de livres à reliure en cuir, et au-dessus de la cheminée était accroché un portrait flatteur d'Amity, où elle avait environ vingt ans de moins, un teint de pêche et des épaules d'une blancheur irréprochable. Il avait amèrement conscience de se trouver dans une situation désespérée.

Barclay Herne entra, refermant la porte derrière lui. Il n'était pas vêtu pour recevoir, arborant un foulard plutôt qu'une cravate, une veste d'intérieur et un pantalon dépareillés. Il semblait perplexe et mal à l'aise.

— Bonjour, Sir Oliver. Quelque chose est-il arrivé à Dinah ? J'espère qu'elle n'est pas souffrante ?

Il scruta avec anxiété le visage de Rathbone, attendant sa réponse.

— Non, assura-t-il. Pour autant que je le sache, sa santé est encore relativement bonne. Mais je crains de ne pouvoir vous donner grand espoir qu'il en sera ainsi très longtemps.

Herne cilla.

— Je ne sais pas quoi faire pour elle, avoua-t-il d'un ton impuissant.

Rathbone se sentit gêné. Il savait que sa visite les mettait tous les deux dans l'embarras, peut-être pour rien. Il se lança.

— J'ai l'impression que quelque chose de vital m'échappe. J'apprécierais énormément de pouvoir m'entretenir franchement avec Mrs. Herne et vous-même. Je sais que nous sommes dimanche et qu'il est fort possible que vous ayez d'autres projets, surtout à quelques jours de Noël. Cependant, c'est ma dernière chance de trouver une raison quelconque de soulever un doute raisonnable quant à la culpabilité de Mrs. Lambourn ou même de plaider la clémence.

Le dernier vestige de couleur déserta le visage de Herne, le laissant livide, une fine pellicule de sueur sur le front.

— Si vous voulez entrer dans le salon ? Nous n'avons pas encore déjeuné. Peut-être accepterez-vous de vous joindre à nous.

— Je suis navré de vous déranger.

Rathbone suivit Herne, traversant l'élégante entrée pour gagner le salon, une pièce opulente, aux rideaux en velours bordeaux et aux meubles sombres ornés de pieds sculptés. Les guéridons bas, assortis, brillaient comme si on ne s'en était jamais servi.

Amity Herne était assise dans un des fauteuils au coin du feu. Derrière les fenêtres, le soleil hivernal dardait ses rayons sur un petit jardin. Toutes les plantes vivaces avaient été taillées, la terre noire avait été désherbée et ratissée.

Elle ne se leva pas.

— Bonjour, Sir Oliver, dit-elle, visiblement surprise et mécontente de le voir.

Elle jeta un coup d'œil glacial en direction de son mari.

Herne répondit à la question implicite.

— Sir Oliver aimerait savoir si nous pouvons lui apporter des informations susceptibles d'aider Dinah, expliqua-t-il.

Amity regarda Rathbone. Ses yeux noisette étaient froids, pleins de réserve. Sans doute détestait-elle qu'il fût venu lui rappeler la réalité alors qu'elle aurait aimé la nier, avoir au moins une journée de répit avant l'inévitable.

— Je suis navré, répéta-t-il. Si j'avais pu choisir un meilleur moment, je l'aurais fait.

Elle ne l'avait pas invité à s'asseoir, mais il prit les devants, choisissant le fauteuil directement face au sien. Il se mit délibérément à l'aise, signalant son intention de rester. Il vit au léger changement dans son expression qu'elle avait compris.

— Je ne vois pas ce que je pourrais vous dire qui puisse être de la moindre utilité, dit-elle d'un ton sans chaleur. N'est-il pas un peu tard à présent ?

La question était brutale mais justifiée.

— En effet, admit-il. Mais j'ai la nette impression qu'il y a quelque chose d'important que j'ignore et que toute ma défense pourrait en dépendre.

— Quelle défense peut-on invoquer pour avoir tué une femme… de cette manière ? coupa Herne, passant devant Rathbone pour s'asseoir de l'autre côté de la cheminée, près de sa femme. Rien ne saurait justifier un tel acte. Elle… elle l'a éventrée, Sir Oliver. Ce n'est pas comme si elle l'avait frappée trop violemment au cours d'une lutte. Cela pourrait se comprendre, mais pas ce… cette atrocité.

Il prit une brève inspiration, parut sur le point de se corriger et murmura quelque chose d'inintelligible.

— Il est inutile de t'expliquer, Barclay, se hâta de dire Amity. Zenia Gadney était peut-être une femme de mœurs dissolues et une gêne pour la famille mais elle ne méritait pas un sort aussi affreux.

De nouveau Herne ouvrit la bouche pour protester, puis se ravisa.

— Vous avez tout à fait raison, bien sûr, acquiesça Rathbone. Rien ne semble pouvoir expliquer une barbarie aussi totale. D'après vous – et elle

me l'a confirmé –, Dinah avait toujours été au courant de l'existence de Zenia Gadney, de son mariage
avec le docteur Lambourn et du fait qu'il subvenait
à ses besoins. D'ailleurs, la dépense était inscrite
dans le livre de comptes du ménage le 21 de chaque
mois.

Amity écarquilla les yeux.

— Certes, mais, Sir Oliver, Zenia Gadney, ou
devrais-je dire Zenia Lambourn, était légalement la
veuve de mon frère. Elle avait droit à tous ses biens,
non pas à quelques livres chaque mois, remises à la
discrétion d'une femme qui n'était en réalité pas
davantage qu'une maîtresse.

— Amity… protesta Herne.

Elle l'ignora.

— Vous auriez du mal à présenter cela sous un
jour favorable à des jurés, Sir Oliver. Tuer pour de
l'argent, même pour nourrir ses enfants, ne se justifie pas. Certainement pas avec un tel degré de sauvagerie. À vrai dire, vous auriez peut-être du mal à
les persuader que c'était aussi simple que cela. Si
j'étais Mr. Coniston, je suggérerais que Joel commençait à se lasser de Dinah et qu'il envisageait de
renouer avec Zenia, son épouse devant la loi, et que
c'est cela qui a déclenché une telle frénésie de haine.

— Pour l'amour du ciel, Amity ! explosa Herne.
As-tu besoin de…

— Je t'en prie, ne blasphème pas, Barclay, répondit-
elle calmement. Surtout pas le jour du Seigneur et
devant notre invité. Je ne prône pas une telle attitude, je ne fais qu'avertir Sir Oliver de la possibilité
que le procureur résume l'affaire ainsi. Il vaut mieux
y être préparé, sûrement.

Rathbone sentit le froid se répandre en lui. Il haïs-
sait les paroles qu'elle venait de prononcer, et la
manière calme et réfléchie dont elle les avait formu-

lées, mais elle disait la vérité. À la place de Coniston, peut-être aurait-il agi de même.

— Je n'avais pas envisagé cette hypothèse, avoua-t-il. Cependant, vous n'avez pas tort. Il doit y avoir une raison à tant de brutalité, et bien que je ne puisse croire à ce que vous suggérez, je ne suis pas en mesure de prouver que ce n'est pas vrai.

— Je suis désolée. J'aimerais pouvoir vous aider, affirma Amity avec plus de douceur. Mais en fin de compte, seule la vérité nous servira.

Barclay se pencha en avant, les coudes sur les genoux, et enfouit le visage dans ses mains. Était-il plus profondément ému que sa femme ? Ou tout simplement plus sensible ? Lambourn était le frère d'Amity. Considérait-elle que Dinah l'avait fait souffrir ?

— Connaissiez-vous bien Zenia Gadney ? demanda Rathbone, s'adressant à Amity. Je veux dire avant les événements qui ont causé sa dépendance, et sa séparation d'avec le docteur Lambourn.

Une expression de perplexité traversa le visage d'Amity. Il était évident que la question l'avait prise au dépourvu. Elle hésita, cherchant une réponse.

— Non, déclara Herne à sa place. Nous ne vivions pas dans la même région et, à cette époque-là, la santé de mon épouse ne lui permettait pas de voyager. D'après Joel, Zenia était gentille, discrète, honnête mais assez ordinaire.

Amity se tourna vers Rathbone, irritée.

— Ce que mon mari veut dire, c'est qu'elle n'était pas excentrique, qu'elle n'attirait pas l'attention sur elle.

Contrairement à Dinah, songea Rathbone sans faire de commentaires. Malgré lui, il pensa à Margaret, puis à Hester. Il y avait eu un temps où la dignité discrète de Margaret, sa grâce et sa réserve innée lui avaient paru des qualités séduisantes, correspondant tout à fait à ce qu'il désirait chez une femme, surtout chez une épouse. La passion et la vivacité d'Hester étaient trop épuisantes, trop imprévisibles. Pourtant, n'avait-il pas été plus amoureux d'Hester qu'il ne l'avait jamais été de Margaret ?

Dans ce cas, pourquoi n'avait-il pas fait la cour à Hester avant qu'elle épouse Monk ? Avait-il agi par sagesse, se connaissant trop bien pour imaginer qu'une telle union lui apporterait le bonheur, ou simplement par lâcheté ? Joel Lambourn avait-il quitté Zenia par ennui, captivé par l'éclat et la vitalité de Dinah, et son évident amour pour lui ? Et l'avait-il regretté par la suite ?

Quant à lui, se serait-il lassé d'Hester ? Son énergie et son intelligence auraient-elles exigé de lui plus qu'il n'était prêt à donner, peut-être plus de passion qu'il n'en possédait ?

Il n'avait pas besoin d'y réfléchir. Monk aimait Hester lorsqu'il l'avait épousée – depuis longtemps sans doute, tout en refusant de se l'avouer. Rathbone savait, à regarder le visage de son ami, qu'il l'aimait infiniment plus à présent. Le passage du temps et les expériences partagées, bonnes et mauvaises, avaient fait naître en eux des sentiments plus profonds. S'il était un homme digne de ce nom, il en aurait été de même pour lui.

Il regarda Amity.

— Le docteur Lambourn s'est-il confié à vous, Mrs. Herne ? J'apprécie que vous teniez à préserver son intimité, d'autant plus qu'il n'est plus à même de le faire, mais j'ai grand besoin de comprendre la vérité.

Herne leva les yeux vers sa femme, attendant sa réponse.

Amity semblait déchirée.

— Je ne peux juger que par ses actions, dit-elle enfin. Il rendait visite à Zenia de plus en plus souvent, peut-être plus fréquemment qu'il ne le confiait à Dinah. Il est possible qu'elle s'en soit rendu compte et qu'elle ait eu des doutes, voire des craintes. Joel était très réservé. Il détestait les scènes, comme la plupart des hommes, me semble-t-il. Certaines femmes en font une arme – implicitement, bien sûr, jamais ouvertement. Dinah avait une tendance au drame. Elle était très égocentrique, exigeante. Les femmes séduisantes sont souvent gâtées et n'apprennent jamais que la beauté est un fardeau autant qu'un cadeau. On peut en venir à trop compter dessus.

— Tandis que Zenia était... ordinaire, observa Rathbone doucement.

Amity sourit.

— Très. Elle n'était pas laide, seulement... comment le dire sans être cruelle ? Elle était ennuyeuse, mais aussi gentille et généreuse. Peut-être est-ce là une forme de beauté qui s'améliore avec le temps, contrairement à la fraîcheur du teint et à la finesse des traits. Les drames constants peuvent devenir lassants. L'on se prend à désirer une vie sans histoire, une honnêteté qui n'exige pas d'effort.

Herne la fixait, le visage plissé par le chagrin. Cependant, rien dans son expression n'indiquait la raison de son désarroi.

— Je vois, répondit Rathbone d'un ton neutre, dépourvu d'émotion. Cela se serait donc passé avant le rejet de son rapport et de ses recommandations sur le contrôle des ventes d'opium ?

— Nous avons déjà parlé de cela, interrompit Herne d'un ton sec. Le rapport était truffé d'anecdotes totalement inappropriées. Joel s'est laissé émouvoir par les tragédies liées à la question, ce qui est tout à fait compréhensible chez la plupart des gens. Il serait inhumain de ne pas éprouver de pitié pour une femme qui a accidentellement tué son enfant...

Il cilla, saisi par l'émotion, avant de continuer d'une voix rauque.

— Cependant, ce genre de sentiment n'a pas sa place dans une étude scientifique. J'ai tenté de le lui expliquer, de lui signaler que le rapport devait s'en tenir à des faits et à des chiffres, des données quantifiables, de façon que nous puissions calmement prendre les mesures nécessaires pour réduire les risques sans pour autant pécher par excès et refuser un accès légitime aux médicaments. Mais il était... il ne se contrôlait plus lorsqu'on abordait ce sujet. Il a refusé de m'écouter.

Il se tourna vers Amity, quêtant une confirmation.

Elle la lui apporta aussitôt.

— Joel était totalement déraisonnable, affirmat-elle. Il semblait avoir perdu son équilibre. Je respectais sa compassion envers ceux qui souffrent, naturellement. Comme nous tous. Cependant, se laisser emporter par l'émotion n'aide en rien. Nous avons tous les deux essayé...

Elle regarda Herne, qui se hâta d'acquiescer.

— Mais nous n'avons pas pu le persuader de retirer les on-dit qu'il avait inclus dans son rapport et de s'en tenir exclusivement aux chiffres. Dans chacun des cas, il aurait dû fournir des dates précises, les informations concernant ses témoins et, bien sûr, leur domicile, le nom des médicaments utilisés, et les rapports médicaux disponibles.

Rathbone fut surpris. La version présentée par Amity différait radicalement des autres échos qu'il avait eus concernant la conduite professionnelle de Lambourn.

— Je vois. Aucune cour de justice n'accepterait des anecdotes pour preuves. Je comprends que le Parlement s'y refuse aussi. Croyez-vous qu'il ait déjà été souffrant à ce moment-là ? demanda-t-il à Amity.

Elle pesa sa réponse pendant quelques instants. Dans le silence, Rathbone entendit des pas dans l'entrée, puis un bruit de voix.

Amity se figea, droite comme un I, totalement immobile sur sa chaise.

Herne se leva très lentement, le visage crispé par l'appréhension. Il se tourna vers Rathbone.

— M. Bawtry se joint à nous pour déjeuner, expliqua-t-il, la respiration un peu altérée. Il avait dit qu'il viendrait s'il pouvait. Je suis navré. Je sais qu'il s'agit d'une affaire de famille, mais c'est mon supérieur, et je ne peux refuser de le recevoir.

Rathbone eut un petit geste gracieux, écartant ses excuses.

— Bien sûr que non. D'ailleurs, nous avons déjà évoqué l'aspect le plus personnel du sujet. S'il y a quelque chose à ajouter concernant le rapport ou la réaction du docteur Lambourn après son rejet, Mr. Bawtry sera aussi concerné que vous. Je vais être aussi bref que possible.

Il se tourna vers Amity, s'attendant à croiser un regard glacial, mais vit au contraire dans ses yeux une vitalité qui le stupéfia. Puis elle cilla et se leva, se tournant vers la porte au moment où le valet l'ouvrait. Un instant plus tard, Sinden Bawtry entra dans la pièce. Il s'avança en souriant vers Amity, puis tendit la main à Rathbone.

— Bonjour, Sir Oliver. Je suis ravi de vous revoir. J'imagine que vous êtes ici dans l'espoir d'obtenir des informations de dernière minute ? Le mieux serait d'en finir avec cet abominable procès aussi rapidement qu'il sera décent de le faire, et, si possible, avant Noël.

Sa poignée de main était ferme et fraîche, solide sans être brutale. Il n'était pas chez lui, mais il dominait naturellement la pièce, comme s'il avait été l'hôte entouré de trois amis.

— Il n'y a rien que nous puissions faire, se lamenta Herne d'une voix suraiguë. Nous avons déjà expliqué que ce pauvre Joel n'était plus lui-même et qu'il se laissait emporter par ses émotions. Nous ne pouvions pas accepter son rapport. Il n'avait rien de professionnel.

Amity lui décocha un regard exaspéré et allait intervenir quand Bawtry la devança.

— Moins nous en dirons sur ce pauvre Joel, mieux cela vaudra, observa-t-il calmement, avant de s'adresser à Rathbone. Il serait fort regrettable pour votre cause d'essayer de justifier le meurtre en suggérant que Dinah avait un motif quelconque. Franchement, le seul espoir que je vois pour votre cliente, c'est de suggérer de manière convaincante que Mrs. Gadney, désespérément à court d'argent, a essayé, malgré son manque d'expérience, de recourir à la prostitution.

Il eut un sourire sombre, qui ressemblait à une excuse.

— Ce serait relativement aisé sans pour autant trop salir son nom. Il ne faudrait évidemment pas laisser entendre qu'elle a mérité ce sort, seulement qu'elle a eu la malchance de ne pas pouvoir se défendre parce qu'elle était seule au moment de l'agression. Si elle a hurlé, personne ne l'a entendue. Une femme habituée à vivre dans la rue n'aurait pas été assez imprudente pour se rendre à un tel endroit sans… comment dit-on… un maquereau.

Herne parut accablé.

— Elle a été une femme respectable autrefois...
protesta-t-il.

— Dinah aussi ! rétorqua Amity d'un ton sec.
Pour l'amour du ciel, Barclay, finissons-en. Il n'y a
qu'une seule issue possible. Nous ne trompons personne en feignant de penser qu'il s'agit de malchance et non de la jalousie de Dinah ou de son désir
désespéré de toucher l'héritage. Prétendre qu'il ne
s'est pas suicidé, mais qu'il a été la victime d'un
mystérieux complot ne tient pas debout. Personne
n'y croit.

Elle se tourna vers Rathbone.

— Si vous avez...

Bawtry mit la main sur le bras d'Amity, très doucement, presque comme une caresse.

— Mrs. Herne, il est bien naturel que vous dési-
riez voir cesser la torture mentale que ce procès nous
inflige, et cela témoigne à la fois de votre honnêteté
et de votre humanité. Cependant, nous devons attendre jusqu'à sa conclusion, en silence si nécessaire.

Il s'adressa à Rathbone.

— Sir Oliver va faire de son mieux pour votre
belle-sœur, même si ses efforts sont voués à l'échec,
et qu'il en est aussi conscient que nous. Il s'agit simplement de montrer que justice a été rendue.

Il décocha à Rathbone un bref sourire qui semblait
sincère.

— J'imagine que, pour ce faire, il sera peut-être
nécessaire de prolonger le procès jusqu'après Noël,
ce qui serait regrettable, mais nous n'y pouvons rien.

Amity sembla se détendre, et une sorte de paix se
lut sur ses traits.

— Je suis désolée, dit-elle. Naturellement. Je ne
voulais pas contester l'inévitable. Je suppose qu'il
serait étrange de ne pas trouver cela bouleversant.

— En effet, acquiesça Bawtry, tandis que son regard allait d'elle à son mari. Je sais que vous aviez beaucoup d'affection pour lui, Barclay, et que, par conséquent, vous devez trouver choquantes ces révélations concernant sa femme. Il est naturel de désirer les nier, mais je suis sûr que vous pourrez puiser du réconfort auprès de votre épouse, et dans la reconnaissance de votre compétence et votre réputation professionnelle, contrairement à ce pauvre Lambourn.

Herne fit un effort douloureux et visible pour se reprendre, redresser les épaules et relever les yeux.

— Bien entendu, dit-il, avant de se tourner vers Rathbone. Je suis désolé que nous n'ayons pas pu vous aider davantage, Sir Oliver. Je crains que les faits ne soient indiscutables. Merci d'être venu.

Rathbone n'avait d'autre choix que de se retirer poliment, en proie à une foule d'impressions dont aucune n'était de la moindre utilité.

19

Au milieu de l'après-midi de ce même dimanche, Monk debout sur le quai venteux accueillait Runcorn arrivé par le bac. Ce dernier débarqua prudemment et gravit avec précaution les marches glissantes. Il semblait las et transi, mais il s'avança sans hésiter, le regard franc.

Monk le salua d'un bref signe de tête, puis fit demi-tour pour l'accompagner au commissariat, tous les deux courbés en avant pour se protéger du froid. Ils se connaissaient trop bien pour avoir besoin des politesses superflues.

À l'intérieur, ils gagnèrent le bureau de Monk où, un instant plus tard, un agent leur apporta du thé. Après l'avoir remercié, Monk montra à Runcorn la brève missive que Rathbone lui avait fait parvenir. Il y résumait les dernières nouvelles concernant le procès, ses propres réflexions et sa visite à Barclay Herne et à sa femme.

Runcorn leva les yeux, la mine encore plus sombre qu'avant.

— Plus j'y pense, moins je suis certain que Lambourn s'est donné la mort, avoua-t-il à regret. Tout paraissait clair sur le moment, et les gens du gouvernement n'avaient pas le moindre doute.

Il secoua la tête.

— Je les ai crus. Je ne songeais qu'à sa veuve et à ses filles, je voulais essayer de ne pas leur compliquer la vie. Je n'étais pas aussi… sentimental autrefois ! s'indigna-t-il avec dégoût.

Monk refoula les paroles de dénégation, voire de réconfort, qui lui venaient à l'esprit. Elles auraient semblé condescendantes.

— Je ne vaux pas mieux, dit-il, avec un humour empreint d'ironie. Si Dinah avait été laide et timide, je n'aurais peut-être pas intercédé auprès de Rathbone pour elle, et je suis assez sûr qu'il n'aurait pas accepté l'affaire.

Runcorn lui adressa un rapide sourire lugubre.

— Je suppose que Lambourn disait vrai à propos des ravages faits par l'opium. Cela dit, j'ai du mal à croire qu'on l'aurait tué pour autant.

Son visage arbora une expression vulnérable, presque blessée.

— Et je reconnais que nous avons commis des crimes affreux en Chine, et trahi tout ce que nous croyons représenter. Nous nous jugeons civilisés, même chrétiens, et, pourtant, il semble que, loin de notre pays, certains d'entre nous au moins se comportent comme des sauvages. Mais quelqu'un allait-il assassiner Lambourn parce qu'il en avait conscience ? Nous sommes tous en partie au courant.

Il soupira.

— Quant à celui qui a mutilé cette pauvre femme, c'est vraiment un sauvage, à mon avis.

Monk s'était fait plus ou moins les mêmes réflexions. S'y ajoutait un élément qu'Hester avait mentionné – la dépendance épouvantable de ceux qui pour soulager leur souffrance avaient eu recours à l'opium.

— J'aimerais savoir plus précisément ce qu'a fait Lambourn au cours de la semaine précédant sa mort.

Runcorn devina aussitôt où il voulait en venir.

— Vous vous demandez s'il a appris quelque chose qui aurait poussé quelqu'un à le tuer ? Mais comment cet individu a-t-il su que Lambourn représentait un danger pour lui ?

— Oui. Et de quoi diable s'agissait-il ? Pourquoi se serait-il senti menacé ici, à Londres ? Lambourn devait posséder des preuves. Il fallait que ce soit quelque chose de personnel, de précieux, pour provoquer un meurtre pareil.

— Il y a eu quantité d'actes barbares, lui fit remarquer Runcorn, serrant les lèvres. J'ai entendu dire que douze millions de Chinois sont sous la dépendance de l'opium.

Il dévisagea Monk avec plus d'attention.

— En avez-vous vu ici, dans certains quartiers de Limehouse ? Des fumeries d'opium, je veux dire ? Des taudis crasseux dans des ruelles où les gens s'allongent sur les lits pour fumer, entassés les uns au-dessus des autres comme des caisses dans la cale d'un navire. La fumée est si dense qu'on distingue à peine les murs. On croirait marcher dans un brouillard épais comme de la purée de pois. Ils restent là, sans savoir où ils sont, la moitié du temps. Comme des morts vivants.

Il frissonna malgré lui.

— Je sais, murmura Monk.

Il en avait vu, lui aussi, bien que rarement.

— Je pourrais comprendre qu'un Chinois soit venu ici tuer des dizaines d'entre nous, surtout les familles qui ont fait fortune là-dedans. Mais pourquoi s'en prendre à Lambourn ? Il était même opposé à son usage médical, à moins qu'il ne soit correctement étiqueté.

— Ça n'a aucun sens, admit Runcorn. Il a découvert autre chose. Mais quoi ?

Il passa la main sur son visage. Il y eut un léger grattement, comme s'il s'était mal rasé, qu'il avait manqué un pan de barbe naissante, grise dans la lumière froide du matin.

— Nous devrions essayer de suivre ses traces, dans la mesure du possible. J'aurais dû m'y employer dès le départ au lieu de croire ce qu'on me racontait.

— Pas de nouvelles de Gladstone concernant le rapport, observa Monk. À qui Lambourn l'a-t-il remis ?

— À son beau-frère, Barclay Herne, affirma Runcorn. D'après lui, il l'a transmis à son supérieur, et détruit ensuite.

— Ce qui peut être vrai ou non, commenta Monk.

— Il pouvait difficilement dire autre chose, sinon, il serait évident qu'il est coupable de l'avoir détruit, lui fit remarquer Runcorn.

— Peut-être a-t-il retiré les éléments qui le gênaient.

Monk réfléchissait à voix haute, s'adressant à lui-même autant qu'à Runcorn.

Ce dernier lui lança un regard critique.

— Si cela ne concernait pas l'étiquetage de l'opium et les dégâts qu'il pouvait causer, pourquoi Lambourn en aurait-il parlé ? À supposer qu'Hester ait raison à propos de ces aiguilles et de la dépendance, cela n'a rien à voir avec la loi sur la pharmacie.

Monk ne répondit pas. Runcorn avait raison et ils le savaient tous les deux.

Ils terminèrent le thé et restèrent silencieux quelques instants.

Puis une autre idée surgit dans l'esprit de Monk, précise et lumineuse.

— Peut-être ont-ils détruit le rapport parce qu'il était sans défaut, dit-il d'une voix pressante.

Runcorn parut totalement perplexe.

Monk se pencha vers lui.

— Il n'y avait rien dedans qui nuisait à quiconque, rien d'absurde. Lambourn était conscient de la dépendance à l'opium et savait qui la nourrissait, mais il n'a pas inclus cette information dans le rapport parce qu'elle n'avait rien à voir avec son objet. C'était Lambourn lui-même qu'il fallait détruire, pour qu'il n'en parle jamais.

— Ah !

La compréhension se lut sur le visage de Runcorn.

— Il fallait le discréditer suffisamment pour rendre son suicide crédible. Dieu du ciel, quelle horreur !

Il porta la main à son front, repoussant ses épais cheveux courts.

— Pas étonnant que Dinah se soit sentie aussi impuissante. J'imagine qu'elle n'a aucune idée de l'identité du coupable ? Il le lui aura caché, pour son bien, sans parler du reste.

— Exactement, acquiesça Monk.

Il prit une profonde inspiration, puis lâcha un soupir.

— À vrai dire, tout ce dont nous sommes sûrs, c'est qu'il l'a appris peu de temps avant de mourir, et qu'il n'a pas eu le loisir d'agir. Et les gens à qui il a remis son rapport y sont liés d'une manière ou d'une autre, parce qu'ils l'ont supprimé.

— Nous devons savoir précisément ce qu'il a fait, où il est allé, à qui il a parlé durant la dernière semaine de sa vie, déclara Runcorn d'un ton décidé. Combien d'hommes pouvez-vous mettre sur l'affaire ? Nous n'avons pas beaucoup de temps, quelques jours tout au plus. Et demain, c'est la veille de Noël ! Rathbone peut-il faire durer le procès jusqu'après les fêtes ?

— Il le faudra bien ! répondit Monk accablé. Le problème, c'est que la vente d'opium n'est pas illégale, même avec les seringues. Si nous découvrons de qui il s'agit, la loi ne le touchera pas pour autant.

Runcorn fronça les sourcils.

— Tout dépend de ce qu'il fait d'autre, dit-il, songeur. Ce n'est pas un commerce facile, surtout si les clients sont au désespoir et qu'ils ne peuvent pas payer.

Il regarda Monk, le visage sombre, les lèvres serrées.

Monk hocha lentement la tête.

— Nous avons besoin d'information. Et de certitudes.

— Hester ? demanda Runcorn d'un ton hésitant, comme s'il osait à peine émettre cette suggestion.

Monk soutint son regard sans ciller.

— Peut-être.

Il se leva et gagna la porte.

— Je vais aller chercher Orme, ajouta-t-il. Autant commencer tout de suite.

— J'ai deux hommes en qui je peux avoir confiance, déclara Runcorn en se levant aussi. Nous trouverons peut-être un passeur qui nous renseignera. Lambourn utilisait sans doute les mêmes bacs tout le temps. La plupart des gens ont leurs habitudes. Elles leur facilitent la vie, à tout le moins.

Deux heures plus tard, ils avaient déjà noirci plusieurs feuilles de papier, en se fondant sur le dossier réuni par Runcorn au moment de l'enquête et les déclarations d'Agatha Nisbet à Hester concernant les visites de Lambourn. Il s'agissait à présent de déterminer précisément ses horaires, dans l'espoir de mettre le doigt sur une anomalie, un détail qui aurait été la cause de son assassinat.

Monk repoussa sa chaise et s'étira. Il s'était tellement concentré sur sa tâche qu'il avait le dos et la nuque raides et douloureux.

— Orme, pouvez-vous retourner enquêter auprès des passeurs ? Ils vous parleront, même si vous devez faire des allées et venues sur le fleuve ou les payer pour qu'ils restent à ne rien faire.

Il eut un sourire morose.

— C'est de l'argent gagné sans peine. Au lieu de s'échiner pour gagner quelques sous, ils n'ont qu'à se pencher sur les rames et raconter leurs souvenirs.

Il s'adressa à un autre de ses hommes.

— Taylor, voyez si Lambourn a fréquenté les fumeries d'opium de Limehouse. J'en doute. Il n'y a probablement rien que nous ne sachions déjà, mais vous avez des sources. Nous devons en avoir le cœur net.

— Oui, monsieur. Et celles de l'île aux Chiens aussi ? Il y en a pas mal là-bas.

— Oui. Bonne idée. Juste histoire de savoir s'il a fouiné dans ce coin-là. S'il a découvert quelque chose, il y sera retourné pour en être sûr. En particulier pour chercher des marchands d'opium qui sortaient de l'ordinaire.

Il adressa à Runcorn un regard interrogateur. C'était le moment où, autrefois, il lui aurait donné des ordres. Il y aurait eu une brève lutte pour le pouvoir, chacun protégeant son territoire. Cette fois, il se retint et attendit.

Une lueur de compréhension traversa le visage de Runcorn, qui se détendit imperceptiblement.

— Je vais interroger les domestiques de Lambourn, dit-il calmement. Le valet saura à quelle heure il est entré et sorti, et la cuisinière aussi, j'imagine. Ils m'ont semblé très loyaux envers lui. S'ils savent que nous essayons de prouver qu'il s'agit d'un assassinat et non d'un suicide, ils seront plus enclins à collaborer.

Monk lui adressa un bref sourire, confirmant qu'un équilibre nouveau s'était instauré entre eux.

— Quant à moi, je vais essayer de trouver cette Agatha Nisbet dont Hester m'a parlé. Lui demander ce que Lambourn lui a dit et ce qu'elle sait d'autre à son sujet.

— Bien. Où allons-nous nous retrouver ? demanda Runcorn.

— Ici, à neuf heures ce soir, répondit Monk.

— Chez moi, à dix heures. Ce n'est pas très loin d'ici à pied. Et nous n'aurons pas trop d'une heure en plus. Rathbone ne pourra pas prolonger le procès au-delà de quelques jours après Noël.

Monk acquiesça.

— C'est logique. Mais venez chez moi. Nous mangerons de la tourte.

Il regarda Orme.

— Oui, monsieur, acquiesça ce dernier. Taylor aussi ?

— Bien entendu. Paradise Place, Rotherhithe.

— Oui, monsieur, je sais, acquiesça Taylor, souriant comme si on venait de lui décerner une médaille.

Il fallut à Monk plus d'une heure pour trouver l'hôpital de fortune que lui avait décrit Hester, et beaucoup plus de temps encore pour convaincre Agatha de lui parler en tête à tête dans son minuscule bureau, et de répondre à ses questions.

C'était une femme énorme, à peu près aussi grande que lui, mais à la carrure nettement plus imposante. Il était facile d'imaginer qu'on puisse être intimidé par elle, même si l'intelligence et la compassion brillaient dans son regard.

— Qu'est-ce que vous voulez donc ? demanda-t-elle de but en blanc. Je n'ai rien à dire à la fluviale.

S'il avait la moindre chance de la persuader de coopérer, celle-ci s'évanouirait à la seconde où Agatha le soupçonnerait de mentir. Il décida d'être aussi direct avec elle qu'il l'imaginait pouvoir l'être avec lui.

— J'essaie d'élucider le meurtre d'un brave homme avant que son épouse soit condamnée et pendue. Plus précisément, condamnée pour un autre meurtre. Je crois que cet homme, un médecin, a été tué parce qu'il avait appris des faits très graves concernant un marchand d'opium.

L'ennui d'Agatha se mua en vif intérêt.

— Vous voulez parler du docteur Lambourn et de cette pauvre créature qu'on a éventrée à Limehouse. Si ce n'est pas la femme du docteur qui l'a fait, alors qui est-ce ?

Elle dévisagea Monk de ses yeux vifs et durs, et il remarqua que ses mains, plus larges que les siennes, se crispaient et se décrispaient parmi les papiers éparpillés sur la table.

— En effectuant ses recherches sur l'opium, le docteur Lambourn a accidentellement fait d'autres découvertes. L'une d'elles menaçait à ce point quelqu'un qu'il a ruiné la réputation professionnelle de Lambourn, puis l'a assassiné, en essayant de maquiller le crime en suicide. De cette manière, il était quasi certain que son secret resterait enfoui.

Elle attendit, sans cesser de l'observer, une montagne de femme, immobile.

— Je crois que cela s'est produit au cours de la dernière semaine de sa vie, poursuivit Monk. Par conséquent, j'essaie de retracer son parcours aussi précisément que possible.

— Allez-y doucement, conseilla-t-elle avec un humour teinté d'amertume. À moins que vous ne teniez à échouer dans la Tamise, vous aussi, la gorge tranchée ou pire.

— Je vois que vous comprenez parfaitement. Que voulait savoir Lambourn et que lui avez-vous dit ?

Il se demanda s'il devait ajouter quelque chose à propos de sa sécurité, mais offrir de la protéger aurait été insultant. Elle saurait tout comme lui que ce serait impossible.

— L'opium, dit-elle, songeuse. Beaucoup de choses liées à l'opium ne sont pas jolies jolies.

— Par exemple ? insista-t-il. Le vol ? La vente d'opium impur, coupé avec des substituts de mauvaise qualité ? Il n'y a pas de contrebande, il entre tout à fait légalement. Qu'est-ce qui vaut la peine de tuer quelqu'un ?

— On peut tuer pour dominer n'importe quel marché ! rétorqua-t-elle avec dégoût. Les boulangers comme les poissonniers ! Essayez donc de vous faire une place dans le commerce de la viande et vous verrez combien de temps vous durez !

— C'est là-dessus que Lambourn vous a interrogée ?

Son visage se crispa.

— J'ai mes propres sources d'opium – du pur. J'en donne aux gens contre la douleur, pas à des idiots de riches pour qu'ils oublient leurs soucis. Je le lui ai dit.

— Dans ce cas, pourquoi quelqu'un s'est-il donné la peine de l'assassiner ? Allons, Miss Nisbet ! dit-il d'un ton pressant. C'était un homme bon, un médecin qui essayait de faire étiqueter correctement les médicaments pour protéger le public. On l'a tué pour le réduire au silence, et on a massacré sa première femme pour pouvoir faire pendre la seconde. Ce qu'il a découvert était infiniment plus grave qu'une mesquine guerre commerciale dont je pourrais entendre parler par n'importe qui sur les quais. On ne peut pas éliminer tout Londres.

Elle hocha lentement la tête.

— Il y a pire que le vol, admit-elle. Il y a l'empoisonnement à petit feu : des hommes bien qui tournent mal, et mènent une existence de morts vivants pire que la tombe. L'opium est puissant, comme le feu. Il peut réchauffer votre foyer ou le réduire en cendres.

Elle l'observait avec attention. Le moindre tressaillement de son visage, un mouvement furtif de ses yeux, rien ne lui échapperait. L'espace d'une seconde, il se demanda ce qu'avait vu cette femme, ce qu'elle avait fait ; ce dont la vie l'avait privée pour qu'elle choisisse cette voie. Puis il reporta son attention sur le présent, sur Joel Lambourn mort déshonoré et Dinah qui attendait de faire face au bourreau.

— J'ai été confronté à toutes sortes d'horreurs ordinaires, répondit-il, devinant qu'elle ne poursuivrait pas avant qu'il ait réagi à sa phrase. Des femmes violées, battues à mort. J'ai vu le cadavre décomposé d'un homme découpé à la hache, j'ai vu des enfants torturés, affamés. Tout cela est déjà arrivé et arrivera encore. Le mieux que je puisse faire, c'est d'essayer de faire en sorte que ça arrive un peu moins. Que pouvez-vous me dire ?

Son visage se referma et se durcit.

— On tue, murmura-t-elle. Il s'agit toujours de tuer en fin de compte, n'est-ce pas ? On tue pour l'argent. Pour le silence. Pour des rêves, pour la paix qui remplace l'agonie, pour une aiguille et un paquet de poudre blanche.

Il demeura silencieux. Il entendit des pas derrière la porte, légers et rapides, quelqu'un se hâtait, et, au-delà, les bruits de la douleur. Pas le grincement de sommiers, seulement le froissement de paillasses sur le sol.

— Qui ? dit-il enfin. Sur qui Lambourn a-t-il découvert ces choses ?

— Je l'ignore, répondit-elle sans une seconde d'hésitation. Je ne voulais pas le savoir, parce que alors il aurait fallu que je le tue.

Elle l'aurait fait, il n'en doutait pas. Il songea que sa propre moralité était douteuse, car il aurait été tenté d'agir de même, mais il sourit.

Elle lui rendit son sourire, révélant ses belles dents blanches.

— Z'êtes un drôle d'énergumène, hein ? dit-elle avec intérêt. Si vous trouvez ce salaud, ajoutez un nœud à sa corde pour moi, voulez-vous ? Il a déshonoré quelqu'un de bien, un médecin, et Dieu sait qu'ils sont assez rares pour ne pas les gaspiller.

Sa voix était rauque, comme si elle retenait ses larmes depuis trop longtemps et que sa gorge lui faisait mal.

— Oui, dit-il sans hésiter. Quand j'aurai mis la main sur lui.

— Ils ont dit que Lambourn s'était ouvert les poignets ? reprit-elle en le fixant calmement.

— Oui.

— Mais il ne l'a pas fait ? insista-t-elle, d'une voix ferme à présent, dépourvue de doute.

— Je ne crois pas, murmura-t-il, se refusant à affirmer qu'il en était certain.

378

— Il a eu plus de chance que d'autres, mais ça n'aurait pas dû arriver.

— Quel genre d'individu dois-je chercher ? Pouvez-vous me donner un indice ?

Elle émit un petit grognement de dégoût.

— Si j'en avais, je m'en chargerais moi-même. Quelqu'un qui cache son jeu, qui donne l'impression qu'il ne saurait pas distinguer l'opium de la farine de maïs. Quelqu'un de bien mis et de poli qui n'a jamais vu ce qui arrive à ceux qui s'injectent ce truc-là dans les veines et qui prennent un aller simple pour la folie. Mais de temps en temps, des gens comme moi voient leurs visages qui nous regardent, nous autres, entre leurs barreaux.

Monk garda le silence quelques instants, puis se leva.

— Merci, dit-il, avant de faire demi-tour et de s'éloigner.

Il retourna à Wapping, réfléchissant intensément aux paroles d'Agatha Nisbet. Même s'il parvenait à trouver cet individu, que faire ? Son activité n'était pas illégale. À moins, bien sûr, que cet homme ne fût aussi impliqué dans le meurtre de Lambourn et celui de Zenia Gadney. Mais pourquoi aurait-il tué Joel Lambourn ? En quoi le médecin pouvait-il lui nuire ? Que pouvait-il prouver ?

Le mystère demeurait entier.

De retour dans son bureau, il relut les informations qu'il détenait et dressa une liste de tous ceux qui avaient eu des contacts avec Joel Lambourn. Il comptait la comparer avec ce que Runcorn découvrirait sur les faits et gestes du médecin durant ses derniers jours.

Bien entendu, il n'y avait pas nécessairement de lien direct. Peut-être quelqu'un avait-il mentionné un nom, un simple fait à quelqu'un d'autre.

Qui était le médecin qu'Agatha Nisbet soupçonnait d'avoir été corrompu ? Avait-elle voulu laisser entendre que le premier vendait de l'opium et des aiguilles pour le compte du second ? Comment le trouver et le persuader de leur parler ? Sans doute refuserait-il, s'il ne pouvait pas se passer d'opium, régulièrement et à l'état pur. Une mauvaise dose, une substance ajoutée risquait de le tuer. Monk se promit d'interroger Hester à ce sujet, et Winfarthing aussi.

Enfin, comment la découverte de Lambourn était-elle parvenue aux oreilles du marchand, au véritable profiteur, celui qui l'avait tué et qui avait tué Zenia Gadney ?

Quel fil les liait tous les uns aux autres ?

La destruction du rapport de Lambourn n'était-elle qu'une diversion visant à justifier son apparent suicide ou le document contenait-il vraiment des informations accablantes, cruciales, que l'on pouvait aisément déduire de la masse de faits et de chiffres fournis ? C'était une hypothèse qu'ils ne pouvaient se permettre d'ignorer.

Il demanderait à Runcorn de charger un agent compétent de se pencher de nouveau sur la question.

Le rapport avait été confié à Barclay Herne, qui l'avait transmis à Sinden Bawtry. Selon ce dernier, Herne jugeait le document inadéquat s'il s'agissait de persuader le Parlement d'adopter le projet de loi.

Qui d'autre l'avait consulté ? Si personne d'autre ne l'avait fait, un de ces deux hommes devait forcément être le coupable. Herne aurait-il tué son beau-frère ? Mais sûrement le cerveau de l'affaire aurait d'autres individus à sa solde ? Tels que l'homme qui, d'après Agatha Nisbet, avait autrefois été quelqu'un de bien. Comment le retrouver avant que le procès se termine et qu'il soit trop tard ?

Runcorn, Orme, Taylor et Monk se retrouvèrent comme prévu à Paradise Place juste avant dix heures. Ils s'installèrent autour de la table de cuisine, sur les chaises en bois. Un siège supplémentaire avait dû être descendu de la chambre de Scuff, Hester s'étant faufilée à l'intérieur sans bruit pour le prendre sans le réveiller.

Le four réchauffait la pièce qui sentait bon le pain frais, le bois ciré et le linge propre.

Pendant qu'ils buvaient du thé et mangeaient des tartines de pain grillé et beurré, Monk leur relata sa visite à « Agony » Nisbet, soulignant la nécessité de trouver le médecin en question. Personne ne parla. Il leva les yeux et vit qu'Hester le fixait comme si elle s'efforçait de lire ses pensées.

— A-t-elle dit autre chose le concernant ? demanda-t-elle à voix basse. N'importe quoi – son âge, son expérience, sa compétence, ce qu'il fait à présent ?

— Non, admit-il. Je crois qu'elle essayait de le protéger. Elle était très peinée qu'il ait été corrompu ainsi.

— Cela arrive parfois avec l'opium, observa Hester, le visage blême. Je ne suis pas très bien informée, mais j'ai entendu dire certaines choses, j'en ai vu aussi. Ceux qui en prennent pour des blessures atroces ont parfois trop de mal à y renoncer, surtout si la douleur ne s'en va jamais vraiment.

Monk la dévisagea, conscient de son émotion, de l'impuissance qu'elle se remémorait comme si tout s'était produit quelques jours plus tôt. Ses épaules crispées sous le tissu tendu de sa robe, les muscles rigides de son cou, sa bouche délicatement fermée, exprimaient la pitié comme une plaie à vif. Il se demanda quelles scènes elle avait vues, quelles horreurs elle ne pourrait jamais partager.

Il se pencha et effleura ses doigts sur la table, un bref moment, avant de se redresser.

— Sais-tu où chercher ? demanda-t-il à regret.

Il lui déplaisait de l'interroger, mais il n'avait pas le choix, et elle lui en voudrait s'il négligeait son devoir pour l'épargner.

— Je crois, répondit-elle, le regard fixé uniquement sur lui, tandis que tous autour de la table l'observaient, attendaient.

— Je viendrai avec toi, déclara Monk aussitôt. Ça pourrait être dangereux.

Elle secoua la tête.

— Non. Nous n'avons pas le temps d'envoyer deux personnes faire le même travail. Il ne nous reste que quelques jours. La première fois que je l'ai vu, je n'ai même pas songé qu'il pouvait être dépendant. J'aurais dû. Sa voix était pleine de colère et d'amertume, il s'en voulait.

— Tu n'iras pas seule, répondit Monk sans hésiter. Soit je t'accompagne, soit tu n'y vas pas !

Elle eut un très léger sourire, comme si une infime partie de sa réponse l'amusait.

— Hester ! dit-il sèchement.

— Songe à tout ce qui doit être fait, répliqua-t-elle. Agatha a dit qu'il avait été un homme bien autrefois. Il y en aura des restes, si je ne représente aucune menace pour lui.

Elle se pencha en avant, captant leur attention.

— Nous devons démasquer celui qui se sert de lui. Celui qui a tué Lambourn et Zenia ou les a fait tuer. Il faut innocenter Dinah avant tout. Le reste viendra après.

Monk serra les dents et soupira lentement.

— Et si c'est le médecin qui les a tués ? demanda-t-il, regrettant d'avoir à dire cela.

Une soudaine lueur de compréhension jaillit dans les yeux d'Hester.

Pourtant, ce fut Runcorn qui dit à voix haute ce qu'elle devait penser tout bas.

— Cela expliquerait qu'il n'y ait pas eu de flacon ou de fiole à l'endroit où on a retrouvé Lambourn, dit-il d'un ton sombre. Il n'a pas bu l'opium, on le lui a injecté à l'aide d'une de ces seringues. Et évidemment, l'assassin l'a emportée. Il ne voulait pas qu'on la trouve. Il ne peut pas y avoir beaucoup de gens qui en ont.

— Ça ne change rien au fait que nous devons découvrir qui a tué Zenia Gadney, intervint Orme, parlant pour la première fois. J'ai parcouru le quartier de Limehouse de long en large. Personne n'admet l'avoir vue là-bas ce soir-là, hormis avec une femme. Si elle a rencontré un homme, docteur ou pas, quelqu'un payé par Herne ou Bawtry, ça s'est passé après.

Il regarda Runcorn, puis Monk.

— Je suppose que vous avez envisagé la possibilité que Dinah Lambourn ait tué les deux, non par jalousie ou par rage, mais parce que quelqu'un l'aurait payée pour le faire, à cause de l'opium ?

Nul ne répondit. Il était déraisonnable d'exclure cette supposition, mais personne ne voulait l'accepter non plus.

Ce fut Runcorn qui finit par rompre le silence.

— J'ai parlé à tout le personnel de Lambourn, dit-il. J'ai une liste assez complète de ses allées et venues lors de sa dernière semaine. Malheureusement, elle ne nous apprend rien de nouveau.

Il tira deux feuilles de papier de sa poche et les posa au milieu de la table.

Monk y jeta un coup d'œil, mais devina à l'expression de Runcorn qu'il n'avait pas tout dit.

— J'ai essayé de reconstituer sa dernière journée, enchaîna-t-il. Histoire de voir s'il était arrivé un incident qui aurait pu le pousser à se tuer ce soir-là. Je ne crois pas que quiconque décide de se suicider à l'avance – si on va le faire, c'est le jour même. Celui qui l'a tué a tout organisé très minutieusement, de manière très convaincante.

Un par un, tous acquiescèrent. Personne ne mentionna Dinah, mais son nom flottait entre eux.

— Qui a-t-il vu ? demanda Monk.

Il comprit avant que Runcorn leur livre la réponse que celle-ci n'allait pas être facile. On le voyait à la perplexité de son regard.

— Le docteur Winfarthing, répondit Runcorn. Le matin. Et quelques commerçants à Deptford l'après-midi. Il est rentré tôt pour dîner, puis a travaillé dans son bureau avant d'aller faire une brève promenade avec Mrs. Lambourn dans la soirée. Ils sont tous les deux allés se coucher vers dix heures. Personne ne l'a revu vivant. On l'a retrouvé mort sur One Tree Hill le lendemain à l'aube.

— C'est absurde, commenta Hester d'un ton sombre. Il n'y a rien là qui l'aurait incité à se suicider. Ce n'est même pas ce jour-là qu'il a appris que son rapport avait été refusé, si ?

Elle regarda Monk, puis Runcorn, avant de se retourner vers Monk.

— Non, répondit Runcorn. On le lui avait annoncé trois jours plus tôt. On a supposé qu'il lui avait fallu ces trois jours pour rassembler le courage de passer à l'acte. Pour sa part, Winfarthing a affirmé qu'il était encore résolu à se battre lorsqu'il l'a vu.

— Ce qui nous ramène à Dinah Lambourn, fit remarquer Orme.

— Personne n'a cherché à entrer en contact avec lui ? s'enquit Monk. Personne n'est venu le voir, n'a laissé de message, de lettre ?

— J'ai posé la question au majordome, répondit Runcorn. D'après lui, le docteur Lambourn a jeté un coup d'œil au courrier en rentrant, vers cinq heures. Il n'y avait que des factures courantes. Aucune lettre personnelle.

— Il est allé se coucher ? s'étonna Hester, perplexe. Vous en êtes sûr ? Aurait-il pu ressortir pendant que Dinah montait ?

Sa voix s'abaissa un peu.

— Et ne jamais rentrer ?

— Le majordome affirme qu'ils sont montés tous les deux. Lambourn a échangé quelques mots avec lui. Cela dit, je suppose qu'il aurait pu lire un peu et redescendre ensuite. Mais pourquoi ?

Taylor intervint, l'air gêné.

— À moins qu'il ne se soit réellement donné la mort ?

Il se mordit la lèvre.

— Sommes-nous certains qu'elle n'a pas menti pour le cacher ? Personne ne veut admettre qu'un être aimé a pu faire ce genre de chose. Elle aurait voulu que ses filles pensent qu'il avait été assassiné, n'est-ce pas ? Les femmes sont prêtes à tout ou presque pour protéger leurs enfants.

Hester regarda Taylor, puis Monk. Ce dernier lut sur son visage qu'elle jugeait cette hypothèse crédible.

— Soit quelqu'un est venu le voir, soit il est allé voir quelqu'un, s'obstina Runcorn d'un ton sec.

— Sur One Tree Hill ? demanda Monk. C'est à près de un kilomètre et demi de Lower Park Street, et en haut d'une côte. Qui aurait-il pu rencontrer en pleine nuit ?

— Une personne de confiance, affirma Runcorn. En compagnie de qui il ne voulait pas être vu, ou qui ne voulait pas être vue avec lui.

— Il ne comptait pas aller loin, ajouta Hester. Vous avez dit qu'il ne portait pas de veste, et on était en octobre.

— Une personne de confiance, répéta Monk doucement. Qui pouvait s'approcher assez de lui pour lui injecter une dose d'opium pur dans les veines.

— Comme pour cette pauvre Mrs. Gadney, commenta Orme. Elle a été assassinée par quelqu'un en qui elle avait confiance, sinon elle ne serait pas allée sur la jetée avec lui, dans le noir.

— En tout cas, ce n'était certainement pas un client potentiel, renchérit Monk. Pas à la vue de tout un chacun.

— Non. D'ailleurs, reprit Orme, j'ai posé des questions plus précises aujourd'hui. Personne ne l'a jamais vue avec un homme, hormis Lambourn. Les gens ont supposé, c'est tout. Les journaux ont dit qu'elle s'était tournée vers la prostitution, mais il n'y a aucune preuve.

Il se pencha en avant.

— Elle était là avec quelqu'un qu'elle connaissait, suggéra-t-il fermement. Quelqu'un dont elle n'avait pas peur du tout – exactement comme Lambourn.

— Ce serait la même personne ?

Monk avait dit tout haut ce que tous pensaient.

— Quelles connaissances Zenia et Lambourn avaient-ils en commun ?

— Quelqu'un de respectable, dit Runcorn lentement, réfléchissant un instant. Peut-être quelqu'un qui s'est présenté comme l'avocat de Lambourn, ou un ami…

— Un médecin… murmura Hester d'un ton hésitant. Ou un membre de la famille.

— Ou sa femme… compléta Orme avec tristesse. Personne ne protesta.

— Il nous reste jusqu'au lundi après Noël pour le prouver, résuma Runcorn en promenant le regard de l'un à l'autre. À condition que Sir Oliver puisse faire durer le procès aussi longtemps.

20

Rathbone demeura éveillé une bonne partie de la nuit du dimanche au lundi, le cerveau en ébullition. Monk lui avait fait parvenir des messages afin de le tenir au courant de leurs progrès. Pour l'instant, cependant, il n'y avait aucune preuve recevable devant un tribunal.

Dinah était convaincue que son mari avait été assassiné parce qu'il avait découvert quelque chose de compromettant pour un individu prêt à tuer plutôt que d'être dénoncé. Et elle, à son tour, était prête à risquer sa vie pour contraindre la police et la justice à établir la vérité.

À quel moment Rathbone devait-il le révéler aux jurés ? S'il le faisait trop tôt, l'effet produit se serait dissipé quand viendrait le moment de sa plaidoirie. Au contraire, s'il tardait trop, son annonce ressemblerait à une invention de dernière minute, née du désespoir.

Il fixa le plafond, les yeux grands ouverts dans l'obscurité totale, envahi par le sentiment d'avoir perdu le contrôle de cette affaire. Il devait en reprendre les rênes. Même s'il ne disposait d'aucune arme en dehors de sa conviction que Dinah était innocente et de l'espoir que Monk allait dénicher un début de preuve pour étayer sa théorie, il ne devait rien en laisser paraître devant Coniston. Et encore moins devant le jury.

Monk faisait allusion à une dépendance bien plus forte que celle des fumeurs d'opium, une dépendance provoquée par l'injection directe dans le sang. Quelqu'un empoisonnait délibérément des patients, profitant de la faiblesse causée par une souffrance mentale ou physique pour provoquer une accoutumance, puis, lorsqu'ils étaient dépendants, exploitait leur désespoir.

C'était un acte monstrueux, mais pas un crime aux yeux de la loi. Monk l'avait admis lui-même. Alors, pourquoi tuer Lambourn ? Quelle révélation avait pu le condamner à mort ?

C'était à lui de le découvrir, et il n'avait pas droit à l'erreur. Ensuite, il s'agirait de prolonger le procès jusqu'à ce que Monk lui fournisse des preuves. Une fois posées les fondations d'une défense, il n'aurait qu'à ajouter l'élément final, la dernière pièce du puzzle : le nom de l'homme qui avait orchestré les meurtres de Lambourn et de Zenia Gadney.

Réussirait-il ? Rathbone s'endormit enfin, ayant tout juste tracé les grandes lignes de son plan.

Lorsque le procès reprit le lundi matin, une satisfaction tranquille se lisait sur les traits de Sorley Coniston. Les choses étant ce qu'elles étaient, il était quasi certain de l'emporter.

Rathbone résolut d'imposer son propre rythme aux débats et de peser sur l'atmosphère ambiante. On était l'avant-veille de Noël. Pour le moment, il pouvait au mieux espérer soulever un doute raisonnable et, en regardant les douze hommes assis de l'autre côté de la salle, dans la tribune réservée aux jurés, il ne voyait aucun sceptique parmi eux. Ils étaient assis immobiles, le visage sombre, comme s'ils rassemblaient leur détermination pour répondre calmement qu'ils étaient prêts à condamner une femme à mort pour le crime dont ils la croyaient coupable.

Privé de suspect à leur proposer, Rathbone devait en inventer un. Dans son esprit, cet assassin sans nom et sans visage était employé par celui qui voulait détruire la crédibilité de Lambourn et enterrer son rapport. Présentée en ces termes, sa théorie semblerait tirée par les cheveux et il en avait conscience. Il fallait donc donner à cet individu une réalité, lui attribuer une soif de pouvoir, la crainte de perdre ce qu'il possédait, la cupidité – lui faire incarner le mal.

Tout le monde se tut à la requête du juge Pendock. Coniston se leva et appela son dernier témoin. Rathbone avait été informé de son nom, comme l'exigeait la loi, mais n'avait aucune défense contre ce que cet homme allait dire. Il avait espéré que Coniston ne songerait pas à lui, mais compte tenu de ce que savait Amity Herne, et de la haine qu'elle vouait à Dinah Lambourn, il ne fallait pas s'étonner.

Le nouveau témoin déclina ses nom et qualité, puis jura de dire toute la vérité.

— Mr. Blakelock, commença Coniston. Vous êtes officier d'état civil ?

— Oui, monsieur, répondit Blakelock.

C'était un bel homme, aux cheveux déjà gris mais qui portait bien son âge.

— Avez-vous procédé au mariage de Mr. Joel Lambourn, il y a dix-huit ans ?

— En effet.

— Avec qui ? demanda Coniston.

L'indifférence régnait dans la salle. Seul Rathbone était assis très droit, les yeux fixés sur les jurés.

— Zenia Gadney.

— Zenia Gadney ? répéta Coniston d'une voix sonore, sèche et perçante, comme si la réponse le stupéfiait.

Pendock lui-même se pencha brusquement en avant, bouche bée.

Dans la tribune des jurés, il y eut un mouvement de stupeur. Un homme retint une exclamation et faillit s'étrangler.

Le premier choc passé, Coniston reprit, avec un très léger sourire :

— Ce mariage a-t-il été annulé, monsieur ?

— Non.

Coniston haussa les épaules et esquissa un ample geste d'impuissance.

— Dans ce cas, qui est Dinah Lambourn, la mère de ses enfants, avec qui il a vécu pendant ces quinze dernières années, jusqu'à sa mort ?

— Je présume que le terme de « maîtresse » serait le plus approprié, répondit Blakelock.

— Par conséquent, à la mort de Lambourn, Zenia... Lambourn était sa veuve, et non l'accusée ?

— C'est exact.

— Et donc, l'héritière de ses biens ?

Rathbone se leva.

— Votre Honneur, c'est là une supposition que Mr. Blakelock n'est pas à même d'énoncer et, de fait, elle est erronée. Si vous le désirez, je peux appeler à la barre le notaire du docteur Lambourn, qui vous dira qu'il a légué ses biens à ses filles, Adah et Marianne. Il y a un petit legs, une annuité, destinée à Zenia Gadney. Elle correspond approximativement à la somme qu'il lui versait de son vivant.

Pendock le foudroya du regard.

— Vous étiez au courant, Sir Oliver ?

— J'étais au courant des dispositions testamentaires, Votre Honneur. Il m'a semblé de rigueur de les vérifier.

Pendock prit une inspiration pour ajouter autre chose, puis se ravisa. Il aurait été déplacé de demander à Rathbone ce que Dinah lui avait confié et, de toute manière, les jurés allaient tirer leurs propres conclusions. Coniston n'avait certainement pas besoin de gagner de petites escarmouches de ce genre.

— Mes excuses, Votre Honneur, dit Coniston avec un petit sourire. C'était une simple supposition qui, comme mon éminent confrère l'a signalé, était injustifiée. Peut-être va-t-il appeler à la barre, pour la défense, un témoin à même de prouver que l'accusée savait que ses enfants allaient hériter ? Ainsi, la crainte très naturelle d'être laissée dans la pauvreté par le suicide de son mari serait écartée, ne laissant comme mobile qu'une jalousie non moins naturelle.

Rathbone s'autorisa à arborer une expression incrédule.

— L'accusation suggère-t-elle que l'accusée était jalouse de la femme qu'elle avait de manière si évidente supplantée dans les affections du docteur Lambourn ? À moins que Zenia Gadney n'ait été si jalouse, elle, après toutes ces années, qu'elle a attaqué Dinah Lambourn ? Auquel cas, les mutilations sont révoltantes et gratuites, mais le coup qui a causé la mort de Mrs. Gadney peut fort bien être considéré comme de la légitime défense !

— C'est ridicule ! s'écria Coniston, incrédule mais sans colère apparente. Votre Honneur...

Pendock leva la main.

— Cela suffit, Mr. Coniston. Je vois par moi-même combien cette suggestion est absurde.

Il foudroya Rathbone du regard.

— Sir Oliver, je ne tolérerai pas qu'un procès aussi grave, aussi terrible, soit transformé en farce. L'accusée est allée chercher la victime dans son quartier. Ce qui est arrivé après qu'elle l'a trouvée s'est terminé par la mort violente de la victime, et par ses atroces mutilations. Ces faits sont indiscutables. Les jurés tireront leurs propres conclusions quant à savoir qui est à blâmer. Avez-vous terminé, Mr. Coniston ?

— Oui, Votre Honneur.

— Avez-vous des questions à poser à Mr. Blakelock ? demanda Pendock en se tournant vers Rathbone.

— Non, merci, Votre Honneur.

— Dans ce cas, vous pouvez appeler le premier témoin de la défense.

Pendock se tourna vers Blakelock.

— Merci. Vous pouvez vous retirer.

Debout dans le demi-cercle, Rathbone ne s'était jamais senti aussi vulnérable, même dans des affaires où il savait son client coupable. Il comprit avec un choc que ce n'était pas sa foi en Dinah qui était ébranlée, mais sa confiance en lui. Son assurance, et une partie de son espoir, l'avaient déserté.

À présent, il devait esquisser prudemment le portrait d'un personnage puissant, prêt à tout pour se protéger. Tout en continuant de croire en l'innocence de Dinah, si déraisonnable que cela pût paraître. Cette conviction devait rester constamment présente à son esprit. Lambourn avait découvert quelque chose qui menaçait un homme de pouvoir et on l'avait assassiné pour le faire taire, en maquillant le crime en suicide pour jeter le discrédit sur lui. Quant à Zenia Gadney, elle avait été assassinée dans l'intention de détruire Dinah et d'anéantir ses efforts

pour sauver la réputation de Lambourn et, par conséquent, la cause qu'il défendait.

Il s'obligea à sourire, avec le sentiment que cela
devait ressembler à une grimace.

— J'appelle Mrs. Helena Moulton.

Un instant plus tard, celle-ci apparut et gravit d'un
pas hésitant les marches de la tribune. Elle était visiblement nerveuse. Sa voix tremblait lorsqu'elle jura
de dire la vérité.

— Mrs. Moulton, commença Rathbone avec douceur. Connaissez-vous l'accusée, Dinah Lambourn ?

— Oui.

Mrs. Moulton évitait de lever les yeux vers le box
des accusés. Elle regardait droit devant elle. On
aurait dit qu'elle avait le cou fixé dans un étau.

— Vous étiez amies ?

— Je... oui. Oui, en effet.

Elle déglutit. Elle était très pâle, et ses mains
étaient nouées ensemble sur la barre. La lumière
scintillait sur les joyaux de ses bagues.

— Reportez-vous aux sentiments que vous aviez
durant cette amitié, continua Rathbone.

Il se rendait compte avec douleur qu'Helena
Moulton était gênée d'admettre qu'elle avait fréquenté Dinah. Elle craignait que la société ne l'asso-
cie à celle-ci, comme si sa présence revenait en
quelque sorte à approuver le crime dont on l'accu-
sait.

Il doutait fort que son témoignage puisse renver-
ser la balance en faveur de Dinah, ou même qu'il
fasse la moindre différence, mais il avait besoin des
rares témoins dont il disposait pour prolonger
l'audience et introduire la notion d'un suspect différent. Peut-être Monk était-il à l'instant même en
train de trouver une preuve de son existence. Curieusement, Rathbone avait presque autant de foi en

Runcorn. Il y avait chez cet homme une obstination qui le pousserait à aller jusqu'au bout, car il était furieux qu'on se fût servi de lui au début de l'affaire.

Mrs. Moulton attendait la question, tout comme Pendock, qui commençait à paraître irrité.

— Vous sortiez souvent ensemble ? demanda-t-il. Vous assistiez à des réceptions, des expositions de tableaux ou de photographies, des dîners parfois, ou des garden-parties en été ?

— Comme avec beaucoup d'autres gens, répondit-elle prudemment.

— Naturellement. Vous appréciiez sa compagnie ?

C'était une question à laquelle elle ne pouvait guère répondre par la négative. Cela aurait suggéré une arrière-pensée de sa part.

— Oui, oui… bien sûr, admit-elle, avec un soupçon de réticence.

— Vous deviez parler de beaucoup de choses ?

Coniston se leva.

— Votre Honneur, ceci est une perte de temps pour la cour. L'accusation admet que Mrs. Moulton était amie avec l'accusée, que, par souci d'exactitude, je ne peux guère appeler Mrs. Lambourn.

Rathbone aurait voulu faire objection, mais n'avait aucun motif. Si Pendock lui donnait tort, ce serait une défaite de plus pour lui aux yeux des jurés.

Pendock le regarda avec agacement.

— Où voulez-vous en venir, Sir Oliver ? Si vous avez quelque chose à dire, allez droit au but, je vous prie. Les sorties de Mrs. Moulton et de l'accusée semblent totalement sans rapport avec ce qui nous intéresse.

— J'essaie de déterminer, Votre Honneur, si Mrs. Moulton est en mesure de jauger l'état d'esprit dans lequel se trouvait l'accusée.

— Dans ce cas, considérez que c'est chose faite et posez votre question, ordonna Pendock d'un ton sec.

— Oui, Votre Honneur.

Il avait espéré gagner plus de temps, mais il était impossible de protester.

— Mrs. Moulton, l'accusée était-elle anxieuse ou préoccupée durant la semaine qui a précédé la mort du docteur Lambourn ?

Elle hésita. Elle leva les yeux un instant, comme pour croiser le regard de Dinah assise dans le box au-dessus de la galerie, puis se ravisa et fixa Rathbone.

— Pour autant que je m'en souvienne, elle était comme d'habitude. Elle... elle a mentionné qu'il travaillait très dur et qu'il semblait plutôt fatigué.

— Et après sa mort ?

La compassion se lut sur le visage d'Helena Moulton, et toute sa tension se dissipa, sa gêne balayée par la pitié.

— On aurait dit une somnambule, dit-elle d'une voix rauque. Jamais je n'ai vu quelqu'un d'aussi terrassé par le chagrin. Je savais qu'ils étaient proches. C'était un homme bon, très doux...

Elle ravala sa salive et se ressaisit, non sans difficulté.

— J'étais profondément peinée pour elle, mais je ne pouvais rien faire. Personne ne pouvait rien faire.

— C'est vrai, murmura Rathbone. Même les amis les plus proches ne peuvent vous atteindre lorsqu'on subit une telle perte. La mort en elle-même est terrible, mais l'idée qu'une personne ait pu se la donner est encore pire.

— Elle n'a jamais cru qu'il s'était suicidé ! protesta Mrs. Moulton d'une voix pressante en se penchant par-dessus la barre comme si cela pouvait ajouter du poids à ses paroles. Elle a toujours affirmé qu'il avait été assassiné pour… pour empêcher que son travail soit reconnu. Elle en était persuadée.

— À vrai dire, Mrs. Moulton, je le suis aussi, répliqua Rathbone. Et j'ai l'intention de prouver au jury que tel est le cas.

Une lueur de contrariété traversa le visage de Coniston, mais ce n'était pas encore de l'inquiétude.

Bien que visiblement irrité, Pendock ne fit pas mine d'intervenir.

Rathbone se hâta de poursuivre, acquérant un soupçon d'assurance aussi fragile que la flamme d'une bougie qui, malmenée par le vent, risque à tout moment de s'éteindre.

— Lors de son arrestation, elle a déclaré à la police qu'elle était en votre compagnie au moment où elle était censée avoir été vue à Copenhagen Place en train de chercher Mrs. Gadney et d'interroger des habitants du quartier. Est-ce exact ?

Helena Moulton parut embarrassée.

— Oui.

Elle avait parlé si bas que Pendock dut la prier de répéter sa réponse pour que le jury puisse l'entendre.

— Oui, dit-elle avec un sursaut.

Rathbone lui adressa un léger sourire dans l'intention de la rassurer.

— Et était-elle avec vous à ce moment-là, Mrs. Moulton ?

— Non.

Pendock se pencha.

— Non, répéta-t-elle plus fort. Elle…

Elle déglutit.

— Elle a affirmé qu'elle m'avait accompagnée à une réception. Je ne sais pas pourquoi elle a dit cela. Je ne pouvais le confirmer. Je me trouvais à une exposition, où des dizaines de personnes m'avaient vue. Il n'y avait aucune réception ce jour-là à proximité de chez nous.

— Il était donc tout à fait impossible qu'elle ait dit la vérité, résuma Rathbone.

— Oui.

Coniston se leva de nouveau.

— Votre Honneur, mon éminent confrère cherche encore à perdre du temps. Nous avons déjà établi que l'accusée mentait ! Là n'est pas la question.

— Votre Honneur, rétorqua Rathbone en se tournant vers Pendock, ce n'est pas là que je voulais en venir. Ce qui a, apparemment, échappé à Mr. Coniston, c'est que Dinah Lambourn n'aurait jamais pu s'attendre à être crue.

Coniston leva les mains en l'air. C'était un geste d'impuissance, invitant la cour en général, et le jury en particulier, à conclure que Rathbone ne faisait bel et bien que chercher à gagner du temps dans un effort désespéré pour retarder l'inévitable.

— Sir Oliver, asséna Pendock, exaspéré, ceci ressemble à un exercice absurde. Si vous avez une conclusion à apporter à ce… verbiage, communiquez-la à la cour, je vous prie.

Rathbone se sentait bousculé, mais comprit au visage fermé de Pendock qu'il n'aurait pas de seconde chance. Le moment était venu de révéler le risque courageux et désespéré qu'avait pris Dinah.

— Votre Honneur, voici ce que j'essaie de dire : pour Dinah Lambourn, son mari a été victime de diffamation, et sa compétence professionnelle mise en cause à tort. Ensuite, comme il refusait de s'effacer sans bruit, en niant ce qu'il savait être la vérité, il a été assassiné et sa mort maquillée en suicide.

Il y eut un vacarme soudain parmi le public. Quelqu'un proféra des insultes, un autre des encouragements. Les jurés s'agitèrent sur leurs sièges, regardant d'un côté puis de l'autre.

Pendock abattit son marteau, exigeant le silence.

Coniston semblait osciller entre l'agacement et le dégoût.

Dès qu'il put se faire entendre, Rathbone reprit la parole, élevant la voix par-dessus la rumeur :

— Elle était prête à affronter un procès pour un crime qu'elle n'a pas commis, affirma-t-il d'une voix forte. Et cela dans l'espoir de faire éclater la vérité sur le déshonneur de son mari et d'obtenir la réouverture de l'enquête sur sa mort.

Il se tourna vers les jurés stupéfaits.

— Prête à risquer sa propre vie pour que vous, les représentants du peuple d'Angleterre, puissiez entendre la vérité sur ce qu'a découvert Joel Lambourn, et juger par vous-mêmes si c'était un homme bon, compétent et capable, qui essayait de servir les habitants de ce pays, ou s'il était aveugle, vaniteux, et en fin de compte, porté à se détruire.

Il désigna d'un geste le box des accusés.

— C'est à ce point qu'elle l'aimait – qu'elle l'aime toujours. Elle n'a tué personne – et ne sait pas qui a tué, qu'il s'agisse de Joel Lambourn ou de cette infortunée Zenia Gadney. Et par la grâce de Dieu et les lois de ce pays, je vous le prouverai.

Le vacarme était à son comble et, cette fois, Pendock abattit en vain son marteau. Il fit évacuer la salle, ordonnant la suspension de l'audience jusqu'après déjeuner. Puis il se leva et sortit à grands pas, les pans de sa robe écarlate flottant derrière lui comme des ailes brisées.

Rathbone était prêt à faire témoigner Adah et Marianne Lambourn si nécessaire, dans le seul but de gagner du temps et de donner à Monk toutes les chances possibles de trouver au moins un indice susceptible de soulever le doute. Même s'il ne parvenait qu'à prouver que Lambourn ne s'était pas suicidé, cela présenterait Dinah comme un être réfléchi et digne de compassion, mais, jusqu'ici, chacune de ses tentatives en ce sens avait été bloquée.

Peut-être n'aurait-il pas dû être surpris. Si Dinah avait raison, un personnage puissant avait des choses à cacher et Pendock et Coniston ne l'ignoraient pas. Peut-être leur avait-on laissé entendre que sa dénonciation nuirait irrévocablement à la réputation, voire à l'honneur du gouvernement.

Tout dépendait de sa capacité à soulever un doute raisonnable : à faire accepter la possibilité d'une autre solution, si vague fût-elle. Il n'avait plus que cet après-midi-là et le lendemain, après quoi Noël lui accorderait un bref sursis, jusqu'au vendredi. Ensuite, il y aurait le week-end. Certes, ternir les festivités par la nécessité d'un retour immédiat au tribunal ne manquerait pas d'être impopulaire. Il ne l'aurait pas fait s'il avait eu le choix.

Son dernier témoin de l'après-midi était le commerçant qui avait décrit la visite de Dinah à Copenhagen Place et l'extrême émotion qu'elle avait manifestée, au point que la plupart des badauds dans la rue avaient maintenant l'impression de l'avoir vue.

Rathbone avait eu un entretien préalable avec Mr. Jenkins, et espérait lui avoir montré que ses souvenirs lui étaient en réalité venus après coup, influencés par les circonstances. Il était assez risqué de l'appeler à la barre où Coniston pourrait l'interroger immédiatement après, mais il n'avait plus rien à perdre.

Mr. Jenkins prit sa place, l'air très insignifiant loin du cadre sûr et familier que représentaient son magasin et son commerce. Il s'agrippait à la barre comme s'il était en pleine mer et que la tribune tout entière tanguait comme le pont d'un navire. Était-ce la nervosité très compréhensible d'un homme confronté à des circonstances extraordinaires, sachant que la vie d'une femme pouvait dépendre de ses affirmations ? Ou avait-il l'intention de revenir sur les déclarations faites à Rathbone, et avait-il peur de sa colère – ou de celle de Coniston, et du poids de la machine judiciaire s'il les mécontentait ?

Rathbone décida de le mettre à l'aise autant que possible. Il s'approcha de la tribune, de façon à ne pas élever la voix pour se faire entendre.

— Bonjour, Mr. Jenkins. Merci d'être venu. Nous savons que vous avez un commerce et que vos clients comptent sur vous chaque jour sauf le dimanche. Je ne vous retiendrai pas longtemps. Vous tenez une épicerie à Copenhagen Place, à Limehouse, c'est bien exact ?

Jenkins s'éclaircit la gorge.

— Oui, monsieur, c'est ça.

— Je présume que la plupart de vos clients sont des habitants du quartier ?

— Oui, monsieur.

— Parce que les gens ont besoin de denrées alimentaires d'une sorte ou d'une autre presque chaque jour et que, naturellement, ils ne veulent pas les porter plus loin que nécessaire ?

Coniston remua impatiemment sur sa chaise.

Pendock avait l'air irrité.

Seuls les jurés écoutaient avec attention, à l'affût d'un point pertinent, voire controversé. Rathbone était célèbre, sa réputation formidable. S'ils ne l'avaient pas su avant le procès, ils en avaient conscience à présent.

— Oui, monsieur. Je les connais, quoi. Je sais ce qu'ils achètent. Ils n'ont pas à demander.

— Et naturellement, vous remarqueriez un inconnu dans votre magasin ? demanda Rathbone en souriant.

Jenkins déglutit, conscient de l'importance de la question.

— Je suppose que oui.

Déjà, il était moins sûr de lui, il y avait un doute dans ses paroles, pas une certitude.

— Par exemple, une dame bien habillée qui n'était pas de Limehouse, qui ne s'était jamais servie chez vous et qui n'avait ni panier ni sac à provisions, poursuivit Rathbone.

Jenkins le fixa.

Rathbone se devait d'être aussi précis que possible. S'il était contraint de faire marche arrière, les jurés en concluraient qu'il était aux abois.

— J'imagine que vous avez de bons rapports avec vos clients, Mr. Jenkins, ou tout au moins que vous êtes à l'aise avec la plupart ? Ce sont des gens corrects qui vaquent à leurs affaires ?

— Oui… oui, bien sûr.

Coniston se leva.

Rathbone se tourna vers lui, prenant soin d'afficher une expression stupéfaite et interrogatrice.

Coniston poussa un soupir d'exaspération, comme s'il s'ennuyait à mourir, et reprit sa place. Rien de l'échange n'avait échappé aux jurés. Mais leur concentration avait été momentanément troublée, leur humeur affectée.

— Mon distingué confrère ne semble pas avoir perçu l'importance de ma question, Mr. Jenkins, commenta Rathbone avec un sourire. Peut-être n'est-il pas le seul. J'essaie de montrer que votre épicerie est un commerce de quartier. Vous connaissez toutes les ménagères qui fréquentent votre établissement pour y acheter les denrées quotidiennes telles que le thé, le sucre, la farine, les légumes, etc. Ce sont des gens respectables et courtois qui ont le sentiment d'être parmi des amis. L'apparition d'une femme que personne ne connaît ni d'Ève ni d'Adam et qui se donne en spectacle devant vos clients représente un événement exceptionnel, dont vous vous souviendriez certainement. Est-ce exact ?

Jenkins n'avait d'autre choix que d'acquiescer. Peut-être Coniston avait-il sans le vouloir rendu service à la défense ? Rathbone n'osait le regarder pour en avoir le cœur net. Les jurés ne manqueraient pas de s'en apercevoir, et ils verraient là une sorte de compétition.

— Je... je suppose que oui, admit Jenkins.

— Dans ce cas, voulez-vous, je vous prie, lever les yeux et me dire si vous êtes certain que la femme qui est assise là est bien celle qui est entrée dans votre magasin et a demandé à savoir où vivait Zenia Gadney. Nous savons déjà qu'elle était grande et brune, et qu'elle lui ressemble, mais des milliers de femmes répondent à cette description à Londres. Êtes-vous sûr, absolument sûr, qu'il s'agit de l'accusée ? Elle affirme que non.

Jenkins leva la tête vers Dinah, cillant un peu, comme s'il ne la voyait pas très bien.

— Votre Honneur, intervint Rathbone, s'adressant à Pendock. La cour me donne-t-elle la permission de prier l'accusée de se lever ?

Pendock n'avait pas le choix. La requête avait été formulée par pure courtoisie et rien n'aurait justifié un refus.

— Faites.

Rathbone se tourna vers le box et Dinah se leva. C'était un avantage, Rathbone le comprit aussitôt.

Tous pouvaient la voir plus nettement, et chacun des jurés tendait le cou pour la fixer. Elle était pâle, le visage ravagé par le chagrin, mais, d'une certaine manière, elle n'en était que plus séduisante. Elle n'avait pas encore été jugée coupable par la loi, même si elle l'avait déjà été par le public, et elle avait donc le droit de porter ses propres vêtements. Sa tenue de deuil soulignait la régularité de ses traits et son teint irréprochable. Sa beauté en était d'autant plus frappante, non moins que sa souffrance. Elle ne semblait plus posséder assez d'énergie pour espérer ou pour lutter.

Jenkins déglutit de nouveau.

— Non.

Il secoua la tête.

— Je ne peux pas affirmer que c'était elle. Elle… elle a l'air différent. Je ne me souviens pas que son visage était comme ça.

— Merci, Mr. Jenkins, dit Rathbone, submergé par le soulagement. Mon éminent confrère va peut-être désirer vous interroger, mais, en ce qui me concerne, vous êtes libre de retourner à votre commerce et au service que vous apportez aux habitants du quartier de Copenhagen Place.

— Oui, monsieur.

Jenkins se tourna avec anxiété vers Coniston.

L'hésitation de ce dernier fut infime, mais réelle. Au moins un ou deux des jurés avaient dû la remarquer.

— Mr. Jenkins…

Il commença avec douceur, conscient de la sympathie des jurés envers le commerçant. C'était un homme comme eux, qui avait sans doute une famille à nourrir et s'efforçait de faire de son mieux dans une situation déplaisante. Il avait hâte d'en avoir terminé et de retourner à sa vie sans histoire, avec ses petits plaisirs, ses opinions qui n'étaient ni pesées ni mesurées, ses responsabilités très limitées.

Rathbone savait que ces pensées se succédaient dans l'esprit de Coniston, comme elles s'étaient succédé dans le sien.

Coniston sourit.

— À vrai dire, Mr. Jenkins, je m'aperçois que je n'ai pas de question à vous poser. Vous êtes un honnête homme mêlé par le simple fait du hasard à un drame affreux. Votre compassion, votre prudence et votre humilité sont tout à votre honneur. Vous n'avez pas cherché à exercer un pouvoir sur autrui, ni à vous mettre en vue. Je vous prie d'accepter mes remerciements aussi, et retournez à votre commerce, qui, j'en suis sûr, a besoin de vous, particulièrement ces jours-ci, à l'approche de Noël.

Il inclina légèrement la tête, puis regagna son siège.

Pendock paraissait tendu. Après un bref coup d'œil à l'horloge, il s'adressa à Rathbone.

— Sir Oliver ?

Rathbone se leva.

— L'audition de mon prochain témoin risque de prendre un certain temps, Votre Honneur, et je crois que Mr. Coniston ne manquera pas de vouloir l'interroger en détail.

Il regarda l'horloge à son tour. Il lui déplairait de devoir admettre qu'il ne savait pas où trouver Runcorn à cette heure, mais il le ferait si Pendock l'y contraignait.

— Très bien, Sir Oliver, soupira Pendock. L'audience est reportée à demain matin.

— Oui, Votre Honneur. Je vous remercie.

De retour dans son bureau, Rathbone rédigea une note à l'intention de Runcorn, le priant de venir témoigner le lendemain, à la reprise des audiences.

L'infime chance qu'ils avaient de réussir en dépendait. Il ajouta qu'il le garderait à la barre le plus longtemps possible, s'en excusant à l'avance, mais il n'avait presque rien d'autre, hormis Dinah elle-même. À tout le moins, il soulèverait la question de l'injection et de la dépendance terrible à laquelle elle conduisait.

Le messager parti, emportant la lettre pliée dans une enveloppe cachetée à la cire, il se demanda s'il en avait trop dit.

Il rentra chez lui fatigué et incapable de trouver le repos.

Le lendemain matin, Rathbone prit un fiacre pour se rendre au tribunal. Il se sentait las et inquiet. Il ignorait si Runcorn serait là, et il n'avait pas d'excuse à fournir dans le cas contraire. Non qu'il crût Pendock prêt à en accepter, d'ailleurs. Runcorn avait-il seulement reçu sa missive ? Il l'avait envoyée chez lui, au cas où ce dernier ne serait pas allé au commissariat. Peut-être était-il rentré tard, trop épuisé pour jeter un coup d'œil à son courrier.

La circulation était bloquée à hauteur de Ludgate Circus, la rue encombrée par des badauds, des amis qui échangeaient des vœux, des fêtards qui commençaient Noël de bonne heure, et s'interpellaient gaiement les uns les autres.

Rathbone cogna contre la paroi de la cabine afin d'attirer l'attention du cocher.

— Pouvez-vous prendre un autre chemin ? On m'attend au tribunal, à l'Old Bailey !

— Je fais de mon mieux, monsieur, répondit ce dernier. Que voulez-vous, c'est presque Noël !

Rathbone ravala les paroles qui lui montaient aux lèvres. L'homme n'était pas responsable de l'embouteillage. Pourquoi Runcorn ne lui avait-il pas répondu ? Que diable allait-il dire à la cour si le policier ne venait pas ? Qui d'autre pouvait-il faire témoigner au pied levé ? Il aurait l'air totalement incompétent. Le feu lui monta aux joues alors qu'il y songeait.

Peut-être aurait-il dû expédier sa lettre au commissariat, après tout.

Le fiacre s'arrêta de nouveau, entouré d'autres véhicules en tout genre, dont les cochers criaient, s'esclaffaient, se disputaient le droit de passer.

Il était trop impatient pour continuer à attendre. Ludgate Hill n'était qu'à quelques minutes de marche de l'Old Bailey. L'énorme dôme de St. Paul se dressait dans le ciel d'hiver devant lui et la cour centrale de justice criminelle à sa gauche, la prison de Newgate juste au-delà. Il se rua dehors, jeta une poignée de pièces dans la main du cocher et se mit à marcher d'un pas vif, puis à courir sur le trottoir.

Il grimpa les marches avec précipitation et faillit entrer en collision avec Runcorn à peine le seuil franchi. Il s'en voulut d'être aussi absurdement soulagé. Il aurait dû faire confiance à cet homme. Il n'avait ni le temps ni l'occasion de lui parler à présent, à cause de son propre retard. Coniston se tenait à quelques pas et Pendock traversait le hall. S'il tentait de s'entretenir avec Runcorn, il donnerait l'impression de ne pas savoir ce que son témoin allait dire. C'était là un cadeau qu'il ne pouvait offrir à Coniston.

Un quart d'heure plus tard, il était assis à sa place. Ses notes étaient devant lui, une lettre de Runcorn posée dessus. Il déchira l'enveloppe et lut les quelques lignes.

Cher Sir Oliver,

Je suis prêt. Avons examiné quelques autres points intéressants. Je n'en suis pas sûr, mais je crois que Mrs. Monk s'est renseignée pour le médecin.

Runcorn

Une fois de plus, Rathbone se reprocha d'avoir douté de lui.

— Commençons, Sir Oliver, je vous prie, ordonna Pendock.

Sa voix était éraillée, un peu tendue, comme si lui non plus n'avait pas bien dormi.

— J'appelle à la barre le commissaire Runcorn, de la police de Greenwich.

Runcorn entra, tous les regards convergeant sur lui alors qu'il passait devant la galerie. C'était un personnage imposant, bien bâti, irradiant l'assurance. Il prêta serment et attendit les questions, bien droit, les bras le long du corps. Lui n'éprouvait pas le besoin de se cramponner à la barre.

Rathbone s'éclaircit la voix.

— Commissaire, vous commandez la police du quartier de Greenwich, n'est-ce pas ?

— Oui, monsieur, répondit Runcorn gravement.

— Avez-vous été appelé quand le corps de Joel Lambourn a été découvert sur One Tree Hill dans Greenwich Park il y a près de trois mois ?

— Oui, monsieur. Le docteur Lambourn était une personnalité connue et respectée dans le quartier. Sa mort était une tragédie.

Coniston se leva.

— Votre Honneur, nous avons déjà entendu parler en détail du décès du docteur Lambourn et de la réaction de l'accusée. Je ne vois pas ce que Mr. Runcorn pourrait ajouter à ce qui a déjà été dit. Mon éminent confrère ne sait plus que faire et fait perdre son temps à... Si cela peut être utile, l'accusation accepte les faits tels qu'ils ont déjà été présentés.

Rathbone courait le risque de voir interdire le témoignage de Runcorn avant même qu'il eût commencé. Il prit les devants.

— Étant donné qu'ils ont été présentés par l'accusation, Votre Honneur, n'est-il pas absurde de dire qu'elle les accepte ?

— La cour n'a nullement besoin de les entendre de nouveau, rétorqua Pendock d'un ton mordant. Si vous n'avez rien de nouveau à ajouter, Sir Oliver, je compatis avec votre situation, mais il serait déplacé de ma part de céder à vos caprices. Objection acceptée, Mr. Coniston. Mr...

— Votre Honneur ! coupa Rathbone en élevant la voix, s'efforçant de dominer son émotion. Mr. Coniston a présenté une version concernant la mort du docteur Lambourn, mais pour des raisons qui n'appartiennent qu'à lui, il n'a pas interrogé le commissaire Runcorn, alors que ce dernier était responsable de l'enquête. S'il n'avait pas jugé que cette question avait son importance ici, je ne l'aurais pas soulevée moi-même. À vrai dire, Votre Honneur ne l'aurait pas permis. Sauf votre respect, je soutiens devant la cour que la défense a le droit d'interroger Mr. Runcorn à ce propos, maintenant, à la lumière d'éléments récemment mis au jour.

Un silence total régnait dans la salle. Personne ne bougeait.

Les lèvres de Pendock formaient un trait mince et dur.

Coniston regarda tour à tour le juge et Rathbone.

Runcorn regarda en direction des jurés et sourit.

L'un des jurés s'agita.

— Tenez-vous-en à la question qui nous concerne, Sir Oliver, ordonna enfin Pendock. Que Mr. Coniston fasse objection ou non, je vous empêcherai d'en dévier.

— Merci, Votre Honneur, dit Rathbone, luttant pour garder le contrôle de lui-même.

Une fois de plus, il sentait que Pendock était à l'affût de la moindre erreur de sa part. Quelle qu'en fût la raison, quoi que Dinah eût dit à Runcorn, Pendock allait tout mettre en œuvre pour bloquer ses tentatives de défense.

Rathbone se retourna vers Runcorn.

— Vous avez été appelé lorsque le corps du docteur Joel Lambourn a été retrouvé sur One Tree Hill.

Il s'adressait à Runcorn, mais ses paroles étaient destinées au jury.

— Oui. Un homme qui promenait son chien avait trouvé le corps de Lambourn plus ou moins soutenu par...

Coniston bondit sur ses pieds.

— Votre Honneur, Mr. Runcorn suggère que...

— Oui, oui, acquiesça Pendock.

Il se tourna vers la tribune réservée aux témoins.

— Mr. Runcorn, surveillez votre langage, je vous prie. Ne faites pas de suggestions qui vont au-delà des faits dont vous avez connaissance. Dites simplement ce que vous avez vu, vous comprenez ?

Sa condescendance était extrême. Rathbone vit se colorer les joues de Runcorn et pria pour que ce dernier garde son sang-froid.

— J'allais dire « soutenu par le tronc d'un arbre », dit-il, d'un ton sec. Sans ce soutien, il serait tombé. De fait, il penchait déjà d'un côté.

Pendock ne s'excusa pas, mais Rathbone comprit à son expression qu'il était irrité contre lui-même, et les jurés devaient s'en être rendu compte aussi.

Rathbone réprima un sourire.

— Il était mort ? demanda-t-il.

— Oui. Le corps était déjà froid, confirma Runcorn. La nuit avait été fraîche et il y avait une petite brise, assez froide pour la saison. L'intérieur de ses poignets avait été taillardé, et il semblait s'être vidé de son sang.

Pendock se pencha en avant.

— Semblait ? Voulez-vous suggérer que ce n'était pas le cas, Mr. Runcorn ?

— Non, Votre Honneur, répondit Runcorn, le visage presque impassible. J'essaie de ne pas en dire plus que ce qui m'est apparu sur le moment. Le médecin de la police a confirmé ce que je pensais. Par la suite, l'autopsie a montré qu'il avait aussi absorbé une dose considérable d'opium, mais pas suffisante pour le tuer. J'ai présumé sur le moment qu'il avait dû le faire pour atténuer la douleur.

— Sur le moment ? releva Rathbone aussitôt. En avez-vous eu la certitude plus tard ? Le médecin n'a sûrement pas pu vous révéler la raison pour laquelle il avait pris de l'opium ?

Runcorn le fixa.

— Non, monsieur. J'ai changé d'avis. Je ne crois pas que le docteur Lambourn se soit tranché les veines, monsieur. Je crois qu'on lui a donné de l'opium pour le rendre somnolent, voire inconscient, de sorte qu'il n'oppose aucune résistance. Des blessures défensives auraient été très difficiles à expliquer dans un prétendu suicide.

Coniston était déjà debout.

Pendock foudroya Runcorn du regard.

— Mr. Runcorn ! Je ne tolérerai pas qu'on fasse devant cette cour des suppositions insensées et impossibles à prouver. Il ne s'agit pas ici de rouvrir une enquête qui a été close et dont le verdict a été prononcé. Vous le savez parfaitement. Si vous avez quelque chose de pertinent à dire concernant le meurtre de Zenia Gadney, faites-le. Rien d'autre n'est acceptable devant cette cour. Me comprenez-vous bien ?

— Oui, Votre Honneur, répondit Runcorn, pas le moins du monde intimidé.

Il n'y avait nulle agressivité dans sa voix, pas plus que dans son attitude. Il se tenait droit comme un I et regardait devant lui sans ciller.

— Mais étant donné que nous savons à présent que Zenia Gadney était aussi l'épouse de Joel Lambourn, ce que nous ignorions au moment de la mort de ce dernier, ce décès intervenu si peu de temps avant l'assassinat de Mrs. Gadney semble soulever un certain nombre de questions. Il est difficile d'être sûr qu'il n'y a aucun lien entre les deux.

— Bien sûr qu'il y a un lien ! riposta Pendock d'un ton cassant. C'est Dinah Lambourn, l'accusée ! Allez-vous me dire qu'elle a aussi assassiné son mari ? Cela ne sert guère les intérêts de la défense, qui vous a cité comme témoin.

Coniston tenta de dissimuler un sourire, sans y parvenir tout à fait.

Les jurés paraissaient totalement perplexes.

— Il semble probable que l'assassin soit une seule et même personne, rétorqua Runcorn. C'est à tout le moins une éventualité qu'il serait irresponsable de ne pas considérer. Mais après avoir interrogé Marianne Lambourn, je suis certain qu'il ne peut s'être agi de Dinah Lambourn. Marianne s'est réveillée durant la nuit parce qu'elle avait fait un cauchemar. Elle a entendu son père sortir. Sa mère est restée à la maison.

Rathbone était stupéfait. Runcorn était-il sûr de ce qu'il avançait ? Que se passerait-il s'il appelait

Marianne à la barre ? Coniston mettrait-il son témoignage en pièces, en démontrant qu'elle ne pouvait être certaine de ne pas s'être rendormie, ou tout simplement de ne pas avoir entendu sa mère s'éclipser ?

Même si cela se produisait, cela lui ferait gagner au moins une demi-journée !

Coniston fixait Rathbone, s'efforçant de déchiffrer son expression.

— Sir Oliver ! dit Pendock lentement. Saviez-vous cela ? Si vous présentez de nouveaux…

Rathbone reprit ses esprits.

— Non, Votre Honneur, se hâta-t-il de répondre. Je n'ai pas eu l'occasion de parler au commissaire Runcorn depuis vendredi dernier.

Pendock se tourna vers Runcorn.

— Je ne l'ai appris qu'hier, Votre Honneur, avoua Runcorn avec une humilité soudaine. J'ai été amené à m'intéresser de nouveau à la mort du docteur Lambourn, à cause de certains aspects de son rapport sur l'usage de l'opium en Angleterre, et notamment le recours à une nouvelle sorte d'aiguille attachée à une seringue, laquelle injecte directement le produit dans le sang et cause une dépendance immensément plus forte…

Pendock attrapa son marteau et l'abattit avec violence sur sa table.

— Ce procès est celui de Dinah Lambourn pour le meurtre de Zenia Gadney ! dit-il d'une voix sonore. Je ne permettrai pas qu'il soit transformé en cirque politique dans le but de détourner le jury de l'enjeu en question. Encore moins que l'on débatte des mérites ou autres de l'opium. Ces discussions n'ont pas leur place dans ce tribunal.

Il se tourna vers Rathbone.

— Des preuves, Sir Oliver, non des hypothèses !
Je ne tolérerai pas de rumeurs malveillantes. Est-ce
bien clair ?

— Parfaitement, Votre Honneur, répondit Rathbone, feignant autant de contrition qu'il en était
capable. Ce lieu, plus que tout autre, ne saurait être
utilisé pour porter des accusations qu'il est impossible d'étayer.

Il tenta de garder un visage impassible. Seule la
rougeur qui monta aux joues de Pendock lui apprit
qu'il n'y était pas tout à fait parvenu.

Coniston éternua, à moins qu'il ne se fût étouffé.
Il s'excusa dans un murmure.

Rathbone reporta son regard sur Runcorn.

— Faites très attention, commissaire, avertit-il.
Ce que vous avez découvert a-t-il une incidence
directe sur le meurtre de Zenia Gadney ou l'inculpation de Dinah Lambourn ?

Runcorn réfléchit un instant.

Rathbone eut la nette impression qu'il tentait de
déterminer exactement jusqu'où il pouvait se permettre d'aller.

— Commissaire ? insista-t-il, sentant qu'il valait
mieux intervenir avant que Coniston décide de se
lever une fois de plus.

— Oui, monsieur, je le crois, répondit Runcorn.
Si le docteur Lambourn et Zenia Gadney ont été tués
par la même personne, et qu'il n'a pu s'agir de
l'accusée, le coupable est quelqu'un d'autre et nous
devons le trouver. La police est de plus en plus persuadée que c'était un individu dont le docteur Lambourn a découvert les activités lors de ses recherches
– quelqu'un qui a tiré de vastes profits en donnant de
l'opium aux gens pour des fractures ou des douleurs
de ce genre, puis a continué en les rendant dépen-

dants au point qu'ils ne peuvent plus s'en passer. Alors, il peut leur faire payer ce qu'il veut…

Coniston était debout.

— Votre Honneur, Mr. Runcorn ou un autre peut-il apporter ne serait-ce qu'un soupçon de preuve de ces prétendus effets négatifs de l'opium ? Ce sont des contes de bonne femme ! Des suppositions dénuées de tout fondement.

Il prit une inspiration rapide et changea de sujet.

— Quant au témoignage selon lequel Mrs. Lambourn ne serait pas sortie de la maison ce soir-là – nous n'avons rien entendu qui le confirme, hormis la parole, rapportée, d'une jeune fille de quinze ans, naturellement loyale envers sa mère. Quelle enfant de cet âge serait prête à croire que sa mère ait pu de sang-froid entailler les veines de son père et le regarder se vider de son sang ?

Rathbone eut l'impression que le sol venait de se dérober sous lui, le laissant déséquilibré. Il lutta pour se ressaisir.

— Sir Oliver, déclara Pendock avec un soulagement visible, vous courez le risque de devenir absurde. Il ne s'agit là que d'une tentative désespérée pour gagner du temps, je me demande dans quel but. Vous imaginez-vous que quelqu'un va voler à votre secours ? Vous n'avez absolument rien fourni qui puisse étayer la thèse du complot imaginaire auquel vous nous demandez de croire. Faites-le, monsieur, ou contentez-vous d'offrir une défense crédible. Si vous n'en avez pas, épargnez une détresse inutile à votre cliente et permettez-lui de plaider coupable.

Rathbone avait les joues en feu.

— Ma cliente clame son innocence, Votre Honneur, lâcha-t-il d'une voix durcie par l'amertume. Je ne peux lui demander de dire qu'elle a battu à mort une femme et qu'elle l'a éviscérée pour faire gagner du temps à la cour !

— Surveillez vos paroles, Sir Oliver, avertit Pendock. Sans quoi je les considérerai comme un outrage à magistrat.

— Cela ne ferait que retarder le procès encore davantage, Votre Honneur.

À peine avait-il prononcé ces paroles qu'il les regretta, trop tard. Il s'était fait un ennemi irrévocable de Pendock.

Une onde d'excitation parcourut la galerie. Les jurés eux-mêmes paraissaient brusquement intensément vivants, leurs yeux allant de Rathbone à Pendock, puis à Coniston, enfin à Runcorn, qui attendait toujours d'autres questions.

Dinah Lambourn n'était pas la seule à être jugée. Peut-être ce procès était-il celui de toute la cour. Tous avaient un rôle à jouer pour que justice soit rendue.

Rathbone choisit ses mots avec un soin méticuleux. La vie de Dinah Lambourn reposait peut-être sur sa compétence, sa capacité à oublier sa propre vanité et à ne songer qu'à elle, et à la vérité qu'il pouvait contraindre le jury à écouter.

Il ignorait si Runcorn détenait d'autres informations. Il le fixa, s'efforçant de deviner ce que le policier voulait qu'il lui demande. Qu'est-ce qui liait Zenia Gadney à la vente d'opium et d'aiguilles, hormis Lambourn ?

— Mr. Runcorn, avez-vous envisagé la possibilité que Zenia Gadney ait été au courant de certains aspects des recherches effectuées par le docteur Lambourn ?

Les jurés tendaient le cou pour écouter, le visage tendu, fasciné et effrayé.

Runcorn saisit sa chance.

— Oui, monsieur. Nous avons jugé possible que le docteur Lambourn ait possédé plus d'un seul exemplaire de son rapport, tout au moins des parties les plus sujettes à controverse. Puisqu'il n'a pas été trouvé chez lui, nous avons pensé qu'il avait pu en laisser un chez sa première femme, Zenia Gadney. Peut-être croyait-il que personne hormis Dinah ne connaissait son existence.

Coniston se leva.

— Dans ce cas, la malheureuse n'a pu être assassinée que par Dinah Lambourn, ce qui est précisément ce que nous arguons. Tout ce que Sir Oliver vient de faire, c'est de nous fournir un second mobile, Votre Honneur.

Pendock toisa Rathbone, l'ombre d'un sourire sur les lèvres.

— Il semble que vous vous soyez tiré une balle dans le pied, Sir Oliver.

Runcorn prit une profonde inspiration, regarda Rathbone, puis au-delà de lui, en direction de la galerie.

Rathbone comprit aussitôt ce qu'il voulait dire. Il lui adressa un signe imperceptible de la tête et rendit son sourire à Pendock.

— Si Dinah Lambourn avait été la seule à savoir la vérité, ç'aurait été le cas, Votre Honneur. Peut-être avez-vous oublié que Barclay Herne et son épouse, Amity Herne, la sœur de Joel Lambourn, étaient au courant de son premier mariage. Je crois que vous constaterez que cela figure dans les procès-verbaux des audiences précédentes.

De nouveau, la couleur déserta les joues de Pendock. Il se raidit, la main devant lui, un poing fermé sur sa table sculptée.

— Êtes-vous en train de suggérer que Barclay Herne a tué cette malheureuse, Sir Oliver ?

demanda-t-il très lentement. J'imagine que vous avez vérifié ses faits et gestes le soir en question ? Parce que, si vous ne l'avez pas fait, je peux vous en informer. Il assistait à un dîner à l'Atheneum. J'y étais moi-même.

Sa réponse fit à Rathbone l'effet d'un coup de poing. En quelques secondes, la victoire s'était muée en défaite.

— Non, Votre Honneur, dit-il calmement. Je faisais tout simplement remarquer à la cour que Dinah Lambourn n'était pas la seule à savoir que Joel Lambourn était marié à Zenia Gadney et qu'il lui rendait visite une fois par mois. Il est toujours possible que Mr. Herne ou son épouse l'aient confié à d'autres personnes, peut-être des connaissances datant de l'époque où le docteur Lambourn vivait toujours avec Zenia Gadney, ou devrais-je dire Zenia Lambourn ?

— Pourquoi diable auraient-ils fait une chose pareille ? s'écria Pendock, incrédule. Ce n'est sûrement pas quelque chose que l'on voudrait rendre public ? C'est on ne peut plus gênant. Votre suggestion est excentrique, et je suis indulgent.

Rathbone fit une dernière tentative.

— Votre Honneur, nous ignorons si le rapport du docteur Lambourn contenait des références à la vente d'opium et de ces aiguilles, et des terribles conséquences qu'elles entraînent. Mais il reste probable que certains noms y sont mentionnés et qu'on y parle de la déchéance morale et physique qui l'accompagne. Trouver chaque exemplaire de ce rapport et s'assurer qu'il ne tombe pas entre de mauvaises mains serait un service à rendre à tous ceux dont le nom y figure – et peut-être au pays dans son ensemble. L'opium, utilisé correctement et sous surveillance médicale, demeure l'unique recours dont nous disposons contre la souffrance.

Pendock resta longtemps silencieux.

La cour attendit. Chaque visage dans la galerie, dans la tribune des jurés, ainsi que celui des deux avocats, était tourné vers le magistrat. Même Runcorn à la barre se tourna pour l'observer.

Les secondes s'égrenèrent. Personne ne bougeait.

Enfin Pendock parvint à une décision.

— Avez-vous des preuves de cela, Mr. Runcorn ? demanda-t-il calmement. Des preuves, pas des suppositions, pas des rumeurs de scandale ?

— Oui, Votre Honneur, répondit Runcorn. Mais tout est disséminé parmi les récits de décès tragiques d'enfants que cherchait le docteur Lambourn. Il a découvert ces autres faits par accident et nous pensons qu'il n'a compris que lors des derniers jours de sa vie qui se cachait derrière tout cela.

Rathbone s'avança d'un pas.

— Votre Honneur, si vous nous accordiez le reste de la journée pour rassembler ces éléments de manière raisonnable et nous assurer qu'aucun innocent n'est calomnié incidemment, nous pourrions les présenter à la cour ou à Votre Honneur en privé, et juger de leur valeur.

Pendock poussa un profond soupir.

— Très bien. L'audience est suspendue jusqu'à vendredi matin.

— Merci, Votre Honneur.

Rathbone s'inclina, presque étourdi de soulagement. C'était absurde. Après tout, il n'avait obtenu que quelques jours de sursis, le temps des fêtes de Noël.

Runcorn quitta la barre et s'approcha de lui.

— Sir Oliver, Mr. Monk voudrait vous voir au plus vite, murmura-t-il. Nous avons autre chose.

21

Pendant que Rathbone interrogeait Runcorn et que Monk s'efforçait d'en apprendre davantage sur Barclay Herne et Sinden Bawtry, Hester retourna discrètement voir le docteur Winfarthing. Elle ne s'était pas décidée à défier Monk, pas encore, mais elle savait que si elle l'emmenait à la recherche du médecin auquel Agatha Nisbet avait fait allusion, elle aurait peu de chances de persuader quiconque de lui parler.

Winfarthing l'accueillit avec sa chaleur habituelle. Puis il se cala sur sa chaise, l'appréhension visible sur ses traits.

— Je suppose que vous êtes là pour cette pauvre femme, Dinah Lambourn, dit-il d'un ton sombre.

— Oui. Nous n'avons pas beaucoup de temps avant que le verdict soit rendu.

— Que voulez-vous de moi, ma fille ? grogna-t-il. Si j'avais eu la moindre preuve qu'il ne s'est pas suicidé, vous ne croyez pas que je l'aurais dit ?

— Bien sûr. Mais la situation a changé à présent. Que savez-vous de l'opium et des seringues ?

Il écarquilla les yeux et poussa un long soupir.

— C'est à ça que vous pensez ? On peut tuer des gens avec ça, si on ne fait pas les choses exactement comme il faut. Ou les rendre dépendants, sauf si on arrête au bout de quelques jours.

— Je sais. Pendant la guerre de Sécession, certains médecins ont donné de la morphine aux blessés les plus graves en croyant que l'accoutumance serait moindre. Ils se trompaient. Eux au moins pensaient faire pour le mieux. Mais si quelqu'un le faisait exprès, par cupidité ou par ambition ?

Il hocha la tête lentement, et son visage s'altéra, marqué par les souvenirs.

— Bonté divine, ma petite ! Quelle horreur ! Connaissez-vous les effets de la dépendance à l'opium ? Avez-vous jamais vu des individus en état de privation ?

— Non.

— Ils souffrent, croyez-moi. Les symptômes vont de la perte d'appétit à la dépression, en passant par les nausées, diarrhées, crises d'anxiété et de panique, l'insomnie, les tremblements, crampes, maux de tête, et j'en passe, si on n'a vraiment pas de chance.

Hester sentit son corps se raidir, comme si elle était menacée elle-même.

— Combien de temps cela dure-t-il ?

— Tout dépend, répondit-il en l'observant, le visage plissé par la pitié. De deux jours à deux mois.

Elle passa la main sur son front.

— Comment allons-nous pouvoir l'arrêter ? Ce n'est même pas illégal !

— Vous croyez que je ne le sais pas ? demanda-t-il d'un ton las. Mais il y a de gros profits en jeu. Une fois dépendant, on est prêt à payer n'importe quoi et, surtout, à faire n'importe quoi, pour obtenir de l'opium. Si vous avez raison et qu'un tel individu existe, alors vous avez affaire à un homme diabolique.

Elle fronça les sourcils.

— Mais pourquoi avoir tué Lambourn ? En quoi pouvait-il lui nuire, puisque ce n'est pas illégal ?

Winfarthing se figea, la dévisageant comme s'il la voyait pour la première fois.

— Qu'y a-t-il ?

— A-t-il vu quelqu'un en état de privation ? demanda-t-il.

— Je ne sais pas…

Hester comprit subitement.

— Vous voulez dire que c'était dans son rapport ? Qu'il y décrivait la dépendance à l'opium absorbé par injection, et les crises qui en découlent – et qu'il demandait que cet aspect de la question soit traité dans le projet de loi ? Parce qu'il voulait que cela devienne illégal ?

— Exactement. Il doit être possible de rédiger une loi qui permette le recours à l'opium en quantité restreinte dans des médicaments, mais qui rende illégale la prise par injection, sauf sous surveillance médicale. Cela ferait de notre homme un criminel. Ça change tout.

— Comment expliquer tout cela au tribunal pour sauver Dinah Lambourn ? demanda-t-elle d'une voix pressante. Nous n'avons que quelques jours ! Acceptez-vous de témoigner ?

— Bien sûr que oui, mais vous aurez besoin d'autres que moi, ma fille.

— Vous voulez dire Alvar Doulting ? Croyez-vous qu'il viendrait ? Peut-être… si…

Elle se tut, trop peu sûre d'elle pour donner l'impression que c'était un véritable espoir.

— Il le faut, insista-t-il. Je viendrai avec vous. Dieu du ciel, je ferais n'importe quoi pour mettre fin à tout ça ! Si vous aviez vu un homme dans cet état, si vous l'aviez entendu hurler et vomir, le corps tordu par les crampes, vous aussi.

— Sauver Dinah de la pendaison me suffirait, répondit-elle. Mais personne ne croit à son innocence. Nous devons tout expliquer… et cela nous y aidera. Je veillerai à ce qu'Oliver Rathbone vous cite comme témoin. Maintenant, je dois aller voir Agatha Nisbet et lui demander de m'aider à convaincre Alvar Doulting.

— Voulez-vous que je vous accompagne ? proposa-t-il, anxieux.

Elle y réfléchit un instant. Ce serait plus sûr, plus confortable s'il venait, et pourtant elle devinait qu'Agatha serait d'autant plus réticente.

— Non, merci. Mais je vous suis reconnaissante.

— Vous êtes inconsciente, grogna-t-il, les sourcils froncés. Je devrais insister.

— Non. Vous savez aussi bien que moi qu'elle refusera si vous êtes là.

Il fit la grimace et se cala de nouveau dans son fauteuil.

— Soyez prudente, avertit-il. Si elle est d'accord, promettez-moi que vous l'emmènerez avec vous. Sinon, je viendrai, de toute façon.

— Je vous le promets.

Il lui adressa un brusque sourire éclatant.

— Nous nous verrons au tribunal !

Deux heures plus tard, Hester était debout dans le bureau exigu d'« Agony » Nisbet.

— Non, dit Agatha sèchement. Je ne lui ferai pas ça.

Hester la fixa, ignorant la fureur qu'elle voyait dans son regard.

— De quel droit prenez-vous cette décision pour lui ? Vous dites qu'il avait été quelqu'un de bien autrefois. Donnez-lui l'occasion de le redevenir. S'il refuse, nous n'y pourrons rien. On dira que Lambourn s'est suicidé, Dinah sera pendue et personne n'arrêtera les marchands d'opium.

Agatha garda le silence.

Hester attendit.

— Je n'essaierai pas de le forcer, dit enfin Agatha. Vous n'avez pas vu à quoi ressemble la privation, sinon vous ne poseriez pas cette question. Vous n'obligeriez personne à en passer par là, encore moins quelqu'un que vous aimez... un ami.

— Peut-être que non, admit Hester. Mais je ne prendrais pas non plus la décision à sa place.

— Il faudra qu'il témoigne contre celui qui lui fournit l'opium dont il a besoin, lui fit remarquer Agatha. Et il en sera privé pendant des mois – peut-être jusqu'à la fin de ses jours, par moments.

— Ne pouvez-vous lui en procurer ?

— J'en ai déjà à peine assez pour les blessés. Vous voulez que je lui donne le vôtre ? Vous savez combien il en faut pour satisfaire un opiomane ?

— Non. Ça fait une différence ?

— Vous êtes une sacrée garce, siffla Agatha entre ses dents.

— Je suis infirmière, rectifia Hester. Ce qui veut dire que je suis réaliste... comme vous.

Agatha émit un grognement, resta silencieuse quelques instants, puis redressa ses larges épaules.

— Eh bien, allons-y, alors ! D'après ce que vous dites, vous n'avez pas de temps à perdre !

Hester se détendit et sourit enfin, puis se tourna vers la porte.

Dès qu'il vit Agatha, Alvar Doulting sut ce qui les amenait. Il secoua la tête, reculant jusqu'au fond de la pièce comme si les étagères derrière lui pouvaient lui offrir un moyen d'évasion.

Agatha s'immobilisa et retint si rudement Hester par le bras que celle-ci en eut mal. Elle dut se mordre la lèvre pour ne pas crier.

— Vous n'êtes pas obligé de le faire, dit Agatha à Doulting.

— Si vous refusez, intervint Hester, Dinah Lambourn est perdue. Et le rapport de Joel Lambourn ne verra jamais le jour. Il continuera à y avoir des gens dépendants, quoi que nous fassions, mais si c'est rendu illégal, il y en aura moins. Il est temps de décider ce que vous voulez faire… ce que vous voulez être.

— Vous n'êtes pas obligé ! répéta Agatha.

Son visage était pâle, sa voix tendue. Ses doigts serraient tel un étau le bras d'Hester.

Le regard de Doulting alla de l'une à l'autre tandis que les secondes s'écoulaient. Il semblait vaincu, incapable de continuer à se battre. Peut-être savait-il qu'il ne lui restait plus rien à perdre, hormis le dernier vestige de l'homme qu'il avait été.

— Ne m'en empêchez pas, Agatha, dit-il à voix basse. Si je peux en trouver le courage, je le ferai.

— Vous direz que vous avez parlé à Joel Lambourn de la dépendance causée par les aiguilles et qu'il l'a inclus dans son rapport ? clarifia Hester. Vous leur expliquerez comment c'est ? Comment souffrent ceux qui en sont victimes ?

Doulting acquiesça très lentement.

Elle osait à peine le croire.

— Merci, murmura-t-elle. Je préviendrai Sir Oliver Rathbone.

Il se laissa retomber sur le banc et se tourna vers Agatha.

— Je vous en trouverai assez, promit-elle imprudemment, tirant sur le bras d'Hester. Venez, nous en avons fini ici.

Elle regarda Doulting de nouveau.

— Je reviendrai.

Rathbone était assis dans la cuisine de Monk, son thé intact encore fumant devant lui. Des viennoiseries refroidissaient sur une grille, des douceurs destinées au lendemain, jour de Noël.

— Vous en êtes certain ? insista Rathbone, regardant tour à tour Monk et Runcorn. Les preuves sont absolument irréfutables ?

Hester hocha la tête.

— Oui. Le docteur Winfarthing témoignera le premier, suivi d'Alvar Doulting. Ils confirmeront que Joel Lambourn est allé les voir et qu'il comptait les citer dans son rapport. C'est pour cette raison qu'il a été tué. Si ce commerce devenait illégal, les marchands perdraient des fortunes, ce qui constitue un mobile suffisant pour assassiner Lambourn et Zenia Gadney.

— Et faire pendre Dinah Lambourn, ajouta Rathbone, la mine sombre.

— Reste à savoir qui a tué Lambourn, commenta Monk.

— Celui qui vend l'opium et les aiguilles qui vont avec, murmura Hester. Ou quelqu'un qu'il a payé. Sur le plan moral, c'est tout de même lui.

— Qui ? Barclay Herne ? demanda Rathbone, son regard allant de l'un à l'autre.

Cette fois, ce fut Monk qui répondit.

— Peut-être, mais pour autant que nous le sachions, il ne possède pas le genre de fortune qu'un tel commerce rapporterait. En dehors de ses aspects monstrueux, cette entreprise présente trop de dangers pour qu'on se contente de maigres profits.

— Qui, alors ? Sinden Bawtry ? Mon Dieu, voilà qui serait abominable ! s'écria Rathbone, l'énormité d'une telle réalité s'imposant peu à peu à son esprit. On dit qu'il est sur le point d'être nommé à un poste très élevé au sein du gouvernement. Si c'est vrai, pas étonnant que Joel Lambourn ait tenu désespérément à le dénoncer. Il aurait pu avoir le pouvoir d'empêcher qu'une mesure soit incluse dans la loi sur la pharmacie pour limiter l'usage de l'opium.

Il prit une profonde inspiration, son thé oublié.

— Mais Bawtry assistait au même dîner que Gladstone ce soir-là. Ce n'est pas précisément un alibi que nous pouvons remettre en question. Et il se trouvait à des kilomètres de là, sur la rive opposée de la Tamise. Herne a-t-il pu arranger cela pour lui ? suggéra-t-il d'un ton sceptique. En échange d'une récompense appropriée ?

Il doutait fort que Barclay Herne possédât l'ardeur, le courage ou la cupidité nécessaires pour s'acquitter lui-même d'une mission aussi périlleuse, à moins d'être lui aussi dépendant à l'opium. Il se souvint brusquement de l'assurance que Herne avait manifestée la première fois qu'il l'avait vu, et de son teint livide et de sa nervosité le dimanche où il était venu à l'improviste.

— Nous n'avons pas le droit à l'erreur. Si j'affirme quelque chose, je dois avoir raison, et être capable de le prouver – ou tout au moins de démontrer que c'est une probabilité sinon une certitude.

Runcorn se mordit la lèvre.

— Ça ne va pas être facile. Le juge n'a peut-être pas conscience des enjeux de ce procès, mais on l'a averti d'être prudent. Peut-être s'imagine-t-il qu'il défend l'honneur de l'Angleterre et non celui d'un individu. En tout cas, je parierais que son avenir dépend de sa capacité à étouffer l'affaire.

— J'en suis tout à fait convaincu, renchérit Rathbone, avant de se tourner vers Hester. Êtes-vous

certaine que cette Agatha Nisbet va venir ? Et Doulting ? Il pourrait être intoxiqué jusqu'aux yeux ou
raide mort dans une ruelle d'ici là.

Tous regardèrent Hester. Son visage était tendu,
son corps crispé.

— Je ne sais pas, avoua-t-elle. Nous ne pouvons
qu'essayer.

— Nous n'avons pas grand-chose à perdre,
conclut Rathbone. Si nous ne tentons rien, Dinah
sera jugée coupable. Je n'ai plus de témoins. Elle
m'a menti par le passé et je ne suis pas sûr qu'elle
soit au courant de ce que Lambourn avait découvert.
Sa foi en lui ne suffira pas à l'innocenter.

Il s'adressa de nouveau à Hester.

— Cette Agatha Nisbet, vous la croyez ?

— Oui, répondit-elle sans hésiter. Mais ce ne sera
pas aussi facile avec Alvar Doulting. Elle l'amènera
s'il va assez bien, mais elle ne le forcera pas à témoigner. Vous devrez faire durer le procès un autre jour
au moins, le temps que j'aide Agatha à le préparer à
cette épreuve.

— Je n'ai personne d'autre, répéta Rathbone.

— Dans ce cas, appelez Dinah à la barre, suggéra
Hester d'une voix incertaine, légèrement enrouée.
Immédiatement après Noël.

Plus Rathbone en apprenait, plus il était convaincu
que Coniston et Pendock avaient été mis en garde
contre un scandale, fût-ce au prix de faire pendre une
femme sans avoir examiné toutes les possibilités de
son innocence. Qui d'autre était dépendant de ce poison ? Quelles fortunes reposaient sur ce commerce ?

Il regarda Monk. C'était un risque. Tous en
avaient conscience.

— Je lui parlerai.

Il n'avait pas eu le temps de s'entretenir avec elle
depuis qu'il avait appris qu'elle n'avait jamais réel-

lement été l'épouse de Lambourn. Il lui était difficile de penser à elle autrement.

— Il va nous falloir proposer une explication plus solide que la seule existence d'un vague marchand d'opium dont nous ignorons le nom.

Monk jeta un coup d'œil en direction d'Hester, puis reporta son attention sur Rathbone.

— Je sais. Nous allons tout faire pour identifier celui qui se cache derrière tout cela. Mais nous avons besoin de temps. Pouvez-vous tenir encore une journée ?

Rathbone aurait voulu répondre par l'affirmative, pourtant il en doutait. Si la cour se rendait compte qu'il était acculé, qu'il posait des questions dont les réponses étaient connues de tous, Coniston l'accuserait de chercher à gagner du temps et Pendock lui donnerait raison, à juste titre. Surtout, les jurés sauraient qu'il était à bout d'arguments.

Il était fort probable que le juge tente de mener le procès à son terme le vendredi.

Hester fronçait les sourcils, lisant l'indécision dans son regard.

— Appelez le docteur Winfarthing à la barre après Dinah, suggéra-t-elle.

— Vous êtes sûre de lui ?

Elle eut un petit haussement d'épaules.

— Avez-vous mieux à proposer ?

— Je n'ai rien du tout, avoua-t-il. Êtes-vous certaine qu'il ne dira rien d'accablant, même sans le faire exprès ?

— Presque.

— Et cette femme, Nisbet ?

Il avait parlé d'un ton dur qui le surprit, et il comprit que, dans son propre sentiment de perte et de désillusion, il avait peur de ne pas être à la hauteur pour Dinah, qui le paierait de sa vie.

Hester sourit.

— Rien n'est garanti. Nous sommes déjà passés par là. Nous abattons nos meilleures cartes. Nous n'avons jamais été sûrs de l'emporter. Ce n'est pas comme ça que ça marche.

Il savait qu'elle avait raison ; il était simplement moins courageux qu'autrefois, moins certain de tout ce qui comptait. Ou peut-être, au fond, moins sûr de lui-même.

Rathbone retraversa la Tamise en bac, savourant le vent froid et mordant qui lui fouettait le visage, et même l'inconfort de la houle. La circulation était intense ce jour-là : de grands navires à l'ancre attendaient, regorgeant de denrées venues des quatre coins du monde, des allèges transportaient des produits arrivant de l'intérieur du pays, des bacs se faufilaient entre les embarcations. Au loin, un bateau de la police fluviale se dirigeait vers St. Saviour's Dock. Les gens semblaient travailler deux fois plus dur que d'ordinaire et marchaient d'un pas pressé, les bras chargés de paquets, se souhaitant de bonnes fêtes.

Sur la rive nord, il descendit et régla le passeur, puis gagna rapidement Commercial Road, où il héla un fiacre pour repartir dans la direction de l'Old Bailey, et la prison où Dinah Lambourn était enfermée.

Avant d'aller la voir, il s'arrêta dans une auberge calme et déjeuna copieusement d'un pudding au suif fourré au steak, aux rognons et aux huîtres accompagné d'une demi-bouteille de très bon vin rouge. Il était trop préoccupé pour en apprécier la richesse ou le goût, mais une fois son repas achevé il se sentit réchauffé, et habité par une détermination nouvelle, qui venait en grande partie de la colère qu'éveillait en lui la perspective de la défaite.

Il avait longuement réfléchi à ce qu'il dirait à Dinah et, en parcourant les deux cents derniers mètres, il acheva de se décider. Il fut escorté jusqu'à la cellule familière en pierre et attendit seul que Dinah soit amenée. Elle semblait amaigrie et encore plus pâle que lors de sa précédente visite, comme si elle savait que la bataille était terminée et qu'elle avait perdu. Il en éprouva un terrible sentiment de culpabilité, aussi vif que si une blessure lui transperçait les entrailles.

— Asseyez-vous, je vous en prie, Mrs. Lambourn.

Il l'imita, devinant à la raideur de sa posture qu'elle mourait de peur.

— Je viens de m'entretenir avec Mr. Monk, dit-il. Mr. Runcorn et lui ont découvert beaucoup de choses concernant le docteur Lambourn, qui toutes confirment ce que vous m'aviez dit. Cependant, je ne peux vous donner que peu d'espoir, car nous n'avons aucune preuve que cela tiendra devant la cour.

— Vous avez trouvé des témoins ?

Il y eut soudain un élan d'espoir insensé, infiniment douloureux, dans son visage, ses yeux presque brillants de fièvre.

Il déglutit avec peine.

— Des témoins qui ne seront peut-être pas crus, Mrs. Lambourn. L'un est un médecin qui, me dit-on, est une sorte de renégat. L'autre est une femme qui se prétend infirmière et qui dirige un hôpital bénévole pour les ouvriers des docks dans le quartier de Rotherhithe. Elle affirme que le docteur Lambourn est allé la voir lorsqu'il rassemblait des informations sur les usages et les dangers de l'opium. Elle n'est pas à proprement parler quelqu'un de respectable. Cependant, il semble que le docteur Lambourn ait utilisé ces renseignements pour entrer en contact avec d'autres personnes, qui ont confirmé ses dires.

Elle parut perplexe.

— Concernant l'opium ? Je ne comprends pas.

— Non, pas seulement l'opium. Justement. Il est question d'une invention récente, d'une aiguille permettant d'injecter de l'opium pur directement dans le sang. Elle est beaucoup plus efficace dans le traitement de la douleur, mais crée aussi une dépendance qui a des effets atroces.

Il grimaça.

— Un bref paradis, acheté au prix d'une vie infernale par la suite.

— Quel rapport cela a-t-il avec Joel ? Ou avec la mort de cette pauvre Zenia ? Le rapport de Joel ne concernait que la nécessité d'étiqueter convenablement les médicaments brevetés.

— Je sais, répondit Rathbone avec douceur. Nous pensons qu'il a découvert l'existence de la seringue et ses effets par accident, et qu'il a inclus cela dans son rapport afin que la vente d'opium dans ces conditions soit rendue illégale.

— Si c'est aussi épouvantable que vous le dites, il faut qu'elle le soit, observa-t-elle lentement, tandis que la compréhension, puis l'horreur, se lisaient dans son regard.

Il acquiesça.

— Le rapport a vraisemblablement été détruit, mais au cas où votre mari aurait informé quiconque, vous, par exemple, il fallait aussi le discréditer.

Elle écarquilla les yeux.

— Ils l'ont tué pour qu'il se taise, murmura-t-elle d'une voix rauque.

— Oui.

— Et cette pauvre Zenia ?

— Sans doute, comme vous l'avez dit, afin de vous éliminer, vous aussi. D'après Monk, le docteur Lambourn s'est également renseigné auprès de son confrère, le docteur Winfarthing. Je veux l'interroger, surtout pour retenir l'attention de la cour en attendant que Monk puisse persuader cette femme, Agatha Nisbet, de venir témoigner. Au préalable, je devrai m'entretenir avec Winfarthing et, par souci de justice, l'avertir que l'accusation ne va pas l'épargner.

— Mais dans ce cas, il risque de changer d'avis ! s'écria-t-elle, bouleversée.

— Il serait injuste de le faire témoigner avant que j'aie eu la possibilité de découvrir exactement ce qu'il va dire, et cela pourrait se retourner contre nous. N'oubliez pas que Mr. Coniston aura l'opportunité de l'interroger après moi. Vous en avez assez vu pour savoir qu'il donnera du fil à retordre à n'importe qui. Il va tout tenter pour détruire sa crédibilité, voire sa réputation.

Il baissa la voix, s'efforçant d'être aussi doux que possible.

— Ce n'est pas seulement votre vie ou votre liberté qui sont en jeu dans cette affaire. Si vous n'êtes pas coupable, quelqu'un d'autre l'est.

— J'ignore qui.

Elle ferma les yeux et les larmes s'échappèrent de sous ses paupières.

— Croyez-vous que je ne vous l'aurais pas dit si je le savais ?

— Si, bien sûr, dit-il gentiment. Ma tâche à présent consiste à persuader le jury que cette personne existe. À vous de décider si vous voulez que je le fasse. Ce sera très éprouvant. Et avant d'appeler Winfarthing à la barre, je devrai citer un témoin vendredi matin, sinon le juge va déclarer que la défense est terminée et il sera trop tard. Il tient absolument à obtenir un verdict avant la fin de la semaine. Il ne me reste que vous, hormis vos filles. Croyez-moi, Coniston ne leur laisserait pas le temps de dire la vérité. Il est convaincu de votre culpabilité et n'aura pas de pitié pour vos enfants.

— Je comparaîtrai, dit-elle aussitôt.

— Vous comprenez ce que Coniston va essayer de faire ?

— Bien sûr. Il va me dépeindre comme une hystérique qui s'accroche à la mémoire d'un homme qui refusait de l'épouser, de crainte de perdre l'argent dont elle a besoin pour vivre et élever ses enfants illégitimes.

Elle eut un bref sourire qui s'efforçait d'être courageux et faisait peine à voir.

— Cela ne pourra pas être pire que de faire face au bourreau dans trois semaines.

Il prit une inspiration pour protester, avant de se raviser. Il aurait été insultant de lui offrir des promesses vides de sens. Il baissa les yeux sur la table rayée, puis les releva.

— Je sais que vous n'avez pas tué Zenia Gadney, et que vous avez donné l'impression que c'était peut-être le cas de façon à être jugée pour essayer de sauver l'honneur et la réputation de Joel. Il est possible que nous perdions, mais nous n'en sommes pas encore là.

— Non ? souffla-t-elle.

— Non. Je vous appellerai à la barre vendredi matin, et vous garderai là jusqu'à l'arrivée de Winfarthing.

— Viendra-t-il ?

— Oui.

Une promesse hâtive. Il espérait pouvoir la tenir. Il se leva.

434

— À présent, je dois rentrer et réfléchir aux questions que je vais vous poser, à vous et à Winfarthing.

Elle leva les yeux vers lui.

— Et à Miss Nisbet ?

— Ah ! Là, c'est différent. Je sais exactement ce que je vais lui demander.

Peut-être était-ce une légère exagération. Ce qui l'inquiétait surtout, c'était de savoir si Agatha Nisbet allait venir. Il ne pouvait compter que sur Hester. Monk et Runcorn, il le savait, continueraient désespérément à chercher celui qui avait accompagné Lambourn sur One Tree Hill, et l'y avait laissé se vider de son sang.

Hester et Monk avaient tous les deux fait de leur mieux pour dissimuler à Scuff l'inquiétude que leur causait le procès, mais il était beaucoup trop observateur pour qu'ils y parviennent.

Le jour de Noël arriva, froid et ensoleillé.

Hester s'était levée de très bonne heure, longtemps avant l'aube, pour mettre l'oie au four et accrocher de longues guirlandes de rubans et des branches de houx dans la maison.

Monk et elle avaient finalement décidé d'offrir à Scuff une montre, la plus belle qu'ils pouvaient se permettre d'acheter, avec ses initiales et la date gravée au dos. Il y avait aussi d'autres petites gâteries, des sachets de bonbons, de nougat maison, et ses noix préférées. Monk lui avait trouvé une paire de chaussettes bien chaudes et Hester avait découpé soigneusement un des foulards de Monk pour en confectionner un à sa taille. Et, bien entendu, elle avait aussi choisi un livre pour lui, un qu'il prendrait grand plaisir à lire.

Vers huit heures du matin, alors que le jour se levait enfin vraiment, elle entendit s'ouvrir la porte de la cuisine, et Scuff passa nerveusement la tête à l'intérieur. Ses yeux s'écarquillèrent à la vue des guirlandes et du houx.

— C'est Noël ? demanda-t-il, un peu hors d'haleine.

— Oui, répondit-elle avec un grand sourire. Joyeux Noël !

Elle posa la cuillère dont elle s'était servie pour remuer le porridge et s'approcha de lui. Une seconde, elle songea à lui demander la permission de l'embrasser, puis se dit que cela lui donnerait la possibilité de refuser même si, au fond, il en avait envie. Elle l'entoura donc de ses bras et le serra contre elle, déposant un baiser sur sa joue toute chaude.

— Joyeux Noël, Scuff ! répéta-t-elle.

Il se figea un instant, puis lui rendit timidement son baiser.

— Joyeux Noël, Hester, répondit-il, écarlate.

Elle ne releva pas, s'efforçant de dissimuler un sourire.

— Voudrais-tu déjeuner ? Il y a du porridge d'abord, mais n'en mange pas trop, parce qu'il y aura des œufs et du bacon après. Et bien sûr, une oie rôtie pour déjeuner.

Il prit une profonde inspiration.

— Une vraie ?

— Bien sûr. C'est un vrai Noël !

Il avala sa salive.

— J'ai un cadeau pour toi. Tu le veux maintenant ?

Il s'agitait sur son siège, déjà à moitié debout.

Elle n'eut pas le cœur de refuser. Il avait les yeux brillants, les joues toutes rouges. Le faire attendre aurait été cruel.

— Cela me ferait très plaisir.

Il se leva, sortit dans le couloir et elle entendit ses pas sur les marches. Quelques secondes plus tard, il était de retour, avec dans la main un petit objet enveloppé dans un morceau de tissu. Il le lui tendit, l'observant avec intensité.

Elle le prit et le déballa, se demandant ce qu'elle allait trouver, et déjà anxieuse. C'était un petit pendentif en argent, une unique perle accrochée à une chaîne très fine. À cet instant, c'était le plus beau bijou qu'elle avait jamais vu. Et elle n'osait songer à la manière dont il se l'était procuré.

Elle leva les yeux et rencontra son regard.

— Il te plaît ? demanda-t-il dans un souffle.

La gorge nouée, Hester dut déglutir avant de pouvoir parler.

— Bien sûr. Il est parfait. Comment pourrait-on ne pas l'aimer ?

Allait-elle oser lui demander d'où il venait ? Penserait-il qu'elle n'avait pas confiance en lui ?

Il se détendit et le soulagement se lut sur ses traits.

— Je l'ai eu par un tafouilleux, dit-il fièrement. J'ai fait des courses pour lui. Il me l'a donné en échange.

Il parut soudain gêné et détourna les yeux.

— Je lui ai dit que c'était pour ma m'man. Ça va ?

Ce fut au tour d'Hester d'avoir les joues brûlantes.

— Ça va très bien, dit-elle en passant délicatement la chaîne autour de son cou.

Les yeux de Scuff brillèrent de plaisir.

— En fait, ça ne pourrait pas aller mieux, ajouta-t-elle. Nous avons des cadeaux pour toi, quand William descendra.

— J'ai quelque chose pour lui aussi, dit-il, la rassurant.

— J'en suis sûre. Veux-tu du porridge ? Nous avons une journée spéciale devant nous, et elle va être très occupée.

— Ça dure combien de temps, Noël ? demanda-t-il en se rasseyant à table.

— Toute la journée, jusqu'au milieu de la nuit. Et ensuite, c'est Boxing Day, et c'est un jour férié aussi.

— Bon. J'aime bien Noël, dit-il avec satisfaction.

22

Le vendredi, le procès reprit. Coniston semblait nettement plus détendu, comme s'il sentait approcher la fin d'un long et fatigant périple. Il y avait dans son visage quelque chose qui aurait pu être de la compassion à l'égard de Rathbone.

Pendock réclama le silence sans attendre.

— Avez-vous un témoin, Sir Oliver ?

— Oui, Votre Honneur, répondit-il. J'appelle à la barre l'accusée, Dinah Lambourn.

Pendock parut quelque peu désarçonné, mais s'abstint de tout commentaire.

Dinah fut escortée jusqu'à la tribune. Avec précaution, tremblant de tous ses membres, elle gravit les marches, se cramponnant à la rampe comme si elle craignait de tomber, ce qui semblait une réelle possibilité. Son visage était de cendre ; on aurait dit qu'il n'y avait pas de sang sous son teint d'albâtre.

Rathbone s'avança et leva les yeux vers elle. Combien de temps faudrait-il qu'il l'oblige à rester là ? Il devait s'entretenir avec Winfarthing avant de le faire témoigner. Il avait beau faire confiance à Hester, une bonne préparation était indispensable à tout avocat.

— Vous avez vécu avec Joel Lambourn pendant quinze ans comme mari et femme ? demanda-t-il d'une voix un peu tendue.

— Oui.

— L'avez-vous jamais épousé ?

— Non.

— Pourquoi ?

La question pouvait sembler brutale, mais il tenait à convaincre les jurés qu'elle avait toujours été au courant de l'existence de Zenia Gadney.

— Parce qu'il était déjà marié à Zenia, avant notre rencontre.

— Et il ne l'a pas écartée afin de vous épouser ?

Il s'était efforcé d'adopter un ton surpris, dénué de cruauté, mais il cilla au son de sa propre voix.

— Je ne le lui ai jamais demandé, répondit-elle. Je savais que Zenia avait eu un grave accident et que ses souffrances l'avaient conduite à s'adonner à l'alcool, puis à l'opium. Elle a fini par cesser de boire du gin, mais elle n'a jamais complètement réussi à se libérer de l'opium. À une certaine époque, la seule chose à laquelle elle s'accrochait et qui l'a sauvée du suicide était qu'il ne l'avait pas abandonnée. Je l'aimais, je l'aimerai toujours. Je n'aurais pas exigé de lui qu'il commette un acte qu'il jugeait cruel. Je n'aurais pas voulu qu'il soit différent.

— Et n'était-ce pas mal que de vivre avec vous ? insista-t-il, sachant que Coniston lui poserait cette question s'il ne le faisait pas.

— Il ne me l'a pas demandé. J'ai choisi de le faire. Et oui, je suppose que la société jugerait que c'était mal. Je ne m'en soucie guère, vraiment.

— Vous ne vous souciez pas du bien et du mal, ou de ce que la société pense de vous ?

— Je m'en soucie un peu, je suppose, répondit-elle avec l'ombre d'un sourire. De l'opinion d'autrui, je veux dire. Mais pas assez pour renoncer au seul homme que j'aie jamais aimé. Nous n'avons fait souffrir personne. Bien sûr, certains auraient été choqués s'ils avaient su la vérité, et d'autres n'y auraient guère attaché d'importance. Des milliers de gens ont des maîtresses ou des amants. Des milliers d'hommes ont recours aux femmes de la rue. Au fond, tant que cela reste privé, nul ne s'en inquiète.

C'était parfaitement vrai, mais Rathbone aurait aimé qu'elle ne fût pas tout à fait aussi franche – encore que Coniston aurait attiré l'attention sur ce point si elle ne l'avait pas fait. Il ne lui restait pas grand-chose à dire.

Pourtant, il devait continuer à l'interroger durant toute la matinée. Tout valait mieux que le silence et Pendock remettant l'affaire entre les mains du jury. Hester avait-elle réellement persuadé Winfarthing de venir ? Que ferait-il si ce dernier refusait de comparaître ?

— Étiez-vous heureux ? demanda-t-il à Dinah.

Coniston se leva.

— Votre Honneur, mon éminent confrère cherche une fois de plus à gagner du temps. Si cela peut accélérer la procédure, j'accepte volontiers que l'accusée et le docteur Lambourn avaient une vie idéale ensemble et que jusqu'aux derniers jours de sa vie ils étaient aussi heureux que n'importe quel autre couple. Il est inutile de faire défiler une procession de témoins pour l'attester.

— Telle n'était nullement mon intention, Votre Honneur ! protesta Rathbone, indigné.

Pendock s'impatientait.

— Dans ce cas, Sir Oliver, venez-en au fait, voulez-vous ?

Non sans mal, Rathbone se maîtrisa. Il ne devait pas se laisser emporter par la colère ou la vanité.

— Très bien, Votre Honneur.

Il regarda Dinah de nouveau.

— Le docteur Lambourn vous parlait-il de son travail, en particulier du rapport qu'on l'avait chargé de rédiger sur la question de l'opium ?

— Oui. Ce sujet lui tenait énormément à cœur. Il voulait que tous les médicaments légaux portent une étiquette claire, indiquant des chiffres compréhensibles pour n'importe qui, de sorte que tout le monde sache quelle dose prendre sans danger.

— Saviez-vous que le projet de loi en question était controversé ?

Coniston se releva.

— Votre Honneur, l'accusée ne possède aucune connaissance en ce domaine, et mon éminent confrère le sait parfaitement.

Pendock soupira.

— Objection acceptée. Sir Oliver, vous êtes prié de ne pas poser au témoin des questions auxquelles il n'est pas habilité à répondre. Je ne vous permettrai pas de faire traîner indûment ce procès en longueur.

Rathbone ravala son exaspération et se retourna vers Dinah.

— Le docteur Lambourn vous a-t-il jamais dit qu'il avait été confronté à des critiques ou des obstacles de la part du gouvernement ou des autorités médicales pendant qu'il cherchait à rassembler des informations sur les décès accidentels liés à l'opium ?

— Non. C'était le gouvernement qui avait commandité ce rapport.

— Qui, au juste, au gouvernement ?

— Mr. Barclay Herne.

Prudemment, elle s'abstint d'ajouter qu'il s'agissait de son beau-frère. Elle avait été sur le point de le faire et s'en était empêchée juste à temps.

— Le beau-frère du docteur Lambourn ? clarifia Rathbone.

— Oui.

Pendock recommençait à s'impatienter. Il fronçait les sourcils et ses grosses mains pianotaient sur le bois ciré de la table devant lui.

— Mr. Herne est-il chargé du projet au sein du gouvernement ?

— Je crois. C'était à Barclay que Joel avait affaire.

Conscient de l'agacement de Pendock, Rathbone se hâta de continuer, lui-même irrité par la pression qu'on lui imposait.

— Ce dernier lui a donc fait part du rejet de son rapport ?

— Oui.

— Le docteur Lambourn a-t-il été bouleversé par cette nouvelle ?

— Il était furieux et perplexe, répondit-elle. Les faits étaient rapportés avec soin et il avait toutes les preuves nécessaires. Il ne comprenait pas ce qui posait problème à Barclay, mais il était résolu à réviser son document, en incluant plus de détails et de notes, de sorte qu'il soit accepté.

— Il n'a pas vu là une humiliation ? Voire la fin de sa carrière ? demanda Rathbone, affectant la surprise.

— Pas du tout. Ce refus le désolait, mais il ne l'a certainement pas réduit au désespoir.

— Vous a-t-il confié qu'il avait fait des découvertes épouvantables durant ses recherches ?

Coniston se leva.

— Votre Honneur, les détails des recherches effectuées par le docteur Lambourn, et ce qui a pu ou non l'attrister, n'ont aucune importance ici. Nous jugeons l'accusée pour le meurtre de la première épouse du docteur Lambourn, non pour l'incompétence ou la sentimentalité de son mar...

— Objection acceptée, Mr. Coniston, déclara Pendock en se tournant vers Rathbone.

Avant que Coniston ait eu le temps d'ouvrir la bouche, Rathbone pivota et lui fit face, comme s'il n'avait pas conscience de la présence du magistrat.

— Au contraire, dit-il d'une voix forte. Selon vous, le docteur Lambourn se serait donné la mort par désespoir. Tout d'abord, vous avez suggéré une aberration sexuelle et une liaison avec une prostituée de Limehouse, que sa femme aurait apprise. Lorsque vous avez su que la « prostituée », comme vous l'appeliez, était en réalité une femme respectable qui avait été et qui était toujours, légalement parlant, l'épouse du défunt, vous avez été contraint de retirer vos allégations.

Coniston parut stupéfait, voire déconfit.

— Ensuite, vous avez prétendu que l'accusée avait tué la victime par jalousie parce qu'elle venait de découvrir que le docteur Lambourn lui rendait visite régulièrement, enchaîna Rathbone. Mais il s'est avéré un peu plus tard qu'elle le savait depuis une quinzaine d'années ; de sorte que ce raisonnement était évidemment absurde. Maintenant vous dites qu'il s'est tué parce que son rapport avait été refusé et qu'il devait le réécrire. J'essaie de déterminer si tel est réellement le cas. J'ai l'intention d'appeler à la barre d'autres témoins du même domaine professionnel pour qu'ils donnent leur avis sur la question.

Pendock abattit son marteau si violemment qu'un silence soudain et total tomba sur la salle.

— Sir Oliver ! Nous jugeons l'accusée pour le meurtre de Zenia Gadney Lambourn, et non pour la mort de Joel Lambourn, laquelle a déjà été classée comme un suicide par la justice. Les raisons qu'il avait de se donner la mort, si tragique qu'elle ait été, ne concernent pas cette cour.

— Au contraire, Votre Honneur, je soutiens qu'elles la concernent de près, et je le prouverai au jury, affirma Rathbone imprudemment.

— Vraiment ? rétorqua Pendock, sceptique. Nous attendons avec impatience. Poursuivez, je vous prie.

Le cœur battant, Rathbone s'adressa à Dinah.

— Je sais que vous avez du mal à croire que le docteur Lambourn ait mis fin à ses jours, commença-t-il. Durant la dernière semaine de sa vie, vous a-t-il à aucun moment paru particulièrement éprouvé, furieux, désemparé ? Était-il différent de son état normal ?

Coniston s'agita sur sa chaise, mais ne se leva pas, bien que prêt à le faire.

— Oui, affirma Dinah, saisissant la perche que lui tendait Rathbone. Deux ou trois jours avant sa mort, il est revenu des quais après avoir interrogé des gens, presque anéanti par ce qu'on lui avait dit.

— Vous a-t-il révélé ce que c'était ?

Un silence absolu régnait. La galerie tout entière semblait retenir son souffle. Aucun juré ne faisait le moindre geste.

— Non, avoua Dinah dans un soupir, avant de parler plus distinctement. Il m'a dit que c'était trop affreux pour le révéler à quiconque avant de savoir qui était derrière tout cela. Lorsque j'ai insisté, il a déclaré qu'il valait mieux que je n'en sache rien, pour mon propre bien. Que ces souffrances dont on lui avait parlé étaient telles que je ne pourrais plus les chasser de mon esprit. Qu'elles hanteraient mes rêves et me poursuivraient nuit et jour, jusqu'à la mort.

Les larmes roulaient sur ses joues à présent, sans qu'elle tentât de les refouler.

— Son chagrin était immense, et j'ai compris qu'il disait la vérité. Je ne lui ai pas reposé la question. Peut-être était-il plus facile pour lui que je ne sois pas au courant. Je ne l'ai jamais su, car deux jours plus tard il était mort.

— Aurait-il pu faire allusion à une augmentation des décès accidentels dus à l'opium dans ce quartier particulier ?

Elle secoua la tête.

— J'en doute. S'il s'était produit un incident affreux, un grand nombre de morts dans un seul et même endroit, Mr. Herne aurait voulu en être informé, et ce n'aurait pas été un secret. Il devait s'agir d'autre chose.

— Oui, je vois ce que vous voulez dire, admit-il. Vous a-t-il à aucun moment expliqué ce qu'il avait l'intention de faire ?

Elle demeura silencieuse quelques instants.

L'un des jurés remua sur son siège, mal à l'aise ; un autre se pencha en avant, comme pour la dévisager avec plus d'attention.

Coniston fixa Rathbone, puis leva les yeux vers le juge.

Rathbone aurait voulu savoir si Barclay Herne se trouvait dans la salle. Cependant, il tournait le dos à la galerie et n'osait troubler sa concentration en regardant par-dessus son épaule pour vérifier.

— J'essaie de me remémorer ses paroles, répondit enfin Dinah. Et de songer au sens qu'elles pouvaient avoir. Il était très secoué, très ému.

— Savait-il qui était impliqué dans cette abomination ? demanda Rathbone. En connaissait-il la nature ?

— Je sais seulement qu'il s'agissait d'opium, murmura-t-elle.

Cette fois, Coniston bondit sur ses pieds.

— Votre Honneur ! Nous n'avons en aucune manière établi qu'il y avait bel et bien une abomination à découvrir, seulement qu'un incident avait perturbé le docteur Lambourn.

Il eut un geste vague.

— Il aurait pu s'agir d'un accident, d'une tragédie naturelle, que sais-je. Ou même de rien du tout, peut-être. Nous n'avons que la parole de l'accusée.

— Vous avez tout à fait raison, Mr. Coniston, acquiesça Pendock. Je suis las de vos efforts pour gagner du temps, Sir Oliver. Si vous n'avez pas d'autre témoin à appeler, le jury va procéder aux délibérations.

Rathbone était au désespoir. Il n'avait plus de questions à poser à Dinah. Elle avait plaidé non coupable lors de son inculpation. Il n'y avait même pas de déni à ajouter.

— Il me reste deux témoins, Votre Honneur, dit-il, d'une voix qui sembla creuse, même un peu ridicule, à ses propres oreilles.

Où diable était Monk ? Où étaient Hester et le docteur Winfarthing ?

Pendock se tourna vers Coniston.

— Désirez-vous interroger l'accusée, Mr. Coniston ?

Ce dernier hésita, puis, soit par lâcheté, pour ne pas prendre de risques, soit par compassion, pour ne pas prolonger cette épreuve inutile, déclina à mi-voix.

— Non, Votre Honneur, merci.

Rathbone était vaincu.

— Je souhaite appeler à la barre le docteur Gustavus Winfarthing, Votre Honneur, mais il n'est pas encore arrivé. Je m'en excuse et demande...

Les portes de la salle s'ouvrirent à la volée et un énorme personnage s'avança, sa redingote volant derrière lui, sa crinière de cheveux gris dressée sur sa tête comme s'il venait d'affronter une tempête.

— N'allez pas vous excuser pour moi ! rugit-il. Je suis là. Bonté divine, monsieur, un aveugle monté sur un cheval au galop ne pourrait manquer de me voir.

Il y eut une vague de rires dans la galerie, reflétant un relâchement de la tension autant que de l'amusement. Un ou deux des jurés esquissèrent même un grand sourire, avant de se rendre compte brusquement que c'était peut-être déplacé, et de se forcer à reprendre une expression solennelle.

Winfarthing s'arrêta devant Rathbone.

— Suis-je arrivé trop tôt, Sir Oliver ? Dois-je retourner dehors ?

— Non ! s'écria Rathbone, submergé par un soulagement mêlé d'inquiétude. Nous sommes tout à fait prêts à vous entendre, docteur Winfarthing. Si vous voulez prendre place à la barre, et prêter serment ?

En réalité, il n'était pas du tout prêt. Il avait besoin de lui parler en tête à tête, d'apprendre ce qu'il avait à dire afin de guider son témoignage, mais il n'osait pas pousser Pendock à bout, de crainte de gaspiller la chance qui lui était offerte.

Winfarthing s'exécuta, gravissant non sans difficulté les marches en colimaçon, son corps massif gêné par les rampes. Il jura de dire la vérité, toute la vérité, rien que la vérité, puis attendit docilement que Rathbone commence.

Rathbone ne l'avait jamais vu auparavant. De fait, il ne savait rien de lui, hormis le peu que lui avait raconté Hester, et ce qu'il avait déduit de la chaleur avec laquelle elle parlait de lui. La seule mention de son nom faisait naître un sourire sur ses lèvres. De plus, Rathbone n'avait presque plus rien à perdre. Il se lança, avec une assurance qu'il était loin d'éprouver.

— Docteur Winfarthing, vous connaissiez Joel Lambourn ?

— Naturellement.

Winfarthing haussa les sourcils, toisant Rathbone comme s'il avait affaire à un étudiant particulièrement inepte, amené devant lui pour avoir joué une farce puérile.

— Un excellent homme à tout point de vue.

Comme s'il anticipait l'objection de Coniston au fait qu'on ne lui avait rien demandé à ce sujet, il se tourna vers lui et le fixa d'un regard féroce.

— Merci, se hâta de répondre Rathbone. A-t-il sollicité votre opinion ou votre expérience concernant l'usage de l'opium au cours des trois ou quatre mois précédant sa mort ?

— Bien sûr que oui.

La surprise perça de nouveau dans la voix et sur les traits de Winfarthing, suggérant que la réponse allait de soi.

Le silence régnait de nouveau parmi le public. Rathbone n'entendait pas un souffle derrière lui. Il lui fallait espérer que Winfarthing avait des déclarations d'importance qui pourraient occuper tout l'après-midi, le temps que Monk trouve et ramène Agatha Nisbet.

— Pourquoi, docteur Winfarthing ? insista Rathbone. Possédez-vous une expertise particulière dans l'étude des décès infantiles causés par une dose excessive d'opium ?

— Malheureusement, oui. J'ai pu confirmer bon nombre des données qu'il avait rassemblées, et comparer mes chiffres aux siens, qui, d'ailleurs, étaient presque exactement les mêmes.

Coniston se leva.

— Votre Honneur, je suis prêt à admettre que les chiffres du docteur Lambourn ont été obtenus de manière honnête et ont fort bien pu être exacts. Cependant, la question de savoir si cette tragédie pourrait être évitée n'est pas de notre ressort. De plus, étant donné que Sir Oliver a laissé entendre, à tort ou à raison, que la mort du docteur Lambourn n'était aucunement liée à son rapport, je vois mal comment ce document aurait la moindre importance dans le meurtre de Zenia Gadney, même à supposer, ce qui est fort improbable et reste entièrement à prouver, qu'elle ait été au courant de son contenu, ou qu'elle en ait détenu un exemplaire à son domicile.

— Objection acceptée, Mr. Coniston, répondit Pendock. Sir Oliver, vous cherchez une fois de plus à gagner du temps. Je ne vous le permettrai pas. Si le docteur Winfarthing n'a rien à ajouter à l'exception de son opinion que Lambourn était un médecin compétent, alors nous l'avons entendu et, comme l'a souligné Mr. Coniston, c'est tout à fait sans importance ici. Puisque Mr. Coniston n'a pas de questions à lui poser, appelez votre témoin suivant, et poursuivons.

Winfarthing écarquilla les yeux et sa figure imposante devint rouge de colère. Il pivota tant bien que mal entre les parois de la tribune, foudroyant le magistrat du regard.

— Monsieur, j'ai un témoignage à apporter, tonna-t-il. Certes, il n'est peut-être pas plaisant à entendre, puisqu'il touche aux abus les plus dégradants, les plus douloureux de l'être humain, à l'exploitation de la souffrance dans la poursuite du gain. Mais si nous voulons être considérés comme des hommes de vertu, ou d'honneur – ou même des membres de l'humanité –, alors nous n'avons ni le droit ni le luxe de dire que nous préférons ne pas nous chagriner en écoutant la vérité.

Puis il fit de nouveau un quart de tour sur lui-même, s'agrippant aux rambardes pour toiser non moins farouchement les douze membres du jury.

Ceux-ci lui accordèrent toute leur attention, doublée d'un respect évident. Visiblement décontenancé, Pendock jeta un coup d'œil en direction de Coniston, ne vit rien qui pût l'aider, et se tourna enfin vers Rathbone.

— Veuillez contrôler votre témoin, Sir Oliver, dit-il avec colère. Je ne tolérerai pas de chaos dans mon tribunal. Si vos questions sont en rapport avec le meurtre de Zenia Gadney, et je vous avertis d'y veiller, posez-les, je vous prie, sans plus de divagations ni de retard.

— De divagations ? siffla Winfarthing, un murmure théâtral si sonore qu'on dut l'entendre tout au fond de la salle.

Rathbone sentait que la situation était en passe de lui échapper. Il regarda Winfarthing. Il comprenait pourquoi Hester avait de l'affection pour lui ; il était totalement ingouvernable. Cela devait plaire à sa propre nature rebelle.

— Docteur Winfarthing, dit-il d'un ton sévère, avez-vous transmis au docteur Lambourn des informations qu'il aurait pu inclure dans son rapport, et dont il n'avait pas connaissance jusqu'alors ? Je parle de faits spécifiques, assez graves pour expliquer sa vive inquiétude les jours précédant sa mort, mais qu'il a refusé de révéler à l'accusée parce que trop bouleversants ?

Winfarthing le dévisagea, stupéfait.

— Bien sûr que oui ! dit-il d'une voix forte. Je lui ai dit que le problème le plus grave, ce n'est pas l'opium qu'on avale, ni même celui qu'on fume, tant s'en faut. La loi sur la pharmacie, à supposer qu'elle voie le jour, ne sera pas de taille à lutter contre le fléau qui commence à…

Pendock se pencha en avant, son visage taillé à la serpe devenu pâle.

— Sir Oliver, si vous ne pouvez pas obliger votre témoin à s'en tenir aux questions, je…

— L'aiguille ! coupa Winfarthing encore plus fort, d'un ton exaspéré.

Il leva les deux mains, regardant droit vers le jury.

— Un petit instrument creux en son milieu, à l'extrémité assez pointue pour s'enfoncer jusque dans les veines. L'autre extrémité est reliée à une fiole ou un petit flacon qui contient une solution d'opium. Du pur, pas de sirop pour la toux ou pour les maux d'estomac. On appuie sur le poussoir…

Il eut un geste théâtral, refermant son énorme poing comme s'il y avait quelque chose dedans.

— … et l'opium pénètre dans le sang, dans les veines… il circule dans votre corps, dans votre cœur et vos poumons, votre cerveau ! Vous voyez ? C'est l'extase – et puis la folie. La bête vous a mordu, et, peu à peu, vous inflige des tortures atroces, une agonie de vomissements, de crampes, de sueurs froides, de tremblements, de cauchemars qu'un homme sain d'esprit ne saurait imaginer. Bien sûr que vous ne voulez pas l'entendre.

Il se pencha par-dessus la barre pour les dévisager.

— Mais surtout, mes amis, vous ne voulez pas connaître un tel sort ! Ni pour vous, ni pour vos enfants… ni même, si vous prétendez craindre Dieu, pour aucun de vos semblables sur cette terre.

Il ignora Pendock qui tendait la main vers le marteau, et Coniston qui, debout, s'apprêtait à intervenir.

— Je sais ! Je sais, continua-t-il, refusant de se taire. Ça n'a aucun rapport avec la mort de cette malheureuse à Limehouse – Gadney ou je ne sais plus comment elle s'appelait, la pauvre.

Il se pencha de nouveau, fixant Rathbone.

— Mais peut-être que si, voyez-vous ? C'est gênant d'en parler. Ça nous force à affronter nos responsabilités. Mon Dieu, si nous autorisons ces abominations, ayons au moins le courage de les voir en face !

Sa voix s'était élevée, et tonnait dans la salle, altérée par l'indignation.

— Nous avons introduit l'opium dans ce pays. Nous gagnons de l'argent par sa vente. Nous en prenons pour calmer notre toux, nos maux d'estomac, nos insomnies. Heureusement qu'il existe – utilisé à bon escient.

Sa voix se mua en grondement.

— Cela ne nous donne pas le droit de fermer les yeux sur les abus, de nous détourner des malheureux qui, par ignorance, tombent dans la dépendance et se noient dans ce vaste océan gris, cette vie qui n'en est plus une. Et ceux qui leur mettent cette seringue magique entre les mains, ceux qui vendent l'enfer contre un profit n'enfreignent aucune loi ! N'est-il pas de notre devoir devant Dieu et devant les hommes de faire en sorte que ces agissements deviennent illégaux ?

Nul ne bougea dans la galerie. Les jurés le dévisageaient, livides.

Coniston paraissait accablé. Il regarda Pendock, puis le jury, et enfin Rathbone, mais resta silencieux.

Rathbone s'éclaircit la voix.

— Avez-vous décrit au docteur Lambourn les horreurs d'une telle dépendance, docteur Winfarthing ?

— Bon Dieu ! rugit Winfarthing. De quoi croyez-vous que je vous parle ?

Pendock revint subitement à la vie. Le bruit du marteau heurtant la table résonna comme une déflagration.

Winfarthing pivota et le fusilla du regard.

— Qu'est-ce qu'il y a maintenant ? Votre Honneur, ajouta-t-il avec une pointe de sarcasme.

— Je ne tolérerai pas qu'on blasphème dans mon tribunal, docteur… Winfarthing, répondit ce dernier, feignant d'avoir oublié son nom et de ne le retrouver qu'au prix d'un effort. Si vous recommencez, je considérerai qu'il y a outrage à magistrat.

L'incrédulité se peignit sur les traits de Winfarthing. Il se força visiblement à réprimer la riposte qu'il avait sur des lèvres.

— Je présente mes excuses au Tout-Puissant, dit-il sans un brin d'humilité. Même si je suis sûr qu'il comprend en quel sens j'invoquais son nom.

Il regarda Rathbone de nouveau.

— Pour répondre à votre question, oui, monsieur, j'ai parlé de tout cela au docteur Lambourn. Je lui ai dit qu'en l'espace de quelques jours un homme, ou une femme d'ailleurs, risque de pénétrer dans un enfer, et d'être prisonnier, jusqu'à la mort, du vendeur d'un tel cauchemar et de ceux qui choisissent délibérément de fermer les yeux sur ces choses-là !

Coniston, debout, intervint, sa voix nette et perçante par-dessus la rumeur.

— Votre Honneur ! Je dois vous parler en privé. C'est de la plus haute importance !

— Silence ! rugit Pendock. J'exige le silence dans la salle !

Très lentement, le brouhaha s'apaisa. Les gens s'agitaient sur leurs sièges, mal à l'aise, en colère, effrayés, attendant d'être rassurés.

Pendock était furieux. Son visage s'était empourpré et sa main qui tenait le marteau tremblait.

— Sir Oliver, Mr. Coniston. Je veux vous voir immédiatement. L'audience est suspendue.

Il se leva et sortit à grands pas, sans se soucier de ce qu'il frôlait ou bousculait sur son passage.

Vaguement nauséeux, Rathbone suivit Coniston. Précédés d'un huissier, ils sortirent par la porte latérale et traversèrent le hall pour se rendre dans le bureau de Pendock.

La porte se referma derrière eux. Tous deux se retrouvèrent face au juge, qui jeta à peine un coup d'œil à Rathbone avant de toiser Coniston.

— Eh bien, de quoi s'agit-il, Mr. Coniston ? demanda-t-il sèchement. Si vous allez me dire que Winfarthing dépasse les bornes, croyez que je m'en rends compte. Et si Sir Oliver ne parvient pas à le tenir, j'en conclurai qu'il y a outrage et ce sera la fin de son témoignage. Jusqu'ici, il me semble incendiaire, dénué de preuves et sans rapport avec l'affaire.

Rathbone ouvrit la bouche pour défendre Winfarthing sur tous les points, mais Coniston le devança.

— Votre Honneur, tout ce que vous dites est parfaitement vrai, et j'imagine que le jury, tout comme nous, y voit le dernier stratagème d'un homme acculé. Cependant, il y a une autre question, plus pressante et plus grave ici.

Il se pencha en avant, comme pour renforcer aux yeux de Pendock l'importance des paroles qu'il s'apprêtait à prononcer.

— Winfarthing a fait allusion à des crimes graves sans donner de preuve ni de noms. Ses sous-entendus pourraient salir la réputation d'hommes innocents, simplement parce qu'ils connaissaient ce malheureux Lambourn. Il y a des affaires d'État en jeu, Votre Honneur, un grave danger de voir terni l'honneur du gouvernement de Sa Majesté, ici et à l'étranger.

— Sottises ! explosa Rathbone, cédant à la fureur et à la frustration. C'est un prétexte ridicule pour...

— Pas du tout !

Coniston s'adressa à lui, ignorant momentanément Pendock.

— J'accepte que vous ignoriez ce que cet homme allait dire, mais maintenant que vous le savez, vous devez mettre fin à son témoignage et présenter vos excuses à la cour, et nier qu'il y ait le moindre grain de vérité dans ce qu'il prétend...

— Je ne nierai rien, coupa Rathbone. Je ne peux pas, et vous non plus. Et si c'est là ce qu'il a dit à Lambourn, alors c'est important pour l'affaire, que ce soit vrai ou non. C'est ce que Lambourn a cru.

— Qu'en savez-vous ? protesta Coniston, le rouge aux joues. Vous n'avez que la parole de Winfarthing. Ce marchand d'opium, s'il existe, pourrait être... n'importe qui ! Ces allégations sont totalement irresponsables et terrifient le public sans raison.

— Ce qui est irresponsable, c'est de condamner Dinah Lambourn sans lui donner la meilleure défense possible, rétorqua Rathbone. Et sans entendre chaque argument et chaque témoin qui...

— Assez !

Pendock leva la main.

— Cette question de seringues n'a aucun rapport avec l'assassinat de Zenia Gadney. Elle a été assassinée et éviscérée. Quoi que Winfarthing s'imagine savoir ou quoi qu'il ait entendu dire sur la dépendance à l'opium, cela n'a rien à voir avec le meurtre répugnant d'une femme sur la jetée de Limehouse.

— Merci, Votre Honneur, dit Coniston avec reconnaissance, le visage enfin détendu, libre d'anxiété.

Le visage pincé, Pendock hocha imperceptiblement la tête avant de se tourner vers Rathbone.

— Lundi, vous commencerez votre plaidoirie et l'affaire sera portée devant le jury. Est-ce clair ?

Rathbone se sentit vaincu.

— Il me reste encore un témoin, Votre Honneur.

Coniston eut un haut-le-corps.

— Un témoin de quoi ? demanda-t-il sèchement. D'autres dépravations dans nos ruelles sordides par ceux qui choisissent de s'adonner à l'opium ?

— Y en a-t-il d'autres ? rétorqua Rathbone. Dans ce cas, il semble que vous soyez mieux informé que moi.

— Je sais que l'on entend beaucoup de théories infondées et de rumeurs de scandale, répliqua Coniston. Que l'on a recours au sensationnalisme pour effrayer le public et détourner son attention du meurtre de Zenia Gadney, pauvre femme. Vous parlez de justice ! Quelle justice y a-t-il pour elle ?

— La justice serait de découvrir la vérité, riposta Rathbone avec une colère égale à la sienne.

Comme il se retournait vers Pendock, il remarqua pour la première fois une photographie encadrée sur la table à sa droite, face au juge et normalement invisible à un visiteur. Elle représentait une femme et deux jeunes hommes, dont un ressemblait beaucoup à Pendock lui-même. Il aurait pu s'agir de lui, trente-cinq ans auparavant. L'autre garçon lui ressemblait aussi, mais nettement moins. Étaient-ils frères ?

Pourtant, la robe de la femme était d'un style récent, datant de deux ans tout au plus. D'ailleurs, lorsque Pendock était jeune, de telles photographies n'existaient pas. Il devait s'agir de son épouse et de ses fils. Et Rathbone était presque certain d'avoir vu le second auparavant, dans un décor très différent. Sur l'autre cliché, il était quasi nu, dans une pose obscène, et en compagnie d'un petit garçon chétif, âgé de cinq ou six ans.

Coniston parlait. Les joues en feu, Rathbone pivota vers lui, attendant qu'il ait terminé. Il se sentait étourdi, comme s'il était en mer et que la pièce vacillait autour de lui. Coniston le dévisagea avec sollicitude.

— Vous vous sentez bien ?

— Oui… mentit Rathbone. Merci. Oui. Je… je vais tout à fait bien.

— Dans ce cas, vous commencerez votre plaidoirie lundi matin, répéta Pendock avec raideur.

— Oui… Votre Honneur, répondit Rathbone. Je… je serai là.

On lui avait signifié son congé. Il jeta un dernier coup d'œil à la photographie dans son cadre en argent ciselé, puis s'excusa et sortit, laissant Coniston et Pendock seuls.

Rathbone regagna son domicile dans une sorte de brouillard. Le fiacre aurait pu l'emmener n'importe où sans qu'il s'en fût rendu compte. Le cocher dut l'appeler quand il arriva devant chez lui.

Il descendit, régla la course et gravit les marches. Il échangea quelques brèves paroles avec Ardmore en entrant, et pria ce dernier de ne le déranger sous aucun prétexte avant qu'il sonne.

— Vous ne désirez pas dîner, monsieur ? s'enquit Ardmore, soucieux.

Rathbone se força à être courtois. Son serviteur le méritait.

— Je ne crois pas, merci. Si je change d'avis, je mangerai des sandwiches ou une part de tourte, ce que Mrs. Wilton a sous la main. Je prendrai un verre de cognac dans une heure ou deux. J'ai besoin de réfléchir. Je doute que quelqu'un vienne, mais à moins qu'il ne s'agisse de Mr. Monk, je ne peux recevoir personne.

Ardmore ne parut nullement rassuré.

— Vous allez bien, Sir Oliver ? Êtes-vous certain que je ne peux pas faire autre chose pour vous ?

— Je vais parfaitement bien, merci, Ardmore. J'ai une décision très difficile à prendre concernant l'affaire que je défends. Je dois agir au mieux pour sauver une femme accusée d'un meurtre qu'elle n'a pas commis, faire punir le ou les auteurs de ce crime, et préserver l'intérêt de la justice en général.

Ardmore cilla.

— Oui, monsieur. Je veillerai à ce que vous ne soyez pas dérangé.

Rathbone demeura seul pendant presque une heure, à se demander s'il souhaitait vraiment avoir la confirmation que le jeune homme photographié par Ballinger était le fils de Pendock. Que lui importait de le savoir, à moins qu'il ne fût prêt à utiliser cette information ?

Et s'il s'agissait bel et bien de Hadley Pendock, comment s'en servirait-il ? Pas pour obtenir un verdict particulier. Une telle conduite aurait été immorale, cela ne faisait aucun doute à ses yeux. Cependant, après avoir systématiquement pris parti

contre Dinah, Grover Pendock s'apprêtait maintenant à mettre fin au procès avant qu'Agatha Nisbet
ait pu témoigner. À supposer que celle-ci se présente
le lundi, elle ne serait pas autorisée à s'exprimer,
même si elle détenait des éléments compromettants
pour Herne ou pour Bawtry.

Il ne pouvait laisser cela se produire.

On frappa à la porte.

— Entrez ! cria-t-il, content d'une interruption
qu'il avait pourtant voulu éviter.

Ardmore obéit. Il apportait un plateau de sandwiches au rôti de bœuf et les meilleurs pickles de
Mrs. Wilton, à la fois piquants et sucrés, dans une
petite soucoupe. Il y avait aussi une tranche de cake
et un verre de cognac.

— Au cas où vous en auriez envie, monsieur, dit
le majordome en déposant le tout sur la petite table
à côté de lui. Aimeriez-vous aussi une tasse de thé ?
Ou du café ?

— Non, merci, c'est parfait. Dites à Mrs. Wilton
que j'apprécie ses bons soins, tout comme les vôtres.
Vous pouvez vous retirer. Je n'aurai plus besoin de
vous ce soir.

— Bien, monsieur. Merci, monsieur.

Ardmore s'en alla, refermant doucement la porte
derrière lui. Rathbone entendit ses pas, à peine audi-
bles, se diriger vers la cuisine.

Il prit le premier sandwich. Il avait bien besoin de
quelques minutes de répit et il se rendait compte
qu'il avait faim. Le pain était frais, les pickles
étaient bons. Il en mangea un, puis un autre et enfin
un troisième.

Arthur Ballinger avait-il commencé ainsi, en se
disant exactement la même chose que lui à présent
– qu'il détenait là un moyen sordide de sauver un

innocent ? Que valait un avocat plus soucieux de son propre confort moral que de la vie de son client ?

Si Rathbone utilisait la photographie de Hadley Pendock, à supposer que ce fût lui, il se sentirait souillé par sa conduite. Le juge Pendock le haïrait. Il ne révélerait à personne de quel instrument s'était servi Rathbone, mais il pourrait laisser entendre que sa méthode avait été inhabituelle, indigne d'un gentleman. Il ne dirait pas que Rathbone avait pu y avoir recours seulement parce que son fils avait violé des enfants vulnérables, abandonnés à la rue.

Et s'il ne s'en servait pas et que Dinah Lambourn était pendue, qu'éprouverait-il alors ? Quelle opinion Monk et Hester auraient-ils de lui ? Et surtout, quelle opinion aurait-il de lui-même ?

Quelles batailles pourrait-il mener après ? Il aurait refusé de faire face à ses responsabilités. Était-ce excusable ?

Dans un cas comme dans l'autre, quel homme deviendrait-il ? Un lâche qui, en sécurité chez lui, sa moralité intacte, acquiesçait pendant qu'une innocente était envoyée à la potence ? Et qui, seul dans son lit magnifique, dans une maison silencieuse, serait hanté par les cauchemars jusqu'à la fin de ses jours ?

Ou un homme qui s'était sali les mains en se livrant à une action voisine du chantage afin de forcer un juge faible à être honnête ?

Il mangea le dernier sandwich et le gâteau, puis but l'ultime goutte de cognac. Le lundi, il commettrait un acte qui changerait sa vie pour toujours – et peut-être celle de Dinah, et celle de l'assassin de Lambourn et de Zenia Gadney.

Il se leva et se dirigea vers le coffre-fort où il conservait les clichés d'Arthur Ballinger. Un jour, il devrait trouver un meilleur endroit où les garder, ailleurs que chez lui mais, pour l'instant, il était heureux qu'ils fussent encore là.

Il ouvrit le coffre et en sortit la valise, calme à présent qu'il avait pris sa décision. Il feuilleta lentement les photographies, une par une. Il était dégoûté, révolté par leur obscénité, mais plus encore par la cruauté de ces hommes, leur indifférence envers la douleur et l'humiliation des enfants.

Il trouva celle qu'il cherchait. Reconnut le visage qui figurait dans le cadre en argent de Pendock. Au bas du cliché, de la main de Ballinger, on lisait : « Hadley Pendock », ainsi que la date et le lieu où il avait été pris.

Rathbone le remit à sa place, griffonna une note dans son agenda, vérifia qu'il ne s'était pas trompé, puis referma la valise et la rangea dans le coffre-fort.

Il savait ce qu'il devait faire le lundi matin, avant que le procès reprenne, si difficile, si douloureux et abject que cela soit. La honte était amère, mais c'était peu de chose comparé à la corde du bourreau.

23

Tôt le lundi matin, bien avant le début des audiences, Rathbone ouvrit son coffre-fort afin d'y chercher une des copies que Ballinger avait faites de la photographie de Hadley Pendock. C'était un cliché de taille réduite, sept centimètres sur dix, suffisant néanmoins pour montrer ce que contenait l'original. Les visages y étaient clairement reconnaissables.

Rathbone la mit dans sa poche entre deux feuilles de papier à lettres, puis quitta la maison et héla un fiacre pour se rendre à l'Old Bailey. Il regarda défiler les rues grises et verglacées, se refusant à songer à ce qu'il allait dire à Pendock et à la réaction de ce dernier. Il avait pris sa décision, non qu'elle fût bonne, mais l'autre solution était insupportable.

Il atteignit le tribunal avant même l'arrivée de l'huissier et dut attendre celui-ci, qui fut stupéfait de voir que Rathbone l'avait précédé.

— Vous allez bien, Sir Oliver ? demanda-t-il avec anxiété.

Il devait savoir que le procès avait tourné à son désavantage, car la pitié se lisait sur ses traits.

— Oui, merci, Rogers, répondit Rathbone d'un ton morne. Il faut que je m'entretienne avec M. le juge dès son arrivée. C'est de la plus haute importance, et cela risque de durer une demi-heure environ. Je suis désolé de vous causer ce dérangement.

— Cela ne me dérange pas du tout, Sir Oliver, assura Rogers aussitôt. C'est une bien triste affaire. Peut-être ai-je tort, mais je suis désolé pour Mrs. Lambourn.

— C'est tout à votre honneur, Rogers, affirma Rathbone avec l'ombre d'un sourire. Puis-je attendre ici ?

— Bien sûr, monsieur. Dès que je verrai M. le juge, je l'avertirai que vous êtes là et que c'est urgent.

— Merci.

Vingt-cinq minutes s'écoulèrent avant l'apparition de Pendock. Il paraissait sombre, visiblement mécontent à la perspective d'un entretien qui s'annonçait désagréable.

— Qu'y a-t-il ? demanda-t-il sitôt la porte refermée. Je ne peux vous donner plus de latitude, Rathbone. Vous avez épuisé toute la clémence que la cour peut vous accorder. Je suis désolé. Vous avez perdu pour cette fois. Acceptez-le, mon cher. Ne… faites pas traîner les choses en longueur, dans notre intérêt à tous, et même dans celui de l'accusée.

Rathbone s'assit à dessein, voulant lui montrer que ces quelques paroles ne suffiraient pas à le congédier. Une lueur d'irritation traversa le regard de Pendock.

— L'affaire n'est pas terminée, Votre Honneur, avant que toutes les preuves aient été entendues et que le jury ait rendu son verdict.

Il prit une profonde inspiration, puis exhala très lentement.

— Par un concours de circonstances, ajouta-t-il, et entièrement contre mon gré, j'ai récemment hérité d'une remarquable collection de photographies, que je garde en lieu sûr, loin de chez moi.

Cela ne tarderait pas à être vrai.

— Pour l'amour du ciel, Rathbone, je me moque de votre héritage ! s'écria Pendock, incrédule. Qu'avez-vous donc ? Êtes-vous souffrant ?

Rathbone plongea la main dans sa poche, en tira les feuilles de papier et la photographie. Une fois qu'il l'aurait montrée à Pendock, il aurait, comme César, franchi le Rubicon ; il aurait déclaré la guerre aux siens.

Pendock fit mine de se lever pour mettre fin à l'entretien.

Rathbone ôta la feuille supérieure et dévoila la photographie.

Pendock y jeta un coup d'œil. Peut-être ne la vit-il pas clairement. Ses traits exprimaient la révulsion.

— Dieu Tout-puissant ! C'est obscène ! Comment diable vous imaginez-vous que je puisse vouloir regarder de telles saletés ?

— L'idée ne me serait pas venue à l'esprit avant-hier, répondit Rathbone, d'une voix qui tremblait en dépit des efforts intenses qu'il faisait pour se contrôler. Et puis j'ai vu ce jeune homme dans le cadre là-bas.

Il fixa la photographie placée sur la table.

Pendock suivit la direction de son regard et devint cramoisi. Il saisit le cliché posé par Rathbone et le tint assez près du cadre pour les comparer. Le sang se retira de son visage, le laissant aussi gris que les cendres restées dans l'âtre. Il recula en titubant et faillit s'effondrer dans son fauteuil.

Jamais Rathbone ne s'était senti aussi mal. Pas même lorsqu'il avait affronté Ballinger dans sa cellule, ou qu'il l'avait trouvé assassiné peu après. Pas même lorsque Margaret était partie, car l'acte qu'il était en train de commettre était entièrement de son fait. Il aurait pu faire un choix différent.

Pendock releva la tête et toisa Rathbone avec le même mépris que celui avec lequel il avait regardé la photographie quand il ignorait encore qui y figurait.

— Je ne déclarerai pas Dinah Lambourn non coupable, dit-il lentement, d'une voix éraillée, la gorge sèche. Je… je vous paierai ce que vous voulez, mais je ne tournerai pas la loi en dérision !

— Allez au diable ! cria Rathbone, se levant à demi. Je ne veux pas de votre maudit argent ! Et je ne veux pas d'un verdict orienté. Jamais je n'ai cherché à en obtenir un, et je ne vais pas commencer à présent. Je veux seulement que vous meniez ce procès de manière équitable. Que vous autorisiez mes témoins à témoigner et le jury à les écouter. Ensuite, je vous remettrai l'original de cette photographie et toutes les copies. Libre à vous d'en faire ce que vous voudrez. Que vous parliez ou non à votre fils ne regarde que vous, et que Dieu vous aide.

Il se pencha vers le magistrat.

— Vous étiez prêt à me verser de l'argent pour que votre fils ne soit pas puni pour ses actes, si révoltants soient-ils. Est-il donc répugnant d'accorder à Dinah Lambourn un procès juste ? Elle est aussi la fille de quelqu'un, il y a quelque part des gens qui l'aiment. Et s'il n'y en avait pas, cela ferait-il d'elle quelqu'un de moins méritant ?

— C'est le… c'est l'instinct naturel, bégaya Pendock. Ces calomnies vont nuire au gouvernement, à des hommes respectables. Nous ne pouvons restreindre la liberté des gens à prendre les remèdes de leur choix pour se soulager, sous prétexte que certains en abusent.

— Je suis aussi attaché à la liberté que n'importe qui, affirma Rathbone. Mais pas au détriment des plus faibles et des plus vulnérables. Aimez-vous votre fils plus que la justice ?

Pendock se mit la tête entre les mains.

— On le dirait, n'est-ce pas ? murmura-t-il. Non. Non, je ne le crois pas. Je pense. Mais…

Il ouvrit lentement les yeux, son visage était celui d'un vieil homme.

— Nous entendrons vos témoins, Rathbone.

Vingt minutes plus tard, Rathbone se tenait face à la tribune, occupée par la femme la plus imposante qu'il eût jamais vue. Elle devait mesurer au moins un mètre quatre-vingts et semblait dominer l'assistance. Elle avait des épaules de débardeur, une poitrine opulente, des bras épais et musclés. Vêtue sobrement, elle arborait une expression farouche, comme si elle mettait les rituels et la loi établie au défi de l'intimider.

Rathbone savait ce qu'elle allait dire, non seulement par Hester, mais parce qu'il lui avait parlé lui-même. Il avait deviné son dévouement envers ceux qui n'avaient nulle part où se tourner, son expérience de la dépendance et de la privation, sa pitié pour Alvar Doulting et l'homme qu'il avait été autrefois. Hester l'avait averti qu'Agatha serait peut-être un témoin difficile. Rathbone avait la nette impression que c'était le moins que l'on pût dire. Cependant, il avait eu recours au moyen qu'il redoutait le plus pour forcer sa chance et il ne pouvait faire marche arrière.

La cour attendait, la galerie était silencieuse, le jury stupéfait que l'on n'en eût pas terminé. Coniston, lui, paraissait décontenancé. De toute évidence, Pendock n'avait pas tenté de lui expliquer quoi que ce fût. Comment aurait-il pu ?

Rathbone s'éclaircit la voix. Il devait gagner. Le prix avait déjà été trop élevé.

— Miss Nisbet, commença-t-il. D'après ce que je comprends, vous dirigez sur la rive sud de la Tamise un hôpital de bénévoles destiné à soigner les dockers et marins blessés ou malades ? Est-ce exact ?

— Oui, répondit-elle.

Sa voix était étonnamment douce pour une femme aussi forte. L'on n'aurait pas été surpris de l'entendre parler comme un homme, d'une voix de baryton.

— Leur donnez-vous de l'opium ?

— Oui, évidemment. Rien n'y fait autant. Il y en a qui souffrent beaucoup. Cassez-vous donc une demi-douzaine d'os, vous verrez ce que c'est. Faites-vous écraser un bras ou une jambe, et vous verrez encore mieux.

— J'allais dire que je peux me l'imaginer, murmura Rathbone. Mais ce serait un mensonge. Je n'en ai aucune idée, un privilège dont j'ai bien conscience.

Il hésita un instant, donnant aux jurés le temps de se mettre à la place de cette femme, qui se battait chaque jour contre les pires des souffrances.

— Vous utilisez donc de grandes quantités d'opium. Je suppose que vous savez où vous en procurer et que vous êtes bien informée sur ce commerce en général ? Ainsi que sur les conséquences à long terme d'un tel traitement sur les patients ?

Coniston paraissait perplexe, mais n'avait pas encore fait objection. Sans doute cela n'allait-il pas tarder.

— Bien sûr que oui, répondit Agatha.

— Cela étant, le docteur Lambourn est-il venu vous voir durant les dernières semaines de sa vie ? Disons il y a trois ou quatre mois.

— Ouais. Il posait des questions sur la qualité de l'opium, et il voulait savoir si je savais en donner ce qu'il faut, mais pas trop.

Coniston n'y tint plus. Il se leva.

— Votre Honneur, cela nous mène-t-il quelque part ? Mon éminent confrère ne va tout de même pas chercher à nuire au travail que fait cette femme pour soulager ses patients sous prétexte qu'elle n'a pas reçu de formation médicale ? S'il s'agit là de ce que Lambourn cherchait à faire, il n'est pas étonnant que le gouvernement ait jugé bon de supprimer son rapport !

Des murmures d'assentiment et d'approbation se firent entendre dans la galerie.

Apparemment indécis, Pendock regarda les deux hommes tour à tour.

Rathbone intervint.

— Non, Votre Honneur. C'est l'opposé de mon intention. J'essaie au contraire de démontrer que Miss Nisbet est dévouée et compétente, qu'elle connaît le marché de l'opium et, par conséquent, qu'elle était une interlocutrice naturelle pour le docteur Lambourn.

— Poursuivez, dit Pendock, soulagé.

Coniston se rassit, encore plus perplexe.

Rathbone se retourna vers Agatha Nisbet.

— Miss Nisbet, je ne pense pas qu'il soit nécessaire que la cour entende le récit détaillé de vos conversations avec le docteur Lambourn concernant l'achat et la disponibilité de l'opium, ou la manière dont vous pouvez en juger la qualité. Vous êtes une experte en la matière, et je vais demander à la cour d'accepter que les succès obtenus dans le traitement de vos patients en sont une preuve suffisante.

Il se tourna vers Pendock.

— Votre Honneur ?

— Nous l'acceptons, répondit celui-ci. Passons, je vous prie, aux raisons qui vous ont incité à appeler cette dame à témoigner au sujet de la mort de Zenia Gadney.

Coniston se détendit et se cala sur son siège.

— Merci, Votre Honneur, dit Rathbone avec courtoisie.

Il leva de nouveau les yeux vers Agatha.

— Que voulait savoir le docteur Lambourn, Miss Nisbet ?

— Il s'intéressait à l'opium, surtout à ceux qui le coupent et avec quoi, répondit-elle. Alors je lui ai parlé du commerce que je connais. Il a tout écouté, le pauvre diable.

Son visage était assombri par une émotion troublante, impossible à déchiffrer.

— Je lui ai dit tout ce que je savais.

— Concernant l'importation de l'opium et son entrée dans le port de Londres ?

— C'est ce qu'il m'a demandé au début.

— Et ensuite ?

— Votre Honneur ! protesta Coniston.

— Asseyez-vous, Mr. Coniston, ordonna Pendock. Nous devons permettre à la défense d'en arriver là où elle veut en venir, ce qui, j'imagine, ne saurait tarder.

Coniston fut désarçonné. Il s'était visiblement attendu à voir Pendock le soutenir mais, au moins pour l'instant, ce dernier était prêt à patienter.

Rathbone reprit la parole.

— Je suppose que vous lui avez donné d'autres informations outre celles concernant le transport ?

470

demanda-t-il à Agatha. Car cela n'aurait aucun rapport du tout avec la mort de Zenia Gadney, ni même avec la sienne – avec son suicide apparent.

— Évidemment que non, rétorqua-t-elle d'un ton lourd de dégoût. Je lui ai parlé de la nouvelle méthode qui consiste à donner de l'opium pur avec une seringue. Ça calme la douleur plus vite et plus efficacement. Le problème, c'est que c'est sacrément plus dur de s'arrêter quand il faut. Plus on en prend longtemps, plus c'est dur. Et après quelques semaines, y en a qui peuvent plus s'arrêter du tout. Là, on les a sous sa coupe jusqu'à la fin de leurs jours. Ils vendraient leur propre mère pour une dose.

Cette fois, Coniston n'hésita pas. Il bondit sur ses pieds et commença à parler avant même de s'être avancé dans le demi-cercle.

— Votre Honneur ! Nous avons déjà établi qu'il était possible que des gens incultes ou ignorants prennent de l'opium, et sans doute n'importe quel autre médicament, à mauvais escient, et Votre Honneur a estimé qu'il était déplacé de remuer toute cette boue dans ce procès, qui n'a rien à voir avec l'opium sauf de la manière la plus indirecte qui soit. C'est une perte de temps, cela risque d'effrayer le public sans raison, et de calomnier des médecins qui ne sont pas présents pour défendre leur honneur et leur réputation.

Le visage de Pendock était de cendre, et il était clair qu'il se contrôlait avec difficulté.

— Je pense que nous devons permettre à Miss Nisbet de nous dire ce qui troublait tant le docteur Lambourn, si elle le sait, répliqua-t-il. Je l'avertis qu'aucun nom ne doit être cité, à moins qu'elle n'ait la preuve de ce qu'elle avance. Cela devrait apaiser vos inquiétudes pour ce qui est de la calomnie.

Il regarda Rathbone.

— Poursuivez, je vous prie, Sir Oliver, mais tâchez d'arriver à un point qui nous concerne, de préférence avant l'heure du déjeuner.

— Merci, Votre Honneur.

Rathbone inclina poliment la tête et, sans attendre que Coniston ait regagné sa place, pria Agatha Nisbet de continuer.

— Il m'a posé tout un tas de questions sur la dépendance, expliqua-t-elle à mi-voix. Et comment on peut s'en sortir. Je lui ai dit que, pour la plupart des gens, c'est impossible. Qu'ils vivent un enfer.

À présent, un silence intense régnait dans la salle, comme si chaque homme et chaque femme de l'assistance retenait son souffle, n'osant pas bouger de peur que le moindre froissement d'étoffe ne déforme une parole.

Le moment était venu. Rathbone hésita, inspira et expira lentement, puis posa sa question, d'une voix un peu rauque.

— Quelle a été sa réaction, Miss Nisbet ?

— Il a été anéanti, dit-elle simplement. Il m'a demandé si je pouvais lui apporter des preuves qu'il puisse mettre dans son rapport au gouvernement.

— A-t-il dit ce qu'il voulait inclure dans ce document ?

— Bien sûr que non, mais je ne suis pas complètement bouchée, hein ! Il voulait que le gouvernement fasse une loi pour que ça devienne un crime de vendre ce genre d'opium et les seringues qui vont avec. Il voulait que ce soit seulement des médecins compétents qui puissent le prescrire.

Sa rage était si profonde que les mots semblaient inadéquats pour l'exprimer. Elle cilla à plusieurs reprises.

— Il voulait voir ce que ça faisait vraiment aux gens… savoir tout ce qu'il y avait à savoir.

— Et avez-vous accepté de le lui montrer ?

— Bien sûr que oui, répondit-elle d'un ton cassant, et pourtant empreint de douleur.

Rathbone éprouva un pincement de culpabilité à la pensée de ce qu'il s'apprêtait à faire. Cependant, il n'avait pas le choix. Il était arrivé au bout de sa défense de Dinah Lambourn, il savait que Joel Lambourn était mort à cause de ces révélations, et que la justice l'exigeait. Un monstre tapi dans l'ombre attendait de détruire des milliers, voire des dizaines de milliers de gens au fil du temps. La douleur d'une seule personne était un prix trop infime à payer en comparaison pour y renoncer.

Coniston était debout.

— Votre Honneur, Miss Nisbet est sans doute une femme respectable, et je ne voudrais en rien dévaloriser ses efforts, mais tout cela n'est que rumeur. J'imagine qu'elle n'est pas elle-même dépendante ? Si tel est le cas, je n'ose dire que cela lui réussit, mais elle semble remarquablement apte à le dissimuler. Je dirais qu'elle est une simple observatrice, dépourvue de compétences professionnelles en la matière. Pour que nous ajoutions foi à ces propos, il faudrait qu'ils soient tenus par des médecins, et non par Miss Nisbet, malgré son œuvre charitable.

Pendock jeta à Rathbone un regard interrogateur et paniqué.

Rathbone se tourna vers la barre.

— Où avez-vous emmené le docteur Lambourn, Miss Nisbet ?

— Je l'ai présenté au docteur Alvar Doulting, dit-elle d'une voix rauque. Je le connais depuis des années. Au début, c'était un des meilleurs médecins que j'avais jamais vus.

— Il ne l'est plus ? demanda Rathbone.

Son regard était amer et plein de chagrin.

— Certains jours, ça va. Ça ira aujourd'hui, sûrement.

— Il est souffrant ?

Coniston s'était relevé.

— Votre Honneur, si le témoin ne vient pas, pour des raisons de santé ou autres, ajouta-t-il avec mépris, à quoi cela nous sert-il d'entendre ces on-dit ?

— Il viendra, Votre Honneur, déclara Rathbone, espérant avec ferveur ne pas se tromper.

Hester était censée l'amener, avec l'aide de Monk si cela se révélait nécessaire.

Coniston regarda autour de lui, feignant de le chercher des yeux. Il eut un léger haussement d'épaules.

— Vraiment ?

Rathbone ne savait plus que faire. Ni Hester ni Monk n'étaient entrés dans la salle pour l'avertir que Doulting était bien arrivé. Si Rathbone l'appelait à la barre et qu'il ne se présentait pas, Coniston exigerait de passer au réquisitoire et Pendock n'aurait aucune excuse pour refuser.

— J'ai encore des questions à poser à Miss Nisbet, affirma-t-il, réfléchissant à toute allure pour trouver un moyen de faire traîner les choses en longueur.

Que pouvait-il donc faire dire à Agatha Nisbet sans donner l'impression qu'il cherchait à gagner du temps ?

— Votre Honneur, insista Coniston avec une lassitude à peine exagérée. La cour a été assez indulgente pour permettre à ce médecin de témoigner. Si cet homme ne vient pas, alors…

Pendock prit les devants. Il donna un bref et léger coup de marteau.

474

— L'audience est suspendue pour une durée de une heure, afin de permettre à chacun de se reprendre, peut-être de boire un verre d'eau.

Il se leva avec raideur, comme si toutes ses articulations étaient douloureuses, et sortit de la salle.

Dès qu'il eut disparu, Coniston s'approcha de Rathbone. Il était pâle et, pour la première fois, son col était un soupçon de travers.

— Puis-je vous parler ? demanda-t-il d'un ton pressant.

— Je ne vois guère ce que nous aurions à nous dire.

Coniston fit mine de poser la main sur son bras, puis se ravisa et la laissa retomber le long de son corps.

— S'il vous plaît ? Ceci est très grave. Je ne suis pas sûr que vous en ayez pleinement saisi la portée.

— Je ne suis pas sûr que cela fasse la moindre différence, rétorqua Rathbone avec franchise.

— Eh bien, j'ai besoin d'un verre, de toute façon. Je me sens malade comme un chien, et vous n'avez pas meilleure mine. Que diable avez-vous fait à Pendock ? On dirait un cadavre ambulant !

— Cela ne vous regarde pas, riposta Rathbone avec un bref sourire pour atténuer la pique. S'il veut vous en parler, c'est à lui d'en décider.

Ils étaient dans le hall à présent, et Coniston s'arrêta net pour le dévisager. Pour la première fois, il se rendait compte que quelque chose avait changé, peut-être définitivement, et qu'il n'avait plus le contrôle de la situation.

Rathbone le précéda et descendit les marches du palais de justice pour gagner la rue. Ils entrèrent dans un pub et commandèrent un cognac, en dépit du fait qu'on était au milieu de la matinée. Coniston en but une gorgée, laissant sa chaleur brûlante glisser dans sa gorge.

— Vous jouez avec le feu, commenta-t-il dans un murmure. Savez-vous quelles restrictions Lambourn allait recommander, et qui serait transformé en criminel à cause d'elles ?

— Non, répondit Rathbone sur le même ton. Mais je commence à penser que vous, si.

Coniston paraissait sombre.

— Vous savez que vous ne pouvez pas me le demander, Rathbone. Il m'est interdit de répéter ce qui m'a été dit en confidence.

— Tout dépend de qui vous l'a dit, lui fit remarquer Rathbone. Et si c'est de nature à dissimuler la vérité sur la mort de Lambourn, et par conséquent à protéger l'assassin de Zenia Lambourn.

— Ce n'est pas le cas, affirma Coniston, écarquillant les yeux. Vous me connaissez mieux que ça.

— En êtes-vous certain ? demanda Rathbone en plantant son regard dans le sien. Et quid du meurtre de Dinah Lambourn, car c'est bien de cela qu'il s'agira si nous la laissons à dessein être pendue pour un crime qu'elle n'a pas commis ? Vous savez aussi bien que moi que cette affaire ne se résume pas à une quelconque histoire de jalousie surgie entre deux femmes au bout d'une quinzaine d'années.

Coniston garda le silence. Les jointures de ses doigts étaient blanches, crispées autour du verre.

— La mort de Lambourn a été le catalyseur, dit-il enfin. Tout d'un coup, il y avait sa fortune en jeu, le mode de vie auquel Dinah était habituée, et celui de ses enfants.

— Balivernes ! Sa vie s'est terminée le jour où il est mort parce qu'elle l'aimait. Il a été tué parce qu'il proposait de réglementer les ventes d'opium à cause du risque accru de dépendance en cas d'injec-

476

tion. Elle est prête à risquer sa vie pour laver son nom et voir son travail mené à bien simplement parce qu'il y croyait. Bien qu'elle n'ait jamais su, et ne sache peut-être toujours pas, ce dont il s'agissait vraiment.

— Pour l'amour du ciel, Rathbone ! s'écria Coniston. Elle se trouve face au bourreau parce que tout la désigne comme coupable. Elle a menti à Monk, qui l'a confondue. D'après les éléments que vous avez fournis, il est même possible qu'elle ait tué Lambourn aussi. Pour preuve qu'elle était au courant de l'existence de Zenia Gadney, nous n'avons que sa parole et celle de sa belle-sœur. L'on peut raisonnablement arguer qu'elle a découvert les faits juste avant la mort de Lambourn et que c'est cela qui est le lien.

Il eut un sourire ironique, teinté d'amertume.

— Vous venez peut-être de prouver qu'elle est coupable des deux meurtres. Si la mort de Lambourn en était un ?

Rathbone resta immobile, dévisageant Coniston. Il le connaissait depuis des années, mais se rendait compte à présent que leur relation était des plus superficielles. Issu d'une famille respectable, Coniston avait reçu une excellente éducation et menait une carrière brillante, en progression constante. Il avait fait un mariage inespéré quoique peut-être sans amour, avait trois filles et un fils. Cependant, Rathbone ignorait tout de l'homme qu'il était réellement, de ses espoirs et de ses rêves, de ses joies et de ses peines. De quoi avait-il peur, hormis la pauvreté ou l'échec ? De commettre une erreur, de condamner un innocent, ou seulement d'être percé à jour ? Se sentait-il seul parfois ? Doutait-il de ses qualités, redoutait-il ses défauts ? Avait-il jamais aimé, et s'était-il aperçu qu'il s'était abominablement trompé, comme Rathbone lui-même ?

Il n'en avait pas la moindre idée.

— Vous ne vous souciez donc pas de la vérité ? demanda-t-il tout bas.

Coniston se pencha par-dessus la table, les traits crispés.

— Bien sûr que si ! asséna-t-il. Comme je me soucie des lois et des libertés de notre pays, du respect du droit de chacun à prendre les médicaments de son choix, et à sa manière. L'information est une chose, et je suis tout à fait pour. Mais rendre l'opium illégal et faire de ses vendeurs des criminels est une autre paire de manches. Vous ne pouvez rien prouver à partir des dires de cette Agatha Nisbet. Vous ne réussissez qu'à effrayer ceux qui ont le plus besoin d'aide.

— Nous pourrons peut-être influer sur le contenu de la loi sur la pharmacie et la réglementation des ventes d'opium, répondit Rathbone. Cette décision ne nous appartient pas. En revanche, nous pouvons et devons influer sur ce qui se passe à l'Old Bailey cette semaine. Vous feriez mieux de décider de quel côté vous êtes, Coniston, parce que vous n'allez pas pouvoir rester plus longtemps entre les deux. Êtes-vous sûr, au-delà de tout doute raisonnable, que ce que prétend cette femme n'est pas vrai et que cela n'a aucun rapport avec la raison pour laquelle Lambourn a été tué ?

Coniston cilla.

— Que voulez-vous dire ? Qu'un marchand d'opium a tué Lambourn et Zenia Gadney ?

— Êtes-vous sûr que tel n'est pas le cas ? rétorqua Rathbone.

Il prit une profonde inspiration et exhala lentement. Son cœur cognait si fort dans sa poitrine qu'il avait l'impression que tout son corps tremblait.

— Vous savez qui il est, n'est-ce pas !

Ce n'était pas une question, mais une affirmation, presque une accusation.

— Il n'a tué ni l'un ni l'autre, affirma Coniston si bas que Rathbone l'entendit à peine. Croyez-vous que je ne m'en sois pas assuré ?

— Vraiment ? Est-ce une certitude, Coniston, ou une conviction ?

Tout lui échappait-il une fois de plus ? La vérité, un instant à portée de main, s'envolait-elle en fumée ?

— Une certitude, répondit Coniston. Ne me prenez pas pour un imbécile. La réaction de Lambourn aux révélations d'Agatha Nisbet lui a paru hystérique et totalement disproportionnée. Il voulait que cette partie du rapport soit supprimée. Il n'est pas coupable de meurtre. Lambourn était un fanatique qui s'est suicidé. Sa femme n'a pu l'accepter et a choisi cette manière démente et abominable pour essayer de forcer la main au gouvernement.

Son regard vacilla un instant, presque absent.

— Qu'y a-t-il ? demanda Rathbone.

— Appelez votre témoin.

La voix de Coniston était devenue un murmure qui s'étrangla dans sa gorge. Il soupira.

— Allez jusqu'au bout. J'imagine que vous le ferez de toute façon. Mais soyez averti : si vous parvenez Dieu sait comment à détruire un innocent, je veillerai personnellement à briser votre carrière. Peu m'importe que vous soyez brillant.

— Innocent de quoi ? Du meurtre de Lambourn et de Zenia Gadney, ou seulement de vendre à des gens un aller simple pour l'enfer ?

— Arrêtez donc de tourner autour du pot et apportez la preuve de ce que vous dites !

— J'en ai l'intention.

Rathbone acheva son verre de cognac.

— Mais n'oubliez pas, un doute raisonnable suffit.

Il posa le verre vide et se leva, puis s'éloigna sans
un regard en arrière.

En arrivant dans le hall, Rathbone ne vit aucun
signe de Monk ou d'Hester. Ses muscles se raidirent.

L'audience reprit avec Agatha Nisbet à la barre.
Les jurés, pâles et moroses, lui accordaient toute leur
attention.

— Vous avez fait état de souffrances terribles,
dont aucun de nous n'a entendu parler, commença
Rathbone. Les avez-vous décrites à Joel Lambourn
aussi ?

— Oui, dit-elle simplement. Je l'ai emmené les
voir.

— Et quelle a été sa réaction ? insista-t-il.

— Il a été malade. On aurait dit un homme qui
avait la fièvre. Au début, il était révolté, comme tout
le monde le serait, mais plus on en voyait, plus il
devenait gris et j'ai eu peur qu'il fasse une attaque
ou une crise cardiaque. Je lui ai même apporté un
cognac.

— Cela l'a-t-il revigoré ?

— Guère. Il avait l'air d'un homme qui a vu la
mort de près. Et peut-être bien que c'était ça, parce
que, quelques jours plus tard, on l'a retrouvé les poignets tranchés, le pauvre gars.

En dépit de son langage fruste, la pitié se lisait sur
ses traits, et son chagrin était palpable, impossible à
minimiser ou à ignorer.

Rathbone prit un risque délibéré, mais le temps
était contre lui.

— Vous a-t-il semblé prédisposé au suicide ?

— Le docteur ? s'écria-t-elle, incrédule. Dites pas de sottises ! Il était décidé dur comme fer à arrêter ça, coûte que coûte. Il n'a jamais pensé qu'il y laisserait la vie. Sans parler de celle de sa femme.

— Vous voulez dire Zenia Gadney ?

— Je ne savais même pas qu'elle existait jusqu'à maintenant. Je parlais de Dinah. Et si vous pensez qu'elle l'a tué, vous êtes plus fou que ceux qui sont enchaînés aux murs à l'asile et qui hurlent à la pleine lune.

Rathbone refoula le rire légèrement hystérique qui montait en lui.

— Je ne le crois pas, Miss Nisbet. Et je ne crois pas non plus qu'elle ait tué Mrs. Gadney. Je pense au contraire que Dinah Lambourn a deviné une partie de ce que vous me dites. Puis, lorsque Zenia Gadney a été assassinée, elle s'est laissé accuser, ajoutant même à l'apparence de la culpabilité en racontant un mensonge qui, elle le savait pertinemment, ne manquerait pas d'être découvert très vite.

Il n'hésita qu'un instant.

— Elle a risqué sa propre vie afin que cette cour fasse éclater la vérité au grand jour. C'est là un remarquable témoignage d'amour, une loyauté au-delà de la mort. Je vous remercie, Miss Nisbet, pour le courage que vous avez eu en venant ici nous relater des horreurs que vous préféreriez, j'en suis sûr, ne pas avoir à revivre. Restez où vous êtes, je vous prie, au cas où Mr. Coniston aurait des questions à vous poser.

Il retourna à sa place, se demandant ce qu'allait faire Coniston, et si Pendock le soutiendrait au cas où il ferait objection.

Coniston se leva et s'avança lentement, avec encore plus de grâce que d'habitude. Était-ce la marque d'une assurance excessive ou cherchait-il à gagner du temps ?

Dès qu'il ouvrit la bouche, Rathbone comprit que sa deuxième hypothèse était la bonne. Toute la certitude que son rival possédait au départ s'était évanouie, mais il portait un masque efficace. Les jurés ne s'apercevraient de rien.

— Miss Nisbet, commença-t-il avec courtoisie. Vous avez vu des scènes choquantes, affreuses. Je respecte la compassion que vous éprouvez et votre désir d'aider et de soigner les malades, quelle que soit la cause de leur souffrance.

Il fit deux ou trois pas vers la gauche, puis pivota sur ses talons.

— Cet homme dont vous parlez, celui qui vend l'opium et les seringues ? Êtes-vous sûre de pouvoir le reconnaître, si vous le voyiez ailleurs que dans ce contexte ?

La perplexité se lut sur les traits d'Agatha. Rathbone se leva.

— Votre Honneur, Miss Nisbet n'a jamais affirmé qu'elle se souviendrait de lui, ni même qu'elle connaissait son nom. Tout ce qu'elle a dit, c'est que le docteur Lambourn avait été profondément affecté par son récit.

— Vous avez tout à fait raison, Sir Oliver, admit Pendock, avant de se tourner vers Coniston. Peut-être serait-il préférable de formuler votre question autrement ?

La mâchoire de Coniston se crispa.

— Je ne l'ai jamais vu, pour autant que je le sache, répondit Agatha. Mais…

Elle s'interrompit brusquement.

— Mais… ? la pressa Coniston aussitôt.

— Mais ça ne vous est pas utile, acheva-t-elle, mentant visiblement.

482

Coniston ouvrit la bouche pour insister, puis se ravisa.

— Je vous remercie, Miss Nisbet, dit-il en se retournant. Oh ! Une dernière chose : le docteur Lambourn vous a-t-il dit qui était cet homme ou qu'il le connaissait, et qu'il le mettrait au pied du mur, le ruinerait, le ferait jeter en prison ? Quelque chose de ce genre ?

C'était un pari, et les jurés eux-mêmes semblaient en avoir conscience. Le silence était intense.

Rathbone se leva de nouveau.

— Votre Honneur, peut-être vaudrait-il mieux ne poser qu'une question à la fois. Ce serait plus clair pour Miss Nisbet et pour le jury.

— En effet, admit Pendock. Mr. Coniston, je vous prie ?

Coniston s'empourpra, et sa mâchoire se crispa tant que les muscles saillirent sous sa joue.

— Votre Honneur.

Il y avait une pointe de sarcasme dans son acquiescement.

— Miss Nisbet, le docteur Lambourn a-t-il déclaré connaître cet homme qui, selon vous, vend de l'opium pour son profit ?

— Non, monsieur, mais il est devenu tout blanc comme s'il allait s'évanouir.

— Pourrait-il s'agir là de l'horreur très naturelle d'un homme respectable à qui l'on révèle d'épouvantables crimes et souffrances ?

— Bien sûr que oui ! rétorqua-t-elle sèchement.

— A-t-il affirmé qu'il désirait causer la ruine de cet individu ou l'envoyer en prison, par exemple ? insista Coniston.

— Je suis allée lui chercher un cognac. Il n'a pas dit grand-chose, à part qu'il m'a remerciée.

— Je vois. Vous a-t-il dit à aucun moment qu'il allait se confronter à lui, l'accuser ou lui faire répondre de cet affreux commerce ? Vous a-t-il révélé son nom ?

— Non.

— Merci, Miss Nisbet. Je n'ai pas d'autres questions.

Rathbone s'était relevé.

— Puis-je poser des questions supplémentaires, Votre Honneur ?

— Naturellement.

Rathbone s'adressa à Agatha :

— Miss Nisbet, avez-vous eu l'impression que le docteur Lambourn était profondément horrifié par votre récit ?

— Évidemment que oui, répondit-elle d'un ton méprisant.

— À cause de ce crime, de ces souffrances ?

— Je pense qu'il avait son idée sur qui était derrière tout ça, dit-elle lentement, en détachant ses paroles. Mais il ne me l'a pas dit.

Un frisson d'horreur et de stupeur traversa la salle. Rathbone se tourna vers la galerie, au moment précis où les portes s'ouvraient, livrant passage à Hester. Leurs yeux se rencontrèrent, elle hocha imperceptiblement la tête. Le soulagement déferla en Rathbone comme une bouffée de chaleur bienfaisante. Il pivota vers le juge, le sourire encore sur ses lèvres.

— J'aimerais appeler le docteur Alvar Doulting à la barre, Votre Honneur.

Pendock jeta un coup d'œil à l'horloge sur le mur du fond.

— Très bien. Faites.

Alvar Doulting s'avança dans l'allée, entre les deux rangées de sièges, et traversa le demi-cercle. Il gravit avec difficulté les marches de la tribune qu'Agatha Nisbet venait de quitter. Lorsqu'il fit face à Rathbone, celui-ci comprit subitement pourquoi elle avait parlé d'un enfer. Doulting avait l'air d'un homme en plein cauchemar. Son visage grisâtre était luisant de sueur. Il avait beau s'agripper à la barre, il tremblait de tous ses membres. Un muscle tressautait à son cou et il était si émacié qu'on voyait les os de son crâne sous sa peau.

Rathbone éprouva un sentiment cuisant de culpabilité à la pensée qu'il avait contraint cet homme à témoigner.

Doulting déclina son nom et ses qualifications professionnelles, qui étaient impressionnantes. À l'évidence, le malheureux qui se tenait en face de lui avait été autrefois un médecin très prometteur, capable de figurer parmi les grands de sa profession. Sa déchéance n'en était que plus horrifiante.

Se basant sur ce qu'Agatha Nisbet lui avait relaté, Rathbone se mit à l'interroger, avec le sentiment pressant que l'état de santé de Doulting ne lui permettrait peut-être pas de rester à la barre très longtemps. Si les diarrhées, nausées et crampes dont avait parlé Winfarthing venaient à le frapper, il serait incapable de continuer, si crucial son témoignage fût-il. Rathbone avait l'impression de se comporter en véritable brute.

— Merci, docteur Doulting, dit-il avec sincérité. J'apprécie que vous soyez venu, puisqu'il est évident que vous êtes souffrant, et je serai aussi bref que possible. Avez-vous parlé au docteur Joel Lambourn peu avant sa mort au début d'octobre ?

— Oui.

La voix de Doulting était calme, malgré sa détresse physique.

— Vous a-t-il questionné sur la vente et l'usage de l'opium, dans le cadre des recherches qu'il effectuait pour une éventuelle loi sur la pharmacie ?

— Oui.

— Que lui avez-vous dit, au-delà des dangers que présente l'étiquetage inapproprié des médicaments ?

Doulting se cramponna davantage à la barre et prit une profonde inspiration.

— Je lui ai parlé du bien-être que procure l'opium injecté directement dans le sang au moyen d'une invention récente, une aiguille creuse attachée à une seringue. Je lui ai également expliqué combien cette méthode est dangereuse, et qu'il suffit de quelques jours pour devenir presque totalement dépendant. L'opium domine votre vie. L'enfer de la privation est presque aussi terrible que la douleur qu'il a apaisée.

Malgré sa réticence, Rathbone devait poser la question suivante. Il sentit son propre corps se raidir de compassion pour la souffrance de cet homme et l'humiliation qu'il allait subir.

— Et comment le savez-vous, docteur Doulting ?

— Parce que je suis dépendant moi-même. Il y a plusieurs années, j'ai eu le bassin écrasé lors d'un accident. Je souffrais atrocement. On m'a donné de l'opium pendant un certain temps, jusqu'à ce que les os se soient ressoudés. À présent, je donnerais cher pour ne jamais avoir vu d'opium et ne jamais en avoir entendu parler. Je vis dans la terreur d'en manquer et je ne songe qu'à la délivrance que m'apportera la prochaine dose.

— Où l'obtenez-vous ?

— Un homme me le vend, sous une forme assez pure pour que je puisse l'injecter.

— Comment avez-vous les moyens de vous l'offrir ?

— J'ai perdu tout ce que j'avais, ma maison, ma famille, mon cabinet. Désormais, je dois me plier à ses ordres pour le vendre à d'autres qui sont aussi devenus ses esclaves. Parfois, je me dis que j'aimerais mieux être mort.

Il n'y avait nulle emphase mélodramatique dans sa voix, aucun apitoiement sur lui-même.

— Cela vaudrait mieux pour les autres et pour moi aussi.

Rathbone aurait voulu pouvoir prononcer des paroles de réconfort, ne fût-ce que pour souligner sa dignité, mais ç'aurait été déplacé.

— Connaissez-vous le nom de cet homme, docteur Doulting ?

— Non. Je vous le dirais si je le pouvais.

— Vraiment ? Quelles conséquences cela aurait-il sur votre approvisionnement en opium ?

— Il cesserait aussitôt, comme j'imagine qu'il va cesser à présent que j'ai témoigné ici. Je m'en moque, au fond.

Rathbone baissa les yeux.

— Je ne sais que vous dire, hormis vous remercier d'être venu et de vous être exprimé devant cette cour – malgré ce qu'il vous en coûte. Restez ici, je vous prie, au cas où Mr. Coniston aurait des questions à vous poser.

Coniston se leva lentement.

— Docteur Doulting, vous imaginez-vous que nous allons croire ce terrifiant récit sur parole ? De votre propre aveu, vous êtes le laquais de cet homme et vous feriez n'importe quoi pour une dose d'opium.

Doulting le dévisagea avec une lassitude mêlée de mépris.

— Si vous en doutez, allez faire un tour dans les bas-fonds, là où l'on trouve les mourants et les âmes perdues. D'autres là-bas vous diront exactement la même chose que moi. Pour l'amour du ciel, mon brave, regardez-moi ! Avant l'opium, j'étais aussi respectable que vous, et aussi aisé. J'avais un titre, une place dans la société, une maison, une profession. J'étais en bonne santé. Je dormais dans mon propre lit et me réveillais content. Maintenant je ne souhaite plus que me racheter – et mourir.

Une onde de pitié déferla dans la salle, en soupirs et en murmures, mais si palpable que Coniston fut incapable de poursuivre. Il regarda Doulting, puis Rathbone. Une voix jaillie de la galerie lui cria de se rasseoir.

Pendock abattit son marteau.

— Silence ! ordonna-t-il d'une voix forte. J'exige le silence. Merci, Mr. Coniston. Avez-vous terminé ?

— Oui, Votre Honneur.

Pendock s'adressa à Rathbone.

— Sir Oliver, vous pourrez prononcer votre plaidoirie demain. Les audiences sont suspendues pour aujourd'hui.

Rathbone, Monk, Hester et Runcorn passèrent ensemble l'après-midi et la soirée autour de la table de cuisine. Ils mangèrent et burent du thé tout en préparant le dernier jour du procès. Des rafales de neige fondue fouettaient les vitres, mais une chaleur bienfaisante régnait dans la pièce.

— J'aurai peut-être assez d'éléments pour obtenir un acquittement pour « doute raisonnable », déclara Rathbone, morose, ce que j'osais à peine espérer il y a un ou deux jours. En revanche, faute de preuves, je ne pourrai pas établir son innocence. Sa vie sera ruinée quand même.

— Et elle n'aura pas réussi à laver le nom de Lambourn, lui fit remarquer Monk.

Hester fixait sans les voir les assiettes accrochées au vaisselier, le regard perdu au loin.

— Vous croyez que Lambourn connaissait cet homme ? demanda-t-elle en se tournant vers lui. Oui, n'est-ce pas ? Ou à tout le moins, il pensait savoir de qui il s'agissait. C'est forcément pour cette raison qu'il a été tué. Si son rapport avait été lu par les membres du gouvernement, surtout par Mr. Gladstone, la vente d'opium serait en passe de devenir illégale. Cela signifie que le coupable est quelqu'un qu'il connaissait.

Rathbone réfléchit un instant.

— Ce serait logique, renchérit Runcorn. S'il a été tué par quelqu'un de connaissance, cela expliquerait qu'il soit sorti ce soir-là pour le retrouver. Peut-être est-il monté de lui-même sur One Tree Hill ?

— S'il est allé sur la colline avec lui, la nuit, en sachant qui était cet individu et ce qu'il faisait, c'était un imbécile ! s'écria Monk avec violence.

Il passa la main dans ses cheveux.

— Excusez-moi, soupira-t-il. Mais quelque chose nous échappe. Tout ça ne tient pas debout.

Rathbone acquiesça.

— Nous avons toujours supposé qu'il était parti de son plein gré, mais seul.

Il se tourna vers Runcorn.

— Y avait-il d'autres empreintes hormis les siennes ?

— Celles de l'homme qui l'a retrouvé et, le temps que j'arrive sur les lieux, celles d'autres policiers et du médecin, répondit Runcorn. Il aurait pu y en avoir d'autres que je n'ai pas vues.

Il paraissait accablé, submergé de remords à la pensée d'une négligence.

Rathbone jeta un coup d'œil en direction de Monk et lut la compassion sur son visage, une réaction inimaginable seulement un an ou deux plus tôt à l'égard de Runcorn.

Hester reprit la parole :

— Nous savons que ce n'était ni Herne ni Bawtry, puisque divers témoins jurent qu'ils étaient ailleurs. Par conséquent, si c'est un des deux qui vend l'opium, il a fait assassiner Lambourn par quelqu'un d'autre. En revanche, ils n'ont pas d'alibi pour le soir où Zenia Gadney a été assassinée. Le coupable n'aura pas songé à s'en procurer un, parce que, apparemment, il n'avait aucun lien avec elle.

— Il a fait assassiner Lambourn par quelqu'un d'autre, répéta Rathbone. Zenia ? Est-ce possible ? Et puis il l'aurait tuée pour l'empêcher de le trahir ou de le faire chanter ?

— Au bout de deux mois ?

— Peut-être n'a-t-elle pas essayé de le faire chanter avant ? suggéra Rathbone.

— À moins que ça n'ait été ni Herne ni Bawtry, intervint Runcorn.

Monk soupira.

— Résumons, proposa-t-il en comptant sur ses doigts. Quelqu'un que Lambourn connaissait et qui avait assez de pouvoir pour rejeter son rapport et le faire passer pour incompétent.

Il passa à son second doigt.

— Qui avait accès à de l'opium pur afin de le vendre.

Il toucha le troisième.

— Qui savait qu'il était marié à Zenia Gadney et qui était en mesure de faire soupçonner Dinah.

— Il y a autre chose, ajouta Hester.

— Quoi ?

— La femme qui s'est fait passer pour Dinah à Copenhagen Place. Elle portait peut-être une perruque pour imiter sa coiffure, mais c'était forcément une femme.

— À moins qu'il ne se soit réellement agi de Dinah ? objecta Monk en regardant les autres tour à tour pour voir ce qu'ils en pensaient.

Une idée jaillit dans l'esprit de Rathbone. Il leva brusquement les yeux.

— Je... je crois que je sais.

Les mots semblaient absurdes, non pas courageux, mais stupides et désespérés.

— Il faut que Bawtry, Herne et sa femme soient au tribunal demain. Je crois savoir comment leur tendre un piège pour qu'ils viennent à la barre. La présence du médecin de la police et de Doulting est également nécessaire.

— Vous croyez ? répéta Monk doucement.

— Oui... je crois. Vous avez une meilleure idée ?

Monk passa de nouveau la main dans ses cheveux.

— Non.

Il regarda Runcorn.

— Nous ferons ce que vous voudrez, promit ce dernier. Que Dieu nous aide.

— Merci, répondit Rathbone dans un souffle.

Avait-il vu juste ? Pouvait-il réellement réussir ?

24

Rathbone dormit mal. Trop d'idées se bousculaient dans son esprit, trop de possibilités de succès,
et d'échec. Il avait élaboré un plan, mais tout reposait sur son dernier coup de dés, le plus audacieux de
tous. Il repassa dans sa tête tout ce qu'il pouvait dire,
comment éviter un désastre, ou sauver les meubles et
s'en sortir quand même.

Encore troublé, il sombra dans un sommeil
fébrile. S'il perdait, Dinah serait pendue. Quoi qu'il
en fût, en utilisant les photographies pour dicter sa
conduite à Pendock et le forcer à prendre des décisions qu'il n'aurait pas prises autrement, que s'était-
il infligé à lui-même ? Qu'est-ce qui pouvait justifier
une pareille décision ?

Pendock lui pardonnerait-il jamais ? Si Rathbone
avait eu l'intime conviction d'avoir bien agi, cela
n'aurait pas dû avoir d'importance. Mais comment
pouvait-on jamais en être certain ?

Était-il sûr de l'innocence de Dinah ? Voyait-il en
elle une épouse prête à tout pour sauver l'honneur de
son mari mort parce que c'était ainsi qu'il voulait la
voir, parce qu'il avait besoin de croire qu'une
femme en était capable ? Et cela atténuait-il l'amer-

tume qu'il ressentait face à la débâcle de son propre mariage ?

Il s'éveilla tard, avec un tressaillement de panique à la pensée qu'il n'arriverait pas à temps à l'Old Bailey. La journée était cruellement froide ; sous le ciel sombre, le vent d'est apportait de la neige fondue, signe que le pire restait à venir. Il marcha d'un pas vif sur le trottoir verglacé, luttant pour garder l'équilibre.

Runcorn l'attendait déjà dans le hall lorsqu'il se rendit dans son bureau pour enfiler sa robe et sa perruque. Jamais il n'avait imaginé qu'il trouverait un jour la silhouette du policier rassurante, pourtant c'était bien ce qu'il éprouvait à présent. Ce dernier était un homme solide, sûr de lui-même et de ses convictions.

— Tout est en place et en ordre, Sir Oliver, annonça-t-il à mi-voix.

L'espace d'un instant, Rathbone demeura perplexe, décontenancé par cette curieuse formulation.

— Mr. et Mrs. Herne, Bawtry et le médecin de la police, monsieur, expliqua Runcorn. Et Mrs. Monk fera de son mieux pour amener le docteur Doulting, comme vous l'avez demandé, sauf s'il est trop malade, le pauvre.

Rathbone prit une profonde inspiration, puis lâcha un soupir de soulagement.

— Merci.

— Un Mr. Wilkie Collins est ici aussi, reprit Runcorn. Il dit qu'il soutient le projet de loi sur la pharmacie, et qu'il se souvient de Joel Lambourn. Il me semble que c'est un écrivain d'un genre ou d'un autre.

Rathbone sourit.

— En effet. Je vous en prie, transmettez-lui mes salutations, Mr. Runcorn. Si je survis à cela, je l'emmènerai dîner dans le meilleur restaurant de la ville.

Runcorn lui rendit son sourire.

Une demi-heure plus tard, Runcorn était à la barre. La salle était silencieuse et les douze jurés attendaient, immobiles. Quelques-uns semblaient n'avoir guère dormi non plus.

Dans son grand fauteuil, Pendock avait l'air d'un vieillard. Rathbone aurait voulu éviter de le regarder, mais ç'aurait été à la fois stupide et d'une grossièreté impensable. Il se rendait parfaitement compte que, s'il n'avait pas utilisé ce cliché, Pendock serait peut-être mort sans jamais avoir découvert la conduite ignoble de son fils. Son tourment ne connaîtrait pas de fin, quelle que fût l'issue du procès.

À la table voisine, Coniston, tendu, jetait des coups d'œil inquiets d'un côté et de l'autre. Les jurés eux-mêmes devaient s'apercevoir qu'il avait perdu l'assurance qu'il possédait encore la veille au matin.

Rathbone s'éclaircit la gorge, toussa, puis toussa de nouveau.

— Mr. Runcorn, compte tenu de nouveaux éléments et de faits inexpliqués, je dois vous ramener à votre précédent témoignage concernant le décès de Joel Lambourn.

Coniston se leva à demi, mais Pendock l'avait devancé.

— Je comprends que vous faites objection, Mr. Coniston, mais rien n'a encore été dit. Je rappellerai Sir Oliver à l'ordre s'il s'éloigne du sujet. J'imagine que l'accusation tient tout autant que nous à parvenir à la vérité ? Si le docteur Lambourn a bel et bien été assassiné, il est dans l'intérêt de la justice que nous le sachions.

Il sourit, esquissant l'affreux geste d'un homme qui se noie.

— Si l'accusée est coupable de cela aussi, je suppose que vous désirez le savoir ?

Coniston se rassit et regarda Rathbone, l'air totalement abasourdi.

— Oui, Votre Honneur, dit-il à regret.

Rathbone attendit une seconde ou deux avant de poser sa première question.

— Vous avez été appelé pour mener l'enquête sur le décès du docteur Lambourn, est-ce exact ?

— Oui, monsieur.

Runcorn n'ajouta rien. La fin approchait et il n'avait pas le temps d'en dire plus que nécessaire.

— Vous avez examiné le corps et les environs ? poursuivit Rathbone.

— Oui, monsieur.

— Selon vous, le docteur Lambourn est-il allé à pied à l'endroit où vous l'avez trouvé, ou y a-t-il été porté d'une manière ou d'une autre ?

— Je peux vous affirmer qu'il n'y avait aucune trace sur le sol suggérant un moyen de transport, monsieur, déclara Runcorn avec fermeté. Ni marques de roues ni empreintes de sabots, seulement des traces de pas appartenant à plusieurs hommes et celles d'un chien correspondant à celui du promeneur qui a découvert le corps.

— En concluez-vous que le docteur Lambourn s'y est rendu à pied ?

— Oui, monsieur. Il était de taille et de corpulence moyennes. Il aurait été impossible à un homme seul de le porter, d'autant plus qu'il se trouvait loin du chemin – à une centaine de mètres environ – et que la pente était raide.

— Et s'il y avait eu deux hommes ?

Coniston roula les yeux avec exaspération, mais n'intervint pas.

— Je ne crois pas que ç'ait été le cas, monsieur. Deux hommes auraient laissé des marques sur l'herbe, et même sur le chemin. Il est malaisé de porter un poids mort. Il faut parfois aller de côté ou même à reculons. Le corps a tendance à vous échapper. Quiconque a jamais essayé le sait.

— Mais quelles empreintes y avait-il à côté du cadavre ? insista Rathbone.

Runcorn fronça les sourcils.

— Quelles empreintes claires ? Difficile à dire, monsieur. Trop de gens étaient passés là. L'homme qui l'a trouvé, les policiers, le médecin. Tous sont montés jusqu'à lui, naturellement, sans doute d'abord pour voir s'ils pouvaient l'aider. Cela aura brouillé les pistes. Personne ne pensait à mal, évidemment. On ne pouvait pas savoir que ç'aurait de l'importance.

— En effet, acquiesça Rathbone. Donc, il aurait pu aller là-bas à pied, soit seul, soit en compagnie de quelqu'un d'autre ?

— Oui, monsieur.

— Et avez-vous jamais récupéré le couteau avec lequel il s'était entaillé les poignets ?

Runcorn secoua la tête.

— Non, monsieur. J'ai bien cherché, et même jusqu'assez loin de là, au cas où il l'aurait lancé. Je ne sais pas à quelle distance on peut jeter un couteau après s'être tailladé les poignets. Ni d'ailleurs pourquoi on voudrait le faire.

— Moi non plus. Avez-vous trouvé un récipient qui aurait pu contenir de l'opium ? Ou une petite bouteille d'eau ?

— Non, monsieur. J'ai cherché cela aussi.

— Et une seringue ?

— Non, monsieur. Rien.

— Néanmoins, vous avez tout d'abord conclu qu'il s'agissait d'un suicide ?

— D'abord, oui, monsieur, admit Runcorn. Mais plus j'y songeais, plus j'étais troublé. Cependant, je n'ai rien pu faire avant que Mr. Monk vienne me voir au sujet d'un second décès qui était indéniablement un meurtre, et me demande d'enquêter de manière plus approfondie sur la mort du docteur Lambourn.

— On avait pourtant tenté de vous dissuader de le faire, n'est-ce pas ?

— Oui, monsieur. Malgré tout, j'ai enquêté durant mes heures de liberté. Je commençais à penser qu'il avait été assassiné. Je ne pouvais pas rester les bras ballants.

Coniston se leva brusquement.

— Oui, oui, se hâta de dire Pendock. Mr. Runcorn, je vous prie de ne pas nous donner les conclusions auxquelles vous êtes parvenu à moins d'avoir la preuve qu'elles sont exactes.

— Désolé, Votre Honneur, répondit Runcorn d'un ton contrit.

Il ne discuta pas, pourtant Rathbone comprit à son expression qu'il s'imposait un effort.

— Mr. Runcorn, y avait-il des traces de lutte sur le sol, ou sur la personne du docteur Lambourn ? demanda-t-il. Ses vêtements étaient-ils déchirés ou en désordre, par exemple ? Ses souliers étaient-ils sales ? Avait-il des égratignures ?

— Non, monsieur. Il semblait tout à fait paisible.

— Comme un homme qui s'est suicidé ?

— Oui, monsieur.

— Ou qui a été amené là, drogué à son insu ? suggéra Rathbone. Par une personne de confiance ? De sorte qu'il était insensible lorsque cette personne lui a tranché les poignets avec soin et l'a laissé se vider de son sang, seul dans la nuit ?

Le visage de Runcorn se crispa, comme s'il s'imaginait la tragédie.

— Oui, monsieur, dit-il tout bas, d'une voix un peu rauque. Exactement comme ça.

Coniston leva les yeux vers Pendock, mais cette fois garda le silence, avec une résignation morose.

— Merci, Mr. Runcorn, dit Rathbone courtoisement. Restez là, je vous prie, au cas où Mr. Coniston souhaiterait vous interroger.

Coniston s'avança vers la tribune.

— Mr. Runcorn, avez-vous vu le moindre indice suggérant que le docteur Lambourn était accompagné lorsqu'il est monté sur One Tree Hill en pleine nuit ?

— Il s'agit plutôt de ce que je n'ai pas vu. Pas de couteau pour se taillader les poignets, rien pour absorber l'opium.

— Mais vous en concluez qu'il connaissait ce mystérieux compagnon et qu'il avait confiance en lui ? insista Coniston.

— Oui, monsieur. Cela semble logique. Pourquoi monterait-on sur une colline en pleine nuit avec quelqu'un dont on se méfie ? De plus, il n'y avait aucun signe de lutte. N'importe qui se bat pour survivre.

— Certes, admit Coniston. Dans ce cas, il aurait pu s'agir d'une femme, de l'accusée, par exemple, sa... maîtresse, celle qu'il faisait passer pour son épouse dans la société ?

Il y eut des exclamations étouffées dans la galerie, et plusieurs jurés parurent atterrés. Deux ou trois levèrent les yeux vers le box où Dinah était assise, pâle comme un linge.

— C'est possible, admit Runcorn à mi-voix. Et ç'aurait pu être la femme qui était officiellement son épouse.

L'un des jurés lâcha un blasphème – et porta immédiatement la main devant sa bouche, les joues écarlates.

Pendock jeta un coup d'œil vers lui, mais ne dit rien.

— Merci, Mr. Runcorn, je crois que nous avons entendu assez de vos remarquables suppositions.

Coniston regagna sa place.

— Avez-vous d'autres questions, Sir Oliver ? demanda Pendock.

— Non, merci, Votre Honneur, répondit Rathbone. J'aimerais appeler à la barre le docteur Wembley, le médecin qui a examiné le corps du docteur Lambourn.

Wembley entra, prêta serment et fit face à Rathbone.

— Je serai très bref, docteur Wembley, commença ce dernier, encore debout au centre du demi-cercle, tous les regards fixés sur lui. Y avait-il des marques sur le corps de Joel Lambourn lorsque vous l'avez examiné sur One Tree Hill ou par la suite ?

— Outre les entailles qu'il avait aux poignets, vous voulez dire ? demanda Wembley. Non, aucune. C'était un homme en bonne santé, d'une cinquantaine d'années, bien nourri et parfaitement normal.

— Pourriez-vous dire si, oui ou non, il a été mêlé à une lutte quelconque immédiatement avant sa mort ? demanda Rathbone.

— Je suis sûr que non.

— Il ne présentait pas de contusions, marques de liens, abrasions suggérant qu'il avait été ligoté, frappé ou porté ? insista Rathbone.

Wembley parut incrédule.

— Rien du tout. Je ne vois pas ce qui a pu vous donner pareille idée.

— Je n'ai pas de telle idée, docteur, assura Rathbone. Je désirais seulement l'exclure. Je crois que le docteur Lambourn est monté sur One Tree Hill en compagnie de quelqu'un en qui il avait toute confiance. Il ne lui est jamais venu à l'esprit que cette personne puisse lui faire du mal.

Il esquissa un sourire morose.

— Je vous remercie, docteur Wembley. Je n'ai pas d'autres questions.

Cette fois, Coniston ne se donna pas la peine de procéder à un contre-interrogatoire. Son visage reflétait le soulagement qu'il éprouvait à voir Rathbone se prêter à un exercice aussi vain.

Monk arriva à l'Old Bailey bien après que l'audience eut repris. Il était sorti à l'aube pour enquêter aux abords de la jetée de Limehouse et le long de Narrow Street, posant les questions dont ils avaient décidé la veille au soir. Il apportait des réponses, obtenues parfois au prix d'une insistance à la limite de l'acceptable. Cependant, il y attachait foi, et le temps pressait.

Il traversait le vaste hall lorsqu'il reconnut devant lui les silhouettes de Barclay et d'Amity Herne. Ils se tenaient assez près l'un de l'autre, l'air tendu. Barclay faisait face à une porte sur le côté et semblait attendre quelqu'un. L'anxiété se lisait dans sa posture et sur ses traits, que Monk voyait de profil.

Amity était à demi tournée vers Monk, mais toute son attention était concentrée sur son mari. Elle lui parlait d'un ton pressant et – à en juger par son expression – avec un mélange de colère et de mépris.

Monk s'arrêta, feignant de fouiller dans ses poches, et les observa discrètement.

Amity prit Herne par le bras. Il se dégagea avec brusquerie, comme s'il se sentait souillé par son contact. Puis, avec un seul mot de congé, il s'éloigna d'un pas vif et disparut.

Elle resta immobile. Monk ne pouvait plus déchiffrer son expression à présent, mais la rigidité de sa pose, la raideur de ses épaules, parlaient d'elles-mêmes.

Il était sur le point de s'avancer à son tour lorsque la porte s'ouvrit, livrant passage à Sinden Bawtry. Aussitôt, Amity Herne pivota, le visage illuminé par la joie, les yeux brillants, un léger sourire sur les lèvres.

Pouvait-elle être aussi bonne actrice ? Ou Monk était-il témoin d'un moment d'abandon que personne n'était censé voir, surtout pas son mari ?

Bawtry s'approcha d'elle en souriant. Y avait-il plus de chaleur sur ses traits que ne l'exigeait la courtoisie, ou Monk se l'imaginait-il, à cause de l'ardeur soudaine qui animait Amity ? Bawtry la toucha, effleurant son bras de la main, mais avec tendresse, une complicité qui n'était pas due qu'aux bonnes manières. Son geste s'attarda. Le sourire d'Amity s'adoucit encore.

Puis ils se ressaisirent et l'instant passa. Il parla. Elle répondit, et la scène redevint conforme aux convenances.

Monk quitta l'endroit où il se tenait et se dirigea rapidement vers la salle de tribunal, où il savait qu'il serait sous peu appelé à la barre.

Rathbone fut soulagé quand Monk gravit les marches de la tribune et prêta serment de nouveau. Coniston était à bout de patience, et Pendock à bout de forces. Quant à lui, il devait capter l'imagination des jurés, les inciter très vite à le croire, à discerner une hypothèse totalement différente. Tout ce qu'il avait exigé de Pendock, tout ce qu'il pouvait ou voulait exiger, était un procès équitable.

— Mr. Monk, commença-t-il, d'une voix claire et précise, vous avez déjà relaté la découverte du corps horriblement mutilé de Zenia Gadney, mais je dois me pencher sur des détails sur lesquels je ne vous ai pas interrogé avant, car de nouvelles interprétations sont devenues possibles. Mrs. Gadney a été retrouvée de bonne heure le matin, exactement comme le docteur Lambourn. Pouvez-vous nous rappeler où, précisément ?

— Sur la jetée de Limehouse.

— Sur la jetée elle-même ?

— Oui.

— Est-ce un lieu où une prostituée irait exercer sa profession ?

— Non. On peut très facilement être vu du fleuve. De n'importe quel bateau qui passe, à moins qu'il ne soit à une certaine distance du rivage.

— Pourtant, le corps n'a pas été retrouvé avant votre arrivée, au lever du soleil ?

— Parce qu'il était étendu et inerte. Une personne debout, mobile, aurait été beaucoup plus visible.

Le visage de Monk se crispa.

— Elle aurait facilement pu être confondue avec un tas de haillons ou une vieille toile.

Rathbone sentit une légère nausée lui tordre l'estomac.

— Votre attention a été attirée par les cris d'une femme ?

— Oui.

— Qu'avez-vous fait, en bref, Mr. Monk ?

— Mr. Orme et moi avons dirigé notre barque sur la jetée. La femme hurlait parce qu'elle avait vu le cadavre qui s'est révélé être celui de Zenia Gadney, domiciliée à Copenhagen Place, à près de un kilomètre et demi de là.

— Celle-ci avait été assassinée ?

— Oui.

— Au cours de votre enquête, avez-vous découvert pourquoi elle était seule en pleine nuit dans un lieu pareil, au bord du fleuve ?

— Apparemment, elle aimait se promener par là, en plein jour.

Monk hésita un instant. Était-il tout aussi conscient que lui du risque qu'ils prenaient ?

— Elle a été vue avec une autre personne aux alentours du crépuscule, ajouta-t-il à mi-voix.

— Une autre personne ? Une femme ? demanda Rathbone, élevant le ton afin d'être entendu de tous.

— Oui, les témoins affirment qu'il s'agissait d'une femme. Ils ne la connaissaient pas et n'ont pas davantage été en mesure de fournir une description, hormis qu'elle était plus grande que Mrs. Gadney.

— Donnaient-elles l'impression de se connaître ? insista Rathbone.

— Oui, en effet, concéda Monk.

Il semblait tendu, inquiet. Rathbone se demanda à quel point il avait dû insister pour obtenir ce témoignage, mais il était convaincu que c'était la vérité.

— Donc, Mrs. Gadney est sortie en fin de soirée, en compagnie d'une personne en qui elle semblait avoir confiance, et elle a été retrouvée assassinée le lendemain matin ? Est-ce exact ?

— Oui.

— Seriez-vous surpris d'apprendre que le docteur Lambourn est sorti seul, après la tombée de la nuit, apparemment pour retrouver une personne de confiance, peut-être une femme, qui l'a accompagné sur One Tree Hill, où il a été drogué à l'opium et eu les poignets tranchés ? Lui aussi a été retrouvé le lendemain matin.

— Cela m'aurait surpris alors, répondit Monk. Mais plus maintenant.

— Auriez-vous remarqué cette similarité, si vous aviez enquêté différemment ?

Coniston se leva.

— C'est une question hypothétique, Votre Honneur, et la réponse ne peut avoir aucun sens.

— Je suis d'accord. Mr. Monk, vous ne répondrez pas.

Rathbone sourit. Sa remarque était destinée au jury, non à Monk, et tous le savaient, Pendock le premier.

— Merci, dit Rathbone à Monk. Je n'ai pas d'autres questions.

— Moi non plus, Votre Honneur, lança Coniston. Il n'y a là aucun élément nouveau.

Rathbone demanda une brève suspension d'audience et l'obtint.

Il retrouva Monk qui l'attendait dans le hall.

— Merci, dit Rathbone très vite.

— Vous êtes sûr de savoir ce que vous faites ? demanda Monk avec inquiétude, réglant son allure sur la sienne alors qu'ils se dirigeaient vers le bureau de Rathbone.

— Non, avoua ce dernier. Je vous l'ai dit hier soir.

Ils entrèrent, refermant la porte derrière eux.

— J'ai rendez-vous avec Bawtry dans un instant. Êtes-vous prêt ?

— Il faut que je vous parle d'abord, intervint Monk rapidement. Je l'ai vu dans le hall au moment où j'arrivais.

Il décrivit en quelques mots la querelle qui avait opposé Amity et Herne, puis le changement total qui s'était opéré chez elle à l'apparition de Bawtry.

504

— Intéressant, commenta Rathbone, songeur. Très intéressant. Peut-être devrais-je réviser certaines de mes idées. Merci.

Avant que Monk ait pu répondre, on frappa à la porte et l'huissier annonça à Rathbone que Mr. Sinden Bawtry était là.

Rathbone jeta un coup d'œil en direction de Monk, puis se tourna vers l'huissier.

— Faites-le entrer, je vous prie, et veillez à ce que nous ne soyons pas dérangés.

Bawtry apparut. Il ne paraissait que légèrement soucieux. Il échangea une poignée de main avec chacun des deux hommes et accepta le siège que Rathbone lui offrait.

— Que puis-je pour vous, Sir Oliver ?

Rathbone avait passé la moitié de la nuit éveillé, à réfléchir à ce moment précis. Il avait tout à gagner, ou à perdre, au cours des quelques minutes à venir.

— J'aimerais solliciter un conseil, Mr. Bawtry, déclara-t-il, aussi calmement qu'il en était capable. Je suis sûr que vous voudriez voir ce procès terminé aussi vite que possible, comme nous tous, mais que justice soit complètement rendue.

— Naturellement. En quoi puis-je vous conseiller ? Je connaissais Lambourn, évidemment, mais pas sa femme.

Il eut une légère grimace.

— Pardon, peut-être est-ce incorrect, strictement parlant. Je veux dire Dinah Lambourn, que je pensais être son épouse. Quant à Zenia Gadney, je n'avais jamais entendu parler d'elle avant sa mort tragique. Que désirez-vous savoir ?

— J'avais supposé que tel était le cas, répondit Rathbone avec l'ombre d'un sourire.

Il devait jauger la situation parfaitement. Bawtry était un homme brillant, une étoile en pleine ascension, en qui certains voyaient déjà un Premier ministre potentiel. Issu d'un milieu aisé, il avait jusque-là accompli un parcours sans faute, et était en train d'acquérir une formidable réputation d'homme politique. Le moment venu, il ferait sans aucun doute un beau mariage. Sa fortune lui permettrait d'épouser une femme dotée de grâce, d'esprit et de charme, voire de beauté, qui, tout en étant pour lui une source de plaisir personnel, l'aiderait à réaliser ses ambitions sociales. Le sous-estimer aurait été une erreur. Face à son regard intelligent, direct, Rathbone en avait une conscience aiguë.

— Dans ce cas, comment puis-je vous aider ? l'encouragea Bawtry.

— Avez-vous vu personnellement le rapport rédigé par Lambourn, monsieur ? demanda Rathbone d'un ton dégagé, s'efforçant de maîtriser le tremblement de sa voix. Ou avez-vous cru Herne sur parole lorsqu'il a affirmé qu'il était inacceptable ?

Bawtry parut quelque peu décontenancé, comme s'il n'avait jamais envisagé cette question.

— À vrai dire, je n'en ai lu qu'une très petite partie, avoua-t-il. Il m'en a montré quelques pages, et elles semblaient bel et bien… désorganisées, des conclusions tirées sans preuves suffisantes. Il m'a affirmé que le reste était encore pire. Puisqu'il s'agissait de son beau-frère, il souhaitait naturellement l'empêcher de se ridiculiser. Il a voulu détruire le rapport sans que ses autres faiblesses soient mises au jour. Je l'ai compris, et franchement, j'ai trouvé cela admirable de sa part, qu'il ait agi par égard pour son épouse ou pour Lambourn.

— Mais vous n'avez jamais vu le reste ? insista Rathbone.

— Non. Non, en effet.

Bawtry le dévisagea.

— Où voulez-vous en venir ? Vous ne me poseriez pas cette question à moins de croire qu'elle a son importance.

Une ébauche de sourire se dessina sur ses lèvres.

— Herne n'a pas tué Lambourn, si c'est ce que vous avez à l'esprit. Il était indéniablement présent au dîner qui a eu lieu à l'Atheneum. Je le sais sans l'ombre d'un doute. Je pourrais nommer au moins vingt membres qui y assistaient également et seraient à même d'en jurer.

Rathbone parut désolé.

— Je le sais, Mr. Bawtry. Mr. Monk s'en est déjà assuré.

Le regard de Bawtry alla de l'un à l'autre.

— Dans ce cas, je ne comprends pas le sens de votre question. Je n'ai lu que quelques pages du rapport de Lambourn. Incidemment, je crois qu'il avait raison sur les faits. L'usage de l'opium doit être réglementé, et la vente des médicaments opiacés restreinte à ceux qui ont un minimum de connaissances médicales ou pharmaceutiques. Ce ne sont pas ses conclusions qui ont été mises en doute, mais la qualité de ses recherches et la manière dont il les a présentées. Il a laissé sa colère et sa pitié l'emporter sur son objectivité. Dans un débat sur le projet de loi, cela aurait fourni des armes à ses opposants, qui sont nombreux et puissants.

— Nous ne pensons pas que le docteur Lambourn ait été assassiné pour cela.

Rathbone s'éclaircit la voix. Il se rendit compte avec surprise que ses mains – qu'il gardait prudemment hors de vue, le long de son corps – étaient si crispées qu'elles lui faisaient mal.

Bawtry fronça les sourcils.

— Dans ce cas, de quoi s'agit-il ? Et pourquoi vous intéressez-vous à ce rapport, et à Herne ?

— Si nous pouvons avoir la certitude que le rapport en question n'est pas en cause, répondit Rathbone, avant de se racler la gorge une fois de plus, cela prouve qu'il n'a été qu'un prétexte visant à retarder l'enquête. Nous croyons qu'au cours de ses recherches Lambourn a découvert d'autres informations, sur lesquelles il n'a pu fermer les yeux : la vente d'opium pur, injecté directement dans le sang au moyen de seringues et d'aiguilles. La dépendance à l'opium absorbé ainsi est abominable et fatale. C'est parce qu'il a tenté de rendre cela illégal qu'il a été assassiné, et Zenia Gadney aussi.

Bawtry avait pâli et écarquillait les yeux.

— C'est affreux ! Épouvantable !

Il changea de position sur sa chaise, se pencha légèrement en avant comme s'il ne pouvait plus se détendre.

— Êtes-vous en train de suggérer que Herne pourrait être impliqué là-dedans ? Comment ? Et pour l'amour du ciel…

Sa voix s'éteignit.

— Qu'y a-t-il ? demanda Rathbone d'un ton pressant.

Bawtry s'humecta les lèvres, hésitant.

— Qu'y a-t-il ? répéta Rathbone, plus sèchement.

Son interlocuteur releva la tête.

— J'ai remarqué chez Herne un comportement assez instable, avoua-t-il à voix basse. Tantôt il déborde d'idées et d'énergie, tantôt il semble nerveux, incapable de se concentrer, la peau moite. Est-il… est-il possible… ?

Il n'acheva pas sa question, mais ce n'était pas nécessaire. Tous avaient parfaitement compris où il voulait en venir.

Rathbone soutint son regard.

— Vous croyez qu'il s'adonne à l'opium et qu'il le vend, ou qu'il est à la solde de celui qui le fait ?

Bawtry avait l'air accablé.

— Il m'est très pénible de le penser, mais je suppose que n'importe qui peut devenir une victime. Est-ce possible ?

Son expression révélait qu'il connaissait déjà la réponse à sa question.

— Qu'il ait payé quelqu'un d'autre pour assassiner Lambourn ? demanda Rathbone. Quelqu'un qui pouvait s'en charger discrètement, facilement, donner l'impression qu'il s'agissait d'un suicide, et qui ne serait jamais soupçonné. Oui, bien sûr.

Bawtry était aussi tendu que lui, à présent. Rathbone se sentit soudain submergé de reconnaissance pour la présence de Monk. Il avait voulu qu'il soit là comme témoin, mais, maintenant, il avait également besoin de lui pour sa sécurité physique.

— Payé quelqu'un ? répéta Bawtry, affectant la perplexité, plutôt que le doute. Qui ? Avez-vous découvert des éléments totalement nouveaux ? Je viens d'arriver au tribunal.

— Une femme, déclara Rathbone. La personne évidente, la plus logique, serait Zenia Gadney.

— Gadney ? s'écria Bawtry, incrédule. D'après tout ce que j'ai entendu dire, c'était une femme menue, d'âge moyen et très ordinaire, sans rien de remarquable. Elle semble avoir été une victime, un pion dans cette affaire.

Il fronça les sourcils.

— Voulez-vous dire qu'elle était en réalité cupide, désespérée, et assez passionnée pour assassiner son mari, alors qu'il la soutenait financièrement et avec une certaine gentillesse, depuis quinze ans ? Vous devez avoir des preuves irréfutables ! C'est... franchement ridicule.

— Il y a des preuves, affirma Rathbone, choisissant ses mots avec soin. Elles ne sont pas irréfutables, mais plus j'y réfléchis, plus cette théorie me semble plausible. Réfléchissez-y : Herne avait désespérément besoin de réduire Lambourn au silence, et même de le discréditer une fois pour toutes. Il n'osait pas tuer le médecin de ses propres mains. D'ailleurs, Lambourn avait peut-être conscience du danger et aurait veillé à ne pas se retrouver seul avec lui. Et bien sûr, Herne devait se mettre à l'abri de tout soupçon.

— Je vois, observa Bawtry prudemment.

— Par conséquent, il promet de verser à Zenia Gadney une somme qui, bien que modeste pour lui, aurait été une fortune pour elle.

— Mais… un meurtre ? objecta Bawtry, encore loin d'être convaincu.

— Un meurtre en douceur, expliqua Rathbone. Elle demande à Lambourn de la rencontrer seul, à l'insu de Dinah. Il y a une foule de raisons qui pourraient expliquer pareil rendez-vous. Elle se munit d'un couteau, ou d'une lame quelconque, d'un rasoir, peut-être. Et bien entendu, elle emporte une solution d'opium, dissimulée dans un produit goûteux. À moins que Herne ne lui ait fourni une seringue.

Bawtry acquiesça, comme s'il commençait à le croire.

— Elle lui donne rendez-vous dans un endroit approprié, sans doute dans le parc, poursuivit Rathbone. Ils gravissent ensemble One Tree Hill. Du sommet, on a une belle vue sur la Tamise. Elle lui propose un verre. Ils viennent de monter la côte et il accepte avec plaisir. Très vite, il devient somnolent et ils s'assoient. Il perd connaissance. Elle lui tranche les poignets et le laisse se vider de son sang. Elle emporte le couteau ou le rasoir, ainsi que le récipient qui contenait l'opium, de crainte qu'ils ne permettent de remonter jusqu'à elle.

Bawtry eut un léger frisson.

— Vous dépeignez une scène terrible, Sir Oliver, et cependant crédible. Mais vous n'allez tout de même pas suggérer qu'elle s'est suicidée ? En dépit des remords qu'elle a pu éprouver par la suite, il est impossible qu'elle se soit infligé de telles mutilations, n'est-ce pas ?

— Évidemment, admit Rathbone. D'ailleurs, le médecin est d'avis qu'elle était déjà morte quand elles ont été faites, Dieu merci. Non, je pense qu'elle a peut-être essayé de faire chanter Herne pour obtenir plus d'argent et qu'il s'est rendu compte qu'il devait la tuer, non seulement pour des raisons financières mais parce que, s'il n'en faisait rien, il ne serait jamais à l'abri. Il est possible qu'il en ait eu l'intention dès le départ.

Les lèvres de Bawtry formaient un trait mince, mais il esquissa un hochement de tête.

— C'est monstrueux, cependant j'admets que c'est possible. Que désirez-vous de moi ?

— Savez-vous quoi que ce soit de nature à prouver que cette hypothèse est erronée ? demanda Rathbone. Concernant Lambourn ou, plus probablement, Barclay Herne ?

Bawtry demeura un long moment silencieux, intensément concentré. Enfin, il leva les yeux vers Monk, puis vers Rathbone.

— Non, Sir Oliver, je ne vois rien. J'ignore si votre théorie est correcte, mais rien à ma connaissance ne la rend impossible. Vous avez soulevé un doute plus que raisonnable quant à la culpabilité de Dinah Lambourn. Je crois que les jurés et le juge seront obligés de vous l'accorder.

Enfin, Rathbone sentit le soulagement l'envahir.

— Merci, Mr. Bawtry. Je vous suis extrêmement reconnaissant de nous avoir consacré ces quelques instants.

Bawtry inclina la tête, se leva et sortit.

Monk regarda Rathbone.

— Prêt pour la phase suivante ? demanda-t-il doucement.

Rathbone prit une profonde inspiration.

— Oui.

Lorsque l'audience reprit en début d'après-midi, Rathbone appela son dernier témoin, Amity Herne. Elle vint à la barre avec une dignité et un calme remarquables. Elle portait une élégante robe sombre, dans les tons lie-de-vin. La couleur lui allait bien, offrant un contraste frappant avec ses cheveux blonds et sa peau claire. Elle déclina son identité, comme la première fois, et prêta serment.

Rathbone s'excusa de devoir l'interroger de nouveau. Coniston fit objection, mais Pendock passa outre, indiquant à Rathbone de poursuivre.

— Merci, Votre Honneur.

Il se tourna vers Amity.

— Mrs. Herne, vous avez déclaré plus tôt que votre frère et vous ne vous étiez guère connus étant jeunes, car vous viviez assez loin l'un de l'autre. Est-ce exact ?

— Oui, je le crains, dit-elle calmement.

— Cependant, au cours de ces dix dernières années, vous avez l'un et l'autre vécu à Londres, et par conséquent, vous avez pu vous fréquenter plus régulièrement ?

— Oui. Une fois par mois, peut-être.

— Vous étiez bien sûr au courant de son mariage avec Zenia Gadney ?

— Oui. Je l'ai déjà dit. J'étais discrète à ce sujet pour des raisons qui doivent vous paraître évidentes.

— Naturellement. Mais vous saviez que Dinah Lambourn était également au courant ? demanda-t-il, s'obligeant à la courtoisie, voire à la douceur.

— Oui. Je l'ai déjà dit aussi.

— Votre frère connaissait l'adresse de Zenia ?

— Bien entendu.

Elle paraissait perplexe, vaguement irritée.

Rathbone sourit.

— Vous l'a-t-il jamais révélée ?

Elle hésita.

— Pas… pas précisément, autant que je m'en souvienne.

— Pas même en termes vagues ? Par exemple, qu'elle vivait dans le quartier de Limehouse ?

— Je…

Elle eut un léger haussement d'épaules.

— Je n'en suis pas sûre.

— Je vous pose la question parce qu'il semble que Dinah ait été suffisamment informée pour se renseigner sur elle à Copenhagen Place. Elle n'a pas erré dans tout Londres pour la trouver, au contraire elle s'est rendue presque immédiatement dans la bonne rue.

— Joel a dû lui en parler, répondit Amity. Il semble que vous ayez répondu à votre propre question, monsieur.

— Apparemment, il ne faisait pas mystère de l'adresse de Zenia, continua Rathbone. Êtes-vous certaine que vous l'ignoriez ? Et votre mari ? Est-il possible que votre frère se soit confié à votre mari, au cas où il lui arriverait quelque chose, et qu'il aurait besoin de quelqu'un sur qui compter pour prendre soin de Zenia à sa place ?

Elle prit une brusque inspiration, comme si une terrible pensée venait de lui traverser l'esprit. Elle regarda Rathbone avec horreur.

— Il… c'est possible.

Elle s'humecta les lèvres, les mains crispées sur la barre.

Dans la salle, la tension imprégnait l'air comme avant un orage. Chacun des jurés regardait fixement Amity.

— Il dînait à l'Atheneum la nuit où votre frère a été tué ?

— Oui. Oui, beaucoup de convives peuvent en témoigner, ajouta-t-elle, d'une voix un peu rauque.

— En effet. Et le soir où Zenia Gadney a été assassinée ?

— Je…

Elle se mordit la lèvre. Elle tremblait à présent, mais elle ne détourna pas les yeux, ne fût-ce qu'un instant.

— Je n'en ai aucune idée. Il n'était pas à la maison, c'est tout ce que je peux dire.

Une soudaine agitation traversa la salle. Dans la galerie, des gens toussèrent, changèrent de place, se penchant vers la gauche ou la droite afin de mieux voir le témoin. Les jurés paraissaient fébriles. L'un d'eux tira un mouchoir de sa poche et se moucha.

Coniston dévisageait Rathbone comme s'il s'était brutalement métamorphosé sous ses yeux.

— Vous ne savez pas où il était, Mrs. Herne ? répéta Rathbone.

— Non…

Sa voix frémit. Elle porta la main à sa bouche. Elle déglutit, posant sur Rathbone un regard presque désespéré.

— Mrs. Herne…

— Non !

Elle avait haussé le ton et agitait la main avec violence en signe de refus.

— Non. Vous ne pouvez me forcer à en dire davantage. C'est mon mari.

Elle se tourna vers Pendock.

— Votre Honneur, il ne peut pas m'obliger à parler contre mon mari, n'est-ce pas ?

C'était le cri désespéré d'une épouse qui défendait l'homme à qui elle avait donné sa vie et sa loyauté, et c'était aussi une condamnation.

Rathbone regarda les jurés, figés par l'horreur et une prise de conscience soudaine, consternante. Il n'y avait plus de doute en eux, seulement le choc.

Dans la galerie, Barclay Herne, les yeux tels deux trous noirs dans un visage de cendre, essayait de parler sans y parvenir.

Autour de lui, les gens s'écartaient, attrapant leur manteau et faisant mine de le serrer contre eux, au cas où un simple contact suffirait à les contaminer.

Pendock exigea le silence, d'une voix qui se brisait un peu.

Herne bondit sur ses pieds, le regard affolé, cherchant de l'aide.

— Bawtry ! cria-t-il avec désespoir. Pour l'amour du ciel !

Derrière lui, face au juge et à la tribune des témoins, Bawtry se leva à son tour, secouant la tête comme s'il venait de comprendre l'affreuse vérité.

— Je ne peux rien faire pour vous, dit-il d'un ton parfaitement normal, mais que le silence soudain dans la salle rendit audible.

Tous les regards étaient braqués sur eux. Personne ne perdait une miette de l'échange. Soudain, les portes s'ouvrirent à la volée, et Hester Monk s'engouffra à l'intérieur, la silhouette décharnée d'Alvar Doulting un pas derrière elle.

Sinden Bawtry se retourna, son attention attirée par le bruit.

Doulting le fixa. À demi soutenu par Hester, il leva gauchement le bras pour le pointer vers ce dernier.

— C'est lui !

Il respirait avec difficulté, le corps agité de tremblements, sur le point de s'effondrer.

— C'est l'homme qui m'a vendu l'opium et les seringues, à moi et à Dieu sait combien d'autres ! J'ai vu mourir trop d'entre eux. J'en ai enterré certains dans des fosses communes. Je connaîtrai le même sort bientôt.

La foule explosa, donnant enfin libre cours à la terreur et à la fureur réprimées, et les gens se mirent debout en vociférant.

— Silence ! cria Pendock en se levant lui aussi, le visage cramoisi.

Nul ne prêta attention à lui. Les huissiers tentèrent de se frayer un chemin dans le public pour venir à l'aide de Bawtry, ou tout au moins s'assurer qu'il n'était pas piétiné.

Impuissante, le visage ravagé par l'angoisse, Amity Herne lâcha le nom de Bawtry dans un hurlement de désespoir, qu'on entendit à peine par-dessus le vacarme et qui fut ignoré.

Coniston ressemblait à un enfant perdu qui cherche son chemin, un repère familier auquel s'accrocher.

Pendock réclamait toujours le silence. Peu à peu, le brouhaha s'apaisa. Des huissiers avaient fait sortir Bawtry et montaient la garde devant les portes. Hester aida Doulting à s'asseoir au fond de la salle. Les gens firent de la place pour lui mais s'écartèrent, comme si son enfer personnel était contagieux.

Enfin, ayant rétabli un semblant d'ordre, Pendock reprit la parole.

— Sir Oliver ! lança-t-il d'un ton féroce. Avez-vous orchestré ce chaos ? Avez-vous fait en sorte que cette épouvantable scène se déroule ?

— Non, Votre Honneur. J'ignorais totalement que le docteur Doulting connaissait de vue l'homme qui avait creusé sa tombe, pour ainsi dire.

Ce n'était pas tout à fait la vérité. Lorsqu'il en avait discuté avec Hester, il s'était attendu à voir Barclay Herne dénoncé, à la fois en tant que vendeur et en tant qu'opiomane.

Pendock fit mine de poursuivre, puis se ravisa.

— Avez-vous d'autres questions à poser à Mrs. Herne ? demanda-t-il finalement.

— Oui, Votre Honneur, s'il vous plaît, répondit Rathbone humblement.

— Continuez.

Il avait à peine levé la main, mais on ne pouvait se méprendre sur son geste.

— Merci, Votre Honneur.

Rathbone se tourna vers Amity. On aurait dit qu'elle venait d'apprendre la nouvelle de sa propre mort. Les yeux vagues, elle semblait devenue aveugle.

Tout dépendait de lui à présent. Il devait exposer clairement les faits au jury. Le verdict qu'il recherchait n'était plus l'acquittement pour doute raisonnable, mais un « non coupable » clair et net. Le sort de Bawtry serait réglé par une autre juridiction, et peut-être seulement par l'opinion publique. En revanche, la vie de Dinah Lambourn et la réputation de Joel Lambourn étaient la responsabilité de Rathbone. Peut-être obtiendrait-il aussi justice pour Zenia Gadney.

— Mrs. Herne, commença-t-il.

Un silence absolu pesait sur la salle.

— Mrs. Herne, nombre d'éléments laissent à penser que votre frère, Joel Lambourn, a été assassiné par une femme en qui il avait confiance, qui lui avait donné rendez-vous le soir de sa mort. Ils sont allés ensemble dans Greenwich Park, car il ne se doutait de rien. Ils se sont arrêtés sur One Tree Hill. Il est possible qu'elle soit parvenue à lui injecter de l'opium au moyen d'une aiguille, mais plus probable qu'elle lui a offert une boisson, qu'elle a feint de prendre aussi. Ce breuvage contenait une forte dose d'opium. Il a sombré très vite dans l'inconscience. Ensuite, elle lui a sectionné les veines des poignets à l'aide d'une lame qu'elle avait apportée, et l'a laissé mourir seul dans le noir.

Amity chancela dans la tribune, se cramponnant à la barre pour ne pas tomber.

— Il a été suggéré que cette femme était sa première épouse, la seule devant la loi, Zenia Gadney, reprit Rathbone. Et qu'elle l'avait fait parce qu'elle avait été payée par votre mari.

— Je sais, souffla Amity.

Coniston se leva à demi, puis se rassit, tout pâle, les yeux écarquillés.

— Pourquoi votre mari aurait-il fait une chose pareille ?

Amity ne répondit pas.

— Pour protéger son supérieur, Sinden Bawtry, répondit Rathbone à sa place. Et naturellement, son propre approvisionnement en opium. Il en est dépendant, n'est-ce pas ?

Elle hocha légèrement la tête sans répondre.

— Exactement, acquiesça Rathbone. Je n'ai aucun mal à croire que Bawtry ait exigé cela de lui. Cependant, si votre mari est un homme faible et ambitieux, ce n'est pas un meurtrier. Il n'a tué ni votre frère ni Zenia Gadney.

De nouveau, des cris s'élevèrent dans la galerie, et Pendock ne rétablit l'ordre qu'avec difficulté.

— C'est bien une femme qui a tué le docteur Lambourn, répéta Rathbone dès que le bruit eut diminué. Mais ce n'était pas cette pauvre Zenia. C'était vous, Mrs. Herne, parce que Bawtry avait demandé à votre mari de le faire et qu'il n'en avait pas le courage. Vous, si. De fait, vous auriez été prête à faire n'importe quoi pour votre amant, Sinden Bawtry !

Une fois de plus, sa voix fut noyée dans un concert d'exclamations, de cris et de quolibets.

Pendock abattit son marteau sur la table.

— Pas de chahut, sinon je fais évacuer la salle ! rugit-il.

Le silence revint au bout de quelques secondes.

— Merci, Votre Honneur, dit Rathbone poliment, avant de se retourner vers Amity. Dinah ne voulait pas laisser les gens croire que Joel s'était suicidé. Elle refusait de lâcher prise, et vous ne pouviez le tolérer. À force de persister, elle aurait fini par se faire entendre. Votre mari aurait sombré dans le désespoir, voire songé au suicide. Peut-être cela vous était-il indifférent ? Peut-être aurait-ce même été un avantage à vos yeux ? Mais privé de la fortune qu'il dépense sans compter pour sa carrière et ses actes de philanthropie, Sinden Bawtry aurait été un homme fini. Et en continuant à vendre de l'opium, il serait devenu un criminel devant la loi, et aurait terminé ses jours en prison. Et cela, vous étiez prête à tout pour l'empêcher.

Il s'arrêta pour reprendre haleine.

— J'ignore si Dinah l'a en partie deviné, enchaîna-t-il. J'en doute. Elle croyait simplement en son mari et elle était convaincue qu'il ne se serait pas donné la mort. Et, bien sûr, elle savait qu'elle n'avait pas tué Zenia. Je crois que c'est vous, Mrs. Herne, qui vous êtes fait passer pour Dinah dans les commerces de Copenhagen Place dans le but de causer une scène dont les gens se souviendraient. Vous saviez parfaitement où vivait Zenia, vous la connaissiez. Elle avait confiance en vous et n'a pas hésité à vous retrouver le soir de sa mort, tout comme Joel le soir de la sienne.

Le public était immobile à présent. Personne ne l'interrompait, même par un soupir ou un cri étouffé.

— Vous êtes allées à pied jusqu'au bord de la Tamise. Peut-être vous êtes-vous tenues ensemble sur la jetée et avez-vous regardé le coucher de soleil sur l'eau, ainsi qu'elle aimait à le faire. Puis vous l'avez frappée si fort qu'elle s'est effondrée. Sans doute était-elle morte avant même de heurter le sol.

« Ensuite, dans l'obscurité, vous l'avez éventrée, peut-être avec la lame dont vous vous étiez servie pour entailler les poignets de votre frère. Vous avez sorti ses viscères et vous les avez déposés en travers de son corps et sur le sol, afin que le crime soit aussi monstrueux que possible, en sachant que les journaux en feraient leurs gros titres.

« L'opinion publique n'aurait jamais permis à la police de laisser un tel crime irrésolu. Elle finirait par trouver les indices que vous aviez laissés pour mener à Dinah, et celle-ci serait enfin réduite au silence. Personne ne croirait à ses protestations d'innocence. Elle était à moitié folle de chagrin tandis que vous étiez raisonnable et sensée, votre réputation sans tache. À en croire les apparences, elle n'était après tout que la maîtresse d'un bigame.

Il la considéra avec une révulsion mêlée de crainte.

— Vous avez bien failli réussir. Ayant servi votre cause, Zenia serait restée dans les mémoires comme la victime d'un crime atroce motivé par la vengeance. Joel aurait été déshonoré et Dinah pendue pour avoir commis un des meurtres les plus monstrueux de notre époque. Quant à vous, vous auriez été libre de poursuivre votre liaison avec l'homme riche, célèbre et séduisant dont vous vous êtes entichée, voire de l'épouser lorsqu'un abus d'opium aurait tragiquement mis fin aux jours de votre mari. Sinden Bawtry vous aurait été redevable d'avoir échappé au déshonneur et à la honte.

Il prit une profonde inspiration.

— Sauf que, bien sûr, il ne vous aime pas. Il s'est servi de vous, exactement comme vous de Zenia Gadney, et de Dieu sait qui d'autre. Au bout d'un certain temps, il vous aurait sûrement éliminée aussi. Vous auriez eu trop de prise sur lui, et il se serait lassé de votre adoration dès qu'elle aurait cessé de lui être utile. Il devient ennuyeux d'être adoré. Nous n'accordons aucune valeur à ce qui nous est donné pour rien.

Elle tenta de parler, mais aucun son ne sortit de ses lèvres.

— Vous n'avez rien à dire pour votre défense ? demanda Rathbone aussitôt. Plus de mensonges ? Je pourrais avoir pitié de vous, mais je ne saurais me le permettre. Vous n'avez eu de pitié pour personne.

Il leva les yeux vers Pendock.

— Merci, Votre Honneur. Je n'ai plus de témoins. La défense n'a rien à ajouter.

Coniston ne dit rien. Il semblait avoir perdu l'usage de la parole.

Les jurés se retirèrent pour délibérer et revinrent en l'espace de quelques minutes.

— Non coupable, déclara avec assurance le président du jury.

Il alla même jusqu'à lever les yeux vers Dinah dans le box des accusés et sourit, le visage empreint d'une douceur exprimant à la fois la compassion et le soulagement, voire une certaine admiration.

Rathbone avait demandé à Pendock la permission de le voir dans son bureau, en tête à tête, et il sortit de la salle avant que quiconque ait pu exiger son attention. Il ne regarda même pas Hester, Monk et Runcorn, qui tous trois l'attendaient.

Il trouva Pendock seul, blanc comme un linge.

— Et maintenant ? demanda ce dernier d'une voix rauque, qui tremblait malgré l'effort visible qu'il faisait pour se maîtriser.

— J'ai un objet qui vous appartient, répondit Rathbone. Je ne désire pas le porter sur moi, mais si vous venez chez moi à votre convenance, vous pourrez en faire ce qu'il vous plaira. Je suggérerais de l'acide pour l'original, et un feu pour les copies, qui ne sont que du papier. Je… je regrette d'avoir dû m'en servir pour obtenir justice.

— Je regrette que vous ayez été obligé de le faire, répliqua Pendock. Vous n'avez pas créé la vérité, vous l'avez seulement utilisée. Je vais me retirer de la magistrature. J'imagine qu'après cette victoire on vous offrira peut-être un poste de juge. Pour des raisons évidentes, je ne mentionnerai jamais notre arrangement. Libre à vous de me croire ou non, mais je pensais sincèrement servir mon pays en essayant de vous empêcher d'inquiéter le public. Pour moi, Lambourn était un irresponsable qui désirait limiter la liberté des gens ordinaires, peut-être dans le but de concentrer la vente de l'opium entre les mains d'une minorité, dont on m'a laissé entendre qu'il faisait partie. Que Dieu me pardonne.

— Je sais, répondit Rathbone doucement. C'était très crédible. L'abus d'opium et les crimes qui y sont liés sont abominables. Alvar Doulting n'est que l'une de ses victimes, Joel Lambourn une autre, Zenia Gadney une troisième. Nous devons devenir beaucoup plus avisés dans le traitement de la douleur, quelle qu'elle soit. Si nous ignorons cet avertissement, nous nous mettrons en péril.

— Vous ferez un bon juge, déclara Pendock en se mordant la lèvre, le visage pâle et crispé par le regret.

— Peut-être, répondit Rathbone. J'imagine que c'est beaucoup plus difficile que pour nous dans la salle, qui n'avons pas à décider de quel côté nous sommes.

— En effet. J'ai lutté toute ma vie pour être loyal à mes convictions. J'en suis sûr dans ma tête, c'est mon cœur qui gâche tout.

Rathbone songea à Margaret.

— C'est toujours le cas. Il serait plus facile de ne pas aimer.

— Et de devenir un mort vivant ? Est-ce cela que vous voulez ? demanda Pendock.

— Non, répondit Rathbone sans l'ombre d'une hésitation. Non. Bonne chance, monsieur.

Il sortit sans se retourner, laissant Pendock à ses réflexions.

Dans le hall, il faillit entrer en collision avec Monk.

Celui-ci le regarda avec une immense sollicitude.

Rathbone aurait voulu affecter l'indifférence, mais l'affection qu'il voyait dans les yeux de Monk lui rendit la tâche impossible. Il resta immobile, attendant que celui-ci parle le premier.

— Vous les avez utilisées, n'est-ce pas ? Les photographies de Ballinger.

Rathbone éprouva la tentation de nier, mais rejeta cette possibilité.

— Oui. L'enjeu était trop important, trop monstrueux pour que je ne songe qu'à ma tranquillité
d'esprit.

Il fixa Monk avec intensité, redoutant sa réaction.

Monk sourit.

— L'on garde toujours un poids sur la conscience, murmura-t-il. Mais j'aurais agi comme vous,
je crois.

Du même auteur
aux Éditions 10/18

10/18, une marque d'Univers Poche,
est un éditeur qui s'engage pour
la préservation de son environnement
et qui utilise du papier fabriqué à partir
de bois provenant de forêts gérées
de manière responsable.

Impression réalisée par

La Flèche (Sarthe), 69786
Dépôt légal : septembre 2012
X05401/01

Imprimé en France